D1259782

La solución autoinmune

AMY MYERS, M.D.

LA SOLUCIÓN AUTOINMUNE

Prevenir e invertir el espectro
de síntomas inflamatorios
y enfermedades autoinmunes

Traducción de M.ª Carmen Escudero

MADRID · MÉXICO · BUENOS AIRES · SAN JUAN · SANTIAGO

2016

© 2015, *The Autoimmune Solution*, por Amy Myers, M.D., publicado por Harper One, una división de Harper Collins Publishers, New York.
© 2015. De esta edición, Editorial EDAF, S. L. U. Jorge Juan, 68. 28009 Madrid, por acuerdo con Agencia Literaria Carmen Balcells, S. A. Diagonal, 580, 08021 Barcelona, España.
© 2015. De la traducción: M.ª Carmen Escudero

Diseño de cubierta: adaptado por Gerardo Domínguez con el diseño de Terry McGrath
Ilustraciones de interior: Ali Fine

Editorial Edaf, S.L.U.
Jorge Juan, 68
28009 Madrid, España
Tel. (34) 91 435 82 60
www.edaf.net
edaf@edaf.net

Ediciones Algaba, S. A. de C.V.
Calle 21, Poniente 3323, entre la 33 sur y la 35 sur - Colonia Belisario Domínguez
Puebla 72180 México
Tel.: 52 22 22 11 13 87
jaime.breton@edaf.com.mx

Edaf del Plata, S. A.
Chile, 2222
1227 Buenos Aires (Argentina)
edaf4@speedy.com.ar

Edaf Antillas/Forsa
Local 30, A-2 - Zona Portuaria Puerto Nuevo
San Juan PR00920
(787) 707-1792
carlos@forsapr.com

Edaf Chile, S. A.
Coyancura, 2270, oficina 914, Providencia
Santiago - Chile
comercialedafchile@edafchile.cl

ISBN: 978-84-414-3602-2
Depósito legal: M-35119-2015

PRINTED IN SPAIN   IMPRESO EN ESPAÑA
COFÁS, S. A. - Móstoles (Madrid)

A PAPÁ

y

a quienes padecen enfermedades autoinmunes.
Podrán hallar una nueva vía que les ofrezca
una solución en las páginas de este libro.

Índice

Parte IV. Vivir la solución

Parte I

La epidemia autoinmune

CAPÍTULO 1

Mi viaje autoinmune...
y el suyo

HACE UNOS DIEZ AÑOS desarrollé una enfermedad autoinmune y la medicina convencional me falló. Ahora, no quisiera ser yo quien fallara también.

Si se cuenta entre los cincuenta millones de afectados de personas que, solo en Estados Unidos, padecen una enfermedad autoinmune, este libro es para usted. Si forma parte de la ingente masa de cientos de millones de personas que luchan con algún trastorno inflamatorio que presupone exposición a riesgo de desarrollo de una enfermedad autoinmune —trastornos tales como la artritis, el asma, los eccemas o las alteraciones cardiovasculares—, este libro es para usted. Y si es una del sinfín de personas, cuyo padre o madre, esposa o esposo, hermano, hijo o amigo se enfrenta a una patología autoinmune, el libro es igualmente para usted. Ya sea para revertir los efectos de una dolencia autoinmune, para evitar desarrollarla o para prestar apoyo a otra persona que la sufra, el contenido de estas páginas cambiará radicalmente su vida a este respecto.

Yo misma soy médico y no tengo intención alguna de criticar a otros compañeros de profesión, ni menos aún a los métodos estandarizados que aplican. No obstante, hay que decir la verdad: en el tratamiento de las enfermedades autoinmunes, la medicina convencional ha fracasado estrepitosamente. El arsenal terapéutico con el que se cuenta consta de un conjunto de medicamentos que pueden, o no, aliviar los síntomas; que pueden empobrecer la calidad de vida como consecuencia de sus intensos efectos secundarios; que a menudo generan un estado de permanente ansiedad, ante la posibilidad de desarrollar una infección, y que en ocasiones dejan de actuar adecuadamente, obligando a recurrir a otros medicamentos aún más fuertes. El planteamiento comúnmente aceptado es que las enferme-dades autoinmunes son algo inevitable; que se pueden intentar paliar, pero no prevenir ni curar del todo. La consecuencia de tal planteamiento es que los pacientes que las sufren se ven reducidos a una completa dependencia de sus médicos y de los fármacos que ellos les recetan, que no son capaces de vivir su vida sin temor, preocupación ni dolor.

En estas páginas se ofrecen pautas que permiten seguir una dieta y un estilo de vida saludable y utilizar una serie de suplementos de alta calidad, con el objetivo final de erradicar los síntomas, prescindir de los medica-mentos y alcanzar el estado de salud plenamente satisfactorio que siempre se ha anhelado. La lectura de este libro ayuda a comprender por qué los cambios en la dieta y la regeneración del sistema digestivo pueden dar lugar a todo un mundo de sustanciales diferencias, liberando al cuerpo de la carga tóxica que lo quebranta, previniendo y curando las eventuales infec-ciones y reduciendo el nivel de estrés que tal situación genera. Estas páginas nos ayudarán a tomar el mando de nuestra salud, a asumir las mejores op-ciones para dar soporte al organismo y a sentirnos satisfechos, en forma y llenos de energía.

¿Por qué me muestro tan confiada? El motivo de esa confianza radica en que, a lo largo de los años, he tratado a miles de pacientes poniendo en práctica este enfoque que, por otro lado, también me he aplicado a mi misma. Como ya he dicho, la medicina convencional me falló, por lo que tuve que arreglármelas para encontrar una solución autoinmune, algo que me ayudara a superar los turbadores efectos secundarios de los tratamientos en uso y a mantener una vida activa y saludable.

En apenas 30 días es posible alcanzar la consecución de tal objetivo. Todas las personas que padecen un trastorno autoinmune pueden aprender a revertir las consecuencias del mismo, a eliminar los síntomas e incluso a llegar a prescindir de los medicamentos. El libro también ayuda a quienes sufren alteraciones inflamatorias a impedir que estas evolucionen y se con-viertan en enfermedades autoinmunes propiamente dichas. En caso de que se conozca a alguien que ha de afrontar los problemas propios de estas do-lencias, el libro muestra, además, la mejor manera de ofrecer a los seres queridos el apoyo y la orientación necesarios para logran un radical cambio de las condiciones de vida.

Ciertamente, el objetivo merece la pena. Pongámonos manos a la obra. Encontremos nuestra propia solución autoinmune.

EL FRACASO DE LA MEDICINA CONVENCIONAL

Antes de analizar cuáles son las alternativas más favorables, daremos un rápido repaso a aquello a lo que nos enfrentamos y a la problemática inherente a la posible evolución de una alteración inflamatoria hacia la configuración de una enfermedad autoinmune manifiesta. No es en absoluto improbable que un paciente en esta situación vaya pasando de un médico a otro sin que ninguno consiga determinar cuál es exactamente el problema que le afecta. Hay más de cien trastornos autoinmunes reconocidos y muchos no son bien conocidos en el ámbito de la medicina convencional.

Como consecuencia de ello, la mayor parte de los médicos y profesionales sanitarios se muestran muchas veces desconcertados ante una serie de síntomas asociados a la autoinmunidad que no se ajustan plenamente a un diagnóstico que ellos puedan reconocer. El problema se ve agravado por el hecho de que la medicina convencional se ha atomizado en un sinnúmero de especialidades diferenciadas entre sí. Cuando nos diagnostican una enfermedad autoinmune no es posible acudir a un «especialista en autoinmunidad» (¡salvo que se acuda a mi consulta!): lo normal es que el paciente sea derivado a un especialista en el sistema fisiológico que es atacado como consecuencia del proceso: un reumatólogo en el caso de la artritis reumatoide, un especialista en aparato digestivo en el de la enfermedad celíaca, la enfermedad de Crohn o la colitis ulcerosa,o un endocrinólogo en el de las enfermedades de Graves o Hashimoto y en la diabetes, entre otras muchas posibilidades. En correspondencia, quienes padecen *dos* trastornos autoinmunes, cosa que les sucede a muchas personas, son remitidos a dos especialistas distintos, los que sufren *tres* a tres especialistas, y así sucesivamente.

Esta fragmentación perece indicar que la dolencia que nos aflige afecta a un órgano en particular, pero no es así; en realidad es una enfermedad del sistema inmunitario en su conjunto. Todas las patologías autoinmunes, con independencia de que afecten a diversos sistemas orgánicos, tienen un origen común: una disfunción del sistema inmunitario. Mi planteamiento se basa en abordar la raíz del problema: en eliminar los elementos que deterioran el sistema inmunitario en primer lugar para, a continuación, potenciar su funcionalidad, en vez de inhibirla. De este modo se consigue revertir y prevenir múltiples alteraciones inmunitarias diferentes de una vez.

Dado que las alteraciones autoinmunes tienen un componente genético, los médicos suelen interesarse sobre si el paciente tiene antecedentes familiares de autoinmunidad, que afecten a al menos uno de los progenitores, un hermano, una tía, un tío o uno de los abuelos. Uno mismo debe comenzar a buscar respuestas cuando sabe que alguno o varios de los miembros de la propia familia han padecido enfermedades tales como la artritis reumatoide, la enfermedad de Crohn, el lupus o la tiroiditis de Hashimoto.

Con antecedentes familiares o sin ellos, es probable que oiga decir que los genes tienen la clave para desarrollar autoinmunidad, que no se puede hacer nada para prevenir este tipo de enfermedades y que no hay modo de revertir el curso de la patología una vez que esta se manifiesta. Ello puede hacer que la determinación del diagnóstico se convierta en un proceso desalentador, en tanto que, al final del camino, no se entrevé más que la perspectiva de una dolencia que tiene como única evolución posible el continuo empeoramiento.

¿Cómo progresa una enfermedad autoinmune?

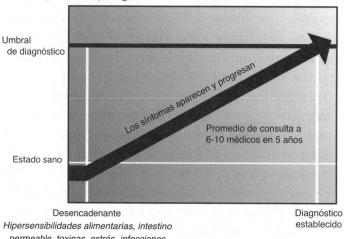

Umbral de diagnóstico

Los síntomas aparecen y progresan

Promedio de consulta a 6-10 médicos en 5 años

Estado sano

Desencadenante
Hipersensibilidades alimentarias, intestino permeable, toxinas, estrés, infecciones

Diagnóstico establecido

En la mayor parte de los casos, tanto si se ha concretado un diagnóstico como si no, el médico de atención primaria remite al paciente a un especialista, sea este un reumatólogo, un endocrinólogo, un especialista en aparato digestivo o un neurólogo. Si el diagnóstico es de algún tipo de afección dolorosa y debilitante, como la artritis reumatoide, una inflamación de las articulaciones, es muy posible que el especialista le diga que la dolencia, como cualquier otra enfermedad autoinmune, es irreversible. ¿Fue uno de esos dolores articulares lo que le condujo a acudir a la consulta del médico por primera vez? Pues eso no es más que el principio, le dirán, «Con el tiempo, el nivel de afectación irá aumentando en gravedad, llegando a ser tan incapacitante que se sentirán dolores más o menos constantes y se tendrá cada vez más dificultad para moverse. Olvídese —amenazarán— de los plácidos paseos por la playa o de llevar a sus nietos a jugar al parque. Podrá considerase afortunado si puede subir un tramo de escaleras o conducir hasta el centro comercial.

Es probable que el especialista ofrezca al paciente toda una gama de potentes medicamentos, destinados a combatir los síntomas y aliviar el dolor.

«¿Y qué hay de los efectos secundarios?», pregunta, iluso, el paciente. «Bien, efectivamente estos fármacos tienen unos efectos secundarios sustanciales», es la respuesta. « Se trata de algo con lo que tendrá que aprender a vivir».

Cabe también la posibilidad de que el diagnóstico corresponda a un cuadro comparativamente leve, como la *tiroiditis de Hashimoto*, una alteración en la que el sistema inmunitario ataca a la glándula tiroides e impide que produzca hormonas tiroideas en cantidad suficiente. En este caso el especialista podrá dar noticias más alentadoras: «Solo tendrá que tomar un suplemento de hormonas tiroideas a diario durante toda su vida. Pero este tratamiento no es costoso y carece de efectos secundarios y, aunque es probable que la dosis tendrá que ir aumentando, lo más seguro es que pueda mantener una vida normal, como hasta ahora».

Lógicamente, a nadie le gusta la idea de que su glándula tiroides vaya siendo lentamente destruida por su propio organismo. Y, sin embargo, las indicaciones del doctor no suenan tan mal en es este caso, hasta que se llega a casa y se comienzan a hacer investigaciones por cuenta propia. Pronto descubrirá un dato que los médicos no tienden a compartir con sus pacientes: el hecho de padecer una enfermedad autoinmune triplica las expectativas de desarrollar otra. ¿Qué sucedería si la siguiente fuera una afección realmente incapacitante, como el lupus o la esclerosis múltiple?

Es fácil que en una la visita siguiente a la consulta, pregunte al doctor sobre tan inquietante perspectiva y este se verá obligado a admitir que en efecto es así: quien sufre una alteración autoinmune tiene tres veces más probabilidades de verse afectado por otras en el futuro. Y ese reconocimiento irá acompañado de la deprimente aclaración de que no hay nada que pueda hacerse para modificar ese estado de cosas. Por lo que respecta al ámbito de cobertura de la medicina convencional, los genes son los que se hacen cargo de su enfermedad y el médico es quien se hace cargo de su salud.

SIGNOS DE ADVERTENCIA

Un trastorno autoinmune es aquel en el que un sistema inmunitario sometido a algún tipo de perturbación comienza a atacar a los tejidos del propio cuerpo. A continuación se enumeran un conjunto de síntomas y/o diagnósticos que pueden ser indicativos de presencia de una enfermedad autoinmune manifiesta o de un estado de inflamación inmunitaria que pueda implicar riesgo de desarrollo de una dolencia autoinmune.

- Acné
- Alergias
- Ansiedad
- Articulaciones inflamadas, enrojecidas o dolorosas
- Artritis
- Asma
- Caída del cabello
- Cálculos biliares
- Carencia de vitamina B_{12}
- Coágulos de sangre
- Cefalea
- Depresión
- Dolor muscular
- Eccema
- Enfermedad cardiovascular
- Enfermedad de Alzheimer
- Fatiga
- Fibroides uterinos
- Infertilidad
- Mamas fibroquísticas
- Niebla cerebral : falta de capacidad de concentración y de agudeza mental
- Obesidad o sobrepeso, en especial en la zona central del cuerpo
- Pancreatitis
- Reflujo ácido
- Sequedad de ojos
- Trastornos del sueño; dificultad para conciliar el sueño o sueño interrumpido
- Trastornos digestivos: gases y distensión abdominales, indigestión, estreñimiento, diarrea, reflujo/ardor de estómago
- Trastorno por déficit de atención/ trastorno por déficit de atención con hiperactividad (TDA/TDAH)

Cualquiera que sea la enfermedad que un paciente sufre, las citas con el médico en la consulta siempre tienden a ser breves. En el sistema asistencial de salud se considera que el tiempo promedio de una consulta es de unos quince o veinte minutos por paciente, de modo que, aunque con cierto grado de flexibilidad, eso es todo lo que el facultativo puede dedicarle tanto a usted como a los demás pacientes. Lo normal es que todos ello tengan una extensa lista de preguntas para las cuales desearían que se les diera una respuesta. No obstante, en la mayoría de los casos, solo tendrán tiempo suficiente para escuchar como el especialista confirma que es muy poco lo que se puede hacer para ralentizar la progresión de un trastorno autoinmune, y tanto menos para revertir sus efectos. El paciente debe limitarse simplemente a tomar los medicamentos, que se le recetan según el «tratamiento de referencia», y a esperar que se produzca algún cambio sin que se registren demasiados efectos secundarios. Si usted se cuenta entre los más afortunados, los fármacos llegarán a eliminar todos los síntomas. No obstante, a menudo es previsible que solo se consiga un alivio limitado. Aun en el caso de que los síntomas desaparezcan por completo, la «tormenta autoinmune» continuará asolando su organismo, sin que tenga la menor idea de cuál puede ser el siguiente efecto que experimentará.

PODRÁ BENEFICIARSE DE ESTE LIBRO SI...

- Padece un trastorno autoinmune.
- Sufre de autismo, síndrome de fatiga crónica, fibromialgia y otra alteración que, de una u otra forma, guarde relación con los padecimientos autoinmunes.
- Está incluido dentro de lo que yo suelo llamar el espectro autoinmune: una senda en la que la dieta, el estilo de vida y/o los factores genéticos nos pueden exponen a riesgo de desarrollo de autoinmunidad.

Aunque cada una de las enfermedades autoinmunes presenta síntomas diferentes, todos ellos tienen su origen en desequilibrios digestivos e inmunológicos. Al favorecer el estado saludable del sistema digestivo y potenciar las funciones del sistema inmunitario, el método Myers resulta de la máxima eficacia en el abordaje de las dolencias autoinmunes y las alteraciones afines y es, por otro lado, una herramienta de rendimiento óptimo en lo que respecta a su prevención.

¿ES EL AUTISMO UN TRASTORNO AUTOINMUNE?

Recientes investigaciones indican que en el autismo puede haber un componente autoinmune. De hecho, yo he tratado en mi consulta a niños con trastornos del espectro autista y todos ellos han recabado sustanciales beneficios del seguimiento del método Myers. Si uno de sus hijos sufre un trastorno del espectro autista, seguir el programa que se expone en este libro le será sin duda de gran ayuda.

Con el paso del tiempo acaba por comprobarse, por otra parte, que, incluso en los casos en los que el médico acierta con el medicamento más adecuado, es presumible que llegue un momento en el que este sencillamente *deje de funcionar*. Ante tal eventualidad, el mejor de los escenarios posibles es que el doctor vuelva a acertar y encuentre otro compuesto que también sea eficaz, al menos durante un tiempo. Una segunda opción intermedia es que el nuevo medicamento origine una serie de efectos nocivos, en ocasiones incluso dolorosos. Por último, la peor contingencia es la determinada por la entrada en una interminable espiral de frustración, dolor y desesperación, probando potentes fármacos uno tras otros, mientras el padecimiento se torna cada vez más doloroso y limitante, haciendo que la propia vida parezca quedar en punto muerto.

A medida que se avanza en el tratamiento, se comprueba que los peores efectos secundarios no son siempre los puramente farmacológicos: en ocasiones es otro el precio personal que hay que pagar por la dolencia. Cuando se llega a una edad avanzada, cabe la posibilidad, por ejemplo, de que el paciente no pueda jugar con sus nietos, bien por los excesivos dolores articulares o porque los inmunodepresores que se están tomando hacen que la persona sea demasiado propensa a contraer resfriados, gripe o infecciones de otra índole. Es asimismo posible que se tenga que renunciar a un viaje de vacaciones en familia, largamente programado, como consecuencia de los dolores musculares, de la sensación de agotamiento o, simplemente, por no encontrarse con ánimos. En el trabajo la enfermedad puede hacer que se tomen demasiados días de baja o que sea necesario limitar el horario y, en ocasiones, llega a ser incluso motivo de despido.

Igualmente, puede ser la propia vida social la que se resienta. Después de todo es mucho el tiempo a lo largo del cual la persona afectada se siente exhausta, malhumorada y «como si fuera otro». Es posible que sus amigos llamen para reunirse con usted en una cena, un concierto o una excursión, o simplemente para charlar. Pero muchas veces usted no se siente con las energías suficientes, no tiene ganas de diversión o teme convertirse en una compañía desagradable y que sus amigos, sus familiares y en general sus allegados acaben por cansarse de usted y de frecuentar su compañía.

Uno de los principales problemas a los que hay que hacer frente es la sensación de impotencia y desamparo. En estas circunstancias se siente que el cuerpo, la salud y la vida se encuentran esencialmente fuera de control. ¿Le ha preguntado a su médico si hay algo que pueda hacer para mejorar la situación? ¿Tal vez modificar su dieta? Es probable que haya leído o escuchado en televisión que el gluten está implicado en el desarrollo de las patologías autoinmunes. ¿Podría servir de algo dejar de tomar pan y pasta o intentar mantener una alimentación libre de gluten? También ha podido leer algún artículo relacionado con un proceso conocido como síndrome del intestino permeable, o poroso. ¿Sería interesante recabar más información al respecto?

Pero, una vez más, la medicina convencional es tajante. Su doctor vuelve a confirmarle que las enfermedades autoinmunes guardan relación exclusivamente con el sistema inmunitario; no con el digestivo. La dieta determina diferencias mínimas, si no nulas, en este contexto. ¿La demonización del gluten? Eso no es más que una moda pasajera. Es cierto que hay personas que sufren una alteración autoinmune relacionada con el gluten, llamada enfermedad celiaca. Pero le hemos hecho las pruebas pertinentes y usted no la padece, así que no hay motivo para que se preocupe por el gluten.

Su médico vuelve una vez más a decirle que lo mejor que puede hacer es aceptar su condición, aprender a sobrellevar los efectos secundarios y esperar que la medicación continúe funcionando. Pero, por fortuna, hay otro medio.

EL MÉTODO MYERS: UNA SOLUCIÓN

La medicina convencional busca un diagnóstico y trata médicamente los síntomas. Por el contrario, el método Myers sienta sus bases en el ámbito de la llamada *medicina funcional*, un enfoque que centra su atención en el modo en el que los sistemas corporales interaccionan, planteándose como objetivo que todos ellos actúen de manera coordinada y óptima. En este contexto la dieta, el estilo de vida los factores ambientales y el estrés desempeñan un papel fundamental a la hora de que el organismo esté enfermo o sano.

Ningún abordaje, tampoco el método Myers, cura las dolencias autoinmunes. En la marco de la ciencia médica, el término «curación» implica que una enfermedad ha desaparecido definitivamente y se diferencia de la «remisión», que supone la interrupción temporal de la enfermedad, y de la «inversión, reducción o inhibición», que son nociones asociadas a las situaciones en las que el estado patológico se mantiene en el cuerpo, pero sin producir síntomas.

Considerando que nadie hasta el momento ha conseguido curar las enfermedades autoinmunes, el método Myers permite conseguir los dos objetivos preferentes que están a nuestro alcance: la inversión y la prevención del padecimiento. El método mejora los síntomas, ayuda a prescindir de los medicamentos y aporta los medios necesarios para desarrollar una vida dinámica, plena de energía y libre de dolor. No se trata de aprender a convivir con la enfermedad. La clave radica en crear unas condiciones de vida saludables que puedan mantenerse de manera indefinida.

La aplicación práctica del método se asienta sobre cuatro pilares, cada uno de los cuales ha sido puesto a prueba por mí, tanto a través de la investigación experimental como por medio de la constatación de sus sorprendentes resultados, a lo largo de mis años de actividad como profesional de la medicina.

❶ **Curar el tubo digestivo.** Después de todo, en torno al 80% del sistema inmunitario se asienta en el tubo digestivo, la verdadera vía de acceso a la salud. Si este no está sano, tampoco lo estará el sistema inmunitario.

❷ **Liberarse del gluten, de los cereales, de las legumbres y de otros alimentos que causan inflamación crónica.** La inflamación es una respuesta inmunitaria manifestada a nivel de los diversos sistemas fisiológicos que, en dosis limitadas, puede en realidad contribuir a la consecución de un estado saludable. No obstante, cuando la inflamación se hace crónica, se genera una sobrecarga que repercute en todo el cuerpo y, en particular en el sistema inmunitario. Cuando se sufre un trastorno autoinmune, la inflamación desencadena los síntomas y hace que la afección empeore. Si se está de uno u otro modo dentro del espectro autoinmune, el aumento de la inflamación hace en ocasiones que se sobrepase el límite que nos separa de la enfermedad autoinmune propiamente dicha.

El gluten, una proteína presente en el trigo, el centeno, la cebada y otros muchos cereales, genera tensiones en el sistema digestivo, aumentado el riesgo de padecer lo que se conoce como síndrome del intestino permeable, o poroso, que a su vez induce una carga adicional sobre el sistema inmunitario. Hay muchos otros alimentos, entre ellos ciertos cereales sin gluten y las legumbres, que generan inflamación. Ese es el motivo por el que, cuando se sigue el método Myers, se erradica el gluten de la dieta, sanando el tubo digestivo, aliviando la inflamación e invirtiendo la autoinmunidad.

❸ **Mantener bajo control las toxinas.** A diario somos atacados, en casa, en el trabajo y al aire libre, por miles de toxinas, y nuestro sistema inmunitario se ve sin duda afectado por su acción. Cuando se padece un trastorno autoinmune, o cuando se está de uno u otro modo incluido en el espectro autoinmune, el grado de carga tóxica que se soporta puede determinar la diferencia entre salud y enfermedad.

❹ **Curar las infecciones y aliviar el estrés.** Ciertas infecciones son desencadenantes de procesos autoinmunes, que en ocasiones también tienen su origen en factores relacionados con el estrés físico, mental o emocional. En un círculo vicioso, el estrés puede asimismo activar o reactivar una infección que, a su vez, supone una sobrecarga adicional para el organismo. En consecuencia, hacer todo lo posible por atenuar este tipo de elementos que exigen un esfuerzo adicional al sistema inmunitario ayuda en buena medida a aliviar e invertir los síntomas.

El método Myers toma como base las investigaciones más recientes e innovadoras publicadas en las más prestigiosas revistas y obras científicas. De hecho, hace poco que he terminado de mantener una serie de entrevistas en el marco de la Cumbre Autoinmune (www.autoimmunesummit.com) con 40 investigadores, científicos, médicos y personal docente de todo el territorio de Estados Unidos, todos los cuales coinciden en reconocer la validez de este enfoque de cuatro pilares básicos. El método se fundamenta, además, en mi experiencia personal, como paciente y como médico. A diferencia de lo que sucede en la medicina convencional, el método Myers configura un tratamiento fortalecedor y optimista que ofrece la posibilidad de vivir una vida vibrante, plena de energía y carente de dolor.

Sí, podrá jugar con sus nietos; podrá ralentizar, detener o revertir la progresión de su enfermedad, eliminando los síntomas, liberándose del dolor y reduciendo, o incluso erradicando por completo los medicamentos. Sí, podrá volver a ser la persona vital y dinámica que era o, en caso de que padezca su enfermedad desde la adolescencia, podrá convertirse en la persona sana y segura de sí misma que siempre quiso ser. Y, una vez más, sí, podrá controlar sin ayuda la evolución de su dolencia.

Quien completa los 30 días de tratamiento siguiendo el método Myers se siente sustancialmente mejor y, a los pocos meses, puede quedar libre por completo de síntomas. En ocasiones se requiere la colaboración de un profesional de la medicina funcional. Sin embargo, en la mayor parte de los casos, este libro es todo cuanto se necesita.

He utilizado este procedimiento con miles de pacientes y he podido constatar reiteradamente que funciona. De hecho, a mi consulta llegan personas de todo el país —a menudo con esfuerzo y gasto considerables— deseosas de hallar forma distinta y mejor de abordar los trastornos autoinmunes que experimentan. No están satisfechos con las medidas convencionales que los médicos les han ido proponiendo; buscan una solución autoinmune. Esta solución es el método Myers: un abordaje eficaz a largo plazo y que permite invertir y prevenir el desarrollo de alteraciones autoinmunes.

También he podido experimentar el rendimiento del método en mí misma. El hecho de haber luchado durante años contra una afección autoinmune me llevó a investigar, atenazada por el dolor, con objeto de lograr un mejor tipo de tratamiento, En última instancia tuve que crear mi propia solución.

MI VIAJE AUTOINMUNE

No podía creer que eso me estuviera sucediendo a mí.

Estaba postrada en cama, presa de un ataque de pánico. Deseaba más que nada en el mundo continuar mis estudios de segundo año de medicina, pero debía combatir los temibles síntomas de la enfermedad de Graves, una alteración autoinmune en la que la glándula tiroides sufre un ataque del propio organismo en virtud del cual se produce un exceso de hormona tiroidea. La debilidad que me producían los síntomas y la creciente sensación de impotencia me llevaron a sentir que mi vida ya no me pertenecía.

Los primeros indicios se manifestaron cuando cursaba segundo de medicina en el Louisiana State University Health Science Center, en Nueva Orleans. Como sucede muchas veces cuando se presenta una dolencia autoinmune, no tenía ni la menor idea de lo que me estaba sucediendo. Por primera vez en mi vida sufrí ataques de pánico. A pesar de no hacer apenas ejercicio y de consumir grandes cantidades de pizza y de galletas de avena y otros productos de bollería, estaba perdiendo peso a una velocidad de vértigo. Pasé de una talla 36 a una 32 en pocos meses. Sí, parece el plan de adelgazamiento ideal, pero yo estaba realmente aterrorizada por perder tanto peso en tan poco tiempo sin razón aparente. Sudaba continuamente y mi corazón latía a mayor frecuencia de la normal, en parte por la enfermedad y en parte por el temor que me atenazaba. En ningún momento sabía cuándo podía ser presa de un nuevo ataque de pánico. Sentía una gran debilidad en las piernas y un estremecimiento en ellas cada vez que bajaba un tramo de escaleras. Cuando cogía la pluma parta tomar notas en clase, mis manos eran agitadas por un temblor que apenas podía controlar.

Después vino el insomnio. Pasaba noches enteras dando vueltas en la cama. Quienes hayan padecido de insomnio sabrán el tormento que puede llegar a ser estar despierto en la cama, desesperado por el agotamiento y aún así, sin poder conciliar el sueño. A los pocos días la perspectiva de pasar otra noche despierta me resultaba tan aterradora como el propio insomnio. Me sentía prisionera en una cárcel de ansiedad, vértigo y cansancio. «*Tiene* que haber una solución», me dije mientras contemplaba a mi perro que dormía tranquilo. Pero así era mi vida entonces, y no podía saber si lo seguiría siendo para siempre.

Con el tiempo, el temblor se hizo tan evidente que mis compañeros lo notaron. Se sintieron alarmados y me convencieron para que fuera al médico, en este caso una doctora, que no hizo demasiado caso de mis preocupaciones.

«Creo que no es más que estrés», me dijo de inmediato. «Eres una estudiante de segundo de medicina y entre vosotros son muy frecuentes los casos de jóvenes que creen padecer alguna de las enfermedades sobre las que estudian. Yo no me preocuparía».

A pesar de lo dolorosa que me resultó aquella respuesta, deduje de ella una valiosa lección. En la actualidad, cuando un paciente acude a mi consulta desesperado, insistiendo en que hay una parte de la información que le ha referido al médico que este ha pasado por alto, siempre me muestro dispuesta a escucharle con atención: «Usted conoce su propio cuerpo mejor que yo», suelo decir, pensando en cuánto bien me hubiera hecho una respuesta similar por parte de aquella doctora a la que acudí en la primera consulta.

Por aquellos días sabía al menos lo suficiente como para confiar en mi propio instinto. Después de todo, a lo largo de mi vida había estado expuesta a múltiples situaciones estresantes y nunca había reaccionado de manera semejante. Como la brava mujer de Louisiana que me habían enseñado a ser, exigí que me hicieran un completo estudio diagnóstico con las correspondientes pruebas analíticas.

El hecho de seguir mi instinto me hizo acertar de pleno. No sentía pánico por los estudios ni por los exámenes; no me había vuelto misteriosamente loca. Sufría una patología real y diagnosticable: la enfermedad de Graves. Por fin mi desdicha tenía un nombre.

La enfermedad de Graves es una alteración en la que se registra una hiperfunción de la tiroides. En quienes la sufrimos, el tamaño de la glándula llega a duplicarse, generándose todos los síntomas que yo había venido sufriendo: aceleración del ritmo cardíaco, temblores y debilidad muscular, trastornos del sueño y excesiva pérdida de peso. No obstante, conocer el nombre del mal que me afligía fue una de las últimas satisfacciones que pude experimentar, ya que los tratamientos médicos convencionales de la enfermedad de Graves resultan bastante aterradores. Había tres opciones en el menú y ninguna de ellas parecía marcar la senda hacia una vida feliz.

La primera y menos invasiva de las alternativas era tomar un fármaco llamado propiltiouracilo (PTU). Se suponía que el PTU debía hacer que mi glándula tiroides dejara de trabajar tan intensamente y de producir un exceso de hormonas tiroideas.

La perspectiva parecía halagüeña, hasta que consulté el apartado de los efectos secundarios que el medicamento produce. He aquí una lista, solo parcial, de ellos: erupción cutánea, prurito, arcadas, caída anómala del cabello y cambios en la pigmentación de la piel, náuseas, vómitos, ardor de estómago, pérdida del sentido del gusto, dolores articulares o musculares, entumecimiento de las extremidades y cefaleas. Otro efecto adverso, menos frecuente pero posible, de este tratamiento es un trastorno conocido como agranulocitosis, o disminución de un determinado tipo de glóbulos blancos, que puede generar lesiones infecciosas en la garganta, el tubo digestivo y la piel, provocando además fiebre y malestar general.

Bien. ¿Cuáles eran las otras dos alternativas?

Básicamente se trataba de dos formas distintas de destruir, literalmente, la glándula tiroides. La primera era la extirpación quirúrgica de la misma y la segunda era una técnica conocida como ablación tiroidea, consistente en tragar un comprimido radiactivo que se destruye la glándula.

A pesar de estar adscrita a una facultad de medicina convencional, yo creía que había otros caminos que podían conducir a la consecución de una buena salud, además del uso de medicamentos o de la cirugía. Por ejemplo, estaba convencida de que la nutrición era un medio claramente crucial para lograr un buen estado de salud a corto y largo plazo.

Cuando era niña, mi madre solía preparar nuestra comida a partir de productos naturales: pan integral, yogur orgánico casero, granola y galletas de copos de avena, pimientos y tomates que ella misma cultivaba en nuestro jardín, y así sucesivamente. No tomábamos prácticamente nunca alimentos procesados o envasados y muy pocas veces consumíamos productos de lata. Siempre comíamos juntos, en familia, y en nuestras comidas abundaban los productos considerados saludables ya en los años setenta, como el arroz integral, el tofu, los brotes germinados y, en general, las frutas y verduras. A los 14 años de edad me hice incluso vegetariana.

Más tarde mi madre desarrolló un cáncer.

Tenía cincuenta y nueve años y yo contaba por entonces treinta y nueve. Acababa de pasar dos emocionantes años trabajando como voluntaria del Cuerpo de Paz en zonas rurales de Paraguay y estaba de regreso en Estados Unidos, preparándome para ingresar el la facultad de medicina. Cuando recibí noticias de mi madre, sencillamente no podía creerlas. Ella siempre se había preocupado por su salud. Representaba diez o quince años menos de los que en realidad tenía, corría 5 kilómetros diarios e incluso daba clases de yoga. Y, de repente, le fue diagnosticado un cáncer de páncreas, una dolencia que, con los tratamientos propios de la medicina convencional, no tenía cura.

Aquello supuso una verdadera y funesta revelación para mí. Me di cuenta de que puedes estar actuando de la manera más correcta en cuanto a tu salud —o haciendo lo que tú consideras que es más correcto— y sin embargo albergar una terrible enfermedad.

En cierta medida, ello se debe a que la mayoría de las enfermedades graves son multifactoriales. En estos procesos están implicados la genética y nuestro entorno tóxico. Nosotros carecemos de control sobre las alteraciones que generan los trastornos que padecemos.

Asimismo descubrí —por desgracia demasiado tarde— que la dieta «saludable» de nuestra familia paradójicamente había generado en realidad un efecto nocivo para nosotros. El pan y los cereales integrales y las legumbres que constituían una parte significativa de nuestra alimentación aportaban una serie de compuesto químicos inflamatorios que muy bien podrían haber influido en el desarrollo del cáncer de mi madre, en el agravamiento de una patología autoinmune que padecía mi padre (conocida como polimiositis y caracterizada por dolor articular y debilidad muscular) y en la evolución de mis propios problemas de salud.

La enfermedad de mi madre me hizo ver con claridad meridiana lo cerradamente resistentes que eran los médicos convencionales a aceptar cualquier abordaje que se alejara de los planteamientos convencionales, en especial si se trataba de pautas relacionadas con suplementos nutricionales o procesos naturales. Cuando pregunté al médico de mi madre por los potenciales efectos beneficiosos de ciertos alimentos de los que había oído hablar, se burló abiertamente de la idea de que la nutrición pudiera ejercer alguna función en ese contexto: «Su madre podría sujetar una sandía junto a la oreja y saltar a la pata coja y eso también podría resultar útil, pero lo más probable es que no lo sea», me dijo. Como me estaba preparando para estudiar medicina, pensé que esa era la actitud que encontraría seguramente en el entorno docente. Desde un primer momento, mi proyecto era dedicarme a la medicina integral, contemplando el organismo como un todo y utilizando la dieta y los abordajes naturales en la mayor medida posible. La experiencia recabada en el caso de mi madre simplemente me confirmó lo difícil que resultaría integrar ambas interpretaciones.

Entretanto, la medicina convencional no podía ofrecerle a mi madre no podía ofrecerle a mi madre más que quimioterapia, sin ninguna esperanza de curación y solo con objeto de retrasar lo inevitable. Falleció apenas cinco meses después del diagnóstico. Yo entré en la facultad de medicina y poco más de un año más tarde comencé a experimentar los primeros síntomas de la enfermedad de Graves.

Ahora sé que además de la dieta, el estrés constituye también un importante factor en el desarrollo de la autoinmunidad. El generado por la muerte de mi madre contribuyó ciertamente a que se manifestara en mi la enfermedad de Graves. Pero también había otros elementos a tener en cuenta:

Dieta. Al ser vegetariana, mi dieta estaba compuesta por grandes cantidades de gluten, cereales y legumbres, así como por productos lácteos, frutos secos y semillas. Estos alimentos, en apariencia saludables, habían generado un alto grado de inflamación en la fisiología de mi organismo, lo que había repercutido en el funcionamiento del sistema inmunitario. Si, como les sucede a muchas personas, yo ya estaba predispuesta genéticamente al desarrollo de autoinmunidad, esa dieta garantizaba con casi total seguridad que esa predisposición se convertiría en una patología manifiesta.

Intestino permeable. La dieta con alto contenido en hidratos de carbono que seguía me llevó a padecer un trastorno conocido como «sobrecrecimiento bacteriano en el intestino delgado (SBID)», que a su vez dio lugar a una alteración denominada intestino permeable, en la que las paredes intestinales se hacen permeables, con peligrosas consecuencias para los sistemas digestivo e inmunitario (más información sobre este trastorno se incluye en los capítulos 4 y 5.

Toxinas. Los metales pesados son otro de los factores desencadenantes de las alteraciones autoinmunes y, en mi caso personal, la exposición al mercurio alcanzó *niveles ciertamente significativos*, en las vacunaciones semanales que recibía durante mi etapa de servicio en el Cuerpo de Paz, por el atún enlatado que me encantaba comer y por una prolongada estancia en China, donde el grado de contaminación del aire con diversos metales pesados es muy alto en numerosas ciudades. De haber aminorado mi exposición al mercurio, probablemente hubiera reducido mi carga tóxica y tal vez mi sistema inmunitario no hubiera llegado a tan alto grado de desequilibrio.

Infecciones. Ciertos tipos de infecciones constituyen otro de los factores de riesgo de desarrollo de autoinmunidad. Y desgraciadamente yo contraje una de ellas: la infección por el virus de Epstein-Barr (VEB), que me hizo padecer una forma grave de mononucleosis cuando cursaba la enseñanza secundaria. El VEB también está implicado en el síndrome de fatiga crónica, y ese es el motivo de que las personas que padecen esta afección estén también expuestas a riesgo de desarrollar patologías autoinmunes.

De haber sabido antes lo que sé ahora, hubiera intuido la cantidad de factores de riesgo a los que me exponía y hubiera conocido las formas de utilizar la dieta, la curación intestinal, la desintoxicación y el alivio del estrés para prevenir mi enfermedad. Y, aun en el caso de haber sucumbido a ella, habría al menos sido capaz de tratarme por mí misma, atenuando los síntomas, recuperando la salud y eludiendo las terribles opciones que me ofrecía la medicina convencional.

Pero por aquel entonces estábamos en el año 2000 y los abordajes propios de la medicina funcional estaban dando apenas sus primeros pasos. Los médicos que me trataban me plantearon las tres inclementes opciones que ya he comentado y, por lo que entonces sabía, esas eran las únicas alternativas que tenía.

Con la esperanza de encontrar otra posibilidad mejor, acudí a la consulta de un médico practicante de la medicina china tradicional y comencé a tomas cantidades ingentes de hierbas medicinales, en forma de polvos pardos de sabor más bien repugnante. Las hierbas no parecían hacer gran cosa y, por otra parte, me preocupaba el hecho de que, si alguna vez necesitaba un tratamiento urgente, los médicos del servicio de urgencias no conocieran las posible reacciones cruzadas o, simplemente, que no pudiera hacerles saber que había estado tomando esas hierbas. A pesar de mi creciente desconfianza en la medicina convencional, no me atrevía a prescindir de ella por completo.

Así pues, muy a mi pesar, opté por el tratamiento con PTU. La primera lección que recibí en relación a sus desastrosos efectos secundarios fue el desarrollo de una hepatitis tóxica pocos meses después de empezar a tomar el medicamento, que comenzaba a destrozarme el hígado. El cuadro era de tan gravedad que tuve que mantener un largo periodo de reposo en cama, que casi hizo que tuviera que abandonar los estudios.

Las opciones que me quedaban eran la cirugía o la ablación, es decir, que me extirparan o destruyeran la glándula tiroides. Yo aún tomaba la «saludable» dieta que estaba contribuyendo a que el sistema inmunitario me atacara la tiroides.

Me decidí por la ablación, por lo que no me quedó más remedio que decir adiós a mi tiroides, adoptando una decisión que aún hoy lamento. Si por entonces hubiera tenido noticia de la existencia de la medicina funcional todavía la conservaría y podría vivir una vida sana y libre de síntomas con mi cuerpo intacto.

Pero en aquella época no conocía ninguna otra posibilidad. Solo me queda el consuelo de que hice lo único que podía hacer en virtud de lo que entonces conocía.

Y sin embargo, incluso en aquellos días, intuitivamente sabía que *sí había* un modo mejor de abordar el problema, un planteamiento destinado a alcanzar la salud actuando *con* la capacidad natural de curación del cuerpo, en vez de atacarlo con fármacos potentes y perniciosos y con cirugía invasiva. Siempre había presentido que existía otros tipo de medicina, auque no sabía cuál era su nombre ni cómo encontrarla. Entré en la facultad de medicina convencida de que hallaría ese otro tipo de curación, por lo que me dediqué a investigar en todas las fuentes en las que pudiera aprender más sobre la medicina integral y «alternativa». En la facultad presidía incluso un grupo de interés sobre estudios de medicina complementaria y alternativa, aunque ninguno de los enfoques que iba conociendo progresivamente parecía abordar directamente la raíz del problema.

En definitiva, cuando me licencié decidí especializarme en el campo de la medicina de urgencias. De este modo siempre podría trabajar en el campo de la salud internacional, que era el área que más me había interesado durante mi etapa en el Cuerpo de Paz. dado que los médicos de urgencias no tienen una consulta establecida, tendría libertad para dedicarme también a ese otro tipo de medicina, tan pronto como me enterase de en qué consistía.

Me trasladé a Austin, Texas, donde mi tiempo de trabajo se dividía entre el centro de traumatología del Brackenridge Hospital y el departamento de traumatología pediátrica del Dell Children's Medical Center. Como médico del servicio de urgencias, tuve la oportunidad de tratar a personas que se hallaban a menudo en condiciones extremas y me sentía ciertamente orgullosa de las vidas que había contribuido a salvar. La recuperación de la vida de un niño que se halla a las puertas de la muerte y la consciencia de que yo había participado en ella, ayudándole a él y a toda su familia, me hacía recordar la importancia y el poder inherentes a la elección del tratamiento correcto.

Sin embargo, la gran mayoría de los paciente que atendía no acudían a los servicios de traumatología como consecuencia de traumatismos, sino por problemas relacionados con enfermedades crónicas. Atender a estos pacientes resultaba descorazonador ya que, a diferencia de los que sucedía con los que habían sido víctimas de traumatismos, era muy poco lo que la medicina convencional podía hacer para ayudarles. Así pues, la medicina convencional no solo me había fallado a mí; también les estaba fallando —al igual que lo estaba haciendo yo misma— a ellos.

Entretanto, mis problemas de salud continuaban. La ablación había hecho que se liberaran grandes cantidades de hormonas tiroideas a mi torrente circulatorio, lo que hizo que durante meses experimentara pronunciados cambios de estado de ánimo. Dado que aún presentaba inflamación en el organismo, desarrollé un síndrome del intestino irritable. Incluso cuando el peor de los síntomas se aplacaba, nunca llegaba a encontrarme realmente bien. A lo más que podía aspirar era a «no encontrarme demasiado mal».

A continuación, por fin, encontré lo que había estado buscando: descubrí la medicina funcional.

MEDICINA FUNCIONAL:
EL RESTABLECIMIENTO DEL EQUILIBRIO DEL CUERPO

En la actualidad la medicina funcional es bastante conocida. El trabajo de pioneros como Jeffrey Bland, Mark Hyman, David Perlmutter, Alejandro Junger y Frank Lipman ha ayudado a popularizar este poderoso enfoque de la salud corporal. En vez de fraccionar el organismo en múltiples especialidades, como se hace en el ámbito de la medicina convencional —el sistema inmunitario, el sistema digestivo, las glándulas suprarrenales, la glándula tiroides—, la medicina funcional contempla la totalidad del cuerpo humano como un todo integrado. Desde esta perspectiva, la salud no se alcanza tratando farmacológicamente los síntomas individuales o las enfermedades específicas, sino que se trata el organismo en su conjunto, a partir de la premisa de que todos los sistemas corporales interactúan, afectándose los unos a los otros.

LA AUTOINMUNIDAD EN ESTADOS UNIDOS

A continuación se exponen una serie de datos estimativos sobre la incidencia de los trastornos autoinmunes en Estados Unidos. Algunos se consideran como tale, en tanto que otras se asemejan a ellas o guardan alguna relación con la autoinmunidad. En cualquier caso, para todos ellos el método Myers constituye un protocolo eficaz en lo que respecta a la inversión de la progresión de la patologías, el alivio de los síntomas y el restablecimiento de una vida sana y activa.

Enfermedad de Graves: 10 millones de afectados

Psoriasis: 7,5 millones de afectados

Fibromialgia: 5 millones de afectados

Lupus: 3,5 millones de afectados

Enfermedad celíaca: 3 millones de afectados

Tiroiditis de Hashimoto: 3 millones de afectados

Artritis reumatoide: 1,3 millones de afectados

Síndrome de fatiga crónica: 1 millón de afectados

Enfermedad de Crohn: 700.000 afectados

Colitis ulcerosa: 700.000 afectados

Esclerosis múltiple: de 250.000 a 350.000 afectados

Esclerodermia: 300.000 afectados

Diabetes de tipo 1: de 25.000 a 50.000 afectados

Por ejemplo, el 80% del sistema inmunitario se localiza en el tubo digestivo. Así pues, la perspectiva de la medicina funcional —y probablemente también la del mero sentido común— indica que para curar el sistema inmunitario es preciso en primer lugar curar los conductos intestinales.

La medicina funcional también se basa en la nutrición con alimentos reales —concepto contrapuesto al de los alimentos «de laboratorio»— y con suplementos. Un médico funcional me diría: «La enfermedad de Graves que padece no se desarrolló o por falta de PTU o de radiación, sino porque su cuerpo requería un tipo nutrientes y de factores de protección de los que carecía». En definitiva, la misión de la medicina funcional es proporcionarle al cuerpo aquello que necesita.

Es evidente que, en ocasiones, ello incluye la prescripción de fármacos. Sin embargo, también es este caso el objetivo continúa siendo restaurar la plena salud del cuerpo como sistema integral, utilizando los medios más naturales y menos invasivos que sea posible.

Todo esto lo sé ahora y, de hecho, lo practico ahora. Pero en 2009 aún no había oído hablar de la medicina funcional. Por fortuna, asistí a un simposio sobre salud integral, en el que el doctor Mark Hyman, uno de los pioneros de la medicina funcional, dio una conferencia en la que explicaba que la inflamación, las toxinas, el intestino permeable y la hipersensibilidad a ciertos alimentos eran la causa primordial de la mayor parte de las dolencias crónicas. En esa conferencia también aprendí que existía un vínculo entre el gluten y las enfermedades autoinmunes, en especial en las que afectan a la glándula tiroides.

Quedé cautivada por completo. De inmediato me inscribí en un programa de formación impartido por el Institute of Functional Medicine, organización sin ánimo de lucro estadounidense dedicada a la difusión y la formación en esta disciplina, y en él constaté que eso era lo que yo había estado buscando todos estos años. Este era el enfoque que por intuición sabía que en alguna parte tenía que existir y al que no había podido dar nombre. Se trataba de una forma de tratar a los pacientes llena de sentido para mí, no centrada en la utilización de medicamentos para curar las enfermedades, sino en aprovechar los propios recursos del cuerpo para generar salud. Por fin podía convertirme en la profesional de la medicina que siempre había anhelado ser. Y así, una vez conocidas todas sus claves, con una gran sensación de alivio y una gratitud inmensa, abrí mi propia consulta de medicina funcional.

También estaba ansiosa por comprobar si este recién descubierto enfoque podía ayudarme *a mí misma*. Mientras daba los primeros pasos hacia la consecución del método Myers, erradiqué de mi dieta varios alimentos generadores de inflamación y esperé con impaciencia a comprobar cuáles eran los resultados de esa erradicación. Como era de esperar, en unos 30 días me sentí mejor.

Seguí sin tomar esos alimentos, me traté las infecciones intestinales que me aquejaban, optimicé la capacidad de mi organismo para eliminar toxinas y busqué las diferentes maneras de gestionar mejor las situaciones y los factores generadores de estrés.

Después de tantos años sintiéndome enferma, la nueva dieta me parecía un verdadero milagro médico: no más ansiedad, no más ataques de pánico, no mal molestias debidas al intestino irritable. Súbitamente me encontraba pletórica de energía y por fin me sentía bien. Había hallado mi solución autoinmune. A medida que iba identificando qué era lo que hacía que los síntomas revirtieran su tendencia al aumento y cómo alcanzar un estado plenamente saludable, fui configurando las bases del método Myers.

EL ESPECTRO AUTOINMUNE

Una vez que el cuerpo se contempla desde la perspectiva de la medicina funcional, se constata que no hay una noción específica a la que pueda asignarse la denominación de «autoinmunidad», sino más bien una gama de posibles dolencias comprendidas en lo que yo llamo el «espectro autoinmune».

En el extremos más avanzado de dicho espectro se sitúan las personas afectadas por las enfermedades de naturaleza manifiestamente autoinmune. Suponiendo que se padezca, porgamos por caso, esclerosis múltiple, si se sigue el método Myers es posible mantener una vida prolongada y saludable, virtualmente sin síntomas. Cuando el sistema inmunitario no ataca a la médula espinal —lo que constituye el factor determinante de la esclerosis múltiple— los músculos recuperan sus fuerza y su vitalidad. Sin embargo, el sistema inmunitario aún conserva la capacidad de atacar a los tejidos del propio organismo por lo que, en el momento en el que los niveles de inflamación aumentan, por una dieta inapropiada, por carga tóxica, por estrés o por cualquier otro factor, los antiguos síntomas reaparecen.

En la parte intermedia del espectro se sitúan quienes presentan trastornos inflamatorios evidentes y/o síntomas que aún no se han concretado en trastornos autoinmunes concretos, en cuadros tales como asma, alergias, dolor articular, dolor muscular, fatiga o problemas digestivos. La obesidad queda también comprendida dentro de esta categoría, ya que el exceso de grasa corporal, sobre todo en la parte central del cuerpo, induce inflamación y, además, la propia inflamación hace que sea más difícil perder peso (conviene tener en cuenta los círculos viciosos). Estos significativos signos de inflamación indican que, aunque no se haya desarrollado una enfermedad autoinmune expresa, se está expuesto a riesgo de acabar padeciéndola.

* Síntomas definidos en el rastreador de síntomas del método Myers.

Finalmente, en el extremo menos evolucionado del espectro se hallan quienes solo presentan una inflamación moderada. En lo que respecta a este segmento de pacientes, es posible que se esté tomando una dieta inadecuada, aunque aún sea tolerable. Ciertos problemas intestinales se manifiestan en ocasiones como trastornos digestivos, tales como reflujo ácido o estreñimiento, y a veces como síntomas aparentemente no relacionados, por ejemplo, acné, fatiga o depresión (véase la lista de síntomas en la página 18). Cabe la posibilidad, asimismo, de que se esté expuesto a diversas toxinas, por ejemplo por hongos presentes en las humedades de la pared de un sótano o por el mercurio de los empastes dentales de amalgama, pero sin registrar todavía signos de enfermedad. Otra potencial eventualidad es que se lleve una vida muy estresante, pero se considere que ese estrés puede aún manejarse y sobrellevarse.

En este extremo «inicial» del espectro, en ocasiones se experimentan síntomas menores de inflamación, como acné, síndrome del intestino irritable (SII), exceso de peso o asma leve, trastornos todos ellos que se pueden manifestar de manera ocasional, pero sin desaparecer nunca del todo. En cualquier caso, a medida que la inflamación continúa incrementándose, se va produciendo también un desplazamiento hacia el lado más grave del espectro, los síntomas empeoran y se acaba por desarrollar abiertamente una patología autoinmune.

Otro factor a tener en cuenta al valorar el lugar que se ocupa en el espectro son los antecedentes familiares. Cuanto mayor sea el número de familiares afectados por una enfermedad autoinmune que una persona tiene, mayor es igualmente el riesgo de que esa persona desarrolle un padecimiento de ese tipo, aumentando aún más dicho riesgo si los familiares son de primer grado (padres o hermanos). Así pues, aunque una persona se mantenga relativamente libre de síntomas, cuando tiene uno o más familiares con una enfermedad autoinmune, su posición en el espectro tenderá a desplazarse hacia el extremo más avanzado.

¿Se pregunta qué parte del espectro le correspondería *a usted*? Cumplimente el cuestionario del rastreador de síntomas del método Myers para saberlo.

RASTREADOR DE SÍNTOMAS DEL MÉTODO MYERS

Califique los siguientes síntomas a lo largo de los últimos 7 días en una escala de gravedad/intensidad de 0 a 4: 0 = ninguno/a, 1 = mínimo/a, 2 = leve, 3 = moderado/a, 4 = grave/intenso/a.

CABEZA

____ cefaleas
____ migrañas
____ desmayo
____ trastornos del sueño
Total ____

ESTADO MENTAL

____ niebla cerebral
____ pérdida de memoria
____ deterioro de la coordinación
____ dificultad en la toma de decisiones
____ habla confusa/tartamudeo
____ déficit de atención/aprendizaje
Total ____

OJOS

____ párpados hinchados/enrojecidos
____ círculos oscuros
____ ojos hinchados
____ pérdida de visión
____ ojos acuosos/picor de ojos
Total ____

NARIZ

____ congestión nasal
____ moco excesivo
____ goteo nasal/nariz tapada
____ problemas de senos
____ estornudos frecuentes
Total ____

OÍDOS

___ picor de oídos
___ dolor/infección de oídos
___ drenaje en los oídos
___ silbidos, pérdida de audición
Total ___

PESO

___ incapacidad para perder peso
___ atracones de comidas
___ sobrepeso
___ infrapeso
___ comedor compulsivo
___ retención de agua/inflamación
Total ___

BOCA/GARGANTA

___ tos crónica
___ carraspeo frecuente
___ dolor de garganta
___ labios hinchados
___ aftas bucales
Total ___

DIGESTIÓN

___ náuseas/vómitos
___ diarrea
___ estreñimiento
___ distensión abdominal
___ eructos/flatulencias
___ ardor de estómago/indigestión
___ Dolor o calambres de
     intestino/estómago
Total ___

CORAZÓN

___ ritmo cardiaco irregular
___ ritmo cardíaco acelerado
___ dolor torácico
Total ___

EMOCIONES

___ ansiedad
___ depresión
___ cambios de estado de ánimo
___ nerviosismo
___ irritabilidad
Total ___

PULMONES

___ congestión torácica
___ asma, bronquitis
___ disnea
___ dificultad respiratoria
Total ___

ENERGÍA/ACTIVIDAD

___ fatiga
___ letargo
___ hiperactividad
___ inquietud
Total ___

PIEL

___ acné
___ urticaria, eccema, piel seca
___ caída de pelo
___ sofocos
___ sudoración excesiva
Total ___

ARTICULACIONES/MÚSCULOS

___ dolores articulares

___ artritis

___ rigidez muscular

___ dolores musculares

___ debilidad/cansancio

Total ___

OTROS

___ enfermedades/infecciones frecuentes

___ micción frecuente/urgente

___ picor/secreción genital

___ picor anal

Total ___

Total preliminar _____

A continuación responda a las siguientes preguntas para ajustar la puntuación y obtener el valor total:

❶ ¿Padece una enfermedad autoinmune? Si la respuesta es sí, añada 80 puntos. _____

❷ ¿Padece más de una enfermedad autoinmune? Si la respuesta es sí, añada 100 puntos. _____

❸ ¿En los análisis, presenta elevación de marcadores inflamatorios como la velocidad de sedimentación globular (VSG), la reacción en cadena de la polimerasa (CRP) o la homocisteína? Si la respuesta es sí, añada 10 puntos. _____

❹ ¿Le han diagnosticado alguna dolencia que termine con «itis», como artritis, colitis, pancreatitis, sinusitis o diverticulitis? Si la respuesta es sí, añada 10 puntos. _____

❺ ¿Tiene un familiar de primer grado —padre, madre o hermano— con una enfermedad autoinmune? Si la respuesta es sí, añada 10 puntos por el primero de ellos y 2 puntos por cada uno de los demás. _____

❻ ¿Tiene un familiar de segundo grado —abuelo, tío o tía— con una enfermedad autoinmune? Si la respuesta es sí, añada 5 puntos. _____

❼ ¿Es mujer? Si la respuesta es sí, añada 5 puntos. _____

Total preliminar _____

SU UBICACIÓN EN EL ESPECTRO AUTOINMUNE

< 5	5-9	10-19	20-39	40-79	> 80
Sin riesgo	Riesgo mínimo	Riesgo leve	Riesgo moderado	Riesgo grave	

Considere la puntuación total del rastreador de síntomas del método Myers.

Si su puntuación total es menos de 5: ¡Enhorabuena! Su grado de inflamación es muy bajo y, en su situación, es muy improbable que desarrolle una enfermedad autoinmune. Para mantener la protección frente a este tipo de patologías durante su vida, siga el método Myers de modo que ese nivel de inflamación se mantenga como hasta ahora.

Si su puntuación total es de 5 a 9, se encuentra en el extremo menos grave del espectro autoinmune, aunque está dentro de él. Presenta pocos factores de riesgo de desarrollo de inmunidad que implique posibilidad de padecer una enfermedad autoinmune. El método Myers le ayudará a mantener ese riesgo en niveles bajos y a reducir la inflamación.

Si su puntuación total es de 10 a 30, está en el intervalo intermedio del espectro autoinmune, con síntomas significativos que ponen de manifiesto un grado de inflamación considerable y un riesgo escaso o moderado de desarrollar autoinmunidad. Siguiendo el método Myers podrá invertir la evolución de su estado y evitar el riesgo de padecer dolencias autoinmunes.

Si su puntuación total es de 30 o más, está expuesto a un riesgo moderado, por tener uno o más familiares próximos que presentan este tipo de enfermedades o por haber evolucionado sensiblemente hacia el intervalo más avanzado del espectro. Es posible que ya le haya sido diagnosticado un trastorno autoinmune o que padezca una alteración aún no diagnosticada. Si no presenta actualmente un padecimiento de este tipo, sus antecedentes familiares y/o sus elevados niveles de inflamación hacen que esté expuesto a riesgo. El método Myers es importante para revertir la evolución del proceso y para restaurar y optimizar su estado de salud.

SEGUIMIENTO DE LOS PROGRESOS

En el apéndice G se incluye una copia de este cuestionario rastreador de síntomas. Es aconsejable hacer cinco fotocopias del mismo a fin de cumplimentar una de ellas el primer día de aplicación del método Myers y las demás con periodicidad semanal, siempre el mismo día de la semana. De este modo será posible seguir los propios progresos a medida que se comprueba que los síntomas van remitiendo. Si algunos de esos síntomas aún se manifiestan después de 30 días, pueden hacerse más fotocopias y cumplimentar de nuevo el cuestionario durante otro mes. Si no está satisfecho con los progresos obtenidos, es conveniente que acuda a la consulta de un profesional de la medicina funcional (www.functionalmedicine.org), que le ayude a analizar algunas de las cuestiones que se tratan en los capítulos 6 y 7.

LA EPIDEMIA AUTOINMUNE

Quienes están familiarizados con la medicina convencional saben que es creencia generalizada que la autoinmunidad obedece a causas genéticas. Desde este punto de vista, se da por hecho que, en los procesos autoinmunes, son los genes los que ordenan al organismo lo que tiene que hacer. El cuándo, el dónde y el cómo dependen de los genes, no de uno mismo. Si esto es así, ¿qué sentido tiene afirmar que se está produciendo una epidemia de enfermedades autoinmunes? La genética humana evoluciona muy lentamente y, en consecuencia, la incidencia de los trastornos autoinmunes debería mantenerse más o menos constante, especialmente considerando una sucesión de pocas generaciones.

Sin embargo, en los últimos cincuenta años la incidencia de las afecciones autoinmunes en Estados Unidos se ha triplicado, al mismo tiempo que las alergias y el asma adquirían proporciones epidémicas. Dado que no es posible que la dotación genética humana haya cambiado tan rápidamente, está claro que debe haber algo en el medio ambiente que genera trastornos autoinmunes (además de otros procesos epidémicos). La velocidad del aumento de este tipo de dolencias es tan rápida que en la actualidad, en Estados Unidos, este tipo de dolencias son el tercer grupo de enfermedades crónicas más común después de las patologías cardiovasculares y el cáncer.

TRASTORNOS INFLAMATORIOS EN EL ESPECTRO AUTOINMUNE

He aquí una serie de datos estimativos sobre la incidencia de los trastornos inflamatorios en Estados Unidos.

Acné. En Estados Unidos, el 85% de la población lo padece en algún momento de su vida

Alergias. 50 millones de afectados

Artritis. 50 millones de afectados

Asma. 25 millones de afectados

Eccema. 7,5 millones de afectados

Enfermedad cardiovascular. 80 millones de afectados

Obesidad. 90 millones de afectados

Síndrome del intestino irritable. 1,4 millones de afectados

Sobrepeso. 88 millones de afectados

Por otra parte, se han identificado numerosos casos documentados de personas que desarrollan enfermedades autoinmunes sin tener antecedentes familiares conocidos, y lo contrario, es decir los casos de personas con antecedentes familiares de autoinmunidad que no desarrollan estas afecciones, también se cumple. A lo largo de los años he tratado a miles de pacientes aquejados de padecimientos autoinmunes y he llegado a la conclusión de que la mayoría de ellos, si no todos, habrían evitado el desarrollo de su dolencia si hubieran conocido el método Myers y lo hubieran puesto en práctica antes de que su sistema inmunitario llegara a un grado significativo de desequilibrio.

Cabe preguntarse qué es lo que está produciendo este alarmante aumento. Hay cuatro factores clave:

Dietas saturadas de gluten. El gluten está hoy presente en todas partes, dominando nuestra dieta hasta un punto que nuestros abuelos no podrían ni tan siquiera haber imaginado. Además, el tipo de gluten al que estamos expuestos en la actualidad no es la misma proteína que antes se conocía; se trata de una sustancia que puede considerarse nueva y que resulta mucho más peligrosa para nuestra salud (esta cuestión se analiza más a fondo en el capítulo 5).

Intestino permeable. La dieta, las toxinas, el estrés y los medicamentos contribuyen todos ellos a la aparición de una afección conocida como intestino permeable (o poroso), en el cual las paredes intestinales se hacen demasiado penetrables. Como consecuencia de ello, los alimentos parcialmente digeridos se filtran, incrementando la sobrecarga ejercida sobre el sistema inmunitario a través de diversos mecanismos y provocando todo tipo de alteraciones de la salud. El intestino permeable se trata más detalladamente en los capítulos 4 y 5, en los que puede comprobarse que se trata de un trastorno esencial como condición previa para el desarrollo de un trastorno autoinmune. Así pues, cabe concluir que este es uno de los factores más significativos en la actual epidemia autoinmune y, como tal, su curación es un elemento fundamental del método Myers.

Carga tóxica. Como se puede comprobar en el capítulo 6, estamos expuestos a una carga tóxica que, también en este caso, excede con mucho la que debían afrontar las generaciones pasadas. La abrumadora cantidad de compuestos químicos presente en el aire, el agua y los alimentos en nuestros días, que son agentes tóxicos a los que estamos expuestos de manera virtualmente continua en casa, en el trabajo y en todo nuestro entorno, someten a nuestro sistema inmunitario a un grado de estrés sin precedentes.

Vida estresante. La comparación de los niveles de estrés entre distintas generaciones resulta compleja, dado que la experiencia relativa al estrés es muy subjetiva. Sin embargo, ya que las enfermedades relacionadas con el nivel de estrés están en franca expansión y que, según se ha demostrado, el estrés activa e intensifica los fenómenos autoinmunes, parece lógico deducir que se trata de otro de los factores críticos implicados en la actual epidemia autoinmune (la relación entre estrés y autoinmunidad se analiza más ampliamente en el capítulo 7).

LA HIPÓTESIS DE LA HIGIENE

Hay otra teoría clave sobre la astronómica velocidad a la que se están expandiendo los procesos autoinmunes: se trata de la denominada «hipótesis de la higiene». Aunque en general tiende a creerse que las bacterias son organismos perjudiciales, en realidad la mayoría son neutras o beneficiosas, y algunas de ellas son absolutamente cruciales para nuestra salud. Según la hipótesis de la higiene, la población de estas bacterias se está reduciendo y, como consecuencia de ello, nuestro sistema inmunitario está sufriendo un tremendo impacto.

Como veremos en el capítulo 4, los partos por cesárea y la alimentación con biberón privan a los lactantes del contacto con una serie de bacterias saludables, presentes en el canal del parto y en la leche materna, mermando la capacidad del sistema inmunitario (la alimentación con biberón también priva a los niños de factores inmunitarios recibidos a través de la leche materna).

Los antibióticos, administrados con frecuencia a los lactantes a la menor alteración, también reducen la cantidad de bacterias beneficiosas y debilitan el sistema inmunitario. Y, dado que a los niños se les administran vacunas, sus defensas quedan aisladas de los estímulos inmunitarios, aminorando los potenciales recursos para combatir las infecciones.

Pero el proceso de debilitamiento de las defensas no se detiene ahí. En nuestra época es cada vez menos probable que los niños jueguen en la tierra o tengan contacto con animales de granja, factores ambos que impiden que las defensas inmunitarias tengan oportunidad de repeler bacterias. Los jabones antibacterianos y las lociones antisépticas para manos destruyen asimismo numerosas bacterias saludables, en tanto que las harinas refinadas, las grasas perjudiciales, el exceso de azúcares y los organismos genéticamente modificados (OGM), también llamados transgénicos, fomentan el desarrollo de bacterias nocivas y atacan a las beneficiosas.

Las modernas condiciones de higiene a todos los niveles, los antibióticos y las vacunas han salvado sin duda muchas vidas, pero también han afectado al sistema inmunitario de muchos de nosotros. Creo que lo más idóneo es crear un marco intermedio. Dejemos que los niños jueguen con la tierra, evitemos el uso innecesario de jabones antibacterianos y hagamos uso de probióticos, como los recomendados en la página 229. Asimismo, antes de aceptar que el pediatra recete a nuestros hijos antibióticos, conviene asegurarse de que ese tratamiento es realmente necesario. Su sistema inmunitario nos lo agradecerá.

EN BUSCA DE ESPERANZA

De manera casi invariable, cuando un médico convencional aborda un trastorno autoinmune, nos ofrece la posibilidad de «tratar» la alteración, no de «solucionarla». Y el motivo es muy sencillo: el facultativo no cree que los procesos autoinmunes tengan solución.

Eso es precisamente lo que nos diferencia, porque yo *sí creo* firmemente que los trastornos autoinmunes tienen solución. Aunque no hay aún una forma de curación que permita olvidarse para siempre de esta clase de dolencias, *existe* un tratamiento que puede a hacer que los síntomas se resuelvan, que se prescinda de los medicamentos, que se restablezca la vitalidad y que se pueda llevar una vida plenamente satisfactoria.

He llamado a mi programa el método Myers, porque no se plantea como un simple plan de tratamiento sino como un sistema, como una forma de vida. A menudo, uno de los miembros de una familia acude a mi consulta buscando respuestas para un determinado problema de salud. Poco a poco, aunque con decisión, va requiriendo respuestas sobre cómo transformar a toda su familia, ya que todos sus integrantes van gradualmente evitando los alimentos tóxicos y eligiendo los de efectos más curativos. Muchas veces he observado que la mala salud tiene elementos que constituyen un factor de impulso en sí mismos pero, afortunadamente, ese impulso también es propio de la buena salud. El método Myers ha demostrado en reiteradas ocasiones que puede servir de inspiración para la consecución de ese impulso positivo.

En general, es difícil saber manejarse en el laberinto médico, adaptarse a las restricciones dietéticas o, simplemente, sobrellevar la perspectiva de tener que vivir con un trastorno autoinmune. Sin embargo, yo sé como ayudar a prosperar en este contexto, puesto que he guiado a miles de pacientes en el camino hacia la consecución de un a vida plena y he vivido la experiencia en primera persona, por mí misma, un día tras otro. Así pues, piense en mí como en una hermana mayor, como en su orientadora, como en un modelo a seguir, además de como en una profesional de la medicina, una investigadora y una educadora en el ámbito de la salud. En el curso de este libro desarrollaré todas esas funciones. Cuando haya concluido su lectura, conocerá todo aquello que un libro puede enseñar sobre la curación de su sistema inmunitario, sobre la resolución de los síntomas y sobre cualquier información adicional que pueda serle de utilidad.

Tanto si padece una enfermedad autoinmune manifiesta como si se sitúa en alguno de los intervalos del espectro autoinmune, estoy encantada de darle la bienvenida al método Myers. Su puesta en práctica proporciona una inmediata y duradera mejora del estado de salud, un continuado alivio de los síntomas, un sensible incremento de la vitalidad y el aporte de toda la energía necesaria para vivir la vida que desea vivir. La sensación de fuerza y capacitación que se consigue al hacerse cargo uno mismo del propio estado de salud es extraordinaria. Y, probablemente, la sensación de esperanza que supone el hecho de saber que su vida ya no estará condicionada ni definida por la enfermedad es tal vez el mayor beneficio de todos.

Como podrá comprobar en el capítulo 12, los pacientes que se comprometen a seguir el método Myers consiguen unos resultados realmente sorprendentes. Se sienten cargados de energía y dinámicos. Pueden abandonar su medicación y pasar a llevar una vida plena, no ensombrecida ya por el dolor, el temor y la inacabable sucesión de visitas a la consulta del médico. Antes de que crean que eso es posible, el hecho, antes tan inusual, de «sentirse bien» se convertirá en la norma. Eso puede sucederle también a usted.

CAPÍTULO 2

Mitos y realidades de la autoinmunidad

ES TRISTE, PERO CIERTO: en lo referente al tratamiento de las enfermedades autoinmunes, la medicina convencional no funciona. A lo largo de los años, he tratado a miles de pacientes a quienes sus médicos habían prescrito una fuerte medicación, poniéndoles en una situación de riesgo por los turbadores efectos secundarios y abocándoles a una vida, en el mejor de los casos, difícil y, en el peor, de una calidad deplorable. A estos pacientes se les decía que no tenían elección y que aceptaran su destino: un trastorno terrible e incurable que no era posible detener y cuya evolución apenas podía contenerse.

Sin embargo, yo he visto a estos mismos pacientes 30 días después de haber comenzado con la aplicación del método Myers, rebosantes de salud y llenos de vitalidad, sin acordarse ya del dolor y habiendo restablecido el control de su vida. De modo que ¿por qué la medicina convencional no reconoce que *existe* una solución autoinmune?

Al reflexionar a lo largo de los años sobre esta cuestión, he pensado en Ignaz Semmelweis. Habrá gente que no haya oído nunca antes ese nombre, pero sin duda alguna todo licenciado en medicina conoce la historia de ese médico húngaro pionero en su especialidad.

Semmelweis trabajaba en una clínica de obstetricia en Viena a mediados del siglo XIX, una época en la que miles de mujeres morían durante el parto por una enfermedad conocida como fiebre puerperal. En aquellos días los médicos atendían a una mujer tras otra en las salas de maternidad sin tan siquiera lavarse las manos entre un parto y el siguiente. Como consecuencia de ello la fiebre puerperal afectaba al menos a una de cada diez mujeres.

En este punto de la evolución de la historia de la medicina, Louis Pasteur no había dado aún con la teoría de los gérmenes. De algún modo Semmelweis intuyó que la falta de una higiene adecuada entre los médicos contribuía a extender la enfermedad. Sugirió que si los médicos se lavaban las manos entre parto y parto, enfermarían menos mujeres.

Hoy en día, claro está, sabemos que Semmelweis estaba en lo cierto. Incluso contaba con la evidencia que lo demostraba: cuando pidió a sus internos que se lavaran las manos con una solución de cal clorada, las tasas de mortalidad por fiebre puerperal disminuyeron de manera llamativa, cayendo por debajo de un 2%.

Lo lógico hubiese sido que, estupefactos por el éxito de Semmelweis, sus colegas hubiesen adoptado inmediatamente las mismas medidas. Sin embargo, a los médicos les molestó la idea de que, de algún modo, ellos pudieran ser sucios y se negaron a seguir esta nueva obligación de lavarse las manos. Las teorías de Semmelweis no se convertirían en práctica médica habitual hasta cincuenta años más tarde.

¿Por qué aquellos doctores eran incapaces de ver algo que parece tan evidente hoy en día? Me los imagino con las manos sucias, trayendo al mundo a bebés con la misma bata ensangrentada todo el día, despreciando la importancia del lavado de manos y del mantenimiento de un campo quirúrgico estéril. Después pienso en los profesionales actuales de la medicina convencional que se niegan a aceptar el papel clave de la dieta, de la salud intestinal, de las toxinas, de las infecciones y del estrés en el tratamiento de la autoinmunidad y, en realidad, en todo tipo de enfermedades. Creo que, dentro de diez años, estos doctores nos parecerán tan desatinados, tan obcecados, en definitiva tan peligrosos, como sus colegas del siglo XIX.

Para los profesionales de la medicina convencional la dieta no importa. Pero sí importa: he visto a innumerables pacientes cambiar por completo el curso de su enfermedad y abandonar la medicación gracias únicamente al poder de la dieta. Para quienes practican la medicina convencional los medicamentos son la única opción. Pero no lo son y, una vez más, cuento con infinidad historias de pacientes que así lo demuestran. No quiero alimentar la polémica. Pero a veces lo que es negro es negro y lo que es blanco es blanco y, sí, tomando como símil el cuento de Andersen *El traje nuevo del emperador*, a veces el «emperador» de la medicina convencional simplemente está ahí, desnudo, y eso nos lleva a los profesionales de la medicina funcional a denunciar esa desnudez.

Soy consciente de que ello puede suponer un salto cualitativo importante en la perspectiva que uno tiene de la propia salud. Usted está sentado en casa viendo la televisión y, en el tiempo que dura un programa de una hora, es posible que vea hasta tres anuncios de distintos medicamentos para enfermedades autoinmunes, cada uno de ellos con bonita música, flores, gente sonriente y esa seductora voz en *off* al final : «Consulte a su médico…». De modo que usted consulta a su médico, o quizá haya usado ya ese medicamento y se sienta satisfecho por haber hecho lo que el anuncio le está pidiendo que haga. Hay sincronía. Hay concordancia. Usted está siguiendo ese poderoso mensaje que comienza diciendo «Todo el mundo sabe…».

OCHO GRANDES MITOS SOBRE LAS ENFERMEDADES AUTOINMUNES

Mito 1: Los trastornos autoinmunes son irreversibles.

Mito 2: Los síntomas no desaparecen sin medicamentos fuertes.

Mito 3: Cuando se trata un trastorno autoinmune con fármacos, los efectos secundarios no son un gran problema.

Mito 4: Favorecer la digestión y la salud intestinal no tiene efecto alguno sobre la evolución de un trastorno autoinmune.

Mito 5: Evitar el gluten no supone ninguna diferencia sensible para un trastorno autoinmune

Mito 6: Padecer un trastorno autoinmune condena de manera irremisible a una mala calidad de vida.

Mito 7: En los trastornos autoinmunes, solo los genes importan; los factores ambientales no influyen.

Mito 8: El sistema inmunitario es como es y no se puede hacer nada para potenciar su función.

Sin embargo, cualquiera que consulte a su médico sobre la posibilidad de dejar de tomar gluten, por no hablar de otros alimentos como el arroz, la quinua y las legumbres, probablemente recibirá como respuesta una mirada compasiva y una triste sacudida de cabeza. Puede que su médico le aconseje mantenerse al margen de «teorías de charlatanes» o incluso que se niegue tan siquiera a considerar un abordaje alternativo. Muchos de mis pacientes han sido literalmente rechazados por el especialista que los atendía porque se atrevieron a apuntar la posibilidad de seguir algún tratamiento alternativo a los fármacos que ellos les prescribían En tres casos, los médicos insistieron en que los medicamentos que ellos les habían recetado eran el «tratamiento estándar», un término que para la comunidad médica equivale al mejor tratamiento posible. Después, esos mismos médicos llegaron a negarse a seguir tratando a sus pacientes «rebeldes».

«Si no confía en mí, no podremos trabajar juntos», fue la frase exacta de un doctor a una joven que más tarde sería paciente mía. Esta mujer vivía en una pequeña localidad del medio rural de Texas donde solo había un especialista con el equipo necesario para tratar su enfermedad. Pero como osó cuestionar la sensatez de la medicina convencional, se quedó sin tratamiento alguno. No deseo que nadie vuelva a encontrarse en ese trance situación nunca más.

He investigado los conocimientos científicos a este respecto, científico, he analizado los estudios de investigación y he tratado a miles de pacientes. Como médico y como paciente, confío siempre en que el método Myers funcione y mi deseo es que también usted confíe en él. De modo que analicemos el saber convencional mito a mito, para desmantelar cada uno de los conceptos erróneos y sustituirlos por la verdad.

MITO 1: LOS TRASTORNOS AUTOINMUNES SON IRREVERSIBLES

Si es usted como la mayoría de los pacientes que sufren alteraciones autoinmunes —y recuerde, yo misma he sido paciente durante muchos años— esto es lo que probablemente escuchará cuando acuda a la consulta del médico:

> Lo siento, tiene usted una enfermedad autoinmune. Una vez que los genes que dan lugar a este trastorno se ponen en funcionamiento, no hay manera de detenerlos. La enfermedad no se puede curar. Lo único que podemos hacer ahora es tratar los síntomas y la única manera de hacerlo es con fármacos.

Como en tantos otros aspectos de la medicina convencional, hay mucho de verdad en estos comentarios. Pero también hay mucho de planteamiento erróneo. Efectivamente, en los trastornos autoinmunes existe un componente genético. Sin embargo, estudios de gemelos han puesto de manifiesto que la autoinmunidad se hereda solo en un 25%, lo cual significa que el ambiente es responsable en una proporción mucho más importante: el 75%, para ser exactos.

Por otro lado, como sabemos gracias al novedoso campo de la epigenética —es decir, el estudio de todos los factores no genéticos implicados en el desarrollo de un ser vivo— es posible modificar la expresión genética. Ciertamente, no podemos cambiar los genes de una persona. Sin embargo, sí es posible activar ciertos genes y desactivar otros, cambiando en consecuencia la expresión genética, es decir, la medida en la que se expresan realmente los caracteres genéticos de un individuo.

En efecto, la enfermedad autoinmune tiene un componente genético. Pero esos genes no son los únicos factores a tener en cuenta. Para que el individuo desarrolle un trastorno autoinmune, algo en su entorno, en su dieta o en sus circunstancias personales ha de *activar* el grupo de genes causantes de trastornos autoinmunes. Una vez que estos genes han sido activados, podemos trabajar para desactivarlos o, al menos, para frenarlos. Mediante la dieta, el mantenimiento de la salud intestinal y la reducción de la carga tóxica que soporta el organismo, es posible dar instrucciones a los genes problemáticos para que vuelvan a su estado anterior de inactividad, restableciendo así la salud de un sistema inmunitario acosado. Y si una persona se encuentra dentro del espectro autoinmune, puede *prevenir* los trastornos autoinmunes a través de medidas ligadas a la dieta y a su estilo de vida.

¿Qué causa la autoinmunidad?

Genética

Enfermedad autoinmune

Intestino permeable

Desencadenantes ambientales

Hipersensibilidad a los alimentos, toxinas, infecciones y estrés

MITO 2: LOS SÍNTOMAS NO DESAPARECEN SIN MEDICAMENTOS FUERTES

Resulta triste decirlo, pero gran parte de los profesionales de la medicina convencional menosprecian la importancia de la nutrición como factor crucial en la salud de la persona. La mayoría, además, desconocen desgraciadamente el poder que tiene el gluten de alterar la digestión, torpedear nuestro sistema inmunitario y desencadenar respuestas autoinmunes.

La medicina convencional tiende, además, a pasar por alto el potente efecto dañino de las toxinas presentes no solo en la comida, el aire y el agua, sino también en el champú, el desodorante y los productos de cosmética y de limpieza del hogar, así como en muebles, alfombras, colchones, televisores y ordenadores. El concepto mismo de carga tóxica es ajeno a la mayoría de los profesionales de la atención sanitaria, que muy pocas veces contemplan la posibilidad de librar de dicha carga a las personas que sufren trastornos autoinmunes.

Como resultado de ello, cuando se trata de combatir trastornos autoinmunes, la medicina convencional tiene en realidad solamente un arma en su arsenal: los fármacos. Una clase especialmente peligrosa de fármacos que se utiliza para tratar la autoinmunidad es la de los inmunodepresores, un tipo de medicamentos que reducen las reacciones inmunológicas. La base de este razonamiento sería que, si un sistema inmunitario con hiperactividad causa el problema, la inhibición del sistema inmunitario ha de ser la solución.

Sin embargo, necesitamos que nuestro sistema inmunitario funcione para enfrentarnos a bacterias, virus, toxinas y otras amenazas que nos rodean a diario. Y no es posible inhabilitar un sistema principal del organismo sin esperar que se registren importantes repercusiones. En consecuencia, este tipo de tratamientos son dolorosos, arriesgados y, con frecuencia, alteran de manera radical la vida normal de las personas que se someten a ellos.

No obstante, los profesionales de la medicina convencional suelen decir a las personas con trastornos más graves que los fármacos, junto con sus potenciales efectos secundarios, constituyen el único tratamiento posible.

En lugar de utilizar la medicina para inhibir el sistema inmunitario, el método Myers recurre a los alimentos y a los suplementos para fortalecerlo y respaldarlo, al tiempo que nos asegura el mantenimiento de la salud intestinal. Aliviar la carga tóxica que grava el sistema inmunitario ayuda también a restablecer el equilibrio en el organismo, así como a curar infecciones y a reducir el estrés. Los medicamentos no son, ciertamente, la única opción para el tratamiento de los trastornos autoinmunes.

MITO 3: CUANDO SE TRATA UN TRASTORNO AUTOINMUNE CON FÁRMACOS, LOS EFECTOS SECUNDARIOS NO SON UN GRAN PROBLEMA

Desearía que este mito fuera cierto, pero no es así. Los profesionales de la medicina convencional, en un intento por brindar ayuda y alivio a sus pacientes, son proclives a tranquilizarles asegurándoles que los medicamentos no tienen efectos secundarios o que, en todo caso, estos son poco relevantes. Como antigua «paciente de la medicina convencional», conozco todo esto demasiado bien.

De hecho, los efectos secundarios de los fármacos utilizados más a menudo para tratar los trastornos autoinmunes son frecuentes y muy perturbadores. Hay algunas excepciones, como la tiroiditis de Hashimoto, el síndrome de Sjögren, el vitíligo y la psoriasis, que suelen requerir un tratamiento más suave. Sin embargo, la mayoría de las personas con trastornos de autoinmunidad no son tan afortunadas. Eche un vistazo a la siguiente tabla y dé gracias a la existencia de otra forma de tratamiento, una en la que los únicos efectos secundarios son el aumento de la energía, y la mejora del estado de ánimo, la función cerebral y la salud en general.

EFECTOS SECUNDARIOS DE MEDICAMENTOS RECETADOS HABITUALMENTE PARA LOS TRASTORNOS DE AUTOINMUNIDAD

Existen tres principales clases de medicamentos para abordar las enfermedades autoinmunes:

Primera línea de tratamiento: esteroides, que inhiben la actividad del sistema inmunitario, y AINE (antiinflamatorios no esteroideos), que reducen la inflamación.

Segunda línea de tratamiento: fármacos antirreumáticos modificadores de la enfermedad (FARME), que interfieren en la replicación celular y el ADN.

Tercera línea de tratamiento: agentes biológicos, que interfieren en el modo en el que las células inmunitarias se comunican entre sí.

ESTEROIDES

Prednisona, utilizada para tratar artritis, alteraciones de la piel, problemas en los ojos y trastornos inmunitarios:

- náuseas
- vómitos
- pérdida de apetito
- ardor de estómago
- trastornos del sueño
- sudoración

- acné
- dolores o calambres musculares
- ritmo cardiaco irregular
- aumento de peso
- fiebre

- depresión, cambios del estado de ánimo, agitación
- presión arterial alta
- posible reacción alérgica

ANTIINFLAMATORIOS NO ESTEROIDEOS (AINE)b

Ibuprofeno, utilizado contra múltiples tipos de dolores y de inflamación, tales como dolores articulares y musculares y cefaleas:

- dolor de estómago
- estreñimiento
- diarrea

- gases
- ardor de estómago
- náuseas

- vómitos
- mareo

FÁRMACOS ANTIRREUMÁTICOS MODIFICADORES DE LA ENFERMEDAD (FARME)

Ácido micofenólico, utilizado para tratar trastornos autoinmunes:

- infección
- síntomas de infección, como fiebre y dolor de cabeza
- riesgo de infección grave
- valores bajos de glóbulos rojos y blancos en los análisis de sangre
- tendencia a hematomas y sangrado
- fatiga

- mareos y desmayos
- diarrea
- dolor abdominal
- tobillos y pies hinchados
- presión arterial alta
- linfoma
- cáncer de piel

Etanercept, utilizado en el tratamiento de la artritis reumatoide y otros trastornos autoinmunes:

- tuberculosis y otras infecciones
- hepatitis B
- problemas del sistema nervioso, entre ellos esclerosis múltiple, accesos convulsivos, inflamación de nervios, inflamación de ojos
- trastornos sanguíneos
- insuficiencia cardíaca
- psoriasis
- síndrome similar al lupus

Azatioprina, utilizada para tratar la artritis reumatoide:

- riesgo de cáncer de piel, linfoma, otros cánceres
- anemia
- glándulas inflamadas
- inflamación o dolor abdominales
- sudoración nocturna
- picores
- fiebre
- dolor de garganta
- tendencia a hematomas y sangrado
- fatiga

Metotrexato, utilizado para tratar la artritis reumatoide y la psoriasis:

- infección
- fiebre o escalofríos
- fatiga
- síntomas de tipo gripal
- tendencia a hematomas y sangrado
- inflamación y posible riesgo para hígado, pulmones y riñones
- dolor abdominal intenso
- náuseas, pérdida de apetito
- úlceras extensas y dolorosas en la boca
- tos con esputo amarillo
- falta de aire al respirar
- dificultad para orinar, aumento de la frecuencia de micción, ardor durante la micción
- sangre en orina
- pérdida de pelo
- diarrea
- defectos congénitos
- intenso dolor de garganta
- dolor en senos nasales, con moco amarillo
- herpes zóster
- daño hepático o pulmonar irreversible

Hidroxicloroquina, utilizada para tratar el lupus y la artritis reumatoide:

- náuseas
- calambres
- pérdida de apetito
- diarrea
- mareos
- dolor de cabeza
- ansiedad/depresión

AGENTES BIOLÓGICOS

Adalimumab, recetado para la artritis reumatoide y la enfermedad de Crohn:

- tuberculosis
- hepatitis B
- infecciones causadas por bacterias, hongos o virus, con propagación por todo el organismo
- cáncer
- insuficiencia cardíaca
- reacciones inmunitarias: dolor, dolor articular, falta de aire al respirar
- reacciones alérgicas: dificultad para respirar, urticaria, hinchazón de cara, ojos, labios y boca
- trastornos del sistema nervioso: entumecimiento, hormigueo, problemas de visión, debilidad en extremidades, mareos
- trastornos de la sangre: fiebre persistente, tendencia a hematomas o sangrado
- problemas de hígado: fatiga, falta de apetito, vómitos, dolor abdominal
- psoriasis
- infecciones de senos nasales
- infecciones respiratorias (tórax)
- náuseas
- dolor de cabeza

Anakinra, utilizada para tratar la artritis reumatoide:

- baja capacidad para luchar contra las infecciones, con neutropenia, es decir disminución de los leucocitos de la sangre llamados neutrófilos, que combaten la infección
- aumento del riesgo de linfoma, un tipo de cáncer
- intensa erupción
- cara hinchada
- dificultad para respirar
- reacción en el sitio de inyección, con hinchazón, hematoma, picor, escozor
- infecciones de vías respiratorias altas y de senos paranasales
- dolor articular
- dolor de cabeza
- náuseas
- diarrea
- dolor abdominal
- síntomas similares a los de la gripe
- empeoramiento de artritis reumatoide

MITO 4: FAVORECER LA DIGESTIÓN Y LA SALUD INTESTINAL NO TIENE EFECTO ALGUNO SOBRE LA EVOLUCIÓN DE UN TRASTORNO AUTOINMUNE

Se lo oía decir a mis médicos cuando era paciente y se lo oigo decir a mis colegas ahora que trabajo en medicina funcional: el sistema inmunitario y el sistema digestivo son dos aspectos diferentes del cuerpo y no tienen ningún punto de conexión.

Sin embargo, cada uno de nosotros tenemos *un* cuerpo en el que todos nuestros sistemas «hablan» entre ellos, y la inmensa mayor parte de nuestro sistema inmunitario se localiza en el tubo digestivo. De modo que ¿cómo no habrían de tener relación la digestión y la inmunidad?

Si una persona acude a un profesional de la medicina convencional con un trastorno autoinmune y le pregunta por cuestiones digestivas, lo más probable es que sea derivada a un gastroenterólogo. Desgraciadamente la mayoría de los especialistas en digestivo pedirán una endoscopia o una colonoscopia antes ni tan siquiera de preguntarle por su dieta.

He aquí el problema que entraña ignorar el tubo digestivo: la mayor parte de nuestro sistema inmunitario se localiza ahí. Por esta razón es esencial centrarse en el sistema digestivo y en curar un posible síndrome de intestino permeable si se desea revertir los síntomas generados por la autoinmunidad. Para estar sano, hay que tener un tubo digestivo sano. Y puedo poner el ejemplo de miles de pacientes que han visto resultados en su sistema inmunitario —de manera casi inmediata— tras curar su sistema digestivo.

MITO 5: EVITAR EL GLUTEN NO SUPONE NINGUNA DIFERENCIA SENSIBLE PARA UN TRASTORNO AUTOINMUNE

«¿Alimentos sin gluten? Eso es solo absurda moda pasajera de la que algunos intentan sacar beneficio. Llevamos comiendo trigo miles de años, de modo que ¿por qué de repente va a resultar que no es sano?»

Eso es lo que muchas personas piensan sobre el papel del gluten en nuestra salud y desgraciadamente la mayoría de los profesionales de la medicina convencional no discrepan de ellas. Cualquiera que le diga a su médico que está preocupado por el gluten recibirá dos contestaciones: «Podemos hacer un análisis de sangre y ver si tiene enfermedad celíaca» y

«¿Tiene usted algún problema digestivo? ¿No? Entonces no tiene que preocuparse por el gluten ».

En el capítulo 5 explico de manera extensa la razón por la cual el gluten es malo para el sistema inmunitario y explico también que la enfermedad celíaca, que es infrecuente, es diferente de la hipersensibilidad al gluten, que es bastante común. Y también aclaro que una persona puede sufrir hipersensibilidad al gluten sin necesidad de mostrar síntomas digestivos. Expongo la razón por la cual, incluso si no se tiene enfermedad celíaca, es posible ser hipersensible al gluten y trato la manera exacta en la que el gluten puede hacer que un trastorno inmunitario empeore.

La idea de que el gluten no influye en los trastornos autoinmunes es uno de los mitos más peligrosos en este contexto. Dejar a un lado este mito es uno de los mayores favores que puede usted hacerse a sí mismo.

MITO 6: PADECER UN TRASTORNO AUTOINMUNE CONDENA DE MANERA IRREMISIBLE A UNA MALA CALIDAD DE VIDA

«Mi médico decía que, con el paso del tiempo, me encontraría cada vez más débil…».

«He tenido que decirle a mi hijo que no me trajera más a mis nietos: no puedo correr el riesgo de enfermar».

«A veces el dolor es tan intenso que ni tan siquiera puedo ir a dar un paseo con mi marido».

Este es el tipo de problemas que alguien con un trastorno autoinmune espera sufrir con frecuencia; pero de ninguna manera se trata de contratiempos inevitables. Aunque la medicina convencional aconseja al paciente que acepte esta mala calidad de vida como resultado probable de su enfermedad, estoy firmemente convencida de que esa mala calidad de vida no es en absoluto ineludible. Si sigue el método Myers podrá vivir sin síntomas y sin dolor, y con energía. Llegar a controlar la enfermedad autoinmune lleva a unas personas más tiempo que a otras y es posible que sea necesaria más ayuda de la que yo puedo brindar en este libro (aunque si es así, procuraré indicar al lector todos los recursos que pueden serle necesarios). Sin embargo, básicamente, si depura su dieta, elimina el gluten, los cereales y las legumbres, repara la permeabilidad del intestino permeable, alivia la carga tóxica que soporta su organismo, cura las infecciones y reduce el estrés, podrá mirar hacia delante y esperar una excelente calidad de vida.

MITO 7: EN LOS TRASTORNOS AUTOINMUNES, SOLO LOS GENES IMPORTAN; LOS FACTORES AMBIENTALES NO INFLUYEN

Pues bien, la genética es responsable de alrededor del 25% de la probabilidad de que una persona desarrolle un trastorno autoinmune. Pero eso significa que el 75% restante de los desencadenantes son ambientales y, por tanto, es posible actuar sobre ellos. Creo que estos datos estadísticos ofrecen muchas posibilidades. Evitar el gluten, los cereales y las legumbres, mantener la salud intestinal, controlar las toxinas y aligerar la carga de estrés son factores que desempeñan un papel importantísimo a la hora de determinar si una predisposición genética se activa o se mantiene solo latente. La prevención y la curación de las infecciones y la reducción del estrés también marcan una importante diferencia. Incluso una vez que el trastorno autoinmune ya se ha desencadenado, la dieta, las toxinas, las infecciones y el estrés pueden empeorar la enfermedad o ayudar a que dé marcha atrás.

De modo que no hay que sentirse prisionero de la genética. Sea cual sea la biología con la que se nace, cada persona tiene la posibilidad de manejar su respuesta orgánica frente a la autoinmunidad y también la capacidad de generar las condiciones idóneas para llevar una vida sana y feliz.

MITO 8: EL SISTEMA INMUNITARIO ES COMO ES Y NO SE PUEDE HACER NADA PARA POTENCIARLO

Este mito es quizá el que revela de manera más elocuente la diferencia que existe entre los sistemas convencionales y el método Myers. Los profesionales de la medicina convencional tratan las enfermedades autoinmunes con fármacos para los síntomas y con depresores del sistema inmunitario. El método Myers aborda las enfermedades autoinmunes fortaleciendo el sistema inmunitario, lo cual presupone la limpieza y el mantenimiento del tubo digestivo, donde se localiza gran parte del sistema inmunitario.

Esta divergencia en el enfoque de las enfermedades guarda relación con las diferencias entre medicina convencional y medicina funcional. La primera a menudo tiende a la reparación rápida: un medicamento antiácido en lugar de un cambio en la dieta para superar el reflujo ácido; inmunodepresores en lugar de una dieta sana y una forma de vida saludable, y así sucesivamente. Los abordajes convencionales de los trastornos autoinmunes producen con frecuencia efectos secundarios, que requieren más medicación, que produce a su vez aún más efectos adversos, en un círculo vicioso que a menudo parece empeorar cada vez más y más. Por el contrario, el método Myers crea un «círculo virtuoso». Al favorecer el refuerzo del sistema inmunitario a través de la dieta y de la eliminación de toxinas del organismo, aporta salud y vitalidad. El estado de ánimo, la función mental y los niveles generales de energía mejoran. Al remitir la inflamación, la piel luce más tersa e incluso el pelo está más sano. La persona tiene mejor aspecto, se siente mejor, y su organismo funciona también mejor. De esta manera se crean efectos positivos en lugar de negativos, en una imparable espiral de salud.

Mi enfoque de las enfermedades autoinmunes es diferente en lo fundamental. Me siento esperanzada cada vez que voy a mi consulta y veo a pacientes cuya vida ha cambiado. Deseo compartir esa esperanza con usted, de modo que pueda deshacerse de los mitos que lo rodean y abrazar la promesa de esta propuesta llena de posibilidades.

Sé que el método Myers puede facultarle para acabar con sus síntomas de manera natural, restableciendo su energía, su vitalidad y su salud. Pero no tiene por qué confiar de forma ciega en lo que afirmo. Solo déme 30 días y podrá comprobar personalmente los resultados.

CAPÍTULO 3

Nosotros somos nuestros propios enemigos

¿Cómo actúa la autoinmunidad?

UNO DE LOS PEORES CONDICIONANTES de una dolencia autoinmune es el hecho de sentir algo así como si una presencia extraña se hiciera cargo del control de nuestro cuerpo. Sin saber de qué modo, nos sentimos ocupados por una fuerza misteriosa que nos hace estremecer y sentir dolor, pánico y debilidad, y experimentar enrojecimiento de la piel, trastornos del sueño y falta de concentración, por no mencionar la sobrecogedora fatiga, la *niebla cerebral* —expresión recientemente acuñada para designar los estados prolongados de confusión, aturdimiento y falta de memoria y capacidad de concentración— o la extrema debilidad muscular.

Nunca me he sentido tan fuera de control como cuando me enfrentaba a la enfermedad de Graves. Y esa misma aterrorizada confusión puedo observarla en muchos de los pacientes que acuden por primera vez a mi consulta. Ya es bastante malo encontrarse débil, mareado y agotado. De acuerdo, así se encuentra cualquiera que tenga la gripe, pero en ese caso sabe que puede superarla y volver a su vida anterior sin mayor problema. Pero cuando se padece un trastorno autoinmune, si un médico le ha transmitido al paciente la perspectiva que de ella se tiene en la medicina convencional, este se siente como si la enfermedad es la que hubiera tomado el control de los acontecimientos, como si fuera ella, y no uno mismo, quien decidiera el propio futuro. ¿Puede ir de vacaciones con su familia? Hay que preguntarle a la enfermedad. ¿Puede hacerse responsable de un determinado encargo en el trabajo? Depende de la enfermedad. ¿Puede inscribirse en la universidad para estudiar medicina o derecho, tomar un «año sabático» para viajar a Nepal, decidir fundar una familia o entrenarse para competir en un triatlón? Es la enfermedad la que decide, puesto que, una vez que se padece este misterioso trastorno, ya nunca pueden controlarse el propio nivel de energía, la propia capacidad de concentración, el propio bienestar emocional. *Es posible* que se encuentre bien en 1 mes o 2; incluso podría encontrarse mejor que ahora, *si* esos nuevos fármacos actúan como se supone que deben actuar, *si* no producen nuevos efectos secundarios, *si* el estrés asociado a los viajes, al exceso de trabajo o a tener un hijo no desestabiliza su ya de por sí temperamental sistema inmunitario, *si* no contrae otra infección o cualquier otro tipo de trastorno. Su vida puede continuar de modo más o menos satisfactorio, o no. Hay que preguntarle a la enfermedad.

Aun en el caso de que se padezca una afección poco discapacitante, como la psoriasis, la tiroiditis de Hashimoto o el síndrome de Sjöogren, la idea de que el propio organismo nos está destruyendo es de por sí un pensamiento desmoralizante. Súbitamente, el sistema inmunitario parece haberse convertido en un elemento adulterado, que ataca a la propia piel, a la tiroides, a las membranas mucosas o a cualquier otra parte vital de la propia anatomía. Cuando se padece una afección relativamente leve, se sabe al menos que se podrá mantener una vida similar a la anterior, que se podrá viajar, estudiar o promocionarse profesionalmente, que, con el paso del tiempo se podrá llegar a jugar con los nietos o a celebrar las bodas de oro. Pero en lo más profundo de la mente siempre está arraigado el sentimiento de que se padece una alteración médica permanente que durará toda la vida y que nunca podrá revertirse, tan solo regularse o tratarse. Algo ha ido mal y, como la perspectiva de la medicina convencional indica que la razón de ello está en los genes, no se ha podido hacer nada para impedirlo y, por añadidura, tampoco es posible evitar que se presente una nueva enfermedad, potencialmente más grave que la anterior. O cabe la posibilidad, también, de que la enfermedad presente se agrave, sin que se pueda hacer nada para prevenirlo. Aun en el caso de que los síntomas de la afección no sean demasiado intensos, la sensación de impotencia está siempre presente.

Quienes se encuentren incluidos en el espectro autoinmune han de hacer frente a un problema adicional. No solamente tienen que soportar una serie de alarmantes síntomas que les hacen sentirse fuera de control; lo más probable es que carezcan de un diagnóstico establecido por la medicina convencional que explique qué es lo que les sucede. Si no sabe qué es lo que le afecta o cuál es el motivo de sus problemas, ¿cómo puede hacerse cargo de su salud y, por lo demás de su vida? ¿De qué modo puede evitar que sus síntomas se agraven o, lo que es aún más difícil, conseguir que mejoren? Si a un médico dedicado a la medicina convencional se le pregunta «¿Hay algún medicamento que sirva para mis síntomas?», «¿Durante cuánto tiempo tengo que tomarlo?», «¿Qué se puede hacer si un fármaco deja de funcionar, como ha pasado otras veces?», o «¿Hay algo que pueda hace para mejorar mi estado?». No se suele obtener una respuesta convincente. Estar enfermo ya es suficiente. Sentir que unos misteriosos síntomas sin nombre se han adueñado de la situación es absolutamente insufrible.

Mi deseo es que el poder vuelva a sus manos. Y, desde mi punto de vista, el poder radica en primer lugar en el saber. Por consiguiente, quisiera impartir una breve lección de conocimiento científico, muy simplificada pero útil para explicar el modo en el que funciona el sistema inmunitario, de modo que le sea posible comprender con exactitud que es lo que está sucediendo en su cuerpo. Esta explicación del problema también lleva implícito el germen de la solución al mismo, puesto que, una vez que comprenda e interprete la información que se expone en el presente capítulo, será capaz de conocer el motivo por el que el seguimiento de mis recomendaciones dará lugar a la gradual inversión de sus síntomas., servirá para prevenir su agravamiento y ofrecerá la oportunidad de acceder a un nuevo nivel de salud y vitalidad.

La clave consiste en contemplar el propio cuerpo como un amigo, no como un enemigo y un saboteador. Pero, ¿cómo es posible conseguirlo sin conocer qué es lo que hace el organismo y por qué responde como lo hace? La lectura de este capítulo resolverá el problema. El conocimiento de nuestra fisiología nos capacita para reforzar y prestar soporte a nuestros sistema inmunitario y para poner fin a los síntomas, abandonar el uso de medicamentos y recuperar la salud.

EL SISTEMA INMUNITARIO, SU PROTECTOR

Si se piensa en ello, el cuerpo humano es un organismo altamente vulnerable. Las bacterias, los virus y los parásitos contaminan la piel. Flotan a nuestro alrededor en el aire, incitando a los pulmones a que los aspiren y, por supuesto, colonizan los alimentos y las aguas, por lo que es fácil ingerirlos inadvertidamente tragándolos. A veces parece increíble que alguno de nosotros pueda sobrevivir.

¿Qué es lo que nos mantiene seguros en medio de esta marea de agentes tóxicos? Nuestro heroico sistema inmunitario, un intricado y extremadamente complejo conjunto de compuestos bioquímicos cuya primera prioridad es proteger nuestro organismo.

Resulta sorprendente pensar que nuestro sistema inmunitario está en permanente funcionamiento, aunque la mayor parte del tiempo nosotros ni tan siquiera somos conscientes de su actuación. Es como si estuviéramos protegidos por un desconocido equipo de seguridad que se esfuerza entre bastidores, rastreando los peligros, ahuyentando en silencio a los agentes atacantes, neutralizando sigilosamente las amenazas. Cuando ese «equipo de seguridad» hace bien su trabajo, se convierte en una de las grandes maravillas del organismo humano.

Sin embargo, cuando el sistema inmunitario actúa de manera anómala, la consecuencia es el caos. Ante tales anomalías la medicina convencional responde utilizando fármacos para controlarlo, inhibiéndolo, modulándolo y compensándolo y medicando a la vez los síntomas derivados de esas alteraciones.

Por ejemplo, un grupo de medicamentos empleado con frecuencia para tratar numerosos trastornos autoinmunes es el de los esteroides suprarrenales, o corticosteroides, representados, entre otros, por la prednisona. Los corticosteroides deprimen la función inmunitaria, reduciéndola hasta un nivel inferior al normal, con el fin de que el sistema deje de atacar a los tejidos del propio cuerpo.

No obstante, este enfoque plantea dos problemas. En primer lugar, la prednisona tiene diversos efectos secundarios problemáticos, como puede comprobarse en la página 52. Como segundo factor a tener en cuenta, cuando la prednisona inhibe las defensas inmunitarias, estas no necesariamente se mantienen en valores normales, sino que pueden situarse en índices *inferiores* a los normales, haciendo que el organismo se ha torne peligrosamente vulnerable a amenazas que una función inmunitaria intacta contrarrestaría sin dificultad. Tal indefensión puede manifestarse incluso ante agentes amenazadores menores, como el virus del resfriado o las bacterias presentes en los alimentos crudos mal lavados. Ese es el motivo por el que las personas tratadas con inmunodepresores a menudo han de guardar precauciones inusuales en lo que respecta al contacto con niños, a la presencia en lugares muy frecuentados, a los viajes en avión o en otros medios de ambiente estanco, o a cualquier otra situación que implique riesgo de enfermedad o infección.

Otro fármaco empleado a menudo para tratar trastornos autoinmunes es el metotrexato, que también interfiere con la función inmunitaria haciendo que un sistema inmunitario hiperactivo descienda a niveles normales, a fin de interrumpir su ataque a los propios tejidos.

No sabemos exactamente cómo actúa el metotrexato. En origen se desarrolló como anticanceroso, ya que, según parece, impide que las células utilicen el folato (una forma de vitamina B) para elaborar ADN y ARN, evitando así que esas células se multipliquen. Esta propiedad es adecuada para bloquear la diseminación de las células cancerosas, pero también interfiere en la división de las células sanas normales, particularmente de las que presentan crecimiento rápido, como las que revisten el intestino o las que renuevan la médula ósea. También en este caso, existe peligro de que el medicamento inhiba las defensas inmunitarias hasta un nivel inferior al normal, con la consiguiente vulnerabilidad frente a enfermedades e infecciones.

Por otro lado, el metotrexato comporta riesgos de efectos secundarios (páginas 52-54), incluso más graves que los asociados a la prednisona.

Otro ejemplo de un inmunodepresor más activo, si cabe, es el del ácido micofenólico, originalmente desarrollado para inhibir el sistema inmunitario en receptores de trasplantes, con objeto de que su organismo no desarrollara rechazo hacia el órgano trasplantado. Posteriormente, los investigadores descubrieron que este fármaco también podía utilizarse para reducir el nivel funcional de un sistema inmunitario hiperactivo en personas con trastornos autoinmunes. Sin embargo, una vez más, no era posible calibrar en qué medida el medicamento inhibe las defensas inmunitarias ni el riesgo de que esa inhibición fuera excesiva.

Y, por supuesto, también en este caso, existían potenciales efectos adversos, aún más problemáticos que los de otros inmunodepresores.

En vez de inhibir el sistema inmunitario, nosotros proponemos un abordaje diferente. Planteamos, muy al contrario, el *refuerzo* de las defensas inmunitarias, eliminando los obstáculos que interfieren con su función e intentado asegurar que disponen de todos los recursos que necesitan. Nos proponemos aportar al sistema inmunitario todo el alimento que necesita, nutriéndolo, además, con algunos suplementos de alta calidad. Asimismo, hemos de erradicar todos los impedimentos que hacen que las defensas actúen de forma óptima, sanando el tubo digestivo, aminorando la carga tóxica, disminuyendo el nivel de estrés y curando las infecciones. De este modo, el sistema inmunitario se hará más fuerte y saludable, los síntomas remitirán y la sensación de «encontrarse bien» se convertirá en la nueva pauta de normalidad.

UNA BARRERA ANTE EL PELIGRO

El sistema inmunitario comienza a desarrollar su función en los límites entre el cuerpo y el entorno que lo rodea. Cuando las bacterias se asientan en la piel, parte de lo que evita que infecten el organismo depende de la estructura física de la epidermis. No obstante, las defensas inmunitarias también operan sobre la superficie de la piel, dispuesta a entrar en combate (como se verá más adelante) ante cualquier organismo invasivo que intente penetrar en el organismo a través de los poros.

Del mismo modo, cuando se aspiran bacterias o toxinas por la nariz o en dirección a los pulmones, las minúsculas vellosidades nasales y los cilios presentes en el interior de los pulmones actúan a modo de barrera *física* con objeto de evitar la penetración de organismos invasores. Simultáneamente, el sistema inmunitario crea una barrera *química*, produciendo la mucosidad pulmonar y nasal que atrapa y neutraliza numerosas potenciales amenazas.

De todos modos, el verdadero triunfo del sistema inmunitario se produce al tragar, cuando se genera una ingente cantidad de compuestos químicos letales dispuestos a atacar a todo tipo de bacterias, virus u otros agentes potencialmente dañinos que se puedan ingerir con la comida. Dado que la gran mayoría de los posibles riesgos a los que puede hacerse frente entran en el organismo a través de la boca, los investigadores estiman que el 80% de los elementos constitutivos del sistema inmunitario se ubican en el tubo digestivo.

Ello significa que si el tubo digestivo no funciona adecuadamente, las defensas inmunitarias se ven de uno u otro modo comprometidas. Como veremos en los capítulos 4 y 5, el revestimiento de la pared intestinal —el epitelio— solo cuenta con un espesor de una única capa de células. Buena parte del sistema inmunitario se asienta justo del otro lado de esa pared. Así pues, cuando las células de la pared intestinal están sanas, las defensas inmunitarias se relajan y realizan su trabajo de forma correcta. En cambio, cuando presentan alguna clase de afectación, y dejan que el alimento parcialmente digerido se extravase a los elementos constituyentes del sistema inmunitario, este se ve también comprometido. En tales circunstancias, es posible que se genere hiperactividad de las defensas inmunitarias y que, con el tiempo, se desarrolle una enfermedad autoinmune. *Es imprescindible que el tubo digestivo esté sano para tener un sistema inmunitario en buenas condiciones.*

EL SISTEMA INMUNITARIO INNATO: LA PRIMERA LÍNEA DE DEFENSA

El sistema inmunitario está constituido por dos partes: el sistema «innato» y el «adaptativo».

La primera, más rápida y más inmediata línea de defensa es el sistema inmunitario innato, que constituye su parte más primitiva y que es la que los humanos tenemos en común con las plantas, los hongos, los insectos y los demás organismos multicelulares.

El sistema inmunitario innato está configurado para actuar de manera rápida y eficaz. Carece de «memoria», por lo que no confiere una inmunidad duradera. Sin embargo, hay otra parte del sistema inmunitario que sí tiene una especie de memoria, lo que impide que ciertas enfermedades se contraigan más de una vez y lo que facilita que ciertas afecciones no se padezcan cuando se ha sido vacunado contra ellas. Esta rama más lenta y más «inteligente» se conoce como sistema inmunitario adaptativo y la analizaremos en el epígrafe siguiente. El sistema inmunitario innato es de intervención más rápida pero está menos informado. No conserva el historial de las enfermedades que cada persona ha padecido, y parte de cero cada vez que se enfrenta a una amenaza, desplegando las defensas y combatiendo a los agentes invasores siempre como si fuera la primera vez que les hace frente. Es como la parte del equipo de seguridad que desarrolla labores de respuesta inmediata, antes de consultar los archivos de inteligencia o de proceder a la verificación de antecedentes en un ordenador.

A menudo, el sistema inmunitario innato actúa por medio de un mecanismo conocido como *inflamación aguda*. La *inflamación* es exactamente lo que su nombre sugiere, es decir, una reacción ardiente e intensa que representa el esfuerzo del organismo para combatir la infección. Por lo que respecta al término «aguda», es indicativo de que la inflamación corresponde a un proceso de respuesta a una alteración, específica y limitada en el tiempo, en oposición a la noción de *inflamación crónica*, que se asocia a una respuesta persistente y continuada (este es el tipo de inflamación más preocupante y es de la que nos ocuparemos a lo largo del libro).

Supongamos que se hace un corte en un dedo con el marco oxidado de una puerta. Esa puerta, vieja y sucia, sencillamente está atestada de bacterias perjudiciales y, al sufrir ese corte en su dedo, lo que ha hecho es abrirles de par en par las puertas de su organismo a esos microorganismos y organizarles una fiesta de bienvenida. Si alguna forma de protección no entra en funcionamiento, puede darse por hecho que esas bacterias infectarán la herida y, con toda probabilidad, invadirán otras partes de su cuerpo a partir del dedo [c].

Esa fuerza de rescate es el sistema inmunitario innato, que envía todo un equipo de compuestos químicos letales para las bacterias nocivas al punto de la infección, creando la inflamación que constituye su arma más eficaz. La inflamación aguda obedece el realidad a un intento de curar la infección, aunque esa curación sea un proceso molesto, o incluso doloroso, que por definición incluye enrojecimiento, hinchazón, calor y dolor.

Enrojecimiento. las células sanguíneas se precipitan hacia el lugar de la infección, transportando con ellas los compuestos químicos inmunitarios. El exceso de células sanguíneas presentes bajo la piel en esta localización hace que la zona aparezca enrojecida.

Hinchazón. hacia el lugar de la infección también fluyen líquidos adicionales. Algunos aportan más compuestos destructores de las bacterias invasoras y otros sirven para arrastrar las células muertas en el curso de este épico combate. La mayor cantidad de líquido hace que el «campo de batalla» se hinche.

Calor. La mayor cantidad de sangre genera también calor en el área afectada.

Dolor. Los subproductos de las reacciones químicas que se desarrollan en este contexto estimulan las terminaciones nerviosas, lo que produce una reacción del sistema nervioso que conocemos como dolor. El dolor resulta útil, puesto que avisa al cuerpo de que ha sido atacado y de que el ataque es importante. De que no se trata de una advertencia o de una amenaza, sino de un corte, y un golpe o una infección, es decir, de una agresión real. El dolor sirve, pues, para dar media vuelta y conseguir ayuda.

EL SISTEMA INMUNITARIO ADAPTATIVO: LA SEGUNDA LÍNEA DE DEFENSA

En realidad, el sistema inmunitario innato nunca «aprende» nada. Hay que pensar en él como en el equipo de seguridad de nivel básico, cuyos integrantes no archivan información ni ponen en práctica acciones específicas contra determinados intrusos. Son capaces de acudir al lugar en el que se ha producido una agresión al instante, pero no varían su método de actuación en función del agente agresor. La fórmula «intruso igual a inflamación» es básicamente la única que aplican.

Por el contrario, el sistema inmunitario adaptativo tarda un poco más en ponerse en acción. De hecho, se despliega a lo largo del tiempo, ya que reúne y conserva ingentes cantidades de información sobre cuáles son los intrusos que nos amenazan, con el fin de definir el mejor modo de atacarlos. Esta parte del sistema inmunitario solo está presente en la porción más avanzada de la cadena evolutivas, fundamentalmente en los vertebrados (animales dotados de columna vertebral).

El sistema inmunitario adaptativo se desarrolló evolutivamente debido a que, los seres vivos activos y móviles pueden hallarse en múltiples entornos en los que existe una amplia variedad de potenciales amenazas.

Cada vez que sufrimos un corte en un dedo, quedamos en condiciones de vulnerabilidad ante una posible infección por bacterias perjudiciales. Las heridas abiertas son competencia del sistema inmunitario innato. Sin embargo, cuando nos enfrentamos, pongamos por caso, a una enfermedad como el sarampión, no hemos de preocuparnos por volver a contraerla. Y ello se debe al hecho que de que, en este caso, es el sistema inmunitario adaptativo el que toma cartas en el asunto. Tras su primer encuentro con el virus del sarampión, las defensas inmunitarias adaptativas encuentran la manera de proporcionar inmunidad a largo plazo, fenómeno en el que se ven implicados un conjunto de recursos fisiológicos que permiten cortar de raíz cualquier intento del agente agresor de volver a invadir el organismo.

En ello se basa la acción de las vacunas. Cuando se recibe la vacuna contra la polio, el cuerpo es expuesto a una mínima cantidad de virus causante de la enfermedad. El sistema inmunitario adaptativo aprende a reconocer ese virus y a desarrollar una estrategia a largo plazo contra él. Gracias a dicha estrategia, la persona vacunada queda protegida contra ese invasor en concreto durante el resto de su vida.

Obviamente, algunas respuestas inmunitarias adaptativas tienen una duración más breve, de semanas, meses o años, y no se prolongan durante toda la vida. Ese es el motivo por el que ciertas vacunas deben administrarse más de una vez.

ANTICUERPOS: LAS PRIMERAS ARMAS DEL SISTEMA INMUNITARIO ADAPTATIVO

Las defensas inmunitarias adaptativas reconocen y atacan a los intrusos por medio de compuestos bioquímicos desarrollados a través de un ingenioso mecanismo biológico, llamados «anticuerpos».

Un anticuerpo es una proteína grande cuya molécula tiene forma de Y y producida por unos componentes del sistema inmunitario denominados «linfocitos B», y secretada por los leucocitos, los glóbulos blancos, de la sangre. En ocasiones, para que se activen los linfocitos B es necesario que intervengan otro tipo de células, conocidas como «linfocitos T cooperadores (*helper*)».

Para que el sistema inmunitario adaptativo funcione de manera idónea, todos estos diferentes tipos de células tiene que estar sanos. No es preciso recordar el nombre de cada uno de el ellos; basta con tener presente el concepto de anticuerpo.

Los anticuerpos forman parte de las «fuerzas especiales» del equipo de seguridad. Básicamente, el sistema inmunitario adaptativo estudia una amenaza en particular y, a continuación, despliega una estrategia diseñada de modo específico contra ella. Esta táctica protectora comporta el desplazamiento de las células inmunitarias para generar la inflamación que, a su vez, destruye al intruso, aunque en este caso la reacción es dirigida y específica para ese agente en concreto. La inflamación brota solo cuando los anticuerpos han detectado la amenaza concreta que han aprendido a reconocer.

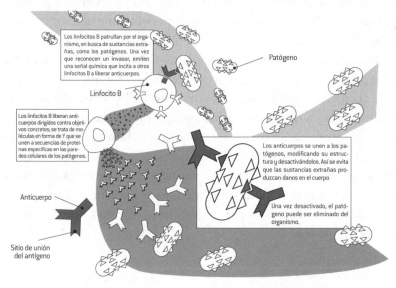

Los linfocitos B patrullan por el organismo, en busca de sustancias extrañas, como los patógenos. Una vez que reconocen un invasor, emiten una señal química que incita a otros linfocitos B a liberar anticuerpos.

Patógeno

Linfocito B

Los linfocitos B liberan anticuerpos dirigidos contra objetivos concretos; se trata de moléculas en forma de Y que se unen a secuencias de proteínas específicas en las paredes celulares de los patógenos.

Los anticuerpos se unen a los patógenos, modificando su estructura y desactivándolos. Así se evita que las sustancias extrañas produzcan daños en el cuerpo

Anticuerpo

Una vez desactivado, el patógeno puede ser eliminado del organismo.

Sitio de unión del antígeno

LA «BRIGADA DE SEGURIDAD»

Las defensas inmunitarias conforman un sistema complejo, en el que intervienen diversos factores, pero en ellas hay una serie de elementos que son los miembros clave de la brigada de seguridad. No es necesario memorizar sus nombres, pero siempre es bueno saber que están ahí y que cumplen su función.

Los **anticuerpos** identifican a los invasores y desencadenan la inflamación para que actúe contra ellos.

Los **linfocitos** son un tipo de células inmunitarias elaboradas por el sistema linfáticos, entre ellos se cuentan los linfocitos B y T.

Los **linfocitos B** producen tanto anticuerpos como inflamación. También generan citocinas, «mensajeros» químicos que envían señales a otras partes del sistema inmunitario para que activen la inflamación, lo que a su vez da lugar a que entren en escena nuevos linfocitos B y T.

Los **linfocitos T citotóxicos (células asesinas o células killer)** forman parte de la respuesta inflamatoria y atacan a los organismos invasores.

Los **linfocitos T cooperadores (helper)** indican a los linfocitos B y a los linfocitos T citotóxicos lo que han de hacer.

Los **linfocitos T reguladores** indican cuándo se debe activar o desactivar el proceso inflamatorio, de modo que el sistema inmunitario no mantenga permanentemente un alto nivel de alerta y que el cuerpo no esté siempre inflamado.

Esa es la razón por la que utilizamos tantas vacunas. Los anticuerpos que se desarrollan contra la polio no aportan protección alguna contra el sarampión y, a la inversa, los que se desarrollan contra el sarampión no generan defensas contra la polio. Cada grupo de anticuerpos está diseñado para atacar solamente un objetivo específico, no actuando contra otros microorganismos, ya sean estos bacterias o virus.

Es fácil intuir la utilidad del sistema inmunitario para animales que se desenvuelven en diferentes entornos y se enfrentan a distintos tipos de agentes patógenos. La gran mayoría de los organismos ejercen efectos neutros o beneficiosos para el cuerpo. Si las defensas inmunitarias se mantuvieran en permanente estado de alerta, el cuerpo presentaría un continuo estado de inflamación, con enrojecimiento, hinchazón, fiebre y dolor. Dado que la inflamación es un proceso que requiere esfuerzo por parte del organismo y genera dolor en él, es importante que solo entre el acción cuando es realmente necesario, es decir, cuando se cierne sobre el cuerpo una amenaza real.

La gran paradoja del sistema inmunitario adaptativo estriba en el hecho de que simultáneamente nos hace más vulnerables y más fuertes. Así es posible contraer el sarampión una vez, ya que las defensas inmunitarias no se activan cada vez que encuentras un microorganismo con el que no están familiarizados. La primera vez que el virus del sarampión penetra en el cuerpo encuentra paso libre. No obstante, después, cuando el sistema inmunitario adaptativo interpreta que el virus del sarampión es algo nocivo para nosotros, produce anticuerpos específicos. Se trataría de algo así como enviar una fotografía de alguien que suponga una amenaza a la central de mando de la brigada de seguridad: «Estén atentos a este tipo» se les comunica a los anticuerpos. «Si vuelven a verlo, hágannoslo saber y nosotros lo atacaremos con toda la inflamación de la que dispongamos». Entretanto, otros microorganismos extraños —presentes tal vez en un alimento que nunca antes se ha tomado o que sean nuevas bacterias propias de un país no visitado con anterioridad y con las que no se haya estado en contacto— seguirán encontrando también el paso libre.

Por otra parte, a veces se producen también reacciones cruzadas. Los anticuerpos que protegen contra una enfermedad ocasionalmente responden a otra u otras enfermedades. De hecho, las propias vacunas fueron inventadas en el siglo XVIII por el médico británico Edward Jenner, quien observó que las personas que habían padecido la viruela vacuna, una enfermedad penosa, pero no mortal, parecían estar inmunizadas contra la *viruela humana*, que con frecuencia daba lugar, esta sí, a un fatal desenlace. Jenner intuyó que si administraba a sus pacientes una dosis baja de viruela vacuna (extraída del pus de una pústula de una persona infectada), sus pacientes quedarían protegidos frente a la variante humana de la viruela.

El médico inglés no llegó a comprender con exactitud el mecanismo que se activaba en el proceso, pero nosotros sí lo conocemos: una vez que se han desarrollado los anticuerpos contra la viruela vacuna, estos desencadenan una respuesta inflamatoria que ataca al propio virus de la viruela de las vacas, pero también al de la viruela humana, muy similar. Es como si el equipo de la central de mando pensara: «¡Vaya! Este es condenadamente parecido al tipo de la fotografía de la viruela vacuna; ¡A por él» Así pues, los anticuerpos se dirigen contra objetivos específicos, pero en ocasiones también atacan a objetivos «similares».

El mismo mecanismo es el que actúa en el caso de la vacuna de la gripe. La vacuna real infecta el cuerpo con tres cepas del virus de la gripe, pero si una nueva cepa comienza a diseminarse ese año, la vacuna proporciona también protección frente a ella.

Recapitulemos el proceso completo.

El sistema inmunitario adaptativo aprende a reconocer determinadas amenazas y desarrolla anticuerpos contra ellas. Cuando un anticuerpo detecta un intruso concreto, imparte instrucciones para que el sistema inmunitario lo destruya con una avalancha compuestos químicos inflamatorios. Aunque cada grupo de anticuerpos va dirigido contra una amenaza en particular, los propios anticuerpos pueden «confundirse» y dirigirse contra nuevas amenazas que sean simplemente «similares».

CÓMO GENERAN LOS DIFERENTES TIPOS DE ANTICUERPOS ALERGIAS Y REACCIONES DE HIPERSENSIBILIDAD

No todos los anticuerpos se generan del mismo modo. Cada tipo actúa de una forma diferente y a velocidad distinta, proporcionando una mayor flexibilidad frente a las diversas clases de amenazas.

He aquí algunos de los principales tipos de anticuerpos implicados en la autoinmunidad y en el estado de salud del tubo digestivo. Como puede observarse, a cada anticuerpo se le asigna la notación Ig, que es una abreviatura de «inmunoglobulina», que es otro de los términos utilizados para denominar a los anticuerpos. A cada tipo de inmunoglobulina se le asigna aleatoriamente una letra, A, E o G. Las letras no corresponden a significado alguno, simplemente son la manera que los investigadores utilizan para etiquetarlas.

IgA. Esta es la categoría de anticuerpos más frecuente y constituye la porción más significativa del sistema inmunitario. La gran mayoría de las IgA se encuentran en el revestimiento mucoso del intestino. Las IgA están asimismo presentes en las vías respiratorias (nariz, boca y pulmones) y en las vías genitourinarias (conductos urinarios y vagina). Estos anticuerpos impiden que bacterias, virus y parásitos colonicen estas áreas, atacándolos cuando los detectan. Las IgA están igualmente presentes en la saliva, las lágrimas y la leche materna. Si en los intestinos hay proliferación de levaduras, es característico que en el examen completo de heces se detecten concentraciones reducidas de IgA. Ello indica al médico que el sistema inmunitario no presenta una función óptima y que al paciente le costará más de lo normal combatir las infecciones.

IgE. Cuando se padecen alergias, los anticuerpos implicados en el proceso son las IgE. Esta parte del sistema inmunitario se pone en acción de inmediato. En el momento que detectan un elemento extraño, las IgE hacen que las defensas se movilicen y pongan en funcionamiento una verdadera oleada de compuestos químicos inflamatorios protectores. Desafortunadamente, los efectos de esta inflamación a veces son incluso más intensos que los originados por el agente invasor. Si, por ejemplo, se padece alergia a los cacahuetes, apenas un mordisco a uno de estos frutos secos puede desencadenar una súbita y fuerte reacción inflamatoria. Como efecto secundario de la inflamación, los pulmones se congestionan en ocasiones, hasta el punto de que resulta difícil respirar. No son los cacahuetes los que obstruyen las vías respiratorias, es la respuesta inflamatoria del organismo ante ellos.

IgG. Este tipo de anticuerpo desencadena una respuesta inflamatoria, bastante más lenta y menos intensa que la suscitada por la IgE, conocida como respuesta de hipersensibilidad en vez de respuesta alérgica. Un anticuerpo IgG provoca reacciones más sutiles, que pueden presentar un retraso de hasta 72 horas, lo que dificulta sensiblemente la determinación de la causa de los síntomas. Como consecuencia de ello, todo el sistema puede inflamarse debido a los frecuentes encuentros con diferentes factores que supongan algún tipo de amenaza, si bien al verse tan retardadas, en las reacciones de la IgG cabe la posibilidad de que sea difícil discernir cuáles son esas amenazas y el modo de eludirlas. La hipersensibilidad al gluten y a los productos lácteos son habituales en la fisiología de este tipo de anticuerpos. Esta clase de reacciones se analizarán más a fondo en los capítulos 4 y 5, ya que la prevención de las reacciones de mediadas por la IgG es un aspecto esencial del método Myers.

AUSENCIA DE INFLAMACIÓN: UN SISTEMA INMUNITARIO FUERTE Y SALUDABLE

El objetivo a cuya consecución nos consagraremos de ahora en adelante, la meta que intenta ayudarnos a alcanzar el método Myers, es el estado de ausencia de inflamación.

Cuando en el cuerpo no hay inflamación, ello significa que el sistema inmunitario está es reposo. Se encuentra calmado, fuerte, sensible y listo para hacer su trabajo, no para excederse en él.

Imaginemos que, durante un viaje en avión de corta duración, la persona que se sienta a su lado tiene gripe. Tose e, inevitablemente, algunos de los virus de la gripe han de quedar suspendidos en el aire frente a su rostro. Usted aspira esos virus a través de los orificios de la nariz, pero no contrae la enfermedad. Ello se debe a que su sistema inmunitario innato, expresado en este caso a través de las moléculas de los «macrófagos» que revisten sus pulmones y sus vías nasales, se encuentran en estado de alerta.

POSIBLES RESPUESTAS A LAS DEFENSAS MEDIADAS POR LA IGG

Los siguientes signos de respuesta inflamatoria pueden retrasarse durante horas, o incluso durante días, una vez que las IgG detectan una amenaza:

Alteraciones cerebrales: cefaleas, ansiedad, depresión, cambios de estado de ánimo, convulsiones, trastorno por déficit de atención/trastorno por déficit de atención con hiperactividad (TDA/TDAH), niebla cerebral, falta de capacidad de concentración, problemas de memoria, trastornos del sueño, somnolencia, fatiga.

Alteraciones cutáneas: acné, urticaria, picores, rubefacción, exantema.

Alteraciones digestivas: gases, distensión abdominal, indigestión, náuseas, estreñimiento, diarrea.

Alteraciones hormonales: menstruaciones irregulares, desequilibrios hormonales, sofocos.

Alteraciones metabólicas: ganancia de peso, dificultad para perder peso.

Alteraciones musculoesqueléticas: dolor o inflamación articular, dolor muscular, lumbago.

Paradójicamente, este tipo de síntomas no se deben a la amenaza real contra el organismo, sino más bien a los efectos secundarios de la inflamación, en virtud de la cual el sistema inmunitario intenta protegernos.

Los macrófagos (literalmente «grandes comedores») envuelven y absorben las moléculas de los virus, haciendo que continúe manteniéndose un estado plenamente saludable.

Todo marcha bien, sin que usted se aperciba ni tan siquiera del gran trabajo que su «brigada de seguridad» está haciendo por usted. Por el contrario, un pasajero de otro asiento cercano presenta un sistema inmunitario debilitado y, a pesar de tratarse de un vuelo corto, él *sí contrae* la gripe. Al día siguiente debe guardar cama, con el cuerpo dolorido y febril, caso del que usted se ha librado gracias a la robustez de sus defensas inmunitarias.

Consideremos otra eventualidad, por ejemplo, que compra un brécol y se da la circunstancia de que no lo lava bien del todo. El brécol se recoge directamente de la tierra y, en este caso, en esta pieza habían quedado restos de estiércol, cargado de bacterias insalubres. Casi sin darse cuenta, al tomarlo está ingiriendo una cantidad sustancial de estas bacterias perjudiciales y, sin embargo, no enferma. Ello se debe a que su sistema inmunitario innato estaba preparado para destruir las bacterias antes de que llegaran a provocar diarreas o infección. Tales son las virtudes que comporta disponer de unas defensas inmunitarias fuertes, que son el objetivo que perseguimos para mantenernos en buen estado de salud.

INFLAMACIÓN AGUDA: UNA RESPUESTA RÁPIDA Y TRANSITORIA

En ocasiones, aun cuando el sistema inmunitario es fuerte, la amenaza es excesiva. En tales circunstancias las defensas ponen en juego el arma que utilizan como primer recurso: la inflamación aguda.

Pongamos por caso que, en vez de un vuelo breve, realiza una larga travesía transatlántica en avión. Como en el caso anterior, su asiento está al lado del de una persona que tiene gripe. En el ejemplo antes mencionado la duración del vuelo esta escasa, pero en esta ocasión el tiempo de exposición es de varias horas. En consecuencia, el virus de la gripe consigue abrirse paso en su organismo, eludiendo la acción de los macrófagos y amenazándolo desde su interior. ¿Qué sucede entonces?

Una vez más, el sistema inmunitario innato acude al rescate y moviliza rápidamente una amplia diversidad de linfocitos citolíticos y compuestos químicos inflamatorios diseñados con la finalidad de destruir al invasor. Los síntomas de la gripe no son provocados por este invasor sino por el arma elegida como primer recurso por las defensas inmunitarias. La inflamación, y no la gripe en sí misma, es la responsable de la rubefacción nasal (enrojecimiento), la congestión de las vías nasales (hinchazón). la fiebre (calor), la sensibilidad dolorosa (dolor). Dado que este es un caso de inflamación *aguda*, el sistema inmunitario atenúa su actividad tan pronto como el agente invasor es derrotado: la inflamación remite y la vida vuelve plácidamente a la normalidad.

De manera análoga, cuando sufrió un corte en el dedo con el borde oxidado de la puerta a la que antes hemos aludido, probablemente experimentaría cierto grado de enrojecimiento, hinchazón, calor y dolor cuando su sistema inmunitario liberara compuestos químicos inflamatorios en la localización de la infección. Estos síntomas dolorosos o molestos constituyen la evidencia de que el sistema inmunitario está intentado proteger su organismo, atacando a los intrusos por medio de la inflamación aguda. En poco tiempo la infección es derrotada y la inflamación remite.

El factor clave que conviene recordar es que la inflamación aguda es desencadenada por una causa en particular, y que desaparece al mismo tiempo que el problema que la provoca. La inflamación aguda puede ser dolorosa o molesta, como cualquiera que haya pasado una gripe puede atestiguar. Pero una vez que el episodio que la induce es superado, suele volverse de nuevo a recuperar la salud de forma plena.

INFLAMACIÓN CRÓNICA. EL SISTEMA INMUNITARIO EN ALERTA PERMANENTE

A diferencia de lo que sucede en la inflamación aguda, la inflamación *crónica* se instaura de modo prolongado, cuando no permanente. Se trata sin duda alguna de muy malas noticias, hasta el punto de que esta modalidad de inflamación es uno de los principales riesgos sanitarios a los que nos enfrentamos en la actualidad. Es la causa de fondo de la práctica totalidad de las enfermedades, desde el acné hasta las afecciones cardiovasculares, y tal vez también del cáncer. Y, como vimos en el capítulo 1 (más concretamente en el epígrafe «El espectro autoinmune», en la página 34) la inflamación crónica desempeña un decisivo papel en el desarrollo de las dolencias autoinmunes, tanto en lo que respecta a su activación como en lo que se refiere a su remisión o su agravamiento.

Como ya hemos indicado, se supone que la reacción inflamatoria se desencadena como respuesta a un estímulo amenazador, erradica la amenaza y, a continuación, remite, ofreciendo la posibilidad al organismo de recuperar su estado normal.

Cuando el organismo se ve expuesto a una amenaza tras otra, sin tiempo para restablecerse por completo, o cuando uno de esos estímulos amenazadores, incluso de bajo nivel, no termina de remitir del todo, el sistema inmunitario se mantiene en un estado de alerta permanente y la inflamación se convierte en crónica.

PROCESOS ASOCIADOS A LA INFLAMACIÓN CRÓNICA

Alteraciones cutáneas: acné, eccema, rosácea.

Cánceres de todos los tipos.

Enfermedades cardiovasculares: cardiopatía, arterioesclerosis.

Trastornos digestivos: enfermedad por reflujo gastroesofágico (ERGE), síndrome del intestino irritable, úlceras, cálculos biliares, hígado graso, diverticulitis, hipersensibilidades y alergias alimentarias.

Trastornos emocionales y cognitivos: ansiedad, depresión, trastorno por déficit de atención con hiperactividad (TDAH), enfermedad de Alzheimer, demencia.

Trastornos hormonales: mamas fibroquísticas, endometrosis, fibroides.

Trastornos metabólicos: obesidad, diabetes.

Trastornos óseos y articulares: lumbago, dolor muscular, artritis.

Trastornos respiratorios: sinusitis, alergias estacionales, asma.

Y, por supuesto, la inflamación crónica está asimismo asociada a todo tipo de enfermedades autoinmunes, así como a cuadros relacionados con ellas como el síndrome de fatiga crónica.

INMUNOCOMPLEJOS: LA CAUSA OCULTA DEL DOLOR ARTICULAR

Cuando el sistema inmunitario presenta un alto grado de inflamación, se crean agregados de compuestos químicos antiinflamatorios conocidos como «inmunocomplejos» o «complejos inmunes». Dichos compuestos pueden desplazarse a través del torrente circulatorio y asentarse en las articulaciones, induciendo en ellas inflamación y provocando —ya lo habrá adivinado— enrojecimiento, hinchazón, calor y dolor. Ese es el motivo por el que la inflamación es un signo de advertencia: puede querer decir que se está expuesto a riesgo de artritis reumatoide o bien que ya se ha contraído la enfermedad.

En cualquier caso, los síntomas pueden aminorarse reduciendo la inflamación global del organismo. También en este contexto, la disminución de la inflamación siguiendo el método Myers es la solución para invertir y prevenir el desarrollo de trastornos autoinmunes.

Es como si una parte de los restos de óxido del marco de la puerta causante del corte al que antes aludíamos quedara enclavada permanentemente en el dedo; como si la acometida de la infección no cesara nunca. L inflamación está activada de manera permanente y el organismo sufre sus consecuencias.

Cuando la inflamación se torna crónica, el sistema inmunitario podría compararse a un equipo de seguridad cuyos integrantes hubieran trabajado una semana seguida sin interrupción. Como es imaginable, es más que probable que cometieran toda suerte de errores, con secuelas potencialmente desastrosas para la salud.

AUTOINMUNIDAD: CUANDO LA INFLAMACIÓN CRÓNICA DURA DEMASIADO

En los capítulos comprendidos entre el 4 y el 7, trataremos más en profundidad cuáles son los factores que pueden hacer que el sistema inmunitario se mantenga en estado de alerta permanente, generando inflamación crónica y elevando el riesgo de desarrollo de autoinmunidad. He aquí un breve avance sobre la cuestión: entre esos factores se cuentan el trastorno intestinal conocido como «intestino permeable» (analizado en el capítulo 4), el gluten, los cereales, las legumbres y otros alimentos habituales en la dieta (tratados en el capítulo 5), las toxinas ambientales (examinadas en el capítulo 6), y ciertos tipos de infecciones y el exceso de estrés (analizados ambos en el capítulo 7). Ese es el motivo de que el método Myers se centre en mejorar la dieta, curar el tubo digestivo, atenuar la carga tóxica, tratar las infeccione y aliviar el estrés. En conjunto, estas iniciativas ponen fin a la inflamación crónica, dan un respiro a las defensas inmunitarias y tienden a volver a optimizar la eficacia del organismo.

Si no padece un trastorno autoinmune, tenga en cuenta de todos modos que la inflamación crónica puede hacer que se desarrolle uno de ellos en cualquier momento. Si, por el contrario, sí sufre una de estas dolencias en la actualidad, la inflamación crónica es una potencial causa de su agravamiento. Por tanto, uno de los objetivos que el método Myers persigue se centra siempre en *reducir, erradicar y prevenir la inflamación crónica*.

En la página 18 es posible consultar una lista de síntomas que se pueden generar cuando se padece inflamación crónica. Se trata de una lista que incluye los signos de advertencia relacionados con el espectro autoinmune, dado que es precisamente la inflamación crónica la que *nos hace quedar incluidos* dentro de ese espectro. Cuanto mayor y más prolongada sea la inflamación crónica, mayor será también el riesgo de desarrollo de una enfermedad autoinmune.

No se conoce con precisión el mecanismo a través del cual la inflamación crónica deriva en autoinmunidad. Lo que sí sabemos es que existe una elevada correlación entre ambos fenómenos. La inflamación crónica somete a tensión a las defensas inmunitarias y, cuando estas experimentan un exceso de sobrecarga es probable que queden fuera de control.

Volvamos a nuestro ejemplo comparativo de la brigada de seguridad: imaginemos a cinco o seis de sus componentes, sentados en la central de mando y rodeados por invasores hostiles. Los invasores —infecciones, toxinas, factores generadores de estrés, bacterias nocivas y todo un cúmulo de otros elementos— intentan asaltar el edificio del control central de forma constante y tenaz. Los miembros de la brigada están exhaustos, ya que no han tenido ni un momento de descanso, pero no pueden abandonar su puesto ni tan siquiera para comer algo o dormir un poco, ya que los ataques son incesantes. Lo más que pueden hacer es mantenerse a base de café con donuts e intentar estar a la altura de las circunstancias.

¿Qué es lo más probable que hagan? En principio pueden ser selectivos en cuanto a cuáles son los objetivos que deben atacar, escogiéndolos con cuidado. A medida que las agresiones van aumentando y que van sintiéndose más agotados, comienzan a esparcir toda su potencia de fuego hacia cualquier lugar. Solo desean que los ataques cesen y, llegados a este punto, ya no tienen la suficiente claridad de ideas como para distinguir las agresiones importantes de las menos trascendentes o las amenazas reales de las imaginarias. Solamente pueden usar todas las armas de las que disponen en un desesperado intento de proteger su posición.

Así es como responden nuestras defensas inmunitarias cuando son agredidas de manera reiterada por alimentos inapropiados, toxinas ambientales, ciertas infecciones peligrosas o a exceso de factores estresantes. Es posible que, al principio, puedan hacer frente sin problemas a una o dos agresiones. Pero si estas continúan o se intensifican, la inflamación aumenta más y más. Finalmente, el atribulado sistema inmunitario puede llegar a perder el control y a atacar al propio organismo. Esta es la zona de peligro: el estado en el que es posible desarrollar un trastorno autoinmune. Hasta que se encuentra un modo de detener los ataques y de atenuar la respuesta a los mismos, el inocente organismo afectado será víctima del fuego cruzado, con un persistente agravamiento de los síntomas y un franco deterioro de la salud.

Como ya se ha indicado, los médicos convencionales pueden reaccionar recetando inmunodepresores, potentes fármacos que inhiben las respuestas del sistema inmunitario. De este modo la medicina convencional intenta desarmar a los combatientes de la central de mando, de manera que no puedan atacar objetivos equivocados. Desafortunadamente, estos medicamentos también inhiben la eficacia de *toda* la brigada de seguridad, incluidos aquellos de sus integrantes que aún están descansados y que actúan correctamente. Con toda la brigada inhabilitada, el organismo es ahora vulnerable a cualquier invasión de un enemigo real. Esa es la razón por la que, cuando se toman inmunodepresores, se ha de ser extraordinariamente cuidadoso, manteniendo siempre las manos limpias, evitando el contacto con personas enfermas e incluso sin poder jugar con los hijos o los nietos, para no contraer alguna infección.

Como practicante y seguidora de la medicina funcional, mi respuesta es diferente. Siento gran simpatía por los muchachos de la central de mando y mi deseo es que sean más fuertes, no más débiles. Mi objetivo no es desarmar al equipo de seguridad, sino hacer que sus integrantes puedan descansar, consiguiendo que vuelvan al trabajo sosegados, relajados y dispuestos a utilizar su buen criterio. Mi estrategia se centra en hacer que cesen los asaltos, en reducir el número de factores a los que las defensas inmunitarias han de hacer frente: para ello es preciso depurar la dieta, sanar el tubo digestivo, aligerar la carga tóxica, tratar las infecciones y disminuir el nivel global de estrés. Una vez aminoradas las agresiones, el sistema inmunitario se calmará, dejará de atacar al propio cuerpo y mantendrá la potencia de fuego necesaria para arremeter contra las amenazas reales.

¡NO MÁS CAFÉ CON DONUTS!

¿Recuerda que el equipo de seguridad se veía obligado a mantenerse a base de café y donuts? A veces parece que la cafeína y el azúcar son una forma fácil de dotarse de energía cuando se está cansado o estresado. Sin embargo, ambos productos lo que hacen es en realidad agravar el problema, además de inhibir las defensas inmunitarias. Así pues, durante los primeros 30 días de aplicación del método Myers es conveniente prescindir de la cafeína y el azúcar, con objeto de dar al apesadumbrado equipo de seguridad el apoyo que necesita. Una vez que el sistema inmunitario se haya reforzado lo suficiente es posible reincorporar a la dieta pequeñas cantidades es estas dos sustancias, aunque personalmente yo procuro evitarlas siempre y muchos de mis pacientes también lo hacen.

AUTOTOLERANCIA

Al decir que para estar sano es necesario experimentar «autotoleran-cia», no me refiero al estado de autoaceptación psicológica (en cualquier caso muy importante), sino al mecanismo a través del cual el sistema in-munitario tolera los elementos del propio cuerpo.

La autoinmunidad se produce cuando las defensas inmunitarias pier-den la capacidad de autotolerancia y comienzan a atacar a los tejidos del propio cuerpo. Si se padece tiroiditis de Hashimoto, el sistema inmunitario ataca a la glándula tiroides; cuando se sufre esclerosis múltiple, el ataque se centra en las vainas de mielina que recubren las interconexiones neuro-nales del cerebro y la médula espinal, y si la afección que se padece es la polimiositis, el ataque se dirige a los músculos. Cuando el sistema inmuni-tario pierde el control, hay que resignarse: se sufre una enfermedad autoin-mune para la que no existe cura.

Por fortuna, sí hay, en cambio, un tratamiento que resulta eficaz. Es posible poner coto a la inflamación crónica aliviando por diferentes medios la carga que el sistema inmunitario soporta. Cuando las defensas dejan de recibir tantos factores estresantes, recobran su autotolerancia y cesan sus agresiones contra el propio organismo. En la explicación científica com-pleta del proceso está implicado el timo, órgano con capacidad para pro-ducir, regular y equilibrar los linfocitos T.

No obstante, cuando los niveles de inflamación se elevan de nuevo, se vuelve a instaurar el desajuste, como en la ocasión anterior. Los anti-cuerpos vuelven a confundir los propios tejidos con los de un agente invasor, se pierde nuevamente la autotolerancia y regresan los síntomas.

Ese es el motivo por el que, con independencia de la ubicación que se ocupe en el espectro, el método Myers debe seguirse de manera conti-nuada, en tanto que mantener bajos niveles de inflamación es la única forma de protegerse uno mismo. Una vez que se ha conseguido tener un tubo digestivo sano, prescindir de los medicamentos y la remisión de los síntomas, hay cierto margen para permitirse alguna excepción de vez en cuando tomando, por ejemplo, huevos, verduras y hortalizas solanáceas (patatas, tomates, pimientos, berenjenas y otros), y, ocasionalmente, alguna bebida alcohólica o con cafeína, e incluso algún producto de bollería libre de gluten y de derivados lácteos. Tras completar los treinta primeros días del seguimiento del método Myers, en mi página web es posible consultar un capítulo adicional en el que se especifica el modo de determinar qué alimentos se pueden volver a tomar y cuándo hacerlo. No obstante, considerando el alto poder inflamatorio del gluten y los lácteos, y que el primero origina muchos otros problemas, es recomendable que la evitación de estos dos tipos de alimento sea completa y se haga extensiva al 100% del tiempo.

Eso es lo que le dije hace poco a una paciente a la que le costaba asimilar la idea de tener que dejar de tomar alimentos que le resultaban familiares. Aunque aceptaba que su salud dependía de que adoptara o no la nueva dieta, mostraba inquietud, si no cierta forma de pánico, ante la perspectiva de tener que seguir una dieta a base de alimentos que nunca había tomado.

«Comprenda», le dije, «que ahora padece un síndrome de intestino permeable. Es como si un dique hubiera cedido y lo estuviéramos reconstruyendo ladrillo a ladrillo. Si ahora toma un muffin sin gluten o unos huevos revueltos, será como si echara abajo los pocos ladrillos que hemos conseguido recomponer».

«Es probable que pronto, dentro de un par de meses, o tal vez algo más, hayamos conseguido que el estado de permeabilidad de su intestino se haya corregido, que sus síntomas hayan remitido y que haya abandonado el uso de medicamentos. Entonces su intestino estará mucho más fuerte y podrá tomar algo de quinua, una tortilla o incluso uno de esos muffins sin gluten. Probablemente eso vuelva a derribar algunos ladrillos, pero en esas condiciones nos será fácil reponerlos sin demasiados problemas. Por supuesto, incluso en ese estado, si vuelve a tomar gluten el dique volverá a ceder y deberemos empezar de nuevo desde cero. Sin embargo, en esas condiciones debe ser capaz de tolerar una mayor variedad de alimentos de manera segura.»

Realmente ayudé a que esa paciente visualizara los ladrillos de los que le hablaba. Le satisfacía pensar en que podría fortalecer su intestino y hacer frente a nuevos desafíos, aunque comprendía que su tolerancia a los tales retos no era ilimitada. En cualquier caso, le complacía realizar ese «trabajo de reparación», siendo consciente de que era parte de un proceso que la ayudaría a salir adelante.

En definitiva, la buena noticia es que la inflamación crónica puede superarse, dejando el camino expedito hacia la consecución de una buena salud sin condicionantes. Una vez que su tubo digestivo esté sano y que su sistema inmunitario haya encontrado el equilibrio, algunas de las indicaciones del método Myers pueden relajarse. Sin embargo, el primer paso consiste en seguir la dieta de manera estricta durante treinta días. Solo un completo cumplimiento al 100% arrojará los estimulantes resultados que desea y que merece.

Parte II

Ir a la raíz del problema

CAPÍTULO 4

Sanar el tubo digestivo

SHENNA, UNA DE MIS PACIENTES, se mostraba muy esperanzada. Apenas habíamos iniciado nuestra primera consulta y ella esperaba anhelante poner por fin coto a los síntomas que la aquejaban y dejar de tomar medicamentos.

Le habían diagnosticado lupus hace unos seis años. El lupus es un trastorno inflamatorio crónico en el que el sistema inmunitario ataca a una amplia diversidad de tejidos y órganos del cuerpos, entre los que se cuentan las articulaciones, los riñones, la piel, el cerebro y las células sanguíneas.

Antes de acudir a mi consulta, Shenna había sido tratada por un profesional de la medicina convencional, que le había recetado Plaquenil, una de las denominaciones comerciales de la hidroxicloroquina, que es una de las primeras opciones terapéuticas para tratar su afección. Durante la mayor parte de esos 6 años, Shenna se las había ingeniado para llevar una vida relativamente normal, aunque a menudo sufría dolores de cabeza, fatiga y depresión. Su médico le dijo que los tres síntomas eran efectos secundarios habituales en el lupus, bien generados fisiológicamente por la propia enfermedad, o bien debidos a procesos psicológicos, relacionados con la problemática inherente a tener que convivir con una dolencia importante. Para abordar estos síntomas, el doctor le recetó Lexapro (escitalopram), un antidepresivo de uso frecuente.

Shenna estaba desmoralizada ante los numerosos problemas a los que tenía que hacer frente y, sin embargo, como le sucede a otras muchas personas que padecen una enfermedad autoinmune, no pensaba que tuviera otras opciones.

Fue entonces cuando una nueva reacción eritematosa (ese es el término técnico que designa las manifestaciones específicas propias del lupus) hizo que, de repente, las cosas empeoraran sobremanera. Llegado ese punto, Shenna también debía afrontar un intenso dolor torácico, falta de aliento, dolor articular e inquietantes episodios de pérdida de memoria. No recordaba los nombres de las personas con las que trataba, olvidaba los números de teléfono de sus familiares más allegados, y olvidaba con frecuencia el lugar en el que había aparcado el coche. Para atajar estos nuevos síntomas, su médico le prescribió prednisona, un corticosteroide, más potente que los medicamentos que había tomado hasta entonces y que se suele recetar para tratar los síntomas de progresión del lupus.

Shenna tenía la esperanza de que la fuerza de esta nueva medicación la ayudara a mantener bajo control este nuevo brote, pero después de 3 meses aún no lo había hecho, y ella se enfrentaba además a otra serie de efectos secundarios hasta entonces desconocidos, como ganancia de peso, facilidad para el desarrollo de hematomas, agravamiento de la depresión y unos valores de presión arterial que preocuparon a su médico de atención primaria.

Entre los síntomas de su enfermedad y los efectos secundarios de su medicación, la «vida normal» de Shenna se convirtió en una continua sucesión de días de trabajo perdidos, planes cancelados y visitas al médico, rodeadas de ansiedad. Fue entonces cuando decisión buscar otra vía. Un amigo le había enviado uno de mis boletines de noticias online y consultó mi página web. Se sintió inspirada por el mensaje que en ella se propone, el de poder llevar una vida libre de síntomas, sin medicación y sin efectos secundarios, una vida dinámica y plena de energía y de salud.

Así que allí estábamos las dos en mi consulta.

«Realmente espero que pueda ayudarme», me dijo Shenna con voz queda, «aunque no estoy segura de que nadie pueda hacerlo. Mi abuela también padeció lupus y mi madre tiene artritis reumatoide. Sé que las enfermedades autoinmunes son genéticas y siento que mis genes son para mí una condena».

Sacudía la cabeza mirando al suelo. «Lo peor es que tengo una hija de 12 años. Considerando como nos van las cosas a las mujeres en mi familia, es difícil no temer que ella también sufra esta maldición».

«Shenna», le dije con tono firme cuando volvió a mirarme a los ojos, «voy a explicarle algo muy importante. Sí, es muy posible que tenga propensión genética a la autoinmunidad, pero de eso depende solo un 25% de la cuestión. El 75% restante depende de usted. Eso significa que usted puede hacer que las cosas cambien a su alrededor, y muy probablemente, puede hacer que su hija no tenga que hacer frente a todo el padecimiento que usted ha sufrido».

Señalé el formulario de admisión de 30 páginas que hago que rellenen todos mis pacientes, con preguntas de todo tipo destinadas a recabar la mayor información posible sobre cada uno de los aspectos de su vida.

«Ahora lo más importante es saber cómo se desarrollo su trastorno autoinmune», le dije, «y toda esta información nos ayudará a determinarlo».

«¡Vaya! se trata realmente de un montón de preguntas, Ningún otro médico me había preguntado nunca cosas como estas», se sorprendió Shenna. «En el formulario hay incluso preguntas sobre sí cuando era recién nacida recibí lactancia materna o fui alimentada con biberón, o si nací en un parto por cesárea. Es curioso. ¿Qué tiene eso que ver con la autoinmunidad?»

EL DETECTIVE DE LA MEDICINA FUNCIONAL

Uno de los mejores atributos de la medicina funcional es el modo en el que me permite personalizar mi visión de las personas a las que atiendo. Cada paciente tiene su propia historia, llena de información extremadamente variable y de indicios importantes. Por eso es por lo que lo primero que hago es indicar a mis pacientes que cumplimenten un formulario muy detallado, que cubre cada una de las áreas que pueden de uno u otro modo aportar información relevante. A continuación les pido que me cuenten su historia.

Después de todo, el fundamento de la medicina funcional es comprender las diversas y múltiples formas en las que interactúan factores en apariencia no relacionados entre sí.¿Qué es lo que come? ¿Duerme mal o bien? ¿A qué tipo de toxinas está expuesto? ¿En qué medida el estrés influye en su salud? Todo ello sin contar interrogantes sobre otros muchos factores, que a menudo requieren una notable labor de indagación. Como médico funcional, he de comportarme como una especie de detective, para buscar pistas que me hagan sabed de qué forma comenzaron y evolucionaron los trastornos que experimentan mis pacientes.

Como se apuntó en el capítulo 1, son muchas las personas que todavía no presentan una enfermedad autoinmune expresa pero que sí están incluidas dentro del espectro autoinmune (página 34). Cuando hablo con mis pacientes, intento deducir de qué modo evolucionaron dentro de ese espectro y cuáles fueron los factores que hicieron que sus síntomas fueran progresando. De este modo podemos, en cooperación, determinar las pautas a través de las cuales es posible reconducir cada caso hacia la parte más leve del espectro, reduciendo la inflamación y fomentando la mejora de la salud.

En el capítulo 3 se afirma que el 80% del sistema inmunitario está localizado en el tubo digestivo, lo que equivale a decir que, si este no se encuentra sano, difícilmente será posible mantener unas defensas inmunitarias eficaces. Este es el motivo de que el estado de salud intestinal constituya una parte esencial de todo lo que deseo descubrir. Si podemos determinar qué parte del tubo digestivo está afectada, en general podremos también saber qué es lo que ha desencadenado la autoinmunidad.

No obstante, la mayor parte de mis pacientes no mantienen esta perspectiva cuando acuden a mi consulta. Están centrados en el trastorno que los ha llevado a ella. Así le sucedía también a Shenna, que pensaba que sus problemas habían comenzado hace seis años, cuando le fue diagnosticado el lupus por primera vez. Sin embargo, yo le pedí que se remontara mucho tiempo atrás.

«El lupus no apareció de la noche a la mañana», puntualicé. «Su inflamación fue evolucionando poco a poco a lo largo del tiempo. De hecho, el parto por cesárea y la alimentación con biberón, por las que se sorprendía que preguntara, es probable que tuvieran mucho que ver con su estado de salud actual.»

De esta manera, yo y Shenna nos pusimos manos a la obra para reconstruir todo su historial entre las dos. Como siempre, procuré centrarme en dos cuestiones:

¿De qué modo se había visto afectada la salud intestinal de la paciente?
¿Cómo se habían desarrollado los problemas en su sistema inmunitario?

Enseguida regresaremos al caso de Shenna. Sin embargo, a fin de comprender plenamente su historia, conviene hacer antes algunas precisiones relativas al tubo digestivo.

EL TUBO DIGESTIVO: LA VÍA DE ACCESO A LA SALUD

Mucha gente me pregunta: «¿Por qué insiste tanto en la importancia del estado de salud gastrointestinal?» La respuesta es sencilla: es la vía de acceso a la salud de todo el cuerpo.

Se trata de una estructura compleja que comprende cada una de las partes del organismo implicadas en la digestión:

- Boca
- Esófago
- Estómago
- Intestino delgado
- Intestino grueso (colon)
- Ano
- Vesícula biliar
- Hígado
- Páncreas
- Sistema nervioso
- Sistema inmunitario
- Billones de bacterias que viven en el tubo digestivo y en otras localizaciones del cuerpo

Si cualquiera de las partes del sistema digestivo sufre algún tipo de descompensación, el tubo digestivo en su totalidad d se desequilibra y comienzan a aparecer síntomas.

Cuando se padece un trastorno autoinmune o se está dentro del espectro de autoinmunidad, el tubo digestivo en condiciones inadecuadas cede bajo el peso de la mala dieta (que a veces incluye también alimentos que parece que *deberían* ser saludables), los fármacos, las toxinas, las infecciones y el exceso de estrés. Todos los que sufrimos tales alteraciones nos hemos visto afectados por esta situación. pero ahora ha llegado el momento de poner en marcha un cambio.

La buena noticia es que cuando se consigue que el estado del tubo digestivo sea el adecuado —logro que puede alcanzarse en apenas 30 días—, se está en condiciones de revertir los síntomas de las alteraciones autoinmunes y también de prevenirlos, por no hablar de muchos otros trastornos que nunca se hubiera pensado que se relacionaran con la salud digestiva [d]. Varias de las cuestiones que se expondrán en lo sucesivo tal vez resulten complejas, pero su fundamento es sencillo: consiga un buen estado de salud digestiva y la mayor parte de sus restantes problemas de salud se irán desvaneciendo hasta desaparecer por completo.

SIGNOS DE BUENA SALUD DIGESTIVA

- Se siente bien después de comer.
- Efectúa de una a tres deposiciones al día, con heces sólidas y uniformes.
- No sufre gases, distensión abdominal, calambres ni dolores en el abdomen después de comer.
- No observa presencia de alimentos no digeridos en las heces.
- No necesita tomas medicamentos.
- No tiene síntomas de enfermedad por reflujo gastroesofágico (ERGE) o de reflujo ácido.

SIGNOS DE MALA SALUD DIGESTIVA

Acné
Alergias estacionales
Ansiedad
Ardor de estómago
Artritis
Asma
Cambios de estado de ánimo
Cáncer
Cefaleas
Congestión
Depresión
Desequilibrio hormonal
Desequilibrio tiroideo
Diarrea/heces sueltas
Dificultad de concentración
Distensión abdominal
Dolor articular
Dolor de estómago
Enfermedad autoinmune
Enfermedades frecuentes
Eructos
Espasmos intestinales

Estreñimiento (menos de una deposición al día)
Exantema/eccema/urticaria/rosácea en la piel
Fatiga
Fibromialgia
Ganancia de peso/incapacidad para perder peso
Infertilidad
Insomnio
Mareo
Menstruaciones irregulares
Nariz congestionada
Náuseas o vómitos
Recuento de leucocitos bajo
Síndrome de fatiga crónica
Tos crónica
Trastorno por déficit de atención/trastorno por déficit de atención con hiperactividad (TDA/TDAH)
Ventosidades

CÓMO SE PRODUCE LA DIGESTIÓN

Ve y huele el alimento, activando las glándulas salivales.

Las glándulas salivales producen saliva.

Las enzimas de la saliva descomponen los hidratos de carbono simples (presentes en los alimentos ricos en fécula).

Mastica el alimento, fragmentándolo en trozos más pequeños.

Traga el alimento que pasa al estómago a través del esófago.

Varios compuestos químicos, sobre todo el ácido clorhídrico (HCl), disuelven y descomponen el alimento.

El alimento pasa al intestino delgado, donde en su mayor parte es digerido.

El intestino delgado secreta también hormonas que transmiten señales al páncreas, el hígado y la vesícula biliar para que inicien sus funciones en la digestión.

La fibra insoluble y el agua pasan al intestino grueso para proceder a la absorción final.

Los residuos del proceso son eliminados por el ano.

¿INTESTINO SALUDABLE O INTESTINO PERMEABLE?

Una de las claves de la buena salud intestinal radica en el intestino delgado, en el que tiene lugar la mayor parte de la digestión. Se trata de un órgano realmente sorprendente. Es «delgado» solo nominalmente y en términos comparativos con el grueso: aunque se ajusta de manera compacta en la cavidad abdominal, mide más de seis metros y su superficie de absorción total superaría la extensión de un campo de tenis.

En el interior del intestino delgado hay unas pequeñas proyecciones, a modo de dedos, conocidas como «vellosidades». Cuando los nutrientes fluyen a través de él, con captados por estas proyecciones, asemejables a dedos con pelos. En ellas hay, a su vez, otras proyecciones más pequeñas, las «microvellosidades». En conjunto, estas proyecciones forman el denominado «borde de cepillo», así conocido porque se parece a un enorme cepillo.

Las «cerdas» del cepillo —las vellosidades y microvellosidades— barren los nutrientes en medio del flujo de alimento des disuelto y recién digerido. A continuación los nutrientes son dirigidos a las «uniones herméticas» o «zonas de oclusión», conductos especiales que mantienen estrechamente vinculadas a las células en la pared epitelial. A través de estas uniones los nutrientes pasan al torrente circulatorio que los distribuye a las diferentes partes del cuerpo.

Cuando la digestión funciona bien, las uniones herméticas impiden que todas las moléculas de alimento, excepto las más pequeñas, atraviesen la pared intestinal. En cambio, si la salud digestiva presenta algún tipo de condicionante, se desarrolla una alteración conocida como intestino permeable.

El síndrome del intestino permeable altera la capacidad del intestino delgado en lo que se refiere a la absorción de nutrientes. Una de las características por las que este órgano resulta tan sorprendente es que, debido a sus pliegues y vellosidades, presenta una superficie muy extensa. Cuanto mayor sea su área, mayor será también la cantidad de nutrientes que absorba. Piénsese, por ejemplo, en la cantidad de agua que puede absorber una superficie similar, como la de una toalla, en comparación con la absorbida por una servilleta..

Sin embargo, si las vellosidades y microvellosidades están dañadas la superficie intestinal disminuye y, en consecuencia, la cantidad de nutrientes absorbidos disminuye. Aunque la medicina convencional reconoce este fenómeno solamente en la enfermedad celíaca, mi experiencia clínica me lleva a pensar que hay un amplio espectro de lesiones de este tipo, entre las que se cuentan las padecidas por los afectados por intestino permeable, que dificultan la consecución del máximo beneficio nutricional de los alimentos.

El intestino permeable no solo limita la potencial absorción de nutrientes. También hace que las paredes intestinales sean porosas y que las uniones herméticas se destruyan. A continuación es posible que penetren en el intestino y en el torrente circulatorio todo tipo de agentes nocivos, tales como toxinas, microbios perjudiciales y alimento parcialmente digerido. Investigaciones recientes tienden a confirmar la creencia de que el intestino permeable es una de las alteraciones previas al desarrollo de cáncer.

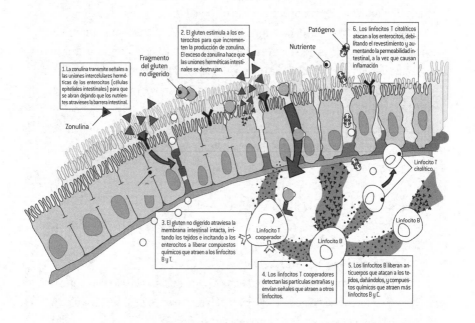

¿Qué sucede cuando elementos que pertenecen al *interior* del intestino comienzan a filtrarse al *exterior* del mismo?

En primer lugar, las toxinas y los microorganismos dañinos —que en condiciones normales se mantendrían en el interior del tubo digestivo y serían erradicados a través del proceso habitual de eliminación— comienzan a penetrar en el torrente circulatorio hecho que, definitivamente, no les corresponde. Ante tal invasión. los miembros de la brigada de la central de mando tiene de repente que defenderse de muchos más invasores. Empiezan atacando a los compuestos químicos inflamatorios, por lo que lo más probable es que lo primero sea tener que experimentar padecimientos debidos a los efectos secundarios. Es posible que se desarrollen acné, una interminable sucesión de resfriados, gases o dolores de cabeza, al tiempo que el sistema inmunitario comienza a verse sometido a tensiones.

¿CÓMO PUEDE SABER SI PADECE INTESTINO PERMEABLE?

Si ya le han diagnosticado una enfermedad autoinmune, definitivamente ha padecido intestino permeable en algún momento y aún lo sufre, si no ha seguido un protocolo similar al que aquí se recomienda.

De hecho, con enfermedad autoinmune o sin ella, puede asegurarse que casi todas las personas que toman la dieta norteamericana estándar y/o siguen un estilo de vida con alto nivel de estrés, propio de nuestra sociedad actual, sufren de síndrome de intestino permeable. He aquí algunos síntomas que pueden aportar información sobre el estado de salud intestinal. Si sufre alguno de los síntomas que a continuación se citan y, en especial, si lo hace con intensidad o frecuencia, es casi seguro que padece intestino permeable y que se puede beneficiar del plan de alimentación expuesto en el capítulo 9:

Cerebro: ansiedad, depresión, niebla cerebral.

Hormonas: periodos irregulares, síndrome premenstrual (SPM), síntomas perimenopáusicos o menopáusicos.

Huesos: osteopenia, osteoporosis.

Infecciones intestinales: diagnóstico de parasitosis, sobrecrecimiento bacteriano en el intestino delgado (SBID) o proliferación de levaduras (Candida).

Metabolismo: exceso de peso, obesidad, diabetes.

Nutrientes: carencia de hierro/anemia ferropénica, carencia de ácidos grasos omega-3, carencias vitamínicas.

Piel: acné, eccema, rosácea.

Sistema digestivo: distensión abdominal por acumulación de gases, estreñimiento, diarrea, pérdida de peso, malabsorción de grasas.

Sistema inmunitario: resfriados frecuentes, gripe y otras infecciones; dolor muscular, trastornos autoinmunes.

¿QUÉ FACTORES FAVORECEN EL DESARROLLO DE INTESTINO PERMEABLE?

Alimentos de riesgo y causantes de hipersensibilidad alimentaria:

- Alcohol
- Azúcar
- Cereales y seudocereales
- Gluten
- Huevos
- Lácteos
- Legumbres
- Organismos genéticamente modificados (OGM)
- Verduras y hortalizas solanáceas (tomate, patata, pimiento, entre otras)

Estrés:

- Estrés físico: enfermedad, falta de sueño
- Estrés emocional: presiones familiares, personales o de trabajo

Infecciones y desequilibrios intestinales:

- Parásitos
- Proliferación de levaduras
- SBID

Intervenciones quirúrgicas

Medicamentos:

- AINE dispensados sin receta (ácido acetilsalicílico, ibuprofeno) o con ella
- Antibióticos
- Medicación de bloqueo ácido
- Píldoras anticonceptivas
- Prednisona

Micotoxinas (mohos tóxicos)

Quimioterapia

Radiación

Pero la situación tiende, además, a empeorar, por la acción de otros agentes nocivos, desde el momento en que el intestino está filtrando alimentos parcialmente digeridos que el cuerpo simplemente no reconoce. En vez de los aminoácidos y las moléculas de glucosa que el organismo está entrenado para identificar, lo que se abre paso hacia la circulación sanguínea son moléculas más grandes y extrañas, de fragmentos de alimento en proceso de digestión.

En estas circunstancias el sistema inmunitario se vuelve completamente loco. Empieza a elaborar anticuerpos contra estos nuevos invasores, es decir, gluten, proteínas del huevo y de otros alimentos que, en otro contexto, resultarían saludables. Cada vez que se toma cierta cantidad de determinados alimentos, los anticuerpos advierten a las defensas inmunitarias y los miembros de la brigada de la central de mando despliegan una serie de compuestos químicos inflamatorios. Es así como se desarrolla la inflamación crónica, como se comienzan a experimentar todos los múltiples efectos secundarios correspondientes y como el sistema inmunitario empieza a quedar expuesto a un extraordinario nivel de estrés. Si esta se mantiene durante el tiempo suficiente, es más que probable que se desarrolle una enfermedad autoinmune...

El doctor Alessio Fasano, fundador y director de del Centro de Investigación Celíaca del Massachusetts General Hospital y profesor de la Harvard Medical School, es el artífice de estudios de primer nivel sobre el gluten y el intestino permeable. Este destacado investigador considera que para desarrollar un trastorno autoinmune debe padecerse previamente síndrome de intestino permeable. Ello implica que si se tiene un intestino permeable, se está expuesto a riesgo de desarrollo de autoinmunidad. Mi propia experiencia me permite confirmar este dato: el intestino permeable introduce automáticamente a quien lo tiene en el espectro autoinmune. Por consiguiente, para invertir y prevenir los procesos autoinmunes es imprescindible curar esta alteración intestinal.

LA HISTORIA DE SHENNA: PISTAS DESDE LA INFANCIA

Cuando Shenna y yo nos reunimos para recomponer su historial entre las dos, empezamos desde el principio, desde el momento de su nacimiento. Shenna nació por cesárea, lo que implica que el médico que asistía al parto la extrajo directamente del útero de su madre, sin que pasara por el canal del parto.

¿Cuál es el motivo de que este hecho resulte significativo? Bien, el funcionamiento adecuado del tubo digestivo depende de billones de bacterias que viven en nuestro intestino y en otras partes del cuerpo. En realidad, en nuestro organismo tenemos diez veces más células microbianas que células humanas.

No nacemos con estas bacterias saludables, sino que comenzamos a adquirirlas durante el paso a través del canal del parto. En consecuencia, a menudo los niños nacidos por cesárea carecen de algunas de estas cruciales bacterias, esenciales para la consecución de un buen estado de salud digestivo.

Sé que resulta difícil pensar en las bacterias como algo importante para el mantenimiento de la salud. Lo normal es considerarlas como peligrosos invasores, y es evidente que algunas de ellas lo son. Sin embargo, la gran mayoría de las bacterias existentes en el planeta son de efecto neutro o beneficioso.

Las bacterias saludables que viven en nuestro intestino resultan *increíblemente* útiles. Hacen posible la digestión de los alimentos y mantienen en condiciones idóneas el revestimiento de las paredes intestinales, es decir, el epitelio intestinal.

Un epitelio resistente es esencial en la prevención del intestino permeable y, por consiguiente, también para el correcto funcionamiento de sistema inmunitario.

Así pues, Shenna comenzó su existencia con una carencia de bacterias beneficiosas, lo que nos daba una primera pista para determinar qué era lo que iba mal.

Pista uno: Falta de bacterias saludables presentes en el canal del parto

Shenna también me contó que, cuando ella nació, su madre tuvo dificultades para amamantarla al pecho, por lo que su lactancia fue con biberón. La lactancia materna es otra de las fuentes esenciales de bacterias beneficiosas para los recién nacidos y los lactantes y proporciona, asimismo, algunos factores inmunitarios fundamentales. Al ser alimentada con biberón, Shenna dejó de contar con estos cruciales apoyos y dio un paso más en dirección al espectro autoinmune.

Pista dos: Carencia de bacterias positivas y de factores inmunitarios aportados por la lactancia materna

Casi con total certeza, estos problemas iniciales afectaron a la salud de Shenna desde niña y es probable que contribuyeran al desarrollo de sus frecuentes infecciones en los oídos. Me dijo, además, que muchos de sus alimentos preferidos cuando era niña eran productos lácteos: yogur endulzado con frutas para desayunar, un sándwich de queso con mantequilla tostado para comer, un bol de helado como postre de la cena y un vaso de leche antes de irse a la cama.

El detective que llevo dentro se puso de inmediato en acción. Las infecciones de oído son a menudo uno de los signos de la hipersensibilidad alimentaria —manifestada mediante las reacciones retardadas de la IgG a las que se aludía en el capítulo 3— y, más concretamente, de la hipersensibilidad a los lácteos. Por definición, si se padece hipersensibilidad alimentaria se sufre también de intestino permeable, por lo que deduje que las alteraciones que Shenna sufría de niña se asociaba a este cuadro y a la falta de bacterias beneficiosas derivadas de la forma que nació y de haber sido alimentada con biberón.

Nos centraremos en ello. Es posible que el sistema inmunitario de Shenna decidiera desde un primer momento que la leche era un agente extraño invasor y produjera anticuerpos contra los productos lácteos, con tres efectos posibles:

- Cada vez que comía cualquier alimento que contuviera leche, incluyendo productos de bollería, tortitas, y tostadas, se activaban su sistema inmunitario, que inundaba su cuerpo de compuestos químicos inflamatorios, generadores de numerosos efectos secundarios, entre ellos las infecciones de oídos.
- De este modo el sistema inmunitario de la niña se llenaba de «casomorfinas», presentes en todos los productos lácteos. Muchas personas tienen un gen que hacen que estas sustancias penetren en los receptores de morfina, de modo que los productos lácteos actúan de un modo similar al de la morfina: la persona se encuentra muy bien cuando los lácteos están en su organismo y experimenta un cierto síndrome de abstinencia cuando no los toma. Según parece, Shenna tenía esos receptores, puesto que le resultaba difícil dejar que pasaran un par de días sin tomar sin tomar leche, queso, yogur o helado. Enseguida se mostraba irritable, cansada y «desesperada por tomar lácteos». Como consecuencia de la ansiedad por estos alimentos, su inflamación se convirtió en crónica. Por su parte, el gluten contiene las llamadas *gluteomorfinas*, que actúan de la misma manera, razón por la cual hay personas que sienten deseo ansioso de comer alimentos con gluten y les cuesta renunciar a tomarlos.
- Esta inflamación crónica contribuye, además, al desarrollo del intestino permeable. Este factor sobrecargó aún más las defensas inmunitarias de Shenna, haciendo que se desplazara hacia el área de mayor afectación dentro del espectro autoinmune.

Pista tres: Infecciones frecuentes de oído = probable hipersensibilidad a los lácteos

Las infecciones de oído de Shenna tuvieron otro importante efecto causado por el hecho de que le fueron tratadas con antibióticos. Aunque los antibióticos tienen numerosos usos importantes, también presentan un efecto secundario muy problemático: atacan a las bacterias saludables, lo que, como hemos visto, constituye una probable causa de desarrollo de intestino irritable, inflamación crónica y mayor nivel de estrés para el sistema inmunitario.

Al ser desencadenantes del intestino permeable, los antibióticos afectan también indirectamente a la función cerebral. Ello se debe a una relación de la que la mayor parte de los profesionales dedicados a la práctica de la medicina convencional no son conscientes, pero que es una de las premisas básicas de la medicina funcional: la conexión intestino-cerebro. Cuando se toman antibióticos, las bacterias buenas presentes en los intestinos se destruyen, lo que puede dar lugar a proliferación de levaduras. Estas tienden a diseminarse formando una capa en la parte interna del intestino, que produce el 95% de la serotonina del cuerpo, el compuesto químico «del placer», que el cerebro utiliza para combatir la depresión y la ansiedad, para asegurar el sueño reparador, para mantener elevado el estado de ánimo y para generar sentimientos de optimismo, tranquilidad y confianza en uno mismo. La capa de levadura afecta sensiblemente a la producción de neurotransmisores, por lo que el uso continuado de antibióticos altera tanto las defensas inmunitarias como la función cerebral, haciendo que la persona sea más vulnerable a la niebla cerebral, la ansiedad, la depresión y los problemas de memoria.

Pista cuatro: Los antibióticos destruyen más bacterias beneficiosas

La proliferación de levaduras es uno de los problemas intestinales más comunes. En general, yo suelo tratar la de un tipo específico de levaduras, pertenecientes al género *Candida*. Dicha proliferación también inhibe la funcionalidad del sistema inmunitario.

Cuando los pacientes acuden a mi consulta, sistemáticamente les indico que se hagan un análisis de sangre y un análisis completo de heces, en busca de potenciales infecciones y proliferaciones de hongos. Ante un bajo recuento de leucocitos en sangre o ante concentraciones reducidas de IgA

en la prueba de heces, siempre pienso como primera opción en la proliferación de levaduras, con independencia de que los restantes valores analíticos sean indicativos o no de su presencia. Las IgA intestinales disminuidas
y los recuentos de leucocitos bajos constituyen también una clara evidencia
de inmunodepresión. Siempre es gratificante tratar a un paciente de su
proliferación de levaduras y comprobar que su IgA y su recuento de leucocitos recuperan sus valores normales. Me siento muy satisfecha cuando
los pacientes se encuentran mejor y cuando dispongo de resultados de pruebas analíticas que demuestran que su función inmunitaria esta mejorando.

Como hemos comentado, los problemas de Shenna parecían irse poco
a poco esclareciendo. Le indiqué que cabía la posibilidad de que su depresión, su pérdida de memoria y su estado de niebla cerebral no solo fueran
efectos secundarios del lupus o de la prednisona. Era más que probable
que también fueran consecuencia de la prolongada infección que había
padecido por proliferación de levaduras.

PISTAS DE LOS AÑOS DE ADOLESCENCIA

Cuando Shenna llegó a la pubertad, desarrolló una forma grave de
acné que la afectó hasta bien entrada en la veintena. Dado que el acné es
un efecto secundario habitual de la hipersensibilidad a los lácteos, esta manifestación nos ofrecía nuevas pistas (una lista de síntomas que suelen ser
indicativos de inflamación crónica y de trastornos inmunitarios puede consultarse en la página 18).

Para empeorar la situación, sus manifestaciones de acné fueron tratadas
con antibióticos. De este modo, aumentó el número de bacterias beneficiosas que fueron destruidas y no se consiguió otra cosa más que agravar
la proliferación de levaduras.

Por aquel entonces, la Shenna adolescente tomaba una dieta con abundantes dulces y con alto contenido el almidones —ingentes cantidades de
bollos y postres cargados de azúcares— que eran precisamente los alimentos ideales para nutrir a las bacterias perniciosas que colonizaban su tubo
digestivo. Como consecuencia de ello, desarrolló un trastorno conocido
como *sobrecrecimiento bacteriano en el intestino delgado*, o SBID, que le hacía padecer gases y distensión abdominal.

Llegados a este punto puede decirse que el tubo digestivo de Shenna
era una jungla en la que la ley era la supremacía del más fuerte, o la super-

vivencia del más apto. En casos como este se desencadena una épica batalla entre las bacterias saludables, de una parte, y los organismos de *Candida* y las bacterias nocivas, de otra. Como consecuencia de los diversos factores que habíamos identificado —desde el nacimiento de Shenna hasta su infancia y su adolescencia—, las bacterias saludables estaban perdiendo la batalla y las cándidas y las bacterias contraproducentes dominaban la jungla. En esas condiciones Shenna estaba expuesta al avance de todo tipo de problemas, como el intestino permeable, la depresión, la niebla cerebral o la pérdida de memoria.

Pista cinco: Acné = Hipersensibilidad a los lácteos

Pista seis: Antibióticos → Mayor destrucción de bacterias salutíferas → Proliferación de levaduras

Pista siete: Dieta con alto contenido en azúcares → SBID

PISTAS EN LA UNIVERSIDAD

En sus años como estudiante universitaria Shenna comenzó a padecer problemas de reflujo ácido, es especial en las semanas finales del curso, cuando sentía más presión por tener que entregar los trabajos finales y por los exámenes. La mayor parte de la gente, incluidos los profesionales de la medicina convencional, cree que el reflujo ácido es consecuencia de la existencia de un medio digestivo excesivamente ácido. En realidad, el reflujo es más a menudo consecuencia de la presencia de un medio *no lo bastante ácido*, en un problema que puede asociarse a estrés, dieta inadecuada o, una vez más, a carencia de bacterias de efectos positivos.

Cuando no se tiene suficiente ácido en el estómago, no es posible digerir del todo las proteínas que se ingieren. De este modo, en vez de pasar del estómago al intestino delgado, los alimentos no digeridos pasan en el estómago más tiempo del que sería conveniente y, a veces, retroceden al esófago, junto con pequeñas cantidades de ácido gástrico. Este causa sensación de ardor, que es el signo esencial del reflujo ácido. En cambio, si en el estómago es mayor la cantidad de ácido presente, el alimento no retrocede y continúa su curso, con lo que se anula la posibilidad de reflujo.

Se supone que el estómago debe descomponer las proteínas que se digieren en moléculas de menor tamaño llamadas *aminoácidos*, que son compuestos químicos que el organismo necesita para desarrollar virtualmente cualquier tipo de reacción celular que tiene lugar en él, así como para desarrollar tejido muscular, aportar energía y crear neurotransmisores, de gran importancia para el funcionamiento cerebral. Así pues, le dije a Shenna que el bajo nivel de ácido de su estómago ejercía cuatro efectos problemáticos:

- Le producía reflujo ácido.
- Evitaba que pudiera digerir bien las proteínas, lo que la privaba de los necesarios aminoácidos y hacía que, en última instancia, sintiera más fatiga y experimentara más alteraciones inmunitarias.
- Impedía que elaborara los suficientes neurotransmisores, lo que empeoraba su estado de niebla cerebral, depresión y pérdida de memoria.
- Disminuía la protección frente a las bacterias perjudiciales y los parásitos que pudieran estar presentes en los alimentos, con la consiguiente propensión a padecer proliferación de levaduras y SBID.

Pista ocho: Reflujo ácido = Bajo nivel de ácido gástrico → Depresión, niebla cerebral, fatiga y otros muchos trastornos

Como muchas personas, Shenna tomaba a menudo antiácidos para aliviar los síntomas del reflujo. Sin embargo, estos fármacos destruyen los ácidos del estómago y enzimas gástricas fundamentales que el cuerpo necesita para digerir la comida de manera apropiada. Así pues, sus intentos de combatir el reflujo ácido en realidad lo que hacían era agravar el problema.

Pista nueve: Antiácidos = Intensificación de las alteraciones digestivas, los trastornos cerebrales, la proliferación de levaduras y la vulnerabilidad ante los parásitos

Shenna estaba verdaderamente sorprendida del grado de progresión en el espectro autoinmune que había experimentado incluso antes de cumplir los 18 años. Pero aún no habíamos llegado al final del proceso. Según me contó, en la universidad comenzó a tomar píldoras anticonceptivas, cosa que continuaba haciendo cuando acudió a mi consulta. Asimismo, me informó de que con frecuencia sufría infecciones vaginales por levaduras.

De inmediato intuí una estrecha correlación entre esos dos hechos, en apariencia no asociados entre sí. El uso de píldoras anticonceptivas durante tantos años había hecho que se elevaran sus niveles de estrógenos. Estos estrógenos estaban alimentando a las levaduras que proliferaban en su intestino y ello se manifestaba en forma de infecciones fúngicas vaginales. Además, la sistemática proliferación de levaduras reducía su capacidad para sintetizar neurotransmisores (favoreciendo el desarrollo de su depresión, su estado de niebla cerebral y sus alteraciones de memoria), a la vez que contribuía al avance del intestino irritable y a la depresión del sistema inmunitario.

Por otra parte, en un nuevo círculo vicioso, el exceso de levaduras exigía un aporte sustancial de azúcares, por lo que ella sentía un deseo ansioso de ingerir cada vez más y más azúcar, por lo que se alimentaba de cantidades ingentes de productos dulces y con almidones, generadores del SBID y que, a su vez, alimentaban también a las levaduras, en un proceso de continua retroalimentación. Como consecuencia de ello Shenna, engordó y su exceso de grasa corporal vino a aumentar en número de factores generadores de inflamación, con más ganancia de peso y más inflamación; Así cada año que pasaba estos sucesivos círculos viciosos iban empeorando.

Pista diez: Infecciones por levaduras frecuentes = proliferación de levaduras, causada probablemente por píldoras anticonceptivas

Pista once: Proliferación de levaduras → Deseo compulsivo de tomar azúcar → Ganancia de peso → Más inflamación, más trastornos digestivos e inmunitarios

Las tres infecciones digestivas más frecuentes que yo detecto en mis pacientes son el SBID, la proliferación de levaduras y las parasitosis. Solo basándome en el historial que me fue comunicando, pensé que era muy probable que Shenna padeciera al menos dos de esos tres cuadros, aun sin haber realizado ninguna prueba todavía. Estas infecciones contribuían al desarrollo continuado de intestino permeable y la situaban en un punto cada vez más avanzado del espectro autoinmune, además de generar un verdadero cúmulo de síntomas mentales y físicos.

Con el paso del tiempo, la carga inflamatoria que tenía que soportar se hizo demasiado grande. Su sistema inmunitario, completamente superado, acabó por perder el control en el proceso descrito en el capítulo 3, tras lo cual se desarrolló el lupus.

ÁCIDO GÁSTRICO: UNO DE LOS MEJORES AMIGOS DEL TUBO DIGESTIVO

- Descompone las **proteínas** (de la carne, el pescado, el pollo y otros alimentos) en aminoácidos, que pueden después ser absorbidos en el intestino delgado.

- Aporta **aminoácidos,** que refuerzan prácticamente todas las funciones corporales, incluyendo entre ellas la formación de tejido muscular y óseo, el mantenimiento de un estado de ánimo equilibrado, la potenciación de la energía y la estimulación de las defensas inmunitarias.

- Protege frente a las **bacterias nocivas,** las **levaduras** y los **parásitos** que pueden estar contenidos en los alimentos que se ingieren.

- Presta soporte a la digestión y la absorción de nutrientes, de modo que se optimice el efecto beneficioso de los mismos.

A la vista de todo ello, es posible que se esté preguntando si *usted* padece SBID, proliferación de levaduras o infección por parásitos y, si es así, qué puede hacer al respecto. No se preocupe. Consulte los cuestionarios del capítulo 9 para comprobar si padece alguno de estos trastornos digestivos Los suplementos naturales que se pueden tomar para sanar este tipo de alteraciones se enumeran en las páginas 232-233.

RESOLVER EL ROMPECABEZAS

Una vez deducidas todas las pistas, es hora de recopilarlas:

- *Lactancia:* pérdida de bacterias saludables.
- *Infancia:* infecciones de oído (hipersensibilidad a los lácteos); destrucción de bacterias saludables (antibióticos); desarrollo de proliferación de levaduras (antibióticos).
- *Adolescencia:* acné (hipersensibilidad a los lácteos); destrucción de más bacterias saludables (antibióticos); desarrollo de proliferación de levaduras (antibióticos); SBID (dieta con alto contenido en azúcar).
- *Edad universitaria:* estrógenos elevados/infecciones por levaduras/ sobrecrecimiento bacteriano (píldoras anticonceptivas); reducción de ácidos gástricos y enzimas digestivas (antiácidos).

Todos estos factores en conjunto → Intestino permeable → Depresión, niebla cerebral, espectro autoinmune → Lupus

Shenna estaba asombrada por la gran cantidad de maneras a través de las cuales su dieta, su estilo de vida y su historial la habían llevado a padecer un trastorno autoinmune. «¿Quiere decir que si hubiera abordado algunos de estos problemas de otra forma podría haber evitado el lupus?», me preguntó.

Sabía con exactitud cómo se sentía Shenna, ya que esa misma fue mi reacción cuando descubrí la medicina funcional y me di cuenta de que mi ablación de tiroides no hubiera sido necesaria. Resultaba estimulante saber que existía un nuevo modo de tratar la enfermedad de Graves que yo padecía, pero, por otro lado, era desalentador el hecho de tomar conciencia de que todo podía haberse evitado, si hubiéramos contado con la información necesaria.

«Bien», le dije a Shenna, «podría haber invertido la evolución de este proceso y eludido el espectro autoinmune *si* hubiera sabido que existían alternativas. Pero no debe sentirse culpable. Usted hizo lo que sus médicos le indicaron y, hasta ahora, no había sabido que hubiera otras opciones. Todo lo que puede hacer es aquello que considera mejor en virtud del conocimiento que tiene de la situación en cada momento».

CUANDO EL REMEDIO ES PEOR QUE LA ENFERMEDAD

Shenna tomó antibióticos para tratar sus infecciones de oído y su acné:

Los antibióticos destruyen las bacterias saludables → Producen inflamación crónica → Generan intestino permeable y problemas inmunitarios → Derivan en proliferación de levaduras, SBID y más acné.

Shenna tomó antiácidos para tratar su padecimiento de reflujo ácido:

Los antiácidos destruyen los ácidos gástricos y las enzimas digestivas → Así se originan problemas intestinales, proliferación de levaduras y alteraciones inmunitarias → Ello da lugar a incapacidad para absorber los aminoácidos → Se generan síntomas tales como fatiga o niebla cerebral.

Shenna asintió lentamente, intentando aceptar y asimilar la esencia del mensaje.

«La buena noticia», continué, «es que el tiempo que estamos dedicándole a esta consulta le servirá para saber con exactitud cómo cambiar las cosas. El método Myers le proporcionará los medios adecuados para invertir la evolución de la alteración que padece y para evitar cualquier otro posible trastorno autoinmune, además de aportarle la información precisa para proteger a su hija y para impedir que pueda desarrollar una enfermedad autoinmune en una fase posterior de su vida».

LAS CUATRO ERRES: CUATRO PASOS PARA SANAR EL TUBO DIGESTIVO

«Está bien, ahora sé que mis problemas digestivos son los que me han llevado a padecer lupus», me dijo Shenna. «Pero, ¿cuál es la solución?»

Le conteste que, por fortuna, la medicina funcional había conseguido desarrollar un protocolo de gran eficacia para curar y proteger el tubo digestivo: el conocido como protocolo de las cuatro erres, basado en cuatro pasos fundamentales: rechazar, restaurar, reinocular y reparar.

Aunque se suele exponer por separado a fin de facilitar la percepción de los elementos constitutivos del proceso, se trata de acciones que se abordan de manera simultánea. A continuación los comentaremos uno a uno para facilitar la comprensión de lo que sucede en nuestro organismo. Sin embargo, no es necesario preocuparse por seguirlos. Los cuatro quedan incorporados al programa aplicado en treinta días del método Myers, por lo que, si se sigue correctamente el plan expuesto en el capítulo 9, se estará haciendo todo lo necesario para conseguir una curación digestiva e intestinal idónea.

Paso uno: RECHAZAR lo malo

El primer consiste en «rechazar lo malo», en eliminar cualquier alimento que altere el medio del sistema gastrointestinal (GI) o contribuya al desarrollo o al mantenimiento de un intestino permeable. Como veremos en la parte tres, el protocolo del método Myers aboga por la eliminación de los alimentos inflamatorios, como los que contienen gluten, los cereales, las legumbres, los lácteos, el azúcar, las verduras y hortalizas solanáceas (patata, tomate, pimiento y berenjena, entre otras) y los huevos, así como los alimentos procesados, aditivos y conservantes. Asimismo, se han de erradicar el alcohol, la cafeína y el mayor número de medicamentos que sea posible, puesto que en su mayoría es probable que generen estrés e irritación en el tubo digestivo. Por último, es preciso combatir infecciones intestinales como las provocadas por levaduras y parásitos, así como el sobrecrecimiento bacteriano en el intestino delgado (SBID), todos los cuales pueden sumir en el caos el medio intestinal.

Como veremos el siguiente capítulo, el primer y más importante grupo de alimentos que se han de evitar es el de los que contienen gluten, una proteína presente en el trigo, el centeno y otros cereales. El gluten está presente en la pasta, el pan, las tortitas y crepes, los gofres y en general la gran mayoría de los productos de bollería y confitería. En mi opinión, el gluten es el principal riesgo para la salud nutricional en la dieta típica que se suele consumir en Estados Unidos. Si al finalizar la lectura de este libro decide que solamente puede hacer *una* cosa para mejorar su salud, la eliminación del gluten de la dieta es con mucho la mejor opción que se puede elegir.

Para Shenna resultaba también crucial dejar de tomar lácteos, los problemáticos alimentos que habían provocado sus infecciones de oídos y, con toda probabilidad, también su acné. No obstante, el hecho de olvidarse del gluten y de otros alientos inflamatorios la ayudaría sin duda a mejorar el estado de su tubo digestivo y a revertir el curso del lupus.

Shenna también necesitaba atenuar los síntomas generados por la proliferación de bacterias producida por el SBID y por la infección por levaduras. Utilizando suplementos naturales y probióticos —cápsulas y preparados en polvo que contienen bacterias saludables— ayudé a Shenna a eliminar las bacterias perjudiciales y reemplazarlas por otras beneficiosas. Dado que era posible que las píldoras anticonceptivas que tomaba estuvieran también relacionadas con este problema, estuvimos estudiando el uso de otras técnicas de control de la natalidad.

Paso dos: RESTABLECER lo bueno

Una vez erradicado lo malo, es hora de reponer todo aquello que resulta provechoso. Por medio de este paso se restauran los ingredientes esenciales para la consecución de una buena digestión y para restablecer la absorción idónea, que pueden haberse visto alteradas por la dieta, los medicamentos, las enfermedades o el envejecimiento.

La aportación de enzimas digestivas en forma de suplementos es un componente fundamental en este paso. Sin estas enzimas la digestión no es la apropiada y ello repercute en el sistema digestivo, haciendo que la nutrición se resienta. La conocida máxima «Somos lo que comemos» en realidad no es del todo cierta. Siempre suelo decirles a mis pacientes que, en verdad, el dicho debería reformularse y ser «somos lo que digerimos y absorbemos».

Para las personas que lo requieren, es también importante reponer los ácidos gástricos, igualmente importantes para la idoneidad de la digestión (puede consultarse el procedimiento preciso para hacerlo en las páginas 230-233). Shenna se dio cuenta de que este era un paso trascendental para ella, en tanto que la ayudaría a mejorar su reflujo ácido al tiempo que aliviaba la sobrecarga que soportaba su intestino. Al restaurar los ácidos de su estómago, podría digerir los alimentos correctamente, absorber más y mejor los nutrientes y utilizarlos para la síntesis de los neurotransmisores que tan necesarios le eran. Asimismo, la mejora de la digestión y de la absorción reforzaría sus defensas inmunitarias.

Paso tres: REINOCULAR bacterias saludables

Como hemos visto, el cuerpo requiere establecer un equilibrio positivo en lo que respecta a las bacterias intestinales «buenas». La cantidad de estas bacterias beneficiosas es reducida a veces por los antibióticos, los esteroides, los fármacos antiácidos, la dieta inadecuada, el estrés y otros muchos factores.

Al haber nacido en un parto por cesárea y al no haber tomado lactancia materna, probablemente Shenna inició su vida con una carencia de este tipo de microorganismos. Es muy posible que los antibióticos con los que se le trataron las frecuentes infecciones de oídos y el acné atacaran a la mayoría de las bacterias saludables que aún pudiera conservar.

¿La solución? Los probióticos. Se trata de cápsulas y de preparados en polvo que reponen el arsenal de bacterias beneficiosas, que pueden proteger el cuerpo tanto de los ataques procedentes del medio exterior como de los desencadenados contra él mismo. También las personas nacidas por parto normal y alimentadas en sus primeros meses de vida con lactancia materna están expuestas a otros factores que diminuyen la presencia de bacterias positivas, tales como toxinas, dieta inapropiada y estrés. Así pues, para ellas también son recomendables los probióticos.

Es posible que haya oído hablar de que los alimentos fermentados —el yogur, el kéfir (un derivado lácteo fermentado), el kimchi (col fermentada picante de origen coreano), el chucrut y otras verduras fermentadas— son un recurso excelente para renovar la flora bacteriana saludable. De hecho, los fermentados están llenos de este tipo de bacterias, lo que los convierte en probióticos naturales. También contienen cantidades sustanciales de fibra y azúcares, que sirven de alimento a los microorganismos; así pues, son también «prebióticos», es decir, elementos que nutren y refuerzan la flora intestinal.

Todo ello es cierto; pero hay un inconveniente. Si aún no se tiene un contenido de bacterias intestinales equilibrado —por ejemplo, si se sufre de proliferación bacteriana o de SBID—, los alimentos fermentados lo que hacen es nutrir a las bacterias *malas* y, en tal caso, en vez de favorecer la salud intestinal lo que hacen en realidad es empeorarla.

Una vez que el intestino goza de un estado equilibrado, recomiendo encarecidamente el consumo de cantidades sustanciales de alimentos fermentados no lácteos, como chucrut crudo, kimchi y otras verduras fermentadas. De todos modos, es importante verificar que el estado intestinal es el idóneo, ya que, si no es así, es posible que cause más daño que beneficio. La condición intestinal saludable puede atestiguarse cuando se han dejado de tomar medicamentos para tratarlo y cuando los síntomas han mejorado de manera radical.

Paso cuatro: REPARAR el tubo digestivo

Al igual que Shenna, muchos de nosotros padecemos de intestino permeable. En consecuencia, necesitamos reparar el revestimiento de la pared intestinal y para ello se puede recurrir a los suplementos. Uno de mis favoritos es la L-glutamina, un aminoácido que ayuda a rejuvenecer el epitelio que recubre la pared intestinal. Por su parte, los aceites de pescado omega-3 contribuyen a atenuar la irritación y la inflamación intestinales, acelerando su proceso de curación (véanse las páginas 230-233 para consultar los suplementos que se toman al aplicar el método Myers).

¿POR QUÉ FUNCIONA EL MÉTODO MYERS TAN RÁPIDAMENTE?

Shenna estaba ansiosa por comenzar con el protocolo de las cuatro erres lo antes posible, pero se mostraba en cierto modo desconcertada por el hecho de que sus efectos se notaran con tanta rapidez.

Los motivos de ello son dos. El primero, le dije, es que muchos de los síntomas que la aquejaban no eran originados por el propio trastorno autoinmune, sino por el estado escasamente saludable de su tubo digestivo. La curación del intestino le permitiría olvidarse en poco tiempo de un sinfín de síntomas, aunque la reversión de la alteración inmunitaria llevaría algo más de tiempo.

En segundo lugar, las células intestinales se renuevan a una velocidad sorprendentemente rápida. Cada una de las células del cuerpo tiene un periodo de vida específico, tras el cual muere y es reemplazada por otra nueva célula. Las del intestino viven unos pocos días, como máximo. Por otra parte, ello implica que el intestino debe recibir un continuo soporte, a base de alimentos sanos y especialmente de grasas saludables, que son utilizadas por el organismo para generar nuevas células. El rápido recambio celular supone, además, que es posible inducir importantes cambios en un tiempo relativamente breve, mientras las células degradadas son sustituidas por otras nuevas y sanas.

A Shenna le gustaba pensar en el dinamismo de su tubo digestivo; lo contemplaba como un sistema orgánico que necesitaba ser nutrido y cuidado. En nuestra segunda consulta me dijo: «Si percibo que estoy tomando algo que no forma parte del método Myers, visualizo de inmediato el daño que puede hacerle a mi intestino, y eso me ayuda a mantener el rumbo».

DE LA SALUD DIGESTIVA A LA SALUD TOTAL

Cuando Shenna comprendió la importancia del estado de su salud digestiva, se sintió decididamente motivada para seguir todos y cada uno de los aspectos del método Myers. Se sentía fortalecida al comprobar que sus síntomas empezaban a remitir ya durante la primera semana de la puesta en práctica de su nueva dieta. En apenas un mes podía desenvolverse sin problemas prescindiendo del uso de fármacos, sus marcadores autoinmunes comenzaban a normalizarse y su salud mejoraba de manera constante.

También estaba emocionada ante la perspectiva de que su hija empezara a seguir el método Myers. Había sido tal el éxito conseguido en la inversión de sus trastornos que ahora se sentía plenamente confiada en que el mismo procedimiento protegiera a la niña, aun en el caso de que hubiera heredado la predisposición genética a padecer dolencias autoinmunes.

«Solo siento no haber sabido nada antes de estos factores generadores de estrés intestinal», me comentó en su última visita a mi consulta. «Pero lo mejor de todo es que ahora puedo ayudar a mi hija a seguir el camino más saludable y protegerla para que nunca desarrolle una enfermedad autoinmune.»

CAPÍTULO 5

Erradicar el gluten, los cereales y las legumbres

MARSHALL ERA UN HOMBRE ALTO Y CORPULENTO de más de cincuenta años que había venido padeciendo colitis ulcerosa durante las dos últimas décadas. La colitis ulcerosa es un trastorno doloroso en el que el intestino grueso, o colon, se inflama y desarrolla úlceras abiertas [c]. En los últimos años el facultativo de medicina convencional de Marshall lo estuvo tratando con mesalamina, un potente fármaco entre cuyos efectos secundarios cabe citar diarrea, náuseas, calambres abdominales y flatulencia.

Eso ya era más que suficiente, pero, cuando la enfermedad experimentaba exacerbaciones intensas, en ocasiones el doctor le recetaba también prednisona, el mismo esteroide que Shenna tomaba para el tratamiento del lupus. Marshall presentaba un conjunto de efectos adversos diferentes —aunque no menos frustrantes— que los de Shenna, entre los que se contaban ganancia de peso, ansiedad y percepción de que sus pensamientos y sus emociones, según el mismo definía, «huyeran de mí, sin que pudiera controlarlos en lo más mínimo».

Al igual que Shenna, Marshall se sentía ya extenuado por tener que luchar en una batalla que daba a priori por perdida. Cuando me hablaba de lo difícil que le resultaba criar a dos hijos, mantener su trabajo como profesor de ciencias de secundaria e intentar llevar relación estrecha con su esposa, podía ver como apretaba los dientes con rabia.

«¡Me siento tan agotado de que mi vida sea controlada por la enfermedad!», estalló por fin. ¡Las diarreas, los calambres, los ataques de fiebre!

Marshall sacudió la cabeza. «Estoy realmente desesperado», me dijo. «Espero que pueda ayudarme, doctora, porque ya he consultado a cinco médicos en los últimos tres años, desde que mi estado empezó a empeorar, y lo único que han hecho es saturarme de medicamentos. Algunos funcionaron durante un tiempo y otros no, pero, con el correr del tiempo, todos *dejaron de hacer efecto*, y después del último ciclo de esteroides lo único que conseguí fue engordar diez kilos».

Bruscamente, Marshall dejo de hablar y me miró fijamente a los ojos: «¿Puede usted ayudarme, doctora Myers?», me preguntó sin rodeos. «¿Hay alguna posibilidad de que me encuentre mejor? Porque me siento realmente hastiado y extenuado por mi estado».

Consolé a Marshall y le dije que la esperanza se hallaba apenas al alcance de su mano. Trabajaríamos juntos para que pudiera abandonar la medicación y para que lograra una completa remisión de su dolencia: no más síntomas, no más dolor, ni tan siquiera más molestias menores. Su mente y sus emociones volverían a pertenecerle de nuevo. Sería incluso capaz de perder el exceso de peso que había ganado.

Marshall emitió un intenso y sentido respiro de alivio. «¡OK doc! mil gracias. ¿Qué tengo que hacer?»

EQUÍVOCOS DIETÉTICOS

Como hacen todos mis pacientes, Marshall cumplimentó un cuestionario con un diario de alimentación antes de volver a mi consulta. Observé de inmediato que en su dieta no había carne, ni pollo ni pescado, tan solo alimentos con gluten, cereales y legumbres, junto con lácteos, huevos y vegetales.

Le pregunté si era vegetariano y me respondió que, como yo, lo era efectivamente desde los 14 años. Como ejemplo del tipo de desayuno citó uno constituido por un bol de yogur griego bajo en grasas, con un poco de granola orgánica (mezcla de nueces, copos de avena con miel y otros ingredientes naturales) y un par de rebanadas de pan integral de trigo tostado. A veces, para variar, sustituía las tostadas por trigo molido o en copos. La comida podía constar, por ejemplo, de un salteado vegetariano con tofu (elaborado a partir de soja) o seitán (elaborado a partir de trigo), o de un bol de sopa de miso (soja). Para cenar podía tomar arroz con judías negras o tal vez un estofado de verduras con quinua o mijo. También me dijo que tomaba huevos con frecuencia y, de cuando en cuando, un plato de macarrones con queso, hecho con pasta de trigo integral.

Se veía a las claras que Marshall se sentía orgulloso de tomar esta dieta orgánica, con cereales integrales y baja en grasa que, por otra parte, había conseguido que tomara también toda su familia. Cuando me contaba la manera en la que él y su mujer preparaban su propio yogur casero, me hacía recordar los tiempos en los que yo también lo elaboraba en casa con mi madre. Recordaba aquellas maravillosas comidas familiares de mi infancia, pero también la enfermedad de Graves que en última instancia fue el triste resultado de ellas.

GLUTEN, CEREALES Y LEGUMBRES: ALIMENTOS QUE HAY QUE ERRADICAR

Gluten: se trata de un conjunto de proteínas presente en numerosos cereales, como el trigo, el centeno y la cebada, y ausente en otros como el arroz, el mijo, el maíz y la quinua. Por lo que respecta a la avena, aunque intrínsecamente no contiene gluten, casi toda la de cultivo convencional sufre contaminación cruzada con el trigo o con algún otro cereal durante su procesado o su almacenamiento, por lo que, a efectos prácticos, no se considera libre de gluten.

Cereales: los cereales son un tipo de plantas ricas en almidón cultivados para la alimentación humana o animal. Entre ellos se cuentan el trigo, el centeno, la cebada, el maíz, el arroz, el mijo y la avena. Hay otras especies, como la quinua, que desde el punto de vista técnico no son estrictamente cereales, pero que contiene proteínas muy similares a las de estos.

Legumbres: son un tipo de planta que se cultiva para utilizar sus semillas en la gran mayoría de los casos. Entre ellas cabe mencionar las lentejas, los garbanzos, los guisantes, las judías verdes y los demás tipos de judías, como las rojas, las blancas, las negras y las pintas.

Aunque respetaba la opción elegida por Marshall, deseaba que conociera los problemas de salud que podían asociarse con su forma de alimentación. El segundo pilar del método Myers es *erradicar el gluten, los cereales y las legumbres y otros alimentos que causan inflamación crónica*, debido a que se trata de nutrientes que resultan altamente perjudiciales para las personas que padecen trastornos autoinmunes. Así pues, al igual que había hecho con Shenna, trabajé con Marshall para identificar las pistas que nos llevaran a conocer cuáles eran sus actuales problemas de salud. Le expliqué el modo en el que las lectinas de los cereales y las legumbres habían inflamado su cuerpo, haciendo que su sistema inmunitario se pusiera en estado de alerta autoinmune e interfiriera con la capacidad de su intestino para absorber nutrientes. Asimismo, le hice ver que los síntomas que experimentaba se debían a su dieta. Le indiqué que el gluten era una de las razones de que se encontrara tan confuso, ansioso y deprimido y que todas las judías y productos de soja que tomaba eran los desencadenantes de sus episodios de distensión abdominal y gases, y de diarrea.

Creo que lo que más le afectó mientras hablaba fue saber que él, como todos nosotros, estaba siendo sobreexpuesto masivamente al gluten, en unos órdenes de magnitud que en realidad hubieran sorprendido a nuestros abuelos. En efecto, hemos de ser conscientes de que en la actualidad el gluten está presente prácticamente en todas partes, incluso en productos en los que no hubiéramos pensado nunca que estaba. La gente sabe, en general, que el gluten forma parte de los cereales, el pan y otros productos de bollería y confitería. Pero ¿sabe que también forma parte de la composición de casi todos los alimentos procesados, el ketchup, las sopas enlatadas, la salsa de soja o el fiambre?

Y hay otros muchos productos en los que la presencia del gluten resulta aún más sorprendente, como la pasta de dientes, el champú y el acondicionador del cabello o numerosas marcas de lociones, cremas hidratantes, y otros complementos de higiene personal. Si no se tiene cuidado, es más que probable estar expuesto al gluten e ingerirlo o absorberlo, por la boca o a través de la piel, prácticamente en cualquier momento del día. Si por la noche nos aplicamos una crema hidratante antes de acostarnos, es incluso posible estar absorbiendo gluten mientras dormimos.

En esencia, como le dije a Marshall, los productos que contienen gluten, los cereales y las legumbres son alimentos de alto poder inflamatorio. Teniendo en cuenta que la inflamación es el principal factor de riesgo de desarrollo de autoinmunidad, lo más lógico es eliminar estos alimentos «candentes» de la dieta. Lo primero que intento determinar en todos mis pacientes es el origen de su proceso inflamatorio y, en el caso de Marshall, estaba claro que la dieta era lo que avivaba el fuego.

Pero Marshall no podía aún asumir la idea de que su dieta «sana» fuera tan radicalmente peligrosa para él. Es probable que a muchas otras personas les suceda lo mismo.

Así pues, planteémonos las preguntas más simples. ¿Qué es el gluten y a través de qué mecanismos altera el tubo digestivo, sabotea el sistema inmunitario y amenaza nuestra salud?

¿QUÉ ES EL GLUTEN?

El *gluten* es un conjunto de proteínas compuestas por los péptidos gliadina y glutenina. Se encuentra en numerosos cereales y sus derivados, como el trigo, la sémola de trigo, la espelta, el kamut, el centeno y la cebada. La avena no contiene gluten de forma natural. Sin embargo, debido a la contaminación cruzada que se produce durante su procesado, debe considerarse que también es una potencial fuente de gluten, salvo en el caso de que se especifique en el etiquetado que se trata de avena sin gluten certificada (más adelante en este capítulo enumeraré una serie de razones por las que incluso los cereales libres de gluten pueden ser una potencial fuente de problemas cuando se padece una alteración autoinmune, o se está incluido de uno u otro modo e dentro del espectro autoinmune).

La palabra *gluten* procede del latín *gluten, glutinis*, que significa, cola, goma, pegamento. Ello tiene cierto sentido, puesto que se trata del compuesto que le da a la masa del pan su textura untuosa y, por consiguiente, le aporta al pan horneado ligereza y esponjosidad. El gluten también se considera una proteína «pegajosa» porque mantiene unidas, aglutinadas, las reservas de nutrientes de las plantas que lo contienen. Por estas propiedades de untuosidad y agregación es empleado en las industrias alimentaria, farmacéutica y cosmética como aglutinante y material de relleno.

En este contexto se plantea, pues, el problema número uno en relación al gluten. Como ya hemos visto, está presente prácticamente en todas partes. Se trata de un aditivo de uso tan extendido que las autoridades reguladoras ni tan siquiera requieren que su presencia se vea reflejada en el etiquetado, por lo que muchas veces aparece oculto bajo otras denominaciones, como «proteína vegetal hidrolizada», «proteína vegetal» o incluso «saborizante natural».

Cuando se va a poner en práctica el método Myers, es necesario actuar como un «detective del gluten» e intentar identificar la presencia de esta peligrosa proteína en todos los productos y sustancias de los que pueda formar parte. Para empezar, conviene echar una ojeada al cuadro de la página 116 con objeto de conocer los muchos lugares en los que el gluten está al acecho.

¿DÓNDE PUEDE HABER GLUTEN?

Fuentes alimentarias más conocidas

Cualquier forma de trigo, cebada o centeno:

- cereales de desayuno
- empanadas
- galletas dulces
- galletas saladas
- gofres
- muffins y magdalenas
- panes
- pasta
- pretzels
- tartas
- tortitas
- variedades de trigo antiguas, como espelta, kamut y triticale
- avena (por contaminación cruzada)

Algunas fuentes alimentarias menos conocidas

No todos los productos enumerados contienen siempre gluten pero lo hacen con la frecuencia suficiente como para que sea mejor evitarlos:

- alcohol
- cangrejo procesado
- caramelos y golosinas
- fiambres y embutidos
- fritos de maíz
- frutos secos tostados
- huevos revueltos preparados en restaurantes (a muchos se les añade preparado de masa para tortitas)
- pastillas de caldo concentrado de carne, pollo o verduras
- puré de patata instantáneo o preparado en restaurantes
- salsas y condimentos: ketchup, salsa barbacoa y muchos otros
- sustitutivos de carne para veganos
- vitaminas

Aditivos y conservantes

- ácido cítrico (puede fermentarse a partir de trigo, maíz, melaza o remolacha)
- almidón
- almidón alimentario
- almidón alimentario modificado
- almidón de trigo
- colorantes
- colorantes artificiales
- colorante/saborizante color caramelo
- dextrinas
- diglicéridos
- emulsionantes
- enzimas
- estabilizantes
- jarabe de glucosa
- glicéridos
- maltodextrina
- polvo de hornear
- saborizantes
- saborizantes naturales
- sustitutivos de grasas

Algunas fuentes no alimentarias

- medicamentos, suplementos dietéticos y preparados fitoterapia
- plastilina y pinturas
- productos de higiene corporal y de belleza
- sellos de correos y sobres

(En mi página web, AmyMyersMD.com puede consultarse una lista más completa.)

«PERO, SI NO SOY CELÍACO, ¿CUÁL ES EL PROBLEMA»

Llegados a este punto, puede uno preguntarse por qué motivo se ha de prescindir de los alimentos con gluten si no se padece enfermedad celíaca. Hagamos algunas puntualizaciones.

UNA SERIE DE DATOS INQUIETANTES SOBRE EL GLUTEN

- Más de 55 enfermedades se han asociado al gluten.

- Se estima que el 99% de las personas que padecer enfermedad celíaca o hipersensibilidad al gluten nunca llegan a ser diagnosticadas.

- Hasta el 30 % de la población de origen europeo es portadora del gen de la enfermedad celíaca, con el consiguiente riesgo de problemas desencadenados por el gluten.

- Un reciente estudio, publicado por la prestigiosa revista *Gastroenterology,* comparó 10.000 muestras de sangre tomadas a personas hace 50 años y otras 10.000 tomadas en la actualidad, constatando que ha habido un aumento del 400% en la incidencia de la enfermedad celíaca.

- Un estudio desarrollado entre 1969 y 2008, en el que se procedió a seguimiento de 30.000 pacientes con enfermedad celíaca diagnosticada, enfermedad celíaca no diagnosticada (que se puso de manifiesto en el curso del estudio) e hipersensibilidad al gluten, determinó que en cada uno de los tres grupos se registraba una mortalidad significativamente superior a la de los participantes no afectados por el gluten.

Como se verá en el resto del presente capítulo, el gluten contribuye al desarrollo de intestino permeable de muy diversas maneras. Si una persona se encuentra perfectamente sana, tardará poco tiempo en restablecerse, pero, con sinceridad, ¿por qué correr riesgos innecesarios? Según se podrá comprobar en los dos capítulos siguientes, nuestro mundo está lleno de toxinas y de factores generadores de estrés que no se pueden eludir; así que ¿por qué exponer a nuestro organismo a un potencial riesgo que *sí* podemos evitar?

En cualquier caso, cuando se sufre una enfermedad autoinmune, o cuando se está dentro del espectro autoinmune, es decir, cuando se experimenta cualquiera de los síntomas enumerados en las páginas 35-37, uno no puede permitirse ni el más leve empujoncito hacia el desarrollo del intestino permeable, por no hablar de los ingentes ataques que pueden desencadenar incluso cantidades mínimas de gluten. Para hablar sin rodeos, el gluten es una sustancia que nos intoxica, no solo de una manera, sino a través de las más diversas rutas.

La enfermedad celíaca es un trastorno autoinmune, además de ser la alteración más grave específicamente vinculada al gluten. Este hace que el propio cuerpo ataque a las células del intestino delgado. Así se degradan las terminaciones de las microvellosidades que, como vimos en el capítulo anterior, ayudan a que los nutrientes sean absorbidos del flujo de los alimentos, al incrementar la superficie del propio intestino delgado. Sin un desarrollo adecuado de las microvellosidades, no se es capaz de absorber los nutrientes que se consumen. Se puede comer mucho, incluso prestando especial atención a llevar una alimentación sana, y continuar estando malnutrido porque el intestino delgado simplemente no absorbe los nutrientes que, por tanto, no pasan a la circulación sanguínea. Hay que insistir de nuevo en que lo que importa no es lo que se come, sino lo que se *digiere* y se *absorbe*.

Solo 1 de cada 133 personas sufre de enfermedad celíaca, aunque esa correlación está aumentando, tanto por la omnipresencia del gluten como por el hecho de que, como veremos a continuación, las explotaciones agrícolas comerciales y los fabricantes de la industria alimentaria han alterado la naturaleza del propio gluten. En definitiva, los celíacos son solamente el 1% de la población y solo un 0,5% son alérgicos al trigo. Por consiguiente, si no se forma parte de ese porcentaje, ¿cuál es el problema?

El problema es lo que yo llamo el *espectro de hipersensibilidad al gluten* que, en este caso sí, comprende a un gran número de personas que experimentan algún tipo de reacción de hipersensibilidad ante esta proteína. Ciertos estudios estadísticos sitúan la incidencia de esta alteración en un ya de por sí ingente valor del 30% en relación al total de la población, si bien algunos expertos consideran que esta cifra es mayor. Según mi experiencia clínica, cuando se padece una enfermedad autoinmune, siempre se está incluido en algún nivel del espectro de hipersensibilidad al gluten y, en consecuencia, el consumo del mismo ha de evitarse a toda costa.

Como vimos en el capítulo 3, las alergias son provocadas por anticuerpos IgE, que desatan una rápida, y en ocasiones mortal, respuesta ante la percepción de la presencia de un intruso que se manifiesta, por ejemplo, cuando la intensidad de una reacción inmunitaria da lugar a inflamación de las vías respiratorias, que se obstruyen. Las reacciones de hipersensibilidad alimentaria son activadas por los anticuerpos IgG, que generan una respuesta a menudo menos intensa a corto plazo, pero extraordinariamente perjudicial en el largo plazo.

Conviene recordar que la respuesta originada por los anticuerpos IgG en ocasiones no se concreta hasta después de 72 horas. Así pues, si se toma un bol de granola o un pescado con salsa de soja el lunes, a veces no se piensa que un dolor de cabeza, un brote de acné o un episodio de gases abdominales o de dolor articular, pueda guardar relación con esos alimentos, en apariencia saludables, que ya ni tan siquiera se recuerda que se han tomado.

Para quienes sufren una enfermedad autoinmune o, de cualquier modo, están incluidos en el espectro de autoinmunidad, las noticias son aún peores. Como hemos visto en los dos últimos capítulos, estas personas están comprometidas en una enconada batalla contra la inflamación. Esta hace que los síntomas empeoren y que se evolucione hacia un área de mayor agravamiento dentro del espectro, aumentando el riesgo de configuración de un trastorno autoinmune concreto, si es que aún no se padece. La reducción de la inflamación es la mejor de las armas para revertir y prevenir la autoinmunidad. Sin embargo, el gluten no hace más que inflamar el organismo y es el causante de que las cosas vayan exactamente en la dirección equivocada.

Lo crea o no, las malas noticias no acaban aquí. Hay un término que puede hacer que la evolución de los acontecimientos sea incluso peor: se trata del *mimetismo molecular*.

El mimetismo molecular es un fenómeno en virtud del cual el sistema inmunitario puede realmente confundir una parte del propio organismo con un agente invasor extraño.

¿Recuerda el modo en el que los anticuerpos de la viruela vacuna atacaban al virus de la viruela humana? Bien, basándose en el mismo mecanismo, los anticuerpos que atacan al gluten, el complejo de proteínas presente, como se ha dicho, en el trigo, el centeno, la cebada y otros muchos cereales, pueden dirigirse contra el tejido de la glándula tiroides, dando lugar a una alteración autoinmune frecuente llamada tiroiditis de Hashimoto. Básicamente, cuando las moléculas de gluten se filtran a través de la pared intestinal al torrente circulatorio, en este caso el sistema inmunitario las considera «invasores extraños» y hace que los anticuerpos las ataquen como si fueran perniciosos virus o bacterias. Cuando se es víctima de la enfermedad de Hashimoto, esos mismos anticuerpos llegan incluso a un estado de mayor confusión y no solo tratan al gluten como un invasor mortal, sino que atacan al propio tejido tiroideo como si de gluten se tratara. De este modo, la tiroides comienza a ser destruida.

Esta es solo una de las razones por las que es necesario eludir el gluten cuando se sufrens trastornos autoinmunes o se está dentro del espectro autoinmune. Debe impedirse que se desate una situación en la brigada de seguridad envíe a la central de mando una imagen de la propia tiroides que se asemeje a la imagen de la molécula de gluten.

El mimetismo molecular se ve asimismo implicado en otros trastornos autoinmunes, en los que los anticuerpos desarrollados contra la gliadina, una de las proteínas clave presentes en el gluten, confunden otros tejidos con las moléculas de gluten. Por fortuna, como he podido comprobar en incontables casos, después de que mis pacientes y yo conseguimos aplacar el estado del sistema inmunitario y reforzarlo mediante la puesta en práctica de los cuatro pilares del método Myers, el mimetismo molecular ralentiza su actividad o la interrumpe por completo. Si nos concentramos en mantener una dieta apropiada, en sanar el tubo digestivo y en seguir un estilo de vida saludable podremos eludir los efectos del mimetismo molecular.

En cualquier caso, es importante estar alerta, ya que recientemente se ha descubierto que, incluso la ingestión de una pequeña cantidad de gluten

Mimetismo molecular

Secuencia de proteínas
Antígeno
Gluten
Caseína
Tejido tiroideo

Sitio de unión antigénica
Anticuerpo

Los anticuerpos se unen a las secuencias proteínicas de antígenos. Aunque el gluten, la caseína y los tejidos del propio organismo son de estructura molecular diferente, comprenden algunas secuencias de proteínas análogas. Cuando las defensas inmunitarias no son capaces de distinguir estos tres tipos de moléculas tiene lugar una reacción cruzada.

puede elevar el nivel de autoanticuerpos durante un periodo de hasta 3 meses. En consecuencia, cuando afirmo que es necesario evitar la ingestión de gluten en un 100%, me refiero estrictamente a ese porcentaje, no a un 99%, ni tan siquiera a un 99,5%. Incluso la más mínima cantidad de gluten puede activar esos anticuerpos y hacer que el sistema inmunitario inicie su ataque contra los tejidos del propio cuerpo.

Sé que se trata de un planteamiento muy poco intuitivo. Es probable que se piense: «Bien, he limitado el gluten al mínimo, aunque lo tomaba habitualmente, y ahora lo hago apenas cuatro veces al año: en los dulces navideños, el roscón de Reyes, la tarta de cumpleaños y las golosinas del primer día de colegio de mis hijos. Cuatro dosis de gluten al año. ¿Qué daño pueden hacerme?».

Y, sin embargo, para cierto tipo de alteraciones autoinmunes reactivas al gluten, esas cuatro pequeñas porciones pueden mantener los niveles de anticuerpos contra el gluten elevados durante todo el año. Y cualquiera que sea el trastorno que se padezca, el hecho de ingerir gluten siempre incrementa el nivel de inflamación y, en consecuencia, el riesgo de desarrollo y/o empeoramiento del estado de la autoinmunidad.

¿QUÉ DECIR DE LAS PRUEBAS?

Muchos de mis pacientes se sienten confundidos en lo que respecta al gluten, porque se han sometido ya a pruebas relacionadas con él y se les ha indicado que no tienen problema alguno. Sin embargo, yo tiendo a creer que es más que probable que no sea así y que, en realidad, pueden sufrir algún trastorno asociado a la proteína. Examinemos a continuación los diferentes métodos de poner a prueba las cuestiones referidas al gluten y los límites que esas pruebas tienen.

En primer lugar, cabe citar la prueba de detección de la enfermedad celíaca. El patrón de referencia para la realización de esta prueba es la biopsia intestinal, si bien, en ciertos casos, los análisis de sangre también revelan que hay ciertos indicadores que están elevados. No obstante, dado que solo 1 de cada 133 personas padece de enfermedad celíaca, esta prueba no detecta otros numerosos problemas más frecuentes.

Los alergólogos también disponen pruebas de detección de alergia al trigo o al gluten. Este tipo de pruebas identifican las reacciones de la IgE (véase página 71) Apenas el 1% de la población padece alergia al gluten por lo que, también en este caso, este tipo de técnicas tampoco ponen de manifiesto otras alteraciones más comunes.

El problema más habitual en este ámbito es la hipersensibilidad al gluten —expresada a través de la reacción de las IgG— que, como hemos visto, es padecida por un tercio de la población, o tal vez más. Hay pruebas de hipersensibilidad alimentaria que permiten detectarlo, aunque en este caso el problema estriba en el hecho de que el gluten contiene diversas gliadinas, una de las clases de proteínas que lo constituyen y, aunque se toleren bien muchas de ellas, siempre se puede ser hipersensible a una variante específica. Y las pruebas de hipersensibilidad habitualmente utilizadas tan solo detectan la gliadina más común, conocida como péptido 33-mer. Si se tolera la gliadina de tipo 33-mer, pero se es hipersensible a alguna otra de las diversas proteínas que contiene el gluten, es fácil que la persona que se somete a la prueba dé un resultado falso negativo.

En la actualidad contamos ya con una prueba de mejor rendimiento, comercializada por Cyrex Laboratories, que permite identificar un espectro mucho más amplio de gliadinas. Si realmente se tiene interés por verificar de manera específica el propio estado en lo que respecta a la hipersensibilidad al gluten, es posible solicitar a un profesional de la medicina funcional que facilite y aplique esa prueba.

Sin embargo, como siempre les digo a mis pacientes, el cuerpo sabe más que cualquier prueba sobre él mismo. En caso de duda, deje de tomar alimentos con gluten y compruebe si se encuentra mejor. Si es así, puede estar seguro de que el gluten es el problema y de que debe continuar evitando su consumo. Otra manera de determinar que el gluten no es bueno para el organismo es comprobar que uno se encuentra peor que antes después de haber estado una semanas sin comer alimentos con gluten y reanudar su consumo.

Con frecuencia puedo comprobar que mis pacientes afectados de artritis reumatoide o de tiroiditis de Hashimoto que erradican el gluten de su dieta comienzan a encontrarse mejor en pocas semanas, o incluso en días. El dolor y la hinchazón articulares de los pacientes aquejados de artritis reumatoide desaparece. El nivel de anticuerpos de los que sufren enfermedad de Hashimoto disminuye. En tales circunstancias un profesional dedicado a la medicina convencional diría: «Bien, es posible que el gluten *fuera* el origen de sus problemas. ¿Por qué no empieza a tomarlo de nuevo durante un par de semanas y a continuación le realizamos las pruebas de la enfermedad celíaca?».

Estoy segura de que este tipo de planteamientos algún día serán considerados como mala praxis. Si excluye el gluten de su dieta y su salud mejora, su cuerpo le estará diciendo todo lo que necesita saber.

GLUTEN E INTESTINO PERMEABLE

A continuación aclararemos la razón por la que no deseo que tome ningún alimento con gluten, aunque no padezca enfermedad celíaca y aunque no sea alérgico ni hipersensible al gluten: se trata de una sustancia que puede hacer que padezca de intestino permeable. Aun en el caso de que se haga todo los necesario para reformar el propio sistema inmunitario —comer alimentos sanos, desintoxicar el organismo, curar las infecciones y reducir la carga de estrés—, el gluten puede dar al traste de un solo golpe con todos esos esfuerzos.

Nuestros conocimientos del modo en el que el gluten afecta al conducto intestinal se deben a los estudios al respecto de uno de los pioneros en la materia, el doctor Alessio Fasano, ya mencionado en el capítulo 4. El doctor Fasano descubrió que el gluten desencadena la producción de una sustancia llamada *zonulina*, que hace que las uniones intercelulares herméticas de las paredes de las células epiteliales se relajen. En un estado de salud óptimo estas uniones vuelven a cerrarse en poco tiempo y el sistema digestivo se mantiene intacto.

Sin embargo, cuando el cuerpo está sobreexpuesto a la acción del gluten —y, como he acabamos de ver, todos nosotros estamos expuestos a un exceso de gluten prácticamente siempre— la zonulina entra en acción y las uniones herméticas que mantienen la pared celular permaneces abiertas.

De esta manera, en vez de una pared celular saludable, tendremos una barrera porosa que permite que se filtre el alimento parcialmente digerido. El sistema inmunitario no reconoce estas porciones a medio digerir y comienza a atacarlas con toda la batería de compuestos químicos que suele reservar para los virus o las bacterias nocivas. De repente, las defensas inmunitarias se ponen en estado de alerta máxima. Los muchachos de la central de mando distribuyen por todo el cuerpo sus recursos inflamatorios, generándose así las condiciones ideales para el desarrollo de un trastorno autoinmune.

«¡PERO SI SIEMPRE HEMOS COMIDO PAN!»

A muchos de mis pacientes les cuesta mucho entender que alimentos tan comunes como el pan o la pasta sean tan perjudiciales como para llegar a provocar síntomas de una enfermedad debilitante y dolorosa. Es frecuente escucharles decir cosas como «La gente ha tomado estos alimentos durante cientos de años» o «Son alimentos que mi abuela hacía ella misma en casa. ¿Cómo pueden ser tan dañinos?».

Analicemos los motivos por los que el pan, la pasta y los diversos productos de bollería y confitería que compramos hoy en día son completamente distintos de los que tomaban nuestros abuelos.

En primer lugar, con el fin de conseguir formas cada vez más ligeras y esponjosas de pan y otros productos horneados, así como para obtener variedades más resistentes de trigo, los agricultores y las compañías alimentarias han desarrollado nuevos híbridos de este cereal. Al igual que ha sido posible generar una nectarina cruzando un melocotón y una ciruela, tomates más resistentes o nuevos tipos de rosas, también se han desarrollado modernas variedades de trigo.

Sin embargo, muchos de estos avances en agronomía conllevan el pago de un precio que, en el caso de la hibridación del trigo, es ciertamente elevado. Ese proceso de hibridación ha dado lugar a nuevas formas de gluten, es decir, a proteínas de nueva creación que nuestro organismo no reconoce. El entrecruzamiento de cepas diferentes de este cereal ha determinado la creación de nuevas proteínas que no estaban presentes en ninguna de las dos especies originalmente hibridadas. Nuestro cuerpo no evoluciona a la misma velocidad que las nuevas variedades de trigo y, por ello, simplemente no sabe cómo reaccionar ante esas proteínas.

Como segundo factor a tener en cuenta, los investigadores han desarrollado un proceso denominado *desaminación*, que elimina uno de los aminoácidos de las proteínas que contiene el gluten. Este proceso permite que las compañías alimentarias llenen sus productos de gluten y que puedan elaborar grandes rollos de canela y enormes y esponjosos bagels. Y, dado que este método convierte al gluten en hidrosoluble, los fabricantes también lo utilizan como conservante y como espesante en todo tipo de productos que hasta hace poco no lo contenían.

Antes sabíamos que el gluten estaba presente en las tostadas o en los espaguetis a la boloñesa; sin embargo, ahora es posible que forme parte igualmente de la composición de la salsa de soja o que esté contenido en el fiambre. Ello supone que cuando en un restaurante de comida asiática tomamos un salteado de verduras con arroz, cuando compramos una ensalada preparada con jamón y pavo para cenar o cuando ponemos un poco de ketchup en las patatas fritas, estamos consumiendo gluten aunque no haya no pan, ni bollos ni pasta a la vista. Por otro lado, como ya hemos visto, si los productos de higiene corporal no se seleccionan cuidadosamente, es más que probable que se introduzca gluten en el organismo al cepillarse los dientes, al lavarse la cabeza o al aplicarse una loción corporal.

Por lo demás, el propio proceso de desaminización hace que el ahora omnipresente gluten resulte mucho más peligroso para el organismo de lo que lo era antes. En primer lugar, nos encontramos expuestos a nuevos tipos de gluten que nuestro cuerpo no puede regular ni asimilar y, además, estamos sometidos a una masiva sobreexposición a esta sustancia, que sobrecarga y debilita nuestro intestino y nuestro sistema inmunitario. En mi opinión la combinación de estas nuevas proteínas y de la sobrecarga de gluten constituye un doble revés, que debe considerarse como factor destacado en la desbocada expansión de la epidemia de trastornos autoinmunes.

Otra característica que hace que hace que en la actualidad el gluten suponga mayores riesgos que en el pasado es la creciente carga tóxica que cada uno de nosotros soporta, como consecuencia de los centenares de compuestos químicos que las compañías de la gran industria están introduciendo a pasos agigantados en nuestro aire, en nuestras aguas y en nuestros suelos. El sistema inmunitario queda desequilibrado por la abundancia de toxinas industriales que dan lugar a que el efecto del gluten sobre él sea cada vez más problemático, con lo que la permeabilidad del intestino es mayor que nunca (véase en la página 95 la lista de factores que favorecen el desarrollo de intestino permeable).

Por consiguiente, es lógico que nuestros abuelos pudieran tomar pan y pasta sin que estos generaran efectos lesivos para su salud. Después de todo, el gluten que ellos ingerían no estaba hibridado ni desaminado; además no estaba presente en *todo* lo que comían y su dieta estaba integrada por alimentos auténticos y saludables y no mayoritariamente por comida basura envasada. Con toda probabilidad, la carga tóxica a la que estaban expuestos era menor que la actual, tomaban menos medicamentos y, aunque sus vidas eran tan duras como las nuestras, es muy posible que no tuvieran que hacer frente a tantos factores generadores de estrés como nosotros.

Cabe, pues, deducir que en las generaciones anteriores la incidencia del intestino permeable era inferior, simplemente porque no afrontaban las múltiples condiciones anómalas que hoy día convierten al gluten en una amenaza en potencia mortal, en especial para los que son vulnerables a los trastornos autoinmunes. Es asimismo posible que nuestros abuelos sufrieran los efectos de las dietas a base de cereales y que no relacionaran las cefaleas migrañosas, la fatiga o la depresión que padecían con el pan, la pasta o los productos de bollería que consumían.

Con independencia de las experiencias de nuestros mayores, nuestro propio sistema de abastecimiento alimentario ha sufrido una transformación de tal alcance a lo largo de los últimos 50 años que nosotros ingerimos productos radicalmente distintos de los que ellos comían, aunque en ocasiones puedan parecer similares. El pan que tomaban se elaboraba con variedades de trigo conocidas desde antiguo y cultivadas en suelos más o menos libres de contaminantes; el nuestro se obtiene a partir de trigo hibridado y desaminado que crece en campos cuyos suelos están repletos de agentes tóxicos, en los que han podido filtrarse residuos de mercurio o de plomo y que son tratados con dosis masivas de pesticidas y herbicidas. De manera análoga, las legumbres de las que nuestros ancestros se nutrían procedían de plantas naturales, mientras que muchas de las que nosotros tomamos están genéticamente modificadas y, al igual que el pan y sus derivados, colmadas de agentes tóxicos. También los alimentos preparados y procesados y la comida rápida de hace cinco décadas era más segura y saludable y estaba menos contaminada que la actual.

Nosotros no ponemos en remojo y dejamos germinar las semillas como se hacía antes; no comemos despacio, con tranquilidad y en familia, y no consumimos platos preparados mayoritariamente en casa. Y, aun en el caso de que no se tomen alimentos procesados, cada vez que se come carne o pollo no orgánicos o pescado de piscifactoría, se están ingiriendo el maíz y la soja genéticamente modificados presentes en los piensos con los que se les alimenta. Virtualmente todos nosotros estamos sobreexpuestos de manera masiva al gluten y, el maíz y la soja, que se emplean con profusión en alimentación animal, conservantes, saborizantes y aditivos de relleno, por no mencionar la exposición al gluten a través de las sustancias de uso no alimentario que ya hemos citado. En definitiva, y por desgracia, aunque nuestros abuelos pudieran digerir el gluten, los cereales y las legumbres de los que se nutrían, nosotros no vivimos y no comemos ya como ellos.

Para nosotros no es posible ya rememorar el pasado para intentar resolver los problemas que nuestra dieta plantea. Nos vemos obligados a hacer frente a la situación en la que nos hallamos, a lo que los alimentos actuales nos ofrecen y a aquello que nuestro organismo puede asimilar y regular. Cualquiera que sea el punto del espectro autoinmune en el que una persona se encuentra, dejar de tomar productos que contengan gluten es, en cualquier caso, la opción más correcta y segura.

EL ALTO COSTE DE LOS ALIMENTOS «SIN GLUTEN»

A medida que el estilo de vida libre de gluten se va popularizando, numerosas compañías alimentarias se van apuntando a esa corriente, creando la próxima generación de panes, tartas, bollos y otros productos sin gluten. Estos alimentos, en apariencia saludables, en realidad no los son en absoluto, puesto que, con frecuencia, suelen estar saturados de azúcar, conservantes, aditivos y colorantes.

No obstante, en el momento actual, su familia no puede prescindir de los productos que suelen contener gluten, y en especial si en esa familia hay niños, los sucedáneos libres de gluten pueden ser la única manera de ayudar a cada cual a ir configurando una fase de transición hacia una dieta más sana. Si sus hijos se mantienen a base de pizza y macarrones con queso, el hecho de lograr que tomen versiones de estos alimentos carentes de gluten, y si es posible también de derivados lácteos, es la mejor solución. Conseguir introducir este cambio saludable en la vida familiar es absolutamente recomendable.

Pero, seamos sinceros: la basura es basura. Y hay que reconocer que la mayor parte de los productos que se comercializan como libres de gluten son en esencia eso... basura. He aquí los motivos de tal afirmación.

Como primer factor a considerar, cuando el trigo se convierte en harina genera mucha más masa que otros cereales o semillas. Así pues, cuando un producto sin gluten se elabora a partir de harina de arroz, maíz, mandioca (también llamada tapioca o yuca), patata o almendra, suele ser necesario añadirle alguna otra sustancia para que alcance la masa y la consistencia propias de la harina de trigo.

¡Y es aquí cuando el azúcar acude al rescate! El azúcar aumenta la riqueza calórica y la masa; no obstante, es necesario mencionar que, al mismo tiempo, hace que los niveles de azúcar en sangre se eleven súbitamente para después caer de manera brusca. Como consecuencia de ello, de al tomar productos elaborados con este tipo de preparaciones nos exponemos a ganar peso y, en potencia, a desarrollar una diabetes. Y, por favor, no se deje engañar por los productos que indican que contienen «edulcorantes 100% naturales», tales como el azúcar de caña refinada, el jarabe (o melaza) de arroz integral (también llamado arroz pardo, marrón o moreno) o el néctar de agave. Todos ellos contienen glucosa (el tipo de azúcar presente en la caña de azúcar y la remolacha azucarera), fructosa (que es la variante de azúcar propia del maíz y de la fruta) o alguna combinación de ambas. Sus sugerentes nombres no convierten a estas sustancias en algo sano por definición.

Incluso cuando los productos sin gluten llevan en el etiquetado la calificación de «orgánico» o de «100% natural», pueden estar colmados de conservantes. Por otro lado, a no ser que el alimento en cuestión aparezca consignado como «libre de organismos genéticamente modificados (OGM)» es muy probable que esté elaborado con maíz o soja, debiendo tener en cuenta que, al menos en Estados Unidos, el 80% del total del maíz y la soja que se cultivan han sido sometidos a manipulación genética y son, por consiguiente, transgénicos (para consultar más en profundidad la problemática relacionada con los transgénicos y los alimentos que se elaboran con ellos véanse el epígrafe «OGM: un nuevo desafío alimentario», en la página 138, y el apéndice A).

Asimismo, hay que tener en cuenta que en ocasiones el sistema inmunitario reacciona ante los cereales libres de gluten como si en realidad contuvieran este complejo de proteínas, generando pues anticuerpos y originando la correspondiente inflamación. Para agravar aún más la situación, los cereales (y las legumbres) libres de gluten contienen lectinas, unas sustancias inflamatorias inhibidoras de la absorción de minerales y de otros nutrientes.

En definitiva, se trata de evitar el uso de productos en cuyos envases aparezca el tranquilizador lema «saludable, orgánico y sin gluten». Durante los treinta días de aplicación del método Myers prescindiremos de ellos.

CUANDO LOS ALIMENTOS SIN GLUTEN NO ESTÁN LIBRES DE GLUTEN

Cuando le hablé a Marshall de la importancia de evitar los productos con gluten en un primer momento, se mostró muy renuente. Sin embargo, al final acabó por reconocer que era un sacrificio poco costoso, si servía para curar el trastorno doloroso y debilitante que se había hecho con el control de su vida.

Lo que más le costaba comprender era la razón por la que le pedía que renunciara también al consumo de otros cereales, supuestamente saludables como el arroz integral, la avena y la quinua (aunque técnicamente esta última no es un cereal, contiene proteínas similares a las de los cereales).

Son varias las razones que invitan a evitar los cereales que no contienen gluten. Una de las más convincentes es que muchos no están en realidad libres de él. Un estudio publicado en junio de 2010 en el *Journal of the American Dietetic Association* determinó que, de una muestra de 22 tipos de cereales que de manera natural carecían de gluten, más de la mitad registraban indicios de la presencia en ellos de este complejo de proteínas.

¿Cómo era posible que eso sucediera? La razón es un proceso conocido como contaminación cruzada. No se trata de ningún misterio biológico, sino de un fenómeno de simple proximidad. A no ser que un cereal sea cultivado en un terreno aislado y procesado en instalaciones completamente libres del contacto con el gluten, la probabilidad de que entre en contacto con otros cereales que sí lo contienen es ciertamente elevada. En nuestro sistema de producción alimentaria industrializado el número de oportunidades de que se establezca ese tipo de contacto es ingente, por lo que es más que probable que los cereales que se suponen libres de gluten no lo estén en realidad. La contaminación cruzada se puede producir en los campos de cultivo, en la planta de procesado, durante el transporte o en los envases en los que se conserva el grano. Y eso solo antes de que el producto llegue a los hogares de los consumidores, donde el contacto es posible también en la despensa, en la nevera o en los estantes de la cocina.

Es obvio que se puede intentar optimizar las opciones a la hora de elegir los alimentos que se adquieren, procurando que estos hayan sido sometidos al menor grado de procesado posible, pero nunca se llega a estar seguro por completo de lo que haya podido suceder antes de que un alimento llegue a la tienda o al plato. Y hemos de recordar que incluso una minúscula cantidad de gluten tiene a menudo efectos nocivos radicales sobre el intestino y sobre el sistema inmunitario. Como ya vimos con anterioridad en este capítulo, cuando se padece una patología autoinmune, cabe la posibilidad de que el mimetismo autoinmune haga que un sistema inmunitario sensible al gluten ataque al propio cuerpo como si de este se tratara. Incluso pocas moléculas de gluten trasmitidas por contaminación cruzada pueden activar la liberación de anticuerpos antigluten para que indiquen al sistema inmunitario que ponga en acción compuestos químicos inflamatorios, que tal vez ataquen a los propios tejidos corporales.

Por otro lado, como veremos un poco más adelante en este capítulo, incluso pequeñas cantidades de gluten son capaces de generar un síndrome de intestino irritable, que puede tener igualmente consecuencias desastrosas para el sistema inmunitario.

La contaminación cruzada es uno de los motivos por los que aconsejo a mis pacientes aquejados de alteraciones autoinmunes que no consuman ninguna clase de cereales. Piense en las catastróficas consecuencias que el gluten tiene para su organismo y en la medida en la que puede hacer que se pase de estar incluido en algún punto del especto de autoinmunidad a sufrir una dolencia autoinmune manifiesta. En este contexto siempre es mejor seguir mi lema: «En caso de duda ante un alimento, mejor prescindir de él».

ALIMENTOS QUE IMITAN AL GLUTEN

En el capítulo 8 puede consultarse una lista de los alimentos que es preferible evitar. Algunos de ellos son cereales y legumbres, pero otros pertenecen a categorías nutricionales completamente distintas. No obstante, todos estos alimentos tienen una característica en común muy importante: todos ellos son confundidos con el gluten por el organismo. Como consecuencia de ello, cada uno de tales alimentos está en condiciones de desencadenar una potente respuesta inflamatoria que incrementa el grado de la inflamación crónica del organismo. Cuando se padece una alteración autoinmune, estos alimentos pueden hacer que los síntomas de la misma aceleren su evolución y, si se está dentro del espectro autoinmune, es posible que activen el proceso que da lugar a la manifestación expresa de una enfermedad de esta naturaleza.

Los mecanismos que se ponen en marcha en tales circunstancias ya se analizaron en el capítulo 3, cuando describimos el modo en el que los responsables de la central de mando se confundían entre un potencial objetivo y un agente similar. Hay que recordar que el sistema inmunitario adaptativo produce anticuerpos diseñados para ser dirigidos contra los agentes nocivos —el término técnico utilizado para definir a estos agentes es *antígenos*— que, según el propio sistema ha determinado, es probable que produzcan daño. Una vez que el gluten es marcado como antígeno, ese sistema adaptativo elabora anticuerpos para hacer sonar la alarma y entrar en acción, si bien es fácil que estos se confundan y se activen también ante sustancias que son solo similares al gluten.

REACTIVIDAD CRUZADA:
ALIMENTOS QUE EL CUERPO PUEDE CONFUNDIR CON EL GLUTEN

Avena	Maíz	Productos lácteos, inclui-
Arroz	Mijo	dos los que contienen
Levadura		proteína de suero de leche

El nombre científico de este proceso es reactividad cruzada. En él, básicamente, el sistema inmunitario adaptativo confunde los cereales que no contienen gluten con los que sí lo presentan en su composición, generando una avalancha de compuestos químicos tanto si se hace frente al trigo como si el agente desencadenante es el arroz o el maíz.

En realidad, el sistema inmunitario también identifica erróneamente como análogos al gluten muchos otros alimentos, como los lácteos, el maíz, el arroz, la levadura o el mijo. Esta es la razón por la que es importante evitar todas las sustancias que, de una forma u otra, tengan capacidad para desencadenar una reacción cruzada, en especial en los primeros 30 días de la aplicación del método Myers, cuando se está intentando tranquilizar a los muchachos de la central de mando y convencerlos de que no deben mantenerse tan alerta. Una vez que se les ha dado un descanso, vuelve a ser posible reintroducir en la dieta algunos alimentos con gluten, siempre en cantidades moderadas.

«¡PERO SI SIEMPRE HEMOS COMIDO LEGUMBRES!»

Resulta sorprendente el elevado número de personas que comprenden los problemas que genera el gluten, pero que no hacen lo mismo en lo que respecta a las legumbres. Si está pensando que siempre hemos podido tomar una tomado crema de guisantes, un plato de lentejas o cualquier otra elaboración a base de legumbres, lamentablemente he de replicar con una explicación similar a la expuesta para el gluten. La sobreexposición al gluten ha afectado a las respuestas de nuestro organismo frente a otros cereales, por generación de nuevas reacciones cruzadas, y la carga tóxica presente en nuestros alimentos, nuestras aguas y nuestro aire ha alterado nuestros sistemas digestivo e inmunitario hasta niveles que nuestros abuelos no hubieran podido ni tan siquiera imaginar. Estos nuevos y funestos elementos de la vida moderna han hecho que las tensiones inducidas por las lectinas sobre el organismo, antes soportables, hayan pasado a resultar intolerables, en especial para quienes sufren de autoinmunidad.

Otro factor a considerar es el hecho de que nuestros ancestros preparaban las legumbres de manera distinta a la actual. Tradicionalmente, este tipo de alimentos eran dejados en remojo durante la cocción, en un proceso que ayuda a extraer de ellas las lectinas y a hacer que su consumo resulte más seguro. Nuestros mayores no tomaban preparaciones como el humus precocinado o el arroz pilaf envasado que compramos en la tienda de alimentación, por lo que en realidad resulta difícil comparar sus hábitos de nutrición con los nuestros. Hay que considerar, por otro lado, que la agricultura es una actividad que cuenta con apenas unos miles de años, por lo que los antiguos seres humanos pasaron más de dos millones de años sin comer cereales ni legumbres. Así pues, yo recomiendo lo que la experiencia me ha enseñado: si estos alimentos se descartan de la dieta, los síntomas de afectación digestiva desaparecen.

Durante un tiempo yo fui vegetariana, ¿recuerda? Conozco el buen sabor de los cereales y las legumbres, la satisfacción que produce comerlos y lo nutritivos que parecen ser. Sé también que puede parecer difícil encontrar sustitutos para este tipo de alimentos cuando buena parte de la propia dieta se ha basado en ellos, al menos en parte, durante años.

Pero no soy solo una antigua vegetariana. Soy también una persona que padece un trastorno autoinmune. Tengo referencias de primera mano del nivel de alteración que pueden provocar un bol de chile vegetariano o un sabroso rollo de humus especiado. Mi función y mi objetivo se centran en impedir que los demás tengan que afrontar lo que yo padecí, y para ello es imprescindible modificar la dieta.

Incluso la mayoría de las personas que recomiendan abandonar el consumo de gluten no toman en consideración el daño que produce también este otro tipo de alimentos. Como digo siempre, el conocimiento es poder. En consecuencia, en las páginas siguientes trataré de aportar un conjunto de informaciones básicas referidas a los motivos por los que es necesario dejar de consumir cereales y legumbres.

UN REPASO A LAS LECTINAS

Las *lectinas* son proteínas que se unen a hidratos de carbono, es decir, que ayudan a mantener unidas dos moléculas de hidratos de carbono. Están presentes en animales, plantas y microorganismos, pero las que nos preocupan en este contexto son las contenidas en los cereales (en las que son abundantes) y en las legumbres (en las que su presencia es menor, aunque aún significativa).

Una lectina en particular problemática es la prolamina. Las prolaminas se hallan en la quinua, el maíz y la avena, y son especialmente perjudiciales para quienes padecen enfermedad celíaca. Aunque en teoría, las personas celíacas pueden comer cereales carentes de gluten (y seudocereales, como la quinua), las prolaminas contenidas en este tipo de plantas, supuestamente seguras, provocan daño intestinal y estimulan el sistema inmunitario. Asimismo, las prolaminas son lesivas para quienes sufren otras enfermedades autoinmunes o para quienes están incluidos dentro del espectro de autoinmunidad.

En primera instancia las prolaminas interactúan mal con las células del borde de cepillo, la importante porción intestinal en la que se encuentran la mayor parte de las vellosidades y microvellosidades. A fin de proteger esta delicada parte del tubo digestivo, no conviene exponerla a las tensiones inducidas por las prolaminas.

Por otra parte, las prolaminas presentan un comportamiento muy similar al de las proteínas del gluten. Y cuando se sufre un trastorno autoinmune o inflamatorio, las defensas inmunitarias ya están de por sí bastante recelosas en lo que respecta al gluten. Un sistema inmunitario expuesto a una excesiva tensión, con trastorno autoinmune o comprendido dentro del espectro, no es capaz de determinar la diferencia entre el gluten y las moléculas similares, por lo que lo mejor es evitar ambos.

LAS AGRESIVAS AGLUTININAS

Otro tipo de proteínas problemáticas que están presentes en cereales y legumbres son las *aglutininas*. En realidad, estos compuestos no están relacionados con el gluten, pero tienen las mismas propiedades adherentes y aglutinantes, y de ahí su nombre. Pueden hacer que los glóbulos rojos (o eritrocitos) formen cúmulos y algunas son incluso tóxicas (las presentes en los alimentos no se cuentan entre ellas).

Se ha constatado que las aglutininas provocan síndrome de intestino permeable y que afectan al sistema inmunitario de diferentes maneras. Estimulan las defensas inmunitarias, tanto innatas como adaptativas, y pueden unirse a las células inmunitarias (inmunocitos), interfiriendo en su función. Algunas aglutininas son desactivadas por la cocción y otras no.

Estos compuestos forman parte de los mecanismos de defensa naturales de las semillas, siendo los encargados de impedir que estas sean digeridas. Parece lógico pensar que, si una semilla pone toda suerte de impedimentos para ser digerida, ello no supone nada bueno para el sistema digestivo. En el siguiente epígrafe abordaremos más datos y detalles a este respecto. En cualquier caso, la versión abreviada de la lección científica que se debe aprender en este contexto es la siguiente: la acción combinada de prolaminas y aglutininas hace que se vayan acumulando diversos tipos de efectos tóxicos e inflamatorios cada vez que se ingieren cereales o legumbres. Las personas plenamente sanas están en condiciones de tolerar este tipo de agresiones digestivas, pero si se padece una enfermedad autoinmune o se está dentro del espectro de autoinmunidad, la mejor opción es mantenerse alejado de estos alimentos.

SEMILLAS DE INDIGESTIÓN

Marshall continuaba mostrándose escéptico en lo que se refiere a los efectos lesivos de los cereales y legumbres, que el consideraba «saludables». Creo que el problema le quedó claro cuando le expliqué que las semillas en realidad hacen lo posible por evitar ser digeridas. Su principal objetivo consiste en sobrevivir en el tubo digestivo, de modo que cuando sean expulsadas aún conserven cierta capacidad para hallar un suelo fértil en el cual desarrollarse, producir una nueva planta y así perpetuar sus genes (obviamente ese objetivo era más fácil de alcanzar durante los miles de años durante los cuales el ser humano no dispuso de instalaciones de saneamiento en casa).

Así pues, la evolución ha dotado a las semillas de numerosos mecanismos de protección para que no se descompongan durante en tránsito a través del tubo digestivo. Y si el aparato digestivo logra descomponerlas, el organismo lo paga. Las semillas y, por consiguiente, aquellos vegetales de los que se ingieren las semillas, como los cereales y las legumbres, contienen *inhibidores de la amilasa*, que bloquean las enzimas utilizadas por el cuerpo para descomponer los hidratos de carbono, e *inhibidores de la proteasa*, que hacen lo propio con las enzimas destinadas a descomponer las proteínas. Estos últimos también inducen inflamación.

Estos inhibidores enzimáticos son sustancias resistentes que soportan incluso la cocción. Dado que impiden que el cuerpo digiera grandes porciones de los cereales y legumbres que se consumen, terminan por proporcionar alimento a las bacterias nocivas, que aprovechan los nutrientes que no son absorbidos por el cuerpo. De este modo es posible que se desarrolle disbiosis intestinal, es decir, alteración de la flora bacteriana del intestino, proliferación de bacterias perniciosas, que favorece la aparición de sobrecrecimiento bacteriano en el intestino delgado (SBID), y proliferación de levaduras.

Los inhibidores enzimáticos activan igualmente el sistema inmunitario innato, como si fueran anticuerpos. Por tanto, además de gravar las defensas inmunitarias *de manera indirecta*, al sobrecargar el intestino, lo hacen asimismo *de forma directa*, actuando como anticuerpos. También en este caso en una persona perfectamente sana esta situación puede ser tolerable, pero en personas afectadas por una alteración autoinmune el proceso equivale a intentar apagar el fuego inflamatorio con gasolina.

En términos científicos, las lectinas se designan como *antinutrientes*, al interferir de modo activo en la capacidad de absorción de nutrientes del organismo. Las lectinas presentan por añadidura otro efecto problemático: estimulan el páncreas con objeto de que produzca más enzimas, a fin de compensar la inhibición de las enzimas digestivas. Es como si el páncreas acudiera en ayuda del estómago y los intestinos para reforzar su función.

Ello genera dos problemas de alcance. En primer lugar, se ejerce tensión sobre el páncreas, que es necesario para desarrollar otras funciones, como la producción de insulina. La insulina es el compuesto químico que extrae el azúcar de la sangre (glucosa), transfiriéndola del torrente circulatorio a las células. Cuando la producción de insulina se desequilibra, se abre la posibilidad de desarrollo de todo tipo de problemas, tales como ganancia de peso y riesgo potencial de diabetes. Por consiguiente, no es en absoluto aconsejable que el páncreas haga más trabajo del que se supone que debe hacer.

Como segundo elemento problemático a tener en cuenta, las propias enzimas pancreáticas no resultan particularmente saludables para el intestino. Tienden a disolver las uniones intercelulares herméticas necesarias para que el alimento a medio digerir no se extravase a la circulación sanguínea, lo que hace que el sistema inmunitario las considere como un agente invasor. Ya hemos visto que el gluten produce intestino permeable. Sin embargo, este caso es un ejemplo de que los cereales y las legumbres que no contienen gluten pueden también estimular la aparición de este cuadro patológico.

La regla general básica determina que sí se pueden comer plantas con semillas de un tamaño muy pequeño, como las bayas o los plátanos, ya que sus reducidas dimensiones les permiten sobrevivir al tránsito intestinal manteniéndose intactas. Precisamente por ser tan pequeñas no se mastican, con lo cual no liberan los problemáticos compuestos químicos que contienen y la persona que ingiere estos frutos se beneficia de sus nutrientes sin interactuar con sus semillas.

Sin embargo, las semillas de mayor tamaño, que para ingerirse necesitan ser molidas o masticadas, es decir, las de los cereales y las legumbres, liberan los inhibidores enzimáticos digestivos que contienen cuando se parten. Estos son los alimentos que alteran la integridad intestinal, inducen tensión sobre las defensas inmunitarias e impiden que sean absorbidos todos los nutrientes de los demás alimentos que se consumen. Una vez más, las personas que no padecen trastornos autoinmunes o inflamatorios pueden controlar el efecto de pequeñas cantidades de este tipo de alimentos, mientras que si se padece una enfermedad autoinmune o se está dentro del espectro de autoinmunidad, es preferible jugar sobre seguro y eludir su consumo, al menos hasta que se haya conseguido la curación del intestino y el alivio de la inflamación, y hasta que se haya alcanzado un estado en el que no se experimenten síntomas ni se tomen inmunodepresores o biofármacos.

«Es un gran cambio», me dijo Marshall. No le agradaba conocer toda esta información. «Pero», continuó, «en verdad, no creo que pueda seguir así, soportando los síntomas de la enfermedad y los efectos secundarios de la medicación, Si olvidarme de esta clase de alimentos me ayuda a volver a llevar una vida normal, creo que merecerá la pena el esfuerzo».

EL LADO MÁS OSCURO DE LAS SOLANÁCEAS

Las verduras y hortalizas que forman parte de la familia de las solanáceas también ejercen efectos nocivos sobre el organismo. Por ejemplo, los tomates contienen una determinada lectina —una aglutinina— que se utiliza en la elaboración de las vacunas, puesto que estimula la producción de anticuerpos. Esta propiedad es idónea cuando se desea que el cuerpo produzca anticuerpos contra la polio o contra la gripe, pero en cambio no es en absoluto conveniente que el organismo elabore y libere a la sangre anticuerpos antitomate, ya que ello desencadenaría un sinfín de reacciones inflamatorias cada vez que se come una ensalada.

ALIMENTOS A EVITAR: SOLANÁCEAS

Berenjena	Pimientos (deben evitarse las hortali-
Patata (solo debe evitarse la patata	zas frescas; la pimienta (especia) sí
propiamente dicha; el boniato o ba-	puede tomarse)
tata sí puede tomarse)	Tomates

Consecuentemente, es necesario evitar el consumo de hortalizas de la familia de las solanáceas. Conviene recordar que el objetivo siempre es combatir la inflamación, puesto que eso es lo que atenúa los síntomas y lo que permite que se llegue a dejar de tomar medicamentos. Cuando se está comprendido dentro del espectro de autoinmunidad, la reducción de la inflamación es la manera más segura de protegerse del eventual desarrollo de una enfermedad autoinmune.

La buena noticia es que una vez puesto en práctica el método Myers a lo largo de 30 días será posible volver a tomar de nuevo alimentos de este grupo (para más información al respecto se puede consultar el capítulo adicional en mi página web, AmyMyersMD.com).

LAS ENGAÑOSAS SAPONINAS

Los problemas no acaban aquí. Las plantas también contienen saponinas, que amenazan en potencia la integridad intestinal y que pueden precipitar la aparición de un síndrome de intestino permeable.

Todas las plantas contienen saponinas y, como es lógico, no se trata de dejar de tomar vegetales. Es conveniente rehuir el consumo de aquellas en las que el contenido de saponinas es elevado, es decir, las legumbres, los seudocereales (como la quinua) y las solanáceas. Estas últimas contienen un subgrupo de saponinas, denominadas «glucoalcaloides» que, incluso en cantidades moderadas, contribuyen al desarrollo de autoinmunidad. Sirven asimismo como alimento para las bacterias nocivas, y, en consecuencia, fomentan la aparición de disbiosis. Igualmente pueden pasar a la circulación sanguínea y causar hemólisis, es decir, destrucción de las membranas de las células sanguíneas.

El elemento más importante a tener en cuenta es que los cereales, las legumbres, las semillas y las solanáceas contribuyen al desarrollo de intestino permeable de diferentes maneras:

- **dañando las células intestinales**
- **abriendo las uniones intercelulares herméticas**
- **alimentando las bacterias perjudiciales, con el consiguiente incremento de la disbiosis**

LOS HUEVOS: UN ALIMENTO NO TAN EXCELENTE

Otro alimento inflamatorio cuyo consumo ha de evitarse durante los 30 primeros días de puesta en práctica del método Myers son los huevos. En parte, ello se debe a que muchas veces el cuerpo tiende a confundirlos con el gluten, por el fenómeno de la reactividad cruzada ya comentado. Los huevos también ejercen un efecto inflamatorio por el hecho de que contienen una sustancia llamada «lisozima», cuya función es la protección de la yema, de la misma manera que las lectinas protegen las semillas. Si las lectinas inducen inflamación y quebranto en el intestino, los efectos sobre el mismo de la lisozima son equiparables.

No obstante, tras los treinta primeros días de aplicación del método Myers será posible volver a tomar huevos de nuevo (en mi página web, AmyMyersMD.com, hay un capítulo adicional que le permitirá saber si el consumo de huevos es seguro para usted).

OGM: UN NUEVO DESAFÍO ALIMENTARIO

Nunca me ha gustado la idea de que haya plantas genéticamente modificadas. Creo que, tras millones de años de evolución, la naturaleza ha establecido unas pautas adecuadas de interacción entre plantas y animales. Hasta que no sepamos mucho más con respecto a lo que estamos haciendo en este ámbito —y estoy más que segura de que gran parte de las intervenciones de manipulación genética son aleatorias y de consecuencias impredecibles—, no debemos jugar con los designios de la Madre Naturaleza.

Partiendo de esa base, no me sorprendió en absoluto descubrir que los organismos genéticamente modificados (OGM), o transgénicos, son particularmente problemáticos para quienes padecemos alteraciones autoinmunes, bien expresadas abiertamente o mantenidas dentro del espectro de autoinmunidad. La principal razón por la que las grandes corporaciones alimentarias modifican la genética de las plantas es para conseguir que sean resistentes a las plagas y a las infecciones. Y todos los medios que los vegetales ponen en funcionamiento para conseguir este objetivo, a través de las prolaminas, las aglutininas, los inhibidores de enzimas digestivas y las saponinas- se ven potenciados durante el proceso de modificación genética.

Estos «protectores de las plantas» ya son por sí mismos suficientemente problemáticos en estado natural. *Ciertamente*, nadie puede querer que esas sustancias entren en su cuerpo después de haber sido reforzadas en un laboratorio de una gran compañía de la industria química o alimentaria, por no mencionar la adición de pesticidas y herbicidas con los que son tratados la mayor parte de los transgénicos. Uno de los objetivos iniciales que perseguía el desarrollo de los primeros OGM era permitir que los agricultores pudieran utilizar mayores cantidades de pesticidas y herbicidas, asegurándose un mejor rendimiento en las cosechas con menos trabajo, pero dando lugar también a mayor presencia de venenos en los productos que cultivaban. El primer cultivo transgénico conocido fue el de la Soja RR (Roundup-Ready). Fue desarrollado por el gigante de la industria agroquímica Monsanto, que había sintetizado un herbicida llamado Roundup. El problema era que el herbicida atacaba tanto a los cultivos como a las malas hierbas. Así que optaron por sintetizar un tipo de semilla de soja genéticamente modificada resistente a los efectos del Roundup, que hacía que los agricultores evitaran el desarrollo de malas hierbas en sus campos pero también que los inundaran de compuestos tóxicos.

¿Desearía que todos esos agentes tóxicos penetraran en su cuerpo? No creo. Hágale un favor a su sistema inmunitario y manténgase al margen de los OGM (más información sobre cómo reconocer y evitar los OGM puede consultarse en el apéndice A).

SACAR EL MÁXIMO PROVECHO DE LA SOLUCIÓN AL PROBLEMA DEL GLUTEN

Recuerdo la primera vez que puse en práctica la transición de la dieta vegetariana a otra que incluía carne. Tenía que asumir el hecho de que la dieta que había estado manteniendo, a base en buena parte de cereales y legumbres, me estaba envenenando y tenía que hacer frente al profundo remordimiento que me causaba el hecho de no haberlo descubierto antes de que yo misma me destruyera la glándula tiroides. Al menos ahora contaba con mis nuevos conocimientos al respecto, aunque, al principio, me resultó arduo aplicarlos.

EL MÉTODO MYERS, MODIFICADO

Como profesional de la medicina, debo ser sincera: es más que probable que la dieta vegana o vegetariana no sea la correcta cuando se padece una enfermedad autoinmune. Los cereales, las legumbres y los productos lácteos inflaman el organismo, haciendo que se avance a posiciones más comprometidas dentro del espectro de autoinmunidad o que, si la patología ya es manifiesta, se agrave. Cuando se eliminan esta clase de alimentos de la dieta vegetariana, realmente no quedan muchos otros que se puedan comer, en especial si se considera lo importante que es ingerir proteínas, de modo que el cuerpo pueda procurarse los aminoácidos necesarios para desarrollar tejido muscular, para reponer los compuestos químicos que el cerebro requiere, para reforzar todas las funciones corporales y, en definitiva, para mantenerse sano.

Si siente que puede tomar algo de pescado y de otros alimentos de origen marino, he preparado una versión modificada del método Myers para usted. Es menos inflamatoria que la dieta vegana o vegetariana, si bien es menos rica en cuanto a densidad de nutrientes que el plan de comidas estándar del método Myers, por lo que durante su aplicación es necesario tomar algunos suplementos que completen lo que no se aporta con los alimentos.

Desde un punto de vista ecológico, sencillamente no me gustaba la idea de comer carne. Sabía que la cría convencional de ganado exige más gasto energético que el cultivo de cereales y, en mi condición de apasionada por los perros desde hace mucho tiempo, la idea de comer animales me producía rechazo.

No obstante, tuve que aceptar el hecho de que la alimentación es medicina. Lisa y llanamente, el cuerpo humano no está configurado para subsistir a base de cereales y legumbres; necesita carne, y mi dieta basada en cereales y carente de carne había hecho que mi cuerpo enfermara. Si quería recuperar un estado saludable, tendría que comer carne.

A la larga, me di cuenta de que el consumo de carne también puede realizarse de un modo saludable y respetuoso con el medio ambiente, siempre que se trate de carne procedente de animales alimentados con hierba y criados en tierras de pasto al aire libre; son los animales alimentados a base de pienso y permanentemente estabulados los que constituyen una carga para el equilibrio ecológico del planeta. Ese era mi punto de vista y así se lo expuse a Marshall.

También le comenté que las objeciones que por entonces yo me había planteado no eran *solo* cuestión de principios. Mientras me encontraba en la fase de transición de la alimentación vegetariana a la de incorporación de consumo de carne, me preocupaba también qué era lo que comería si tenía que dejar de tomar, arroz, judías, salteados de tofu o humus con verduras. Dudaba de que los platos de carne o pescado pudieran llegar a gustarme y pensaba que tal vez debería aprender una nueva manera de cocinar. Y, dado que no había tomado carne roja casi durante los últimos 30 años, si he de ser sincera temía que comer carne pudiera hacer que me sintiera mal.

Hablando con franqueza, nunca me había agradado la textura de la carne. Así que cuando por fin me decidí a preparar una hamburguesa con carne de cría ecológica, tuve que hacer un cambio en el último momento y preparé un plato de carne picada salteada, en vez de hacer con la carne una masa sólida.

«Basta con que tomes un bocado», me dije a mí misma, «hay que ir poco a poco».

Con el tenedor temblándome en la mano, me llevé a la boca el primer bocado... y después otro... y otro. En realidad, estaba deliciosa. Finalmente, acabé todo el plato. Al día siguiente me volvía a apetecer carne y me preparé otra ración.

El hecho de empezar a encontrarme mejor casi de inmediato también me sirvió de motivación. Mis bruscos cambios de estado de ánimo desaparecieron, mis estados de aturdimiento y confusión mental mejoró sensiblemente y volví a sentirme con energía y dinámica. Lo más importante era que, por primera vez en mucho tiempo, volvía a ser yo misma.

A veces noto que la textura de algunas carnes continúa sin agradarme y a menudo recurro a salsas y otras elaboraciones que la enmascaren. Pero encontrarse bien es un decisivo factor de motivación, sin tener en cuenta otros aspectos, como que la preparación de platos a base de carne, pescado o pollo lleva mucho menos tiempo que las a veces complejas combinaciones de cereales y legumbres.

Cuando pude ver cómo Marshall protagonizaba el mismo proceso, volví a recordarlo con claridad meridiana. Fui testigo del alivio que sintió al comprobar que los síntomas que lo aquejaban iban remitiendo y cuando conseguimos que dejara por fin de tomar medicamentos para tratarlos. Se sentía emocionado por haber conseguido perder los kilos de más que a habían estado literalmente hundiéndole en la más profunda de las depresiones. Comprobé que su espíritu y su energía habían subido como la espuma. Y le escuché decir las mismas palabras que yo había dicho o pensado tantas veces en el pasado: «ojalá hubiera sabido esto hace muchos años para poder volver a encontrarme bien de nuevo mucho antes». Volvía a comprobar una vez más el poder curativo de la dieta y la maravillosa sensación de vitalidad que se experimentan tan pronto como dejan de consumirse alimentos a base de gluten, cereales y legumbres.

CAPÍTULO 6

Controlar las toxinas

CLAIRE ERA UNA DISEÑADORA GRÁFICA de 30 años de edad que padecía una fibromialgia de desarrollo reciente. Al igual que muchos otros pacientes afectados por esta enfermedad, pasó meses intentando conseguir un diagnóstico correcto de su dolencia, una búsqueda que, en su caso, la llevó a la consulta de media docena de médicos.

Por fin encontró a uno que le dijo algo más que los habituales comentarios: «Es solo cansancio», «Es posible que esté sometida a demasiado estrés» o «dejemos pasar un tiempo y veamos qué sucede». Claire sintió cierto alivio al saber que el trastorno que sufría tenía un nombre, y que esa era la causa de los dolores continuos y debilitantes que la atenazaban. Finalmente, pensó, la búsqueda había concluido.

Pero, por desgracia, no era así. Pronto descubrió que los abordajes que la medicina convencional planteaba para tratar la fibromialgia se limitaban básicamente al uso de fármacos analgésicos, antidepresivos y anticonvulsivos. Sí, no se trata de un error. Por razones que no conocemos bien, estos dos últimos tipos de medicamentos han tenido cierto éxito en el alivio del dolor. Sin embargo, no se trataba de opciones satisfactorias para Claire, porque ninguna de estas categorías farmacológicas ataca la causa subyacente de los síntomas. Se trata de recursos destinados exclusivamente a paliar esos síntomas que, en el mejor de los casos, aportan un alivio temporal pero que nunca abordan la raíz del problema. Por otro lado, Claire había intentado durante toda su vida evitar el consumo de ese tipo de fármacos, y no estaba por la labor de empezar a tomarlos ahora. Así que tuvo que reanudar la búsqueda de un profesional de la medicina que le planteara una solución válida para su problema.

Fue entonces cuando leyó un artículo que yo había escrito sobre la determinación de las causas de la fibromialgia. Impaciente y esperanzada, concertó de inmediato una cita en mi consulta y se sintió realmente emocionada cuando le confirmé que, en efecto, había otro posible enfoque del tratamiento. Me dijo que estaba ansiosa por poner en práctica los dos primeros pilares del método Myers, es decir, *sanar el tubo digestivo* y *erradicar el gluten, los cereales, las legumbres y los demás alimentos que producen inflamación crónica.*

Sin embargo, cuando le planteé el tercer pilar del método, *controlar las toxinas,* Claire pareció confundida.

«No comprendo», dudó. «Vivo en un barrio agradable y tranquilo, trabajo en una oficina y no suelo estar en proximidad de ninguna fábrica. Gracias a Dios no hay mucha contaminación en mi entorno, así que ¿de qué tipo de toxinas debería preocuparme?»

Lo cierto es que todos nosotros vivimos rodeados de toxinas: en el aire, en los alimentos, en el agua, en nuestro hogar, en el lugar de trabajo, a través del contacto con la ropa tratada mediante limpieza en seco o al usar los más sofisticados perfumes y colonias, en el contacto con almohadas y colchones... La lista sería interminable y es aplicable tanto a quienes viven en el campo, en pequeños pueblos o en las más distinguidas urbanizaciones, como a los que habitan el centro de las grandes ciudades y en áreas industriales.

Las toxinas contaminan las aguas, están suspendidas en el aire y saturan los suelos. Estamos en permanente contacto con ellas al comer, al beber y al respirar y, también y por desgracia, al utilizar productos de limpieza y de aseo personal o cosméticos. Acechan en las cocinas, en las alfombras o en los muebles de casa. Se trata de un fenómeno inherente a la forma de vida moderna.

Y, en efecto, tienen repercusiones para *todos* nosotros, incluso para aquellos que consideran que viven en un entorno descontaminado y placentero. La palabra «toxina», procede del griego *toxikon,* veneno, por lo que conviene precisar lo que se define al utilizarla: cuando hablo de toxinas me refiero a cualquier sustancia que sea lo bastante peligrosa para el cuerpo humano y que halla la forma de penetrar en él en cantidades suficientes (cantidades pequeñas de algunas de ellas pueden provocar un efecto muy perjudicial en las personas, dependiendo de la sustancia y de la persona). Entre ellas cabe mencionar los metales pesados, como el arsénico, el cadmio, el plomo y el mercurio; las micotoxinas, liberadas por ciertas clases de hongos presentes a menudo en los hogares, las oficinas o los centros escolares, y los centenares o miles de compuestos industriales que se utilizan virtualmente en todos los procesos de fabricación y que están presentes en la práctica totalidad de los artículos manufacturados, contándose entre ellos los envases plásticos, colmados de interruptores (disruptores) hormonales, que utilizamos para guardar los alimentos en la nevera, o los metales pesados carcinógenos presentes en el agua.

En 2003 el Environmental Working Group (EGW, Grupo de Trabajo Ambiental), organización sin ánimo de lucro estadounidense dedicada al estudio de los problemas ambientales de salud pública, desarrolló un notable estudio en cooperación con la Icahn School of Medicine, en Mount Sinai, Nueva York. Su objetivo era descubrir la «carga corporal» soportada por el ciudadano estadounidense medio; no por las personas que vivían cerca de vertederos o depósitos de residuos tóxicos o que trabajaban en minas de carbón, sino por las que parecían desenvolverse en condiciones relativamente «limpias», como Claire.

La evaluación minuciosa de los compuestos químicos y los metales pesados a los que está expuesta una persona resulta enormemente costosa, por lo que ese estudio solo incorporó a nueve personas que vivían en distintos lugares de Estados Unbidos, lo que, a primera vista, puede parecer una muestra de análisis demasiado reducida. Sin embargo, en estos nueve participantes se valoraron hasta 210 sustancias y los resultados fueron ciertamente sorprendentes. En el cuerpo de cada una de estas personas había un promedio de 91 compuestos químicos de uso industrial, metales pesados u otras toxinas significativas, entre ellos bifenilos policlorados (PCB), insecticidas de uso común, dioxinas, mercurio, cadmio y benceno.

Conviene detenerse a pensar en el dato durante un minuto. Nada menos que 91 toxinas. No en personas que trabajan con compuestos químicos o que habitan en áreas contaminadas, sino en personas corrientes, como usted y como yo, que piensan que están relativamente a salvo de los agentes tóxicos (evidentemente quien esté leyendo estas líneas y viva en una zona contaminada o trabaje en contacto con compuestos químicos o en procesos industriales ya sabrá que está expuesto a un alto riesgo).

Ciertamente 91 toxinas son más que suficientes. Y de esas 91, se sabe que 53 de ellas actúan como depresores del sistema inmunitario. Sí se pregunta a qué me refería cuando hablaba de la epidemia autoinmune en el capítulo 1, este dato es sin un duda una de las principales piezas de *ese* rompecabezas.

Habrá muchos escépticos que no consideren válido un estudio de tan reducidas dimensiones. No obstante, en 2004 los Centers for Disease Control and Prevention (CDC), organismo estadounidense encargado de la prevención y el control de enfermedades, así como de la promoción de la salud ambiental y la formación en materia de salud a nivel nacional, efectuó un seguimiento en una muestra mucho mayor, de 2.500 personas. Buscaban indicios de la presencia en esa población de 116 compuestos químicos, y los hallaron.

Por último, en 2005 se efectuó un tercer estudio a este respecto, en el que los investigadores siguieron las trazas de 287 agentes químicos.

Al oír hablar de este tipo de ensayos científicos, siempre me surge la misma pregunta: si los investigadores son capaces de encontrar todos estos compuestos, ¿cuál será el número de los que *no consiguen detectar?*

Estas pruebas no son aleatorias. No se trata simplemente de tomar una muestra de sangre y de que una máquina dé una lectura con la lista de todos los compuestos químicos y metales pesados que ha encontrado en ella. Para encontrar algo es necesario buscarlo de manera específica. En este tipo de estudios solo es posible llegar a analizar la presencia de 100 o 200 sustancias en cada una de las personas que se analizan. Sin embargo, en el momento de redactar este texto, los compuestos químicos registrados para su potencial uso en Estados Unidos son 80.000 y cada año se añaden otros 1.700 nuevos a la lista. Cabe preguntarse, pues, qué inimaginable cantidad de ellos *está presente también* en nuestros organismos.

Antes solía dar por hecho que si un compuesto químico industrial había recibido la pertinente aprobación para ser utilizado y no había advertencia alguna en el etiquetado de los productos que lo contenían, ello significaba que había sido sometido a las correspondientes pruebas y que había sido considerado seguro. Y, en cambio, no es así. Los organismos reguladores parten de la base de que estos nuevos compuestos químicos *son* seguros. No desean incomodar a las grandes empresas, que han invertido tiempo y dinero en el desarrollo de esas sustancias, diciéndoles que no han hecho más que perder todo ese tiempo y ese dinero..

Reconozco que me indigna que la Environmental Protection Agency (EPA) y la Food and Drug Administration (FDA) no hagan mejor su trabajo para protegernos. Pero también debo admitir que la responsabilidad al respecto no es solo suya. Solo la EPA se ve abrumada por entre 2.000 y 2.500 solicitudes de aprobación de nuevos compuestos químicos de uso industrial al año, lo que supone de 40 a 50 tramitaciones de autorización *cada semana*. En tales circunstancias en torno al 80% de esas solicitudes de aprobación se cursan en unas 3 semanas o menos, a menudo sin la información suficiente o, de hecho, sin dato alguno que valorar.

Así pues, ello supone que la mayor parte de las decisiones referidas a los compuestos químicos, los aditivos alimentarios y sustancias similares no son adoptadas por los funcionarios gubernamentales responsables de nuestra protección. Las decisiones reales las toman los grupos de presión industriales, cuyo principal objetivo es salvaguardar los intereses de las corporaciones y que trabajan no para proteger a nadie, sino para ganar dinero. Nuestra protección, si es que alguna vez se tiene en cuenta, es algo secundario.

Incluso en los casos en los que un compuesto *es* investigado por la EPA o por la FDA, los estudios suelen centrarse en determinar si esa sustancia produce cáncer, no en si puede resultar perjudicial de alguna otra manera. Para empeorar la situación, los análisis e indagaciones sobre cada compuesto se efectúan de forma aislada, no tomando en consideración el modo en el que actúa en el producto del que forma parte ni, por supuesto, las interacciones con otras sustancias químicas y toxinas a las que estamos expuestos. Como hemos visto y continuaremos viendo a lo largo de este libro, el problema no radica tanto en los episodios concretos que puedan presentarse. La clave está en las agresiones *acumulativas y crónicas* que dan lugar a la inflamación crónica y a la pérdida de control del sistema inmunitario. Se trata sin duda de un problema que requiere un análisis más profundo: ¿qué efecto ejercen estos compuestos químicos, actuando de manera conjunta y a lo largo de décadas, sobre nuestro organismo y sobre nuestras defensas inmunitarias? Nadie en realidad lo sabe a ciencia cierta.

Podemos hablar, no obstante, de lo que *sí* sabemos. La incidencia de las enfermedades crónicas está aumentando a una velocidad vertiginosa, al igual que la del cáncer. Nos enfrentamos asimismo a epidemias de alergia, de asma y de enfermedades autoinmunes. Como muchas veces digo a mis pacientes, se sabe que al menos 53 de los compuestos químicos de uso industrial, analizados en el primero de los estudios de carga corporal de toxinas que hemos citado, inhiben la función del sistema inmunitario y son muchas también las toxinas que no han podido ser abordadas en estos estudios iniciales, por falta de recursos.

De manera que esta es la situación. En el medio ambiente que habitamos hay casi 100.000 compuestos químicos. Muchos, si no la mayoría, son tóxicos y un sustancial número de ellos están abriéndose paso para hacer de nuestro cuerpo su residencia permanente. Cada uno de nosotros está expuesto a una colosal carga tóxica y, para quienes padecemos una enfermedad autoinmune o para quienes están comprendidos dentro del espectro de autoinmunidad, esa carga puede aproximarnos al borde del abismo, a una vida abrumada por los síntomas, la mala salud y el dolor.

¿DE QUÉ MODO ACTIVAN LAS TOXINAS LAS ENFERMEDADES AUTOINMUNES?

A partir de mi experiencia clínica, puedo afirmar sin temor a equivocarme que el alivio de la carga tóxica marca una decisiva diferencia en lo que se refiere a la detención de la progresión de las dolencias autoinmunes, la inversión de sus manifestaciones y la prevención de que las personas incluidas en el espectro autoinmune evolucionen hacia el desarrollo de una autoinmunidad más profunda. El *mecanismo exacto* a través del cual se establece esa diferencia no se conoce de manera cierta, pero hay una serie de teorías al respecto.

Una hipótesis sostiene que los metales pesados alteran o dañan específicamente las células en diversos tejidos del cuerpo. El sistema inmunitario no reconoce el tejido alterado y lo ataca como si de un invasor extraño se tratara. Es como si los metales pesados «disfrazaran» a las células, haciendo que se parecieran de repente a las fotos de los agentes atacantes fijadas en la pared de la central de mando (para consultar más información sobre dónde pueden estar presentes los metales pesados, véanse los epígrafes al respecto incluidos más adelante, a partir de la página 166).

Otra teoría indica que los metales pesados estimulan las defensas inmunitarias, haciendo que se pongan en estado de alerta. Inicialmente estas no consiguen dilucidar la diferencia entre los propios tejidos y los agentes invasores externos, es decir que se pierde la «autotolerancia» (véase el capítulo 3 para consultar información más detallada a este respecto). Al ser incapaz de distinguir lo propio y lo ajeno, el sistema inmunitario marca los tejidos del propio cuerpo para que sean destruidos y comienza a desarrollarse la correspondiente enfermedad autoinmune. Volviendo de nuevo a la alegoría tantas veces evocada, es como si los metales pesados abrieran fuego contra la central de mando con una clase de armamento diferente y los miembros de la brigada de seguridad perdieran el control y reaccionaran atacando a *todos* los elementos que tuvieran a tiro, tanto los agentes lesivos como los tejidos del propio organismo.

Como hemos visto con anterioridad, en ambos casos el resultado de este proceso es la inflamación. Según la primera hipótesis, dado que los tejidos corporales en los que se han infundido metales pesados comienzan a asemejarse a invasores extraños, el sistema inmunitario emite una gran cantidad de compuestos químicos inflamatorios adicionales. Según la segunda de las hipótesis, la sobreestimulación del sistema inmunitario hace que se produzca un exceso de material inflamatorio. En cualquier caso, el nivel de inflamación aumenta. Y esa es la razón por la que los protocolos del método Myers están diseñados con la finalidad primera de hacer que ese nivel disminuya. En efecto, uno de los grandes objetivos que el método plantea es reducir la exposición a los metales pesados y las toxinas en general y ayudar a eliminarlos del organismo (ya hablaremos de eso más adelante), aunque también aboga por la mitigación de la inflamación que, inevitablemente, se produce cuando el sistema inmunitario y los metales pesados colisionan.

Hay una tercera teoría sobre el modo en el que las toxinas, no solo los metales pesados, desencadenan la autoinmunidad, que se refiere al modo en el que las células inmunitarias, o inmunocitos, son «educadas». Los linfocitos T comienzan su vida en la médula ósea, aunque pronto pasan al timo, un pequeño órgano situado levemente a la derecha de la parte central del esternón. El timo es el lugar en el que los linfocitos T «aprenden» a reconocer a los invasores externos, a fin de saber identificar a los virus, las toxinas y otros elementos peligrosos para el organismo, y a distinguirlos de las bacterias saludables y de los alimentos sanos que son bienvenidos por la fisiología corporal.

Algunos de estos linfocitos T reciben una educación aun más especializada. Se convierten en «linfocitos T reguladores», a los que les corresponde la importante misión de mantener a raya al resto de los inmunocitos, asegurándose de que no confunden los tejidos del propio cuerpo con invasores extraños. Su misión es, en definitiva, favorecer la autotolerancia. Así pues, cuando no se tienen suficientes linfocitos T reguladores, o cuando estos no han sido «instruidos» de forma correcta, los demás linfocitos T pierden el control y comienzan a atacar a los tejidos del propio organismo como si se tratara de elementos peligrosos para él.

¿Cuáles son las causas de que este proceso pierda el rumbo? Una de las más relevantes son las toxinas, que pueden hacer que el timo se contraiga o se atrofie, impidiendo así que se produzcan suficientes linfocitos T reguladores de la calidad necesaria. De esta manera es más fácil que las restantes células inmunitarias se descontrolen o comiencen a atacar a la glándula tiroides, la médula espinal o alguna otra parte esencial del organismo. Después de todas estas explicaciones científicas conviene destacar y resumir dos puntos clave:

- Como vimos en el capítulo 3, cuanto mayor sea el nivel de inflamación en el cuerpo, mayor es también la probabilidad de que el sistema inmunitario sea sobreestimulado, pierda sus mecanismos de regulación y empiece a atacar a los propios tejidos. Así pues, es importante mantener «el fuego apagado» en la mayor medida posible, de modo que sea más fácil contrarrestar, e incluso prevenir, al menos algunos de los efectos de las toxinas.
- La exposición crónica a tóxicos de bajo nivel —como la que sufrimos al consumir alimentos con carga de pesticidas y productos de uso corporal con toxinas— es peor que una única exposición aguda prolongada, ya que la a carga total acumulada es mayor, al igual que lo es el estrés a largo plazo al que es sometido el sistema inmunitario.

Puedo comprobarlo en mi consulta a diario: los niveles de inflamación elevados hacen que los linfocitos T se insubordinen. El hecho de reducirlos los apacigua y aumenta la probabilidad de que se mantengan aplacados y centrados en su función real, es decir, en atacar solo a los elementos invasores extraños. Cuando se mantiene el estado saludable del intestino por medio de la dieta y de la aportación de suplementos de alta calidad, los linfocitos T actúan del modo en el que se supone que tienen que hacerlo. Una vez aliviada la carga tóxica, las defensas tenderán a «hacer lo correcto», a arremeter contra los elementos extraños y no contra los propios tejidos.

VAYAMOS A LO PERSONAL: LA CARGA CORPORAL DE CADA UNO

He aquí un argumento que suelo exponer con frecuencia a mis pacientes. El cuerpo es como una taza y las toxinas son como gotas que la van llenando poco a poco. Puede poner una saludable porción de pollo asado con verduras en un envase plástico y calentarla en el microondas en el trabajo a la hora de comer, *una gota*. Saca una botella de plástico de agua mineral de la máquina expendedora de la oficina, *una gota*. Se pone un vestido recién traído de la tintorería para salir a cenar esa noche, *una gota*. Cenando en su restaurante de sushi favorito, toma un rollo de atún, *una gota*. Antes de acostarse se aplica una crema hidratante facial que en su composición contiene parabenos, *una gota y otra y otra*, que hacen efecto durante toda la noche.

Y así se van acumulando una gota tras otra hasta que tal vez la taza rebosa debido a las toxinas presentes en plásticos, agua mineral potencialmente contaminada por toxinas, compuestos químicos utilizados en la limpieza en seco, atún con residuos de mercurio y parabenos, que tienden a imitar la acción de los estrógenos… Hemos pasado todo el día llenando la taza, y lo mismo sucederá al día siguiente y al siguiente. Lógicamente, todos esperamos que la taza no rebose hasta que hayamos llegado a una edad avanzada, pero en muchos casos, eso sucede bastante antes. Muchos de los que padecemos enfermedades autoinmunes las hemos contraído precisamente porque nuestra taza se ha llenado en exceso, así que para nosotros es más importante que para los demás vaciarla y hacer todo lo posible porque no vuelva a llenarse.

Veamos; no se trata de atemorizar a nadie ni de generar un estrés innecesario. Lo que deseo es que se tome conciencia de que es posible reducir la carga tóxica y, en consecuencia, reforzar el sistema inmunitario. Así pues, en las páginas siguientes hablaremos de lo que se debe hacer:

- Expondré mis cuatro estrategias de control de las toxinas. Si se aplican de forma adecuada, se conseguirá notar significativas diferencias en lo que respecta al alivio de la carga tóxica. Y, no lo quepa duda, se sentirá infinitamente mejor después de conseguirlo.
- Si sufre múltiples trastornos autoinmunes, si los ha padecido durante muchos años o si de repente ha desarrollado una patología autoinmune sin saber como, trataré dos áreas importantes que estudiaría si usted fuera mi paciente: la presencia de metales pesados y de hongos tóxicos.
- Por último, abordaremos las distintas maneras de potenciar la capacidad natural de desintoxicación del cuerpo, con objeto de que el proceso de eliminación de toxinas pueda ser permanente.

Me ilusiona la posibilidad de ofrecer los medios necesarios para que cualquier persona pueda controlar su carga de toxinas: como dije antes, el conocimiento es poder. Pongámonos manos a la obra.

ESTRATEGIAS DE CONTROL DE LAS TOXINAS

En el proceso de mantener las toxinas a raya, se distinguen dos objetivos fundamentales:

Prevención. Es necesario conseguir que el número de toxinas que penetran en nuestro organismo sea lo más reducido posible; hay que impedir que las gotas sigan llenando la taza.

Desintoxicación. Debe potenciarse la capacidad del cuerpo de eliminar toxinas, tomando los alimentos apropiados y los suplementos de alta calidad más oportunos, todos los cuales se exponen en el proceso de aplicación del método Myers; hay que vaciar el líquido de la taza.

Lógicamente, la prevención en el elemento prioritario en este contexto. Cuantas menos toxinas entren en nuestro organismo menor será también el trabajo de desintoxicación que este tenga que hacer para eliminarlas. Sin embargo, con casi 100.000 compuestos químicos industriales en nuestro entorno, mantener protegido el cuerpo de sus efectos resulta, cuanto menos, problemático. Así pues, en este caso conviene aplicar uno de mis lemas preferidos: *Controla lo que puedas controlar y no te preocupes por lo demás.*

Cada uno de nosotros debe encontrar su propia manera de poner en práctica esta máxima. Mi estrategia personal consiste en intentar mantener mi hogar y mi lugar de trabajo (por mi tipo de actividad, tengo la suerte de poder hacer esto último) lo más libres de toxinas que sea posible. También cocino alimentos orgánicos y en la cocina no utilizo plásticos ni utensilios de cocina tóxicos (por ejemplo, las sartenes con revestimientos de teflón y otros materiales antiadherentes son tóxicas. Véase, más adelante, el epígrafe «Erradicar el teflón»). El hecho de controlar el entorno en mi hogar, hace que pueda darme cierto margen cuando salgo al exterior.

Por otra parte, también he optado por ir a restaurantes que sirven comida saludable, con verduras y hortalizas de cultivo orgánico y con carnes de animales criados con hierba y pasto, aunque este tipo de establecimientos no abundan y, además, algunos de mis amigos no prefieren ese tipo de alimentación o, al menos, no siempre. Por supuesto, intento siempre preparar comidas con los alimentos orgánicos que tengo en la nevera, pero a veces, cuando voy a tiendas de alimentación saludable y ecológica, no me queda tiempo para hacer la comida y, en ocasiones, no tengo más opción al comer fuera que pedir, por ejemplo, un plato de pescado de piscifactoría, en vez de el salmón salvaje que hubiera tomado en casa. El control de aquello que puedo controlar —estando siempre atenta a las vías de desintoxicación y a potenciarlas siempre que sea posible— me deja cierto margen para establecer en ocasiones algunas soluciones de compromiso (al final de este capítulo analizaremos las formas de reforzar las vías de desintoxicación).

Evidentemente, continúo preocupándome por los factores generadores de estrés que voy acumulando en mi sistema inmunitario, pero tengo que encontrar la manera de convivir con ellos o, de lo contrario, nunca iría a ninguna parte. Como veremos en el siguiente capítulo, el efecto del estrés producido por ese tipo de preocupaciones y por el aislamiento puede llegar a tener consecuencias incluso peores que las de las propias toxinas.

Comprendo que no todo el mundo está en mi misma situación y que cada uno tiene sus propias prioridades. Así pues, a continuación se exponen las cuatro estrategias que permiten mantener a raya las toxinas en *el propio* entorno y liberar de una ingente carga al sistema inmunitario. Siguiendo estos sencillo pasos se tendrá ganado mucho terreno.

❶ **Limpiar el aire.** Utilice filtros HEPA para purificar al aire de su hogar, instalando bien un único filtro general para toda la casa o los suficientes filtros individuales para cubrir toda la superficie de las diferentes habitaciones y dependencias.

❷ **Depurar el agua.** Instale un filtro de agua de aplicación general para todo el abastecimiento de la casa o bien un filtro en cada grifo, de manera que el agua que bebe, con la que se lava y con la que se ducha, esté libres de toxinas. Asimismo, evite el uso de botellas de plástico.

❸ **Consumir alimentos sanos no contaminados.** Tome carne de animales alimentados con hierba y criados en tierras de pasto y alimentos orgánicos. Cocínelos y consérvelos utilizando utensilios y recipientes libres de toxinas.

❹ **Usar productos de higiene corporal y cosméticos libres de toxinas.** En un periodo de unos tres meses reemplace todos sus productos de higiene personal (champú, desodorante, pasta de dientes, cremas hidratantes y cualquier otro producto que se aplique sobre el cuerpo) por productos que garanticen estar libres de toxinas. Para acceder a información sobre cosméticos y productos de higiene personal y sobre sus niveles de seguridad pueden consultarse páginas web como la de la Skin-Deep Cosmetics Database (en www.ewg.org\skindeep).

Las toxinas más abundantes en los productos de cuidado personal se especifican en www.TeensTurningGreen.org, página en la que se especifican las «Dirty Thirty», es decir, las 30 toxinas de peores efectos, que se mantienen actualizadas en función de las necesidades. Igualmente puede indagarse sobre la toxicidad de los productos de higiene personal que cada persona utiliza específicamente.

ESTRATEGIA NÚMERO 1: LIMPIAR EL AIRE

El término HEPA corresponde a las siglas inglesas de «*high-efficiency particulate absorption*», «absorción de partículas de alta eficiencia» y, en consecuencia, los filtros HEPA presentan un elevado rendimiento y eliminan el 99,97% del total de partículas mayores de 0,3 micras. Se puede adquirir un filtro general para toda la casa. En función del tamaño de la vivienda, en ocasiones es necesario utilizar varios. Si es preciso economizar, conviene disponer un filtro HEPA en el dormitorio, ya que es en él donde se pasa más tiempo, de 8 a 10 horas durante el sueño, en el curso del cual se procede además a desintoxicar el organismo. En los casos en los que sea posible es aconsejable instalar un filtro HEPA en el lugar de trabajo. A veces, cuando hay impedimentos, puede indicársele al responsable de la organización de la oficina o del centro de trabajo que se padece a una enfermedad, de modo que se autorice la instalación del filtro.

Muchos de mis pacientes se sorprenden cuando les recomiendo la instalación de uno de estos filtros. Ciertamente, Claire era una de ellas: «Podía entender que hubiera más toxinas en el entorno de lo que yo pensaba», me dijo. «Pero no veía qué problema había estando dentro de casa».

En realidad, le respondí, es más que probable que el aire dentro de la casa sea *incluso más* tóxico que el aire libre; puede de hecho serlo entre dos y cien veces más. Y en las oficinas el problema es aún mayor. Los edificios de oficinas suelen ser más herméticos en lo que a ventilación se refiere que las viviendas, por lo que retienen las toxinas y presentan numerosas emanaciones de sistemas de limpieza de nivel industrial, de los compuestos químicos que utilizan las fotocopiadoras y de otros numerosos materiales y sustancias de riesgo. He aquí una advertencia de la EPA estadounidense, en términos genéricos, sobre la calidad del aire en interiores:

La mayoría de las personas son conscientes de que la contaminación del aire en exteriores puede dañar su salud, pero ignoran que la del aire en interiores también tiene efectos significativos. Los estudios de la EPA sobre los contaminantes indican que los niveles de algunos de ellos en aire de interiores puede ser de dos a cinco veces y, en ocasiones, más de cien veces, superior al registrado en aire exterior. Estas concentraciones de contaminantes en aire interior resultan especialmente preocupantes, ya que se estima que la mayor parte de las personas pasan hasta un 90% de su tiempo en interiores. En época reciente estudios de riesgo comparativos realizados por la EPA y su Consejo Asesor Científico (SAB, por sus siglas inglesas) *han incluido de manera sistemática la contaminación de aire en interiores entre los cinco principales riesgos medioambientales de salud pública* (el resaltado en cursiva es mío).

El argumento parece lo suficientemente sólido. Así pues, adquiera algunos filtros HEPA (se hacen algunas sugerencias al respecto en la sección «Referencias») y respire sin preocupación.

ESTRATEGIA NÚMERO DOS: DEPURAR EL AGUA

Una de las maneras más eficaces de aliviar la carga tóxica es beber, lavarse, ducharse y bañarse solamente con agua filtrada. Coloque filtros en los grifos de su casa (algunas indicaciones al respecto aparecen en la sección «Referencias») o, si vive en un chalet o vivienda independiente, instale un sistema de filtración general para toda su red de abastecimiento. También es importante evitar a toda costa el uso de botellas de plástico.

Este tipo de envases plantean tres problemas. En primer lugar, el agua embotellada adquirida en tiendas puede contener toxinas o contaminantes, puesto que realmente ¡la regulación y el control de este tipo de agua es menor que la del agua del grifo!

El segundo problema lo constituye el plástico en sí mismo. Muchos plásticos contienen una sustancia tóxica llamada bisfenol A, o BPA, un compuesto sintético que simula el comportamiento de los estrógenos y que es considerado como un interruptor (disruptor) endocrino. El sistema endocrino comprende el conjunto de las hormonas. y el BPA puede desatar el caos en ellas, actuando contra la tiroides, las glándulas suprarrenales y las glándulas que producen las hormonas sexuales, lo que incrementa el riesgo de desarrollar numerosos trastornos. El BPA está presente en las botellas de agua y en otros muchos envases de plástico, a partir de los cuales puede pasar a los líquidos o los alimentos.

El tercer efecto perjudicial de las botellas de plástico es el resultante de su eliminación como residuo en los vertederos. Sus toxinas se filtran al suelo y se mezclan por evaporación con la humedad del aire, retornando al terreno en forma de lluvia, a veces cerca del vertedero y a veces a kilómetros de distancia. Los alimentos cultivados en suelos tóxicos y regados por esa lluvia tóxica absorben las sustancias venenosas, que también pasan al ganado que se alimenta de pastos en los que están presentes. En definitiva, las toxinas se abren camino de nuevo hacia nuestro cuerpo, exponiendo a estímulos nocivos al sistema inmunitario y originando otros problemas de salud.

En los últimos tiempos se ha generalizado una campaña en favor de los plásticos sin BPA. Sin embargo, ¿alguien puede creer que estos materiales no contienen también otros componentes tóxicos? Libre de BPA no equivale a libre de toxinas. Hágase un favor a sí mismo y al medio ambiente del planeta: adquiera un termo de acero inoxidable o utilice botellas de vidrio y llénelas de agua convenientemente filtrada.

El terrible TCE

Para argumentar de manera concluyente la necesidad de utilizar filtros de agua bastan tres letras: TCE. El tricloroetileno (TCE) es un contaminante frecuente y de efecto especialmente mortífero. Se filtra a las aguas subterráneas a partir de los desechos industriales de fábricas o de instalaciones militares, donde se utiliza para limpiar mediante riego tanques, aviones, camiones y otros tipos de maquinaria, por su efecto como disolvente de las grasas en los metales. Dado que se emplea en una amplia gama de aplicaciones industriales —fabricación de cueros, aviones y maquinaria o limpieza en seco— y que también está presente en la composición de productos de uso doméstico, como pegamentos, adhesivos o disolventes y decapantes de pintura, estamos mucho más expuestos a él de lo que se pudiera pensar.

De hecho, en torno al 10% de las personas residentes en Estados Unidos presentan niveles de TCE que pueden detectarse en sangre y también es habitual que esta sustancia se encuentre en la leche materna. Es posible inspirarla en el aire circundante e ingerirla con el agua que bebemos, y cabe la posibilidad asimismo de que penetre a través de la piel al ducharnos, ya que se libera cuando el agua de la ducha se convierte en vapor.

Ese es el motivo por el que es necesario un filtro en la ducha, que se convierte en este contexto en un arma de doble filo: pueden inspirarse vapores de TCE a los pulmones al inspirar en la ducha y la sustancia también puede filtrarse a los tejidos a través de la piel, por absorción de líquido. Considerando, una vez más, que el TCE es otro de los agentes que funciona como inhibidor del sistema inmunitario, estas exposiciones múltiples y crónicas son las peores de todas.

Estos datos sobre el TCE fueron descubiertos por la doctora Kathleen Gilbert, del Departamento de Microbiología e Inmunología del Arkansas Children's Hospital Research Institute, en Little Rock. La doctora Gilbert efectuó varios experimentos con ratones, en los que se demostraba que el TCE puede interrumpir la red de señalización inmunitaria, haciendo que las defensas produzcan anticuerpos contra los tejidos del propio cuerpo.

Dosis elevadas de TCE, tal vez equiparables a las que se podrían detectar en un trabajador de una planta industrial en la que se empleara este compuesto, parecen activar los linfocitos T de los ratones, en apariencia para atacar a su propio organismo. Por otro lado, el nivel de inflamación de los ratones aumenta, en especial en ciertos tipos de células asociadas, el desarrollo de lupus y de otras enfermedades autoinmunes.

No obstante, también las dosis bajas de TCE, comparables con aquellas a las que se está expuesto en la ducha, generan inflamación, además de sentar las bases para el desarrollo de una dolencia que causa destrucción de los tejidos del hígado, llamada hepatitis autoinmune.

Todavía es mucho lo que ignoramos sobre el TCE. Sin embargo, mis conclusiones personales sobre las investigaciones de la doctora Gilbert son las siguientes:

> Tanto si se vive en el centro una gran ciudad como en un apacible barrio residencial de las afueras o en una pequeña aldea en el campo, siempre se está expuesto al TCE.
>
> El peligro real al que nos enfrentamos, sobre todo los que sufrimos enfermedades autoinmunes, o quienes quedan incluidos dentro del especto autoinmune, no es tanto un episodio violento y aislado como una exposición *crónica de bajo nivel* que todos nosotros experimentamos a diario. La doctora Gilbert fue la primera que me hizo ver claro estos hechos y todos estamos en deuda con ella por sus investigaciones. Estas mínimas, pero pertinaces, cantidades de veneno hacen que nuestras defensas inmunitarias sufran una continuada agresión, un día tras otro, provocando inflamación y, en última instancia, autoinmunidad.

Visto lo visto, no queda más opción que examinar nuestros productos de uso doméstico e intentar eliminar cualquiera que contenga TCE, sin olvidar la importancia de la instalación de filtros de agua que nos permitan lavarnos y limpiar nuestro cuerpo sin necesidad de envenenarlo al mismo tiempo.

Los temibles fluoruros

Cuando la fluoración del agua comenzó a utilizarse como potencial medio de prevención de la caries dental, solía aplicarse en ella un compuesto natural, el fluoruro de calcio, para ser exactos. Sin embargo, en la actualidad, si hay flúor en el agua que bebemos, este presenta forma de fluoruro de sodio que es, literalmente, un residuo tóxico de la industria del aluminio.

¡Sí. Ha leído bien! El fluoruro presente en el agua realmente se obtiene de una materia fangosa formada a partir de residuos tóxicos. Las compañías químicas lo transforman en fluoruro de sodio y se lo venden a las autoridades responsables de la salud pública, creando así una fuente de pingües beneficios para ellos y una fuente de alto riesgo para nosotros.

Para empeorar las cosas, la mayor parte del suministro público de agua contiene cloro y bromuro, además de fluoruro; el bromuro forma parte con frecuencia, además, de la composición de los productos de bollería. Estos tres compuestos compiten con el yodo en nuestro organismo, a menudo desplazándolo. Dado que la glándula tiroides depende del yodo, esta especie de nefasto cóctel químico está probablemente detrás de la creciente expansión de las enfermedades tiroideas.

Son muy pocos los filtros que consiguen eliminar el fluoruro tóxico del agua. Así que no queda más opción que tomar la iniciativa en cada comunidad local para proteger nuestra salud intentando que el fluoruro se elimine del agua.

ESTRATEGIA NÚMERO TRES: CONSUMIR ALIMENTOS SANOS NO CONTAMINADOS

Lo ideal es que nuestra alimentación sea completamente orgánica. Es conveniente adquirir carnes de animales alimentados con hierba y criados en pastos, así como frutas y verduras de cultivo ecológico en todas sus fases. También en términos ideales, debemos hacer lo posible por apoyar la labor de los pequeños agricultores y granjeros locales, ya que ellos constituyen la base de la alimentación orgánica. Sin embargo, no todos practican estas modalidades, por lo que es recomendable preguntar qué tipo de alimentos les dan a sus animales —siempre sin maíz, soja o alfalfa transgénicos— y cómo cultivan sus frutas y verduras (para más información sobre los organismos genéticamente modificados [OGM], véase el apéndice A).

No obstante, soy consciente de que la alimentación orgánica puede resultar costosa. Para hallar una solución de compromiso, una posible opción es centrarse en las carnes. Los animales están el en nivel superior de la cadena alimentaria, por lo que si comen piensos contaminados con toxinas y metales pesados, el hecho de ingerir su carne supondrá aumentar varias veces nuestras concentraciones corporales de agentes tóxicos. Las carnes orgánicas, de animales nutridos con hierba y criados en tierras de pasto, han de ser nuestra prioridad (para más información sobre los metales pesados, véase el apéndice B).

Por lo que se refiere a las frutas y verduras, es preferible que todas las que tomemos sean de cultivo orgánico. Puede consultarse la página el ya mencionado Environmental Working Group (Grupo de Trabajo Ambiental) (www.ewg.org), en la que se incluyen las listas *Dirty Dozen Plus* y *Clean Fifteen*. En la primera se enumeran los doce alimentos en los que la probabilidad de contaminación con pesticidas es mayor. La segunda engloba a las quince clases de frutas y verduras que, aun siendo de cultivo convencional, son de consumo más seguro. Los integrantes de estas listas pueden variar, por lo que es conveniente consultarlos con regularidad, para estar siempre del lado mejor protegido. El EWG también elabora una lista con los pescados que presentan una menor probabilidad de contaminación por mercurio. Otras posibles fuentes de consulta en Internet en lengua española sobre el cultivo orgánico de frutas y verduras son organicsa.net, tienda.oxfamintermon.org/□, o www.fao.org/docrep/004/y1669s/y1669s00.htm,

El complot de los pesticidas

En nuestro mundo moderno, en el que predominan las técnicas de cultivo y cría regidas por las grandes corporaciones de la industria alimentaria, es prácticamente seguro que, si se consumen alimentos desarrollados mediante métodos convencionales, se esté expuesto al efecto de los pesticidas. La situación se ve agravada por el hecho de que hay multitud de evidencias de que esos pesticidas no solo son tóxicos, sino que aumentan sensiblemente la posibilidad de evolucionar hacia un trastorno autoinmune. He aquí algunos datos referidos a lo que les sucede a los agricultores que trabajan a diario con pesticidas.

En un estudio realizado en 2007 se examinaron 300.000 certifica-
dos de defunción de muertes registradas a lo largo de un periodo de
catorce años y se observó que los agricultores que habían estado expuestos a pesticidas al trabajar en la cosecha tenían mayores probabilidades de fallecer como consecuencia de una enfermedad autoinmune.

En otra investigación se constató que los agricultores que habían
estado expuestos a pesticidas organoclorados a lo largo de su vida presentaban también mayor probabilidad de registrar un recuento elevado
de anticuerpos antinucleares (AAN), indicio de lupus incipiente.

En un tercer estudio se corroboró la mayor propensión al lupus de
los agricultores que trabajaban con combinaciones de pesticidas.

«De acuerdo», se puede pensar. «Basta con lavar bien los alimentos, y
los restos de pesticidas desaparecerán».

Pero desgraciadamente no es así. Muchos pesticidas son sistémicos, lo
que significa que se convierten en parte integrante de la planta y de sus
productos derivados. Una manzana de un árbol crecido en un huerto tratado con pesticidas, por ejemplo, absorbe estas sustancias hasta la parte
blanca y dulce, de tan rico sabor; los tóxicos no quedan en la piel. Ese es el
motivo por el que insisto en la importancia de adquirir alimentos orgánicos
siempre que se pueda, si los síntomas de autoinmunidad o de espectro autoinmune no remiten tan rápido como sería deseable.

Eludir los plásticos

¿Es posible pensar en evitar la presencia del plástico? La mayoría de
nuestros alimentos están envueltos con él, lo que supone que, ya desde el
primer momento, estamos expuestos a una considerable dosis de moléculas
tóxicas.

Los plásticos con BPA están presentes en los revestimientos térmicos
de tickets y tarjetas, los revestimientos interiores de las latas (ya en el ámbito
de nuestra alimentación) o en los envoltorios de los sándwiches (de nuevo
en nuestra comida). Por consiguiente, si queremos aliviar la carga tóxica
que soportamos, no tendremos más remedio que idear algunos recursos
creativos para rehuir los plásticos. Por ejemplo, siempre que sea posible, es
aconsejable evitar el uso de envases de plástico —incluidas las bolsas de
cierre hermético, para conservar los alimentos, ya que las toxinas que contienen no tardan en pasar a ellos. Siempre es preferible el vidrio.

Durante un tiempo la inquietud y las advertencias estuvieron centradas solamente en los plásticos con BPA, pero yo siempre estuve convencida de que los que no contenían este compuesto eran igualmente peligrosos. Y, así, en marzo de 2014, la certeza de mi convencimiento se vio corroborada. El especialista en neurociencia George Bittner y su equipo sometieron a diversas pruebas 455 productos envueltos o envasados en plásticos, de tipo Styrofoam (poliestireno extruido) que es el más empleado en la fabricación de recipientes para procesadores de alimentos y robots de cocina y en la de jeringuillas hipodérmicas, y de otras inquietantes variedades, y determinaron que el 72% de las muestras analizadas liberaban cantidades significativas de toxinas que imitaban la acción fisiológica de los estrógenos en los alimentos, los fármacos o los productos de cuidado personal que estaban en contacto con ellos. La lección que ha de deducirse de ello es sencilla, positiva y esperanzadora: lo que hay que hacer es no utilizar plásticos, en particular si se ha padecido ya algún trastorno autoinmune y si se esta incluido en cualquier nivel del espectro de autoinmunidad.

Erradicar el teflón

Un potencial elemento de alteración del sistema inmunitario, llamado ácido perfluorooctanoico (PFOA, por sus siglas inglesas), se ha detectado en muestras de sangre del 96% de los residentes en Estados Unidos.

Este ácido es un elemento clave de la composición del teflón, utilizado como antiadherente en sartenes, cacerolas y otros utensilios de cocina, envases resistentes a las grasas y vasos y tazas desechables, así como en prendas de vestir, tratamiento antimanchas para alfombras, chips de ordenador, cables de teléfono, piezas de automóvil y suelos laminados.

Por desgracia, no sabemos hasta qué punto pueden afectarnos los efectos del PFOA. Sin embargo, un informe publicado por la Unidad de Toxicología Bioquímica de la Universidad de Estocolmo comunicó que los investigadores no habían podido establecer una dosis de PFOA lo suficientemente reducida como para que *no* alterara las funciones de las células inmunitarias.

Parece coherente, pues, no cocinar las verduras orgánicas y la carne de cría ecológica en recipientes tóxicos. Si evitamos el uso de sartenes y cacerolas antiadherentes, habremos eliminado otra potencial fuente de exposición diaria de bajo nivel a las múltiples amenazas que acechan a nuestras defensas.

PLÁSTICOS QUE HAY QUE EVITAR

En general, son muchos los que saben que conviene no tener contacto con los BPA, que alteran el sistema endocrino y que filtran estrógenos al organismo, dando lugar a múltiples desequilibrios asociados trastornos de toda índole, desde infertilidad a obesidad o a cambios conductuales en niños. Sin embargo, son muchos los productos plásticos etiquetados como «libres de BPA» en los que se han constatado efectos muy similares a los de los que sí contienen estos compuestos. En la siguiente tabla se ofrece una referencia sobre estos plásticos, de uso generalizado y de los productos y materiales de los que pueden formar parte. Para identificar con facilidad cada tipo de plástico basta con comprobar el número que, rodeado de un triángulo, aparece estampado en la base de cada botella o envase.

Núm. en base del envase/Nombre*	Usos habituales	Notas
1 Tereftalato de polietileno (PET o PETE)	Botellas de agua y de refrescos, envases de mantequilla de cacahuete, botellas de aceite, envases de enjuagues bucales, botellas de ketchup y aderezos para ensalada.	Usado por su escaso peso y su forma versátil, es el principal plástico empleado para botellas de agua y refrescos. A veces contiene antimonio, que puede imitar el efecto de los estrógenos. Adecuado para un solo uso, pero comienza a descomponerse si se expone al calor o a detergentes agresivos.
2 Polietileno de alta densidad (HDPE)	Biberones, bolsas de patatas fritas, galletas y cereales, juguetes, tablas de cortar, bandejas de hielo, botellas y jarras de leche, cosméticos.	Comercializado como material firme y resistente al calor, aunque algunas organizaciones de protección medioambiental han expresado su preocupación por el potencial riesgo de liberación de ftalatos en juguetes y biberones.
3 Cloruro de polivinilo (V o PVC)	Envases de platos preparados, papel film transparente, cortinas de ducha, mordedores para bebés.	Puede liberar ftalatos/carcinógenos a alimentos y bebidas, sobre todo cuando los envases comienzan a deteriorarse, se lavan en el lavavajillas o son calentados (también en el microondas).

4 Polietileno de baja densidad	Cartones de leche, bolsas de plástico para verduras y hortalizas, tazas y vasos para bebidas calientes y frías, envases de alimentos congelados.	
5 Polipropileno (PP)	Biberones, tazas para bebés, pajitas para beber, envases de medicamentos, tarteras de plástico, tapones, envases de yogur y de ciertos alimentos preparados.	Comercializado como resistente al calor, lo que solo significa que no se funde con altas temperaturas, no que sea saludable y/o que no desprenda compuestos químicos.
6 Poliestireno (PS)	Envases y bandejas de alimentos para llevar, envases plásticos de huevos, envases y bandejas para carnes y pescados, bolsas de frutos secos.	También conocido como estiroespuma (Styrofoam), contiene estireno, que puede imitar la acción de los estrógenos y que, con exposiciones prolongadas a pequeñas cantidades, causa fatiga, trastornos del sueño y anomalías linfáticas, y tiene además efectos carcinógenos. Es especialmente peligroso cuando se calienta. El PS está prohibido en algunas ciudades de Estados Unidos, como Portland, en Oregón y San Francisco.
7 Policarbonato (PC)	Boles, platos y tazas de material plástico, botellas de agua reutilizables, envases de alimentos, vasos de batidora, jeringuillas.	Este plástico es un derivado del BPA. Numerosos estudios han concluido que cantidades mínimas de BPA pueden inducir un proceso de interferencia endocrina, trastornos del desarrollo o cáncer.
Ácido poliláctico (PLA)	Envases y bandejas de alimentos para llevar, envases de frutas y verduras, envases de yogur, utensilios de plástico.	Este plástico se comercializa como biodegradable y compostable (que se degrada con rapidez por acción de las bacterias del terreno), pero suele elaborarse a partir de almidón de maíz genéticamente modificado y al descomponerse imita la acción de los estrógenos.

  * La sigla de cada plástico corresponde al orden de su nombre en inglés, de uso más generalizado.

ESTRATEGIA NÚMERO CUATRO: USAR PRODUCTOS DE HIGIENE CORPORAL Y COSMÉTICOS LIBRES DE TOXINAS

El simple hecho de mantener unos mínimos estándares de higiene presupone la exposición a una amplia variedad de compuestos químicos de uso industrial. Me consta que la mayoría de las personas no pueden entrar en el cuarto de baño y tirar todos los productos que hay en él y reemplazarlos por otros nuevos. Sin embargo, cuando realmente se está haciendo frente a los síntomas de un trastorno autoinmune o cuando se está preocupado por notar una evolución negativa dentro del espectro de autoinmunidad, esa sería precisamente una medida de gran utilidad.

Si no cree que la cuestión sea tan urgente, o si no cree que sea necesario efectuar un cambio tan radical, está bien. Puede ir poco a poco, en un plazo de unos tres meses, adquiriendo productos libres de toxinas a medida que se vayan agotando los que actualmente utiliza. Con el tiempo, llegará a eliminar por completo un factor que genera un estrés sustancial para su sistema inmunitario.

Sé que cuesta ver una inofensiva y fragante botella de gel de baño como una amenaza, pero lo cierto es que sí lo es. No es necesario que me crea. Puede comprobar personalmente los ingredientes de su composición. La lista de componentes tóxicos cambia continuamente pero, como su número suele estar siempre próximo a los treinta, se ha instaurado el apelativo de *The Dirty Thirty*, los treinta tóxicos:

- acetato de bencilo (o bencilacetato)
- acetato de butilo (o butilacetato)
- acetato de etilo (etilacetato)
- alquitrán de hulla
- bronopol
- butil carbamato de yodopropinilo
- cloruro de benzalconio y cloruro de bencetonio
- cocamida DEA/lauramida DEA
- compuestos de aluminio-circonio y otros compuestos de aluminio
- conservantes liberadores de formaldehído (quaternium-15, DMDM hidantoína, diazolidinil urea e imidazolidinil urea)
- dietanolamina (DEA)
- formaldehído

- ftalatos (ftalatos de dibutilo, benzoato ftalato de butilo, ftalato de dietilexilo, ftalato de dimetilo)
- fragancia (perfume)
- hidroquinona
- hidroxitolueno butilado(BHT)/hidroxianisol butilado (BHA)
- metilisotiazolinona (MI/MCI/MIT) y meticloroisotiazolinona
- parabenos (de metilo, etilo, propilo y butilo)
- plomo y compuestos de plomo
- vaselina

Los parabenos simulan el comportamiento de los estrógenos. Sin embargo, ni hombre ni mujeres necesitamos más estrógenos, mucha gracias. Si al comprobar la lista de componentes se detecta el término «parabeno», incluso como prefijo (p. ej., en el metilparabeno), conviene mantenerse lo más lejos posible. Los ftalatos simulan igualmente la acción de los estrógenos.

También es necesario comprobar la presencia de gluten y de componentes de los cereales o las legumbres. ¡En efecto! En el champú, en la pasta de dientes, en la crema hidratante... Para comprobarlo basta con dedicar unos minutos a verificar la composición de los champús y las cremas en cualquier tienda del ramo, o incluso en la sección de productos de higiene personal y cosmética de un establecimiento especializado en venta de productos «orgánicos». Aun en el caso de que no identifiquen trazas de gluten o de trigo, es ciertamente previsible que se hallen componentes de otros alimentos que puedan provocar inflamación, tales como avena, soja o derivados lácteos. Ya es lo suficientemente malo lo que sucede cuando se ingieren esos componentes. Es obvio que no puede ser mucho mejor lo que sucede cuando se aplican a la piel, el órgano más extenso del cuerpo, en ocasiones varias veces al día, en forma de champú, acondicionador, gel de baño, crema hidratante o desodorante, por no mencionar las demás toxinas que se absorben al utilizar —en el caso de las mujeres— las lociones desmaquillantes, los productos exfoliantes y los cosméticos.

Es importante no dejarse llevar por mensajes tales como «orgánico» o «completamente natural» consignados en los envases; es preferible comprobar los componentes. Por fortuna, siempre hay otras opciones más seguras. En la sección «Referencias» puede hallarse más información a este respecto.

UTILIZAR LOS PROPIOS RECURSOS

Llegados a este punto, ya conocemos las cuatro pautas principales de control de las toxinas. Con objeto de dar un paso más allá para conocer las pruebas de detección de metales pesados, saber afrontar los problemas relacionados con los hongos tóxicos, conocer las claves de la odontología biológica y eliminar las toxinas del entorno del hogar- se pueden consultar los apéndices B, C, D y E.

Mi deseo es que la puesta en práctica del método Myers resulte lo más a sencilla que sea posible. En consecuencia, he incluido también en el libro una sección de referencias, que incorpora múltiples direcciones de páginas web e indicaciones sobre productos. para hallar información sobre filtros de agua, productos de limpieza e higiene orgánicos o cualquiera de los demás artículos a los que se alude en este capítulo, es posible consultar las recomendaciones que conforman la sección «Referencias».

REDUCIR LA CARGA DE METALES PESADOS

Muchos de mis pacientes deben afrontar la carga tóxica adicional que suponen los metales pesados. Es un problema que siempre abordo de manera específica en los casos de personas que han estado expuestas de manera significativa a este tipo de sustancias, por ejemplo, los que llevan empastes dentales de amalgama de plata, los que toman con frecuencia atún o pez espada y otras especies de pescados, generalmente grandes, en los que el común la presencia de mercurio o los que han recibido otros tipos de exposiciones medioambientales. La posible contaminación por metales pesados es, asimismo, un factor que suelo tener en cuenta cuando los pacientes en los que se ha modificado adecuadamente la dieta no evolucionan al ritmo esperado. En general, en este contexto es frecuente que efectúe a muchos de mis pacientes afectados por enfermedades autoinmunes o comprendidos en el espectro de autoinmunidad pruebas de detección de plomo, mercurio, arsénico, aluminio y cadmio.

Cuando se desea someterse a una prueba de detección de metales pesados, es conveniente consultar a un profesional especializado en medicina funcional (véase la sección «Referencias»). Información adicional sobre las pruebas que se pueden tomar en consideración se incluye en el apéndice B.

Cabe la posibilidad de que se pregunte: «¿Metales pesados? ¿Cuándo he podido haber sufrido yo una exposición a sus efectos? Bien, analicemos algunos de los más difundidos y descubrámoslo.

Plomo

Las pruebas de detección del plomo las prescribo debido a que se trata de un metal muy corriente. En la década de los años setenta se decidió que el plomo debía ser retirado de las gasolinas, pero se tardó veinte años en conseguir llevar a buen término su eliminación completa. Este metal se utilizaba asimismo en el pasado en la composición de las pinturas y aún está presente en la tuberías más viejas. Aunque en las plantas de depuración de aguas se verifica la ausencia de plomo en ellas, es probable que se llegue a ingerir una dosis considerable de este metal si las conducciones de agua de la casa son antiguas. Cabe puntualizar, por otra parte, que las tuberías más recientes presentan un revestimiento plástico que contiene PCB, por lo que plantean otro tipo de problemas para la salud; en consecuencia lo más oportuno es instalar un filtro de agua (véase la sección «Referencias»).

Hay por otra parte un lugar sugerente y atractivo también para el plomo: los labios. Se estima que en unas 400 variedades de barras de labios de diferentes marcas se han detectado cantidades residuales de plomo. Los debates sobre la presencia de plomo en las barras de labios se han venido sucediendo desde la década de los noventa. Si el prospecto de la barra que se utiliza suscita sospechas, puede, una vez más, consultarse la sección «Referencias» para encontrar opciones más seguras.

Las piezas de cerámica y los juguetes de procedencia china son otra posible fuente de exposición al plomo, dado que la normativa reguladora sobre toxicidad de los productos es en China más permisiva que las de otros países. Estoy en condiciones de atestiguar personalmente la presencia de plomo en la población estadounidense. Cuando compruebo los resultados de las pruebas, casi siempre observo concentraciones elevadas. Cabe reseñar a este respecto que los investigadores han encontrado numerosos vínculos entre el plomo y el lupus, lo que me lleva a pensar que no es difícil que este metal esté relacionado también con otros trastornos autoinmunes.

Mercurio

Muchos de mis pacientes que se someten de manera sistemática a pruebas de detección de metales pesados, también dan resultados positivos para el mercurio. Algunos de los causantes de la presencia de este metal pesado son los siguientes:

- cosméticos
- empastes dentales
- pesticidas

- cremas despigmentantes
- pescado
- vacunas

El mercurio también se halla en el aire, en proximidad de las centrales térmoeléctricas de carbón (en la página web de la Agencia de Protección Ambiental estadounidense, www.epa.gov, puede consultarse la ubicación de las centrales de este tipo en Estados Unidos). Del aire pasa a los suelos y las aguas, de ahí a las plantas y las cuencas hidrológicas, de estas a los peces y los pequeños animales que se nutren de plantas contaminadas y que beben esas aguas o nadan en ellas, a continuación a los peces mayores y a animales que se comen a los más pequeños y, finalmente, a los humanos, que comemos esos peces o la carne de esos animales. Cabe puntualizar que el salmón salvaje no se alimenta de otros peces, sino de insectos y pequeños crustáceos acuáticos, por lo que la probabilidad de que su carne contenga mercurio es inferior que la de otras especies.

Arsénico

Los aficionados a las novelas de misterio pueden pensar que el arsénico solo aparece en las viejas historias británicas de asesinatos y detectives, situadas en el marco de acogedores salones y protagonizadas por refinadas damas. Y, sin embargo, el arsénico está tan presente en nuestro mundo actual que no me queda más remedio que prescribir pruebas para su detección a todos mis pacientes. Técnicamente, el arsénico no es un metal pesado, sino que es un semimetal que puede considerarse una aleación, la mezcla de un metal con otros elementos. En cualquier caso, es un factor relevante en lo que respecta a la toxicidad que puede precipitar o agravar un trastorno autoinmune y ese es el motivo de que se incluya en este apartado.

En determinadas áreas es posible verse expuesto a los efectos del arsénico simplemente bebiendo agua. También está presente en suelos, donde en ocasiones se transmite al arroz y a diversas frutas y verduras. Recientemente se han publicado incluso informes en los que se notificaban casos de presencia de arsénico en el zumo de manzana.

Asimismo pueden encontrarse residuos en la madera tratada de las cubiertas de los barcos y, en India y China, se ha detectado también en ciertas plantas aromáticas utilizadas como condimento. Y en ciertas explotaciones avícolas de régimen industrial se utilizan compuestos de arsénico, *delibera-*

damente, para alimentar a los pollos. De modo que, además del mercurio del pescado, también tenemos que vérnoslas con el arsénico del pollo.

Ciertamente me deja estupefacta el hecho de que el arsénico se emplee en alimentación animal. Y, sin embargo, así viene haciéndose desde los años cuarenta y, en apariencia, es seguro en los piensos animales. En su calidad de potente veneno, el arsénico combate algunas de las enfermedades de las aves de corral y favorece el desarrollo de sus tejidos y de su sistema vascular. Lo sé, va en contra de lo que indicaría la intuición, pero así es. Desde una perspectiva histórica, según un informe publicado en 2013 en Bloomberg.com, empresa de servicios financieros y noticias estadounidense, en Estados Unidos en torno al 70% de las aves de corral han sido tratadas con fármacos que contenían compuestos de arsénico. La FDA prohibió el uso de tres fármacos arsenicales que se añadían a los piensos destinados a la alimentación de pollos y cerdos, pero quién sabe cuántos quedan todavía en circulación.

Por lo que se refiere a las cantidades residuales de arsénico que se han detectado en el arroz, estas proceden del agua en la que las plantas se desarrollan, pero también de las heces de las aves de corral que, en ocasiones, se utilizan como fertilizante. Por si ello no fuera suficiente, hay que tener en cuenta que muchos preparados de cereales de arroz para bebés, con los que se alimentan muchos niños, contienen niveles de arsénico cinco veces superiores a los detectados; por ejemplo, en los copos de avena.

RIESGOS ELECTRÓNICOS

Un sector que causa una creciente preocupación es el de los campos electromagnéticos (CEM), las áreas en las que se registran cargas generadas por dispositivos electrónicos tales como los ordenadores, las televisiones, los teléfonos móviles, los hornos de microondas y muchos otros. Aunque los aparatos eléctricos se vienen utilizando desde hace tiempo, los dispositivos electrónicos se emplean solamente desde hace pocas décadas, por lo que no se dispone aún de estudios a largo plazo sobre sus efectos. Sin embargo, los pocos que van saliendo a la luz arrojan resultados más bien alarmantes, en especial para quienes sufren enfermedades autoinmunes o se hallan en la parte de mayor riesgo del espectro de autoinmunidad.

A la hora de afrontar este problema, he de decir que nunca aconsejo a mis pacientes que hagan algo que yo no podría hacer. La parte de mí que lee los informes científicos sobre los efectos de la radiación electromagnética optaría por tener todos los aparatos electrónicos de casa siempre apagados. Sin embargo, la parte que vive en el mundo real se dice a sí misma : «¿Vivir sin ordenador y sin teléfono móvil? Imposible».

En consecuencia, algunas recomendaciones a este respecto, que considero factibles y que yo misma pongo en práctica son las siguientes:

- Apague el *router* cada noche. Si no lo está utilizando, ¿para qué exponerse a más radiaciones electromagnéticas mientras duerme?
- Nunca lleve el teléfono móvil «encendido» directamente sobre su cuerpo. Llévelo en una funda o manténgalo en modo avión *, en el bolsillo o el bolso.
- Nunca acerque el teléfono móvil a la cabeza. Use el modo altavoz o auriculares.
- Si desea tener cerca el móvil durante la noche, póngalo en modo avión. Así podrá utilizarlo si quiere como despertador, como hago yo.

¿QUÉ HAY EN NUESTRA BOCA?

Los metales pesados y otros potenciales generadores de inflamación no están solo «ahí fuera», dispersos en el ambiente. También están al acecho dentro de nuestra boca, exponiéndonos precisamente a ese tipo de agresión crónica de bajo novel que es la que más debemos evitar.

Conductos radiculares. Pueden infectarse, generándose una fuente sostenida de inflamación que supone un elemento de estrés inmunitario.

Muelas del juicio. En las personas a las que se las han extraído, es posible que se desarrolle una cavitación (un orificio en el hueso subyacente al punto de extracción), con el consiguiente riesgo de inflamación y de infecciones.

Puentes, pernos y postes y coronas de porcelana. De diferentes maneras, este tipo de modificaciones de la dentadura exponen los tejidos bucales a toxinas, metales pesados e inflamación.

Empastes de amalgama de plata. Este tipo de empastes se hacen con una amalgama de cobre, plata y mercurio, y a partir de ellos se fil-

---

* El modo avión es una opción que permite desactivar temporalmente en dispositivos móviles la conexión a la red de telefonía móvil, wi-fi, Bluetooth, etc., y la capacidad de transmisión de datos de manera simultánea. En él pueden utilizarse aplicaciones que no precisan conexión de red, como las empleadas para escuchar música o ver fotos o vídeos.

tran residuos de toxinas al torrente circulatorio. Así pues, suelo recomendar a mis pacientes que sustituyan este tipo de empastes por otros de porcelana sin metal, acudiendo a la consulta de un dentista especializado en odontología biológica —que conocerá los riesgos de los metales pesados y que sabe retirar los implantes en condiciones seguras. En teoría un odontólogo convencional puede también efectuar este cambio, aunque es posible que no lo haga de forma segura, es decir, evitando que los vapores de mercurio puedan atravesar la barrera hematoencefálica y, en consecuencia, tener abierto el paso al cerebro. Véase el apéndice D para consultar más información a este respecto y la sección «Referencias» para acceder a una serie de páginas web centradas en el ámbito de la odontología biológica.

MOHOS Y MICOTOXINAS

Uno de los problemas más importantes a los que he de hacer frente en mi consulta es el de las micotoxinas, compuestos orgánicos volátiles (COV) emitidos por ciertos tipos de mohos. Y, a pesar de ello, son muchas las personas que ni tan siquiera se dan cuenta de que las micotoxinas les están afectando.

¿Cómo pueden eludir las micotoxinas los medios de detección?

Bien, en primer lugar, tres cuartas partes de la población presentan genes que les permiten tolerar los efectos de las micotoxinas sin que se produzcan síntomas. Es posible, de hecho, que una persona sufra los efectos de las micotoxinas, mientras que el resto de su familia se encuentra perfectamente, incluso los familiares que puedan padecer una alteración autoinmune.

En consecuencia, resulta difícil creer que algo constituye un problema cuando ni siquiera se ve (muchos mohos no se manifiestan de ningún modo al aire libre). Y, sin embargo, se ocultan al acecho bajo la tarima del suelo, tras la pintura de las paredes o en las grietas que quedan entre las ventanas y los marcos de las mismas. Ya es bastante difícil detectar el moho en el propio hogar. Cuando se trata de un centro escolar o de un edificio de oficinas, es posible que nunca se llegue a localizar su presencia. No obstante, las toxinas que liberan al aire nos afectan todos los días del año.

Por otro lado, la magnitud del problema que los mohos suponen tiende a subestimarse, porque la mayor parte de los médicos no conocen sus efectos. Asimismo muchos practicantes de la medicina funcional ignoran en buena medida todo lo relacionado con los mohos y las micotoxinas. Yo misma solo comencé a familiarizarme con el tema después de que la consulta que tenía alquilada en el pasado sufriera una infestación por mohos después de una gran tormenta, y fue entonces cuando me dí cuenta de que nos estaban afectado tanto a mí como a otros miembros del personal, hasta el punto de que nos vimos obligados a mudarnos a otra consulta.

De ello se deduce que quien acuda a la consulta de un médico por un problema relacionado con las micotoxinas, es muy probable que no reciba un diagnóstico correcto. En general, no suelo abordar la cuestión de las micotoxinas cuando un paciente acude por primera vez a mi consulta, ya que la gran mayoría de las personas que trato consideran preferentemente lo relacionado con la aplicación estricta del método Myers, es decir, la mejora de su dieta, la curación del tubo digestivo y la potenciación de las defensas inmunitarias. Sin embargo, comienzo a valorar la posibilidad de plantear la problemática de las micotoxinas en los casos en los que:

- la modificación de la dieta por sí sola no parece ser suficiente;
- un paciente presenta síntomas extraños que no concuerdan con el resto de su cuadro clínico;
- una persona desarrolla repentinamente una enfermedad autoinmune sin que se conozca su origen; o un paciente padece infecciones recurrentes por cándidas y otros tipos de proliferación de levaduras, a pesar de haber seguido de manera adecuada el método Myers y de haber sido tratado oportunamente.

Mucha gente suele mostrarse escéptica ante el hecho de que la presencia de mohos pueda ser el motivo de una afección si solo un miembro de la familia se encuentra enfermo, pero conviene recordar que apenas una cuarta parte de la población tiene los genes que hacen vulnerable ante este tipo de trastornos.

En cualquier caso, también he atendido numerosos casos en los que los mohos han generado alteraciones en más de un miembro de la familia. En cierta ocasión traté a dos gemelos de dos años de edad que presentaban uno de los peores eccemas que había visto nunca, con los brazos y las piernas en carne viva como consecuencia del rascado. Su estado era tan reactivo que apenas podían digerir otras cosa que no fuera arroz y carne. Tras sufrir varios brotes de proliferación de cándidas, que agravaron el estado del eccema, llegamos a la conclusión de que los mohos que habían aparecido en una pared de su casa podían ser el motivo de su estado. Sus padres hicieron lo necesario para poner solución al problema y eliminar los mohos. Los niños mejoraron rápidamente, hasta que punto de que pudieron pasar a comer por primera vez todas las carnes, frutas y verduras previstas en el método Myers. Me alegré de poder retirar el arroz de su dieta, que ciertamente no era lo ideal para ellos a largo plazo, pero que era uno de los pocos alimentos que habían tolerado hasta entonces.

Y, ¡quién lo iba a decir!, cuando los mohos desaparecieron, la madre de los niños pudo también dejar de tomar antidepresivos (como es lógico, bajo la supervisión de su médico). Hasta ese momento ella nunca había relacionado sus problemas «psicológicos» con los efectos físicos de las micotoxinas, aunque estaba claro que los mohos tóxicos eran un factor decisivo, tanto para sus trastornos como para los de sus hijos.

Si sospecha que el moho puede ser la causa de los síntomas que padece, consulte el apéndice C para acceder a más información sobre los siguientes pasos a seguir. Todo ello puede marcar la diferencia en el proceso de inversión de su dolencia o de mejora de su evolución en el espectro autoinmune.

EL PROCESO DE DESINTOXICACIÓN NATURAL DEL CUERPO

Lo ideal es mantener a raya las micotoxinas. Pero una vez que *nos han invadido*, es necesario eliminarlas a través de la orina, las heces y el sudor.

Este proceso de desintoxicación se desarrolla en dos fases, que requieren la transformación de las toxinas para que pasen de ser solubles en *lípidos* (es decir, disueltas en grasas, que es la forma en la que quedan almacenadas en el organismo) a ser solubles en *agua* (de forma que puedan eliminarse por excreción). Si el cuerpo solo experimenta la fase uno y no progresa a la fase dos, los problemas pueden ser mayores que si no se hubiera iniciado en absoluto el proceso de desintoxicación, puesto que esa fase uno expone en realidad a unas toxinas que, de otro modo, hubieran quedado almacenadas en la grasa sin ser liberadas y, por tanto, no generando tantos efectos.

SUDAR EN LA SAUNA

La sauna es un excelente recurso para sudar a diario, en especial si no resulta fácil practicar ejercicio con regularidad. En la actualidad se comercializan saunas de infrarrojos, que pueden instalarse en casa. En el mercado también se dispone de saunas unipersonales plegables, diseñadas para guardarlas en un espacio reducido. Es posible consultar más información a este respecto en la sección «Referencias».

La mayor parte de este proceso tiene lugar en el hígado, que precisa de la presencia de «cofactores», compuestos químicos específicos que permiten la transición a la fase dos. Me he asegurado, pues, de que el método Myers suministre los cofactores necesarios en este contexto, a través de alimentos con la suficiente densidad de nutrientes y de suplementos de alta calidad.

Para la conclusión de la fase dos, el organismo requiere asimismo grandes cantidades de energía y, por ello, el método Myers aporta además abundantes proteínas.

Nunca recomiendo el ayuno prolongado ni el ayuno tomando solamente zumos. El cuerpo exige, como acabamos de decir, abundancia de energía y otros nutrientes esenciales para desintoxicarse. Si se practica el ayuno, cabe la posibilidad de que el proceso de desintoxicación se bloquee en la fase uno, quedando el cuerpo en una situación peor que la anterior.

El intestino delgado es otro elemento crucial de la desintoxicación. Numerosas toxinas son procesadas en él, de manera que nunca lleguen a acceder a otras partes del organismo. Es ineludible, pues, que se mantenga sano, a fin de que el proceso evolucione como debe. No obstante y por fortuna, el método Myers se encarga de eso también. Por último, es importante asegurarnos de que hacemos la clase de ejercicio adecuada, de que tomamos grandes cantidades de agua depurada y de que ingerimos los suplementos de alta calidad oportunos, a fin de fortalecer las vías de desintoxicación.

EL EXCELENTE GLUTATIÓN

El *glutatión* es el mayor de los agentes desintoxicantes del cuerpo. Cada célula corporal contiene un poco de este nutriente vital, aunque la concentración del mismo es mayor en el gran mecanismo depurador del organismo: el hígado. El glutatión ayuda a transportar las toxinas al medio externo uniéndose a los radicales libres, que son moléculas que dañan los tejidos, y también al mercurio.

Si los niveles de glutatión son insuficientes, las toxinas circulan por el cuerpo durante más tiempo, o quedan almacenadas en las células grasas, desde las que pueden sembrar el caos en el sistema inmunitario. El método Myers ayuda al organismo a elaborar más glutatión por medio de cantidades abundantes de ajo, cebolla y hortalizas crucíferas (brécol, col rizada, coliflor, repollo), además de incluir el uso de un suplemento específico de glutatión.

Hay ciertos aspectos en este ámbito con los que conviene tener cuidado. La mayor parte del glutatión no es bien absorbido en el intestino, ya que se descompone antes de penetrar en sus células. Suele considerarse que la forma «liposómica» del glutatión es capaz de penetrar en las células, aunque yo no he observado que ello resulte eficaz, ni en el plano personal ni desde el punto de vista clínico en mi consulta. En cambio, la forma «acetilada» de este compuesto no se descompone. En consecuencia, cuando tome los suplementos de glutatión recomendados, es conveniente alguna de las formas incluidas en la sección «Referencias». Una de ellas es acetilada y producida mediante técnicas de nanotecnología, de modo que el organismo pueda absorberla con mayor facilidad. Es posible adquirir otras versiones más económicas de los suplementos de glutatión, pero es más que probable que resulten virtualmente ineficaces. Cuando se trata de este tipo de suplementos, a menudo la calidad tiene un precio.

LA IMPORTANCIA DE LA GENÉTICA

La medicina funcional es una modalidad de medicina personalizada o, lo que es lo mismo, aborda a cada paciente en su condición específica e individual. Nunca percibo este principio con mayor intensidad que cuando analizo la genética de los pacientes a los que atiendo y, en especial, cuando estudio sus «SNP».

Los SNP —genéricamente conocidos cono «snips»— son los factores genéticos identificados mediante la sigla inglesa de «polimorfismo de nucleótido simple» o «único», que es una forma refinada de expresar el término «mutación genética», o variación en la que el ADN es secuenciado a lo largo de cada gen. Los SNP nos afectan de las más diversas maneras, también en lo que respecta a las pautas de desintoxicación.

Por ejemplo, el gen *MTHFR* (el gen de la de la metilentetrahidrofolato reductasa) contribuye a «metilar» los metales pesados, siendo la metilación un proceso que nos permite eliminar esos elementos nocivos de nuestro organismo. Para que este proceso funcione es necesaria la presencia de vitaminas B_6 y B_{12} y de folato, pero las mutaciones en el gen *MTHFR* pueden interferir en él.

He de decir que conozco bien este problema, porque cuento con dos de esas mutaciones en mi dotación genética y porque varios de mis pacientes tienen asimismo una o dos. Como consecuencia de ello, eliminamos un porcentaje de metales pesados bastante inferior al que deberíamos. Para compensar esta deficiencia, es preciso que tomemos cantidades sustanciales de preparados especiales de vitaminas B_6 y B_{12} y de folato premetilados. Teniendo en cuenta que la desintoxicación de los metales pesados es mucho más costosa para nosotros que para la población general, también debemos ser especialmente cautos en lo que se refiere a la exposición a ellos.

Alrededor del 50% de la población tiene una mutación en el gen *MTHFR* y en torno al 20% tiene dos. A las personas que sufren un trastorno autoinmune o presentan un nivel avanzado dentro del espectro de autoinmunidad suelo recomendarles que se sometan a una prueba para detectar estas mutaciones, a fin que se puedan proteger tomando los suplementos más apropiados.

Otro SNP esencial se localiza en el gen *GMST1*, que permite el procesado del glutatión que, como se ha dicho, es un elemento clave para favorecer la desintoxicación. Cuando se detecta un SNP en el gen *GMST1*, es necesario incrementar la ingesta de hortalizas crucíferas (brécol, col rizada, coliflor y repollo) y tomar dosis adicionales de suplementos, de glutatión, ácido alfalipoico (ALA, por sus siglas inglesas), cardo mariano, NAC (n-acetilsteína) y magnesio.

Por último, el gen *COMT* codifica la proteína conocida como COMT (catecol-O-metiltransferasa). La COMT es la enzima que nos permite procesar diversos compuestos químicos cerebrales esenciales, como la dopamina, la adrenalina y la noradrenalina, los cuales nos aportan energía y estimulan los mecanismos de la excitación. Según parece, las personas que tienen SNP en el gen *COMT* experimentan sensaciones más gratificantes, pero también tienen más dificultades para metabolizar los estrógenos (lo que los expone a mayor riesgo de cánceres como el de mama), el alcohol y algunas otras toxinas. La enzima COMT también ayuda a desintoxicar el hígado y el intestino y, como el *MTHFR*, depende de las vitaminas del grupo B. Por consiguiente, quienes tienen SNP en el gen *COMT*, deben tomar dosis premetiladas de vitamina B.

LA POLÉMICA SOBRE LOS SUPLEMENTOS

Como hemos visto, vivimos en un mundo decididamente tóxico. No podemos permitirnos el lujo de proceder a una desintoxicación solo una o dos veces al año: necesitamos reforzar nuestras vías de desintoxicación a diario.

Cuando se está en un nivel lo suficientemente bajo dentro del espectro de autoinmunidad, es posible desintoxicarse solo por medio de los nutrientes que se ingieren con los alimentos. Sin embargo, si se padece un trastorno autoinmune manifiesto, o el nivel dentro del espectro tiende al extremo más grave, o bien si se tiene uno de los SNP que acabamos de comentar, es preciso tomar suplementos.

Conviene, no obstante, advertir que la industria de fabricación de suplementos es un sector poco regulado, por lo que es importante asegurarse de que siempre se adquieren productos de alta calidad. En la sección «Referencias» se incluyen una serie de recomendaciones relativas a fabricantes que he investigado y que pueden considerarse fiables. Si se opta por otras marcas, es necesario asegurarse de que sus productos han sido sometidos a prueba por estamentos de prestigio, que para elaborarlos se han seguido prácticas de fabricación apropiadas y que se trata de suplementos de alta calidad y carentes de gluten y derivados lácteos.

CÓMO CONSIGUIÓ CLAIRE CONTROLAR SUS TOXINAS

Cuando Claire comprendió la ingente cantidad de toxinas a la que había estado expuesta y la magnitud de la carga tóxica que, con toda probabilidad, soportaba, se sintió abrumada y desalentada. «Me sentía rodeada», me dijo. «Era como si todo lo que tenía a mi alrededor estuviera siempre al acecho para hacer que cayera enferma en cualquier momento.»

La animé a que cambiara ese sentimiento de temor por un compromiso de ser ella la que se pusiera en acción, y le recordé que muchas veces era preferible plantearse objetivos menores e ir procediendo paso a paso. Después de todo, como veremos en el capítulo siguiente, el estrés también afecta a nuestro sistema inmunitario. Debemos impedir que la ansiedad por la carga tóxica se convierta en un nuevo problema.

Claire se había comprometido a seguir el método Myers en lo que se refiere a la dieta, incluyendo el protocolo de las cuatro erres para sanar el tubo digestivo. Cuando comenzó a aplicar la dieta, decidió aplicar los cuatro pasos clave se que le había propuesto: uso de filtros HEPA en los conductos de ventilación de su casa, que dieron los resultados esperados; colocación de filtros de agua en los grifos y uso de un térmo de acero inoxidable; consumo de de alimentos orgánicos cocinados con utensilios carentes de teflón y conservados en recipientes que no fueran de plástico, y sustitución de los productos de higiene corporal y cosmética que contuvieran compuestos tóxicos. «Son cosas que hago a diario, a veces varias veces al día», me dijo. «Como, bebo, me ducho y uso productos de higiene corporal todo el tiempo, así que espero que estas medidas fortalezcan mis defensas, en vez de debilitarlas».

Claire pensó que, después de 30 días de aplicación del método Myers, podía dedicar nuevas energías a realizar algunos cambios adicionales. Me comentó que, una vez llegados a este punto, se estaba planteando el reemplazo paulatino de sus productos de limpieza e higiene personal, el uso de servicios de limpieza en seco ecológica y, tal vez, incluso la adquisición de un colchón orgánico (véase el apéndice E). Empezando poco a poco y evolucionando paso a paso, Claire había conseguido sentirse cada vez más fuerte y ya no se veía superada por las circunstancias.

Enseguida obtuvo su recompensa por haber combinado su plan de alimentación y la aplicación de las cuatro erres con estas importantes medidas desitoxicantes. En pocas semanas los síntomas que padecía mejoraron de manera radical y aumentó también drásticamente la energía corporal que percibía. Según me dijo, por primera vez en mucho tiempo se sentía «de nuevo normal, como la persona que antes solía ser. ¡Resulta tan reconfortante sentirse bien de nuevo!».

Al finalizar nuestra última consulta me dijo: «Hubiera deseado no tener que afrontar todos estos problemas. Pero una vez que no ha habido más remedio que padecerlos, al menos ahora cuento con la información y con los recursos que necesito. Es sorprendente que incluso los más pequeños cambios puedan suponer una diferencia tan extraordinaria».

CAPÍTULO 7

Cure sus infecciones y alivie su estrés

JASMINE, UNA DE MIS PACIENTES, se sentía preocupada. Era una mujer de cuarenta y pocos años con un hijo, un marido al que veía poco porque viajaba constantemente por motivos laborales, y un sacrificado trabajo como profesora en la universidad. Había venido a verme 6 meses antes llena de esperanza. Llevaba tiempo luchando contra la enfermedad de Graves, la misma enfermedad autoinmune que yo padezco, y había encontrado algo de alivio en nuestro trabajo en común. Ya no tenía que enfrentarse a esos incapacitantes ataques de pánico que la asaltaban en el momento menos pensado, incluso cuando se encontraba dando clase o cenando con su hijo. Ya no le temblaban las manos cuando sujetaba un tenedor o un bolígrafo. Y tras meses de un insomnio persistente que había hecho que se sintiera siempre frustrada y agotada, por fin podía dormir toda la noche.

No obstante, Jasmine seguía aún una medicación destinada a detener la excesiva producción hormonal de su glándula tiroides, y esa medicación tenía efectos secundarios. Puede parecer una ironía pero, dado que la medicación reducía los efectos del exceso de hormona tiroidea, Jasmine sufría ahora los síntomas opuestos, asociados a una baja función tiroidea: piel seca y agrietada, fatiga y estreñimiento. A pesar de que llevaba una dieta sana, había empezado además a ganar peso.

«Estos efectos secundarios son muy duros de sobrellevar», me decía.

«Quiero perder ese peso que he ganado. Quiero recuperar la energía que tenía antes. ¡Y quiero dejar de tomar todos los medicamentos!».

Hasta ese momento y a pesar de su diligente compromiso de seguir el plan de alimentación del método Myers y de mantener su salud intestinal, no habíamos sido capaces de alcanzar los objetivos previstos. «Doctora Myers», me preguntó con respeto, pero también con insistencia, «¿esto es lo más que puedo esperar?».

«Rotundamente no», le dije. «Sé que podemos avanzar más». Para hacerlo, le expliqué, necesitaríamos volver al cuarto pilar del método Myers: *curar las infecciones y aliviar el estrés*.

Le expliqué a Jasmine que la dieta y la salud intestinal pueden conducir a mejoras radicales en muchos pacientes, pero que, en ocasiones, estas no son suficientes. A veces es necesario detenerse en las infecciones que con frecuencia se asocian a la esclerosis múltiple, al lupus y a otras enfermedades autoinmunes.

Jasmine me miró confundida. «Pero yo creía que nos habíamos ocupado ya de mis infecciones», me dijo. «¡La candidiasis y el SBID (sobrecrecimiento bacteriano en el intestino delgado) desaparecieron hace meses!».

«Sí», le expliqué, «pero hay otras infecciones causadas por virus o diferentes tipos de bacterias que también pueden dar problemas. Por ejemplo, el virus del herpes y el virus de Epstein-Barr causante de la mononucleosis pueden también desencadenar problemas de autoinmunidad, al igual que la bacteria *E. coli*».

Continué explicándole que estos tipos de infecciones pueden dar lugar a un trastorno autoinmune, o pueden desencadenar un brote en alguien que lleva tiempo libre de síntomas. Además, le indiqué que en ocasiones el estrés también vuelve a desencadenar infecciones y empeorar un trastornos autoinmune, o incluso provoca su desarrollo, esté implicada o no una infección. El estrés también puede dar lugar a aumento de peso, que en sí mismo es inflamatorio…Y, su caso, esa inflamación adicional estaba suponiendo un esfuerzo extra para su sistema inmunitario.

Jasmine asentía con la cabeza mientras yo hablaba del estrés. Era una mujer fuerte procedente de una familia de inmigrantes, estaba acostumbrada a enfrentarse a grandes retos y, de hecho, había arrastrado muchos en los últimos meses. El departamento universitario en el que trabajaba acababa de sufrir un recorte de fondos. Su matrimonio en la distancia no le resultaba fácil. Y a su hijo acababan de diagnosticarle problemas de aprendizaje.

«De acuerdo, entonces», le dije a Jasmine. «Es estupendo que se haya cuidado el intestino y que siga llevando una dieta sana, y que haya comprobado los buenos resultados. Ahora vamos a pasar al nivel siguiente. Nuestros próximos pasos serán curar las infecciones y aliviar la carga de estrés».

EL CUARTO PILAR DEL MÉTODO MYERS

Hasta aquí hemos hablado de los tres primeros pilares del método Myers:

1. *Sanar el tubo digestivo.*
2. *Erradicar el gluten, los cereales y las legumbres.*
3. *Controlar las toxinas.*

Ahora ha llegado el momento de explorar el cuarto pilar:

4. *Curar las infecciones y aliviar el estrés.*

Es posible que algunas personas, como Jasmine, deban abordar alguna infección bacteriana o vírica persistente (las infecciones *intestinales* más corrientes se abordan en el método Myers y en el programa de las cuatro erres de salud intestinal). En este cuarto pilar se contempla también el estrés, que puede componer con la infección un círculo vicioso: con frecuencia el estrés desencadena o reactiva una infección y las infecciones suponen estrés añadido para el organismo. Incluso las personas sin infecciones deben dar con formas sanas y saludables de afrontar el estrés que, en efecto, pone a prueba nuestro sistema inmunitario. De modo que detengámonos en el modo en el que las infecciones y el estrés empeoran los trastornos autoinmunes y en el modo en el que la curación de la infecciones y el alivio del estrés pueden hacer que vivamos más sanos.

AUTOINMUNIDAD E INFECCIÓN

Como muchos adolescentes, Jasmine había desarrollado una forma grave de mononucleosis cuando tenía catorce años. Todavía recordaba perfectamente la secreción nasal continua, el dolor de garganta, los dolores de cabeza y la fiebre elevada, que le duraron tres semanas, así como un cansancio, muy incapacitante para ella, que se prolongó durante toda la primavera y el verano de ese año.

La mononucleosis es provocada por el virus de Epstein-Barr, que una vez que se abre camino en el interior del organismo humano, no lo abandona. Aunque Jasmine nunca había registrado una recaída de mononucleosis, siempre estaría infectada por el virus de Epstein-Barr.

La mononucleosis es una de las numerosas infecciones —bacterianas y víricas— que se han asociado a enfermedades autoinmunes. Es frecuente que las infecciones desaten un trastorno autoinmune. Otras veces las infecciones hacen que una enfermedad empeore, o bien desencadenan un brote.

Como ocurre con muchas patologías autoinmunes, queda todavía mucho por saber. Los científicos han propuesto varias teorías: a continuación comentaremos algunas de las más importantes. Las infecciones afectan a nuestro sistema inmunitario de múltiples maneras, de modo que todas estas hipótesis encierran algo de verdad.

Mimetismo molecular. Ya hemos aludido al mimetismo molecular en relación con la manera en la que el sistema inmunitario responde a alimentos reactivos, como los productos lácteos y el gluten. Sin embargo, este mecanismo puede ponerse en funcionamiento también por efecto de las infecciones. Supongamos que contrae una infección por acción de un virus o una bacteria. Los linfocitos T y B de su sistema inmunitario no son capaces de distinguir entre el virus y su tejido, de modo que atacan a ambos. Reclutan además otros elementos del sistema inmunitario y los «instruyen» para que ataquen también.

Activación inespecífica. Según esta teoría, cuando una infección destruye tejidos, el sistema inmunitario acude veloz al lugar para «apagar el fuego». Presenta batalla a la infección, como es de suponer. Pero también ataca a los tejidos colindantes, que serían el observador inocente en este escenario. La activación inespecífica o activación *bystander* se produce en infecciones tanto bacterianas como víricas. Sin embargo, dado que los virus se alojan en profundidad en las células, es más probable que sean ellos los que provoquen este tipo de ataque: el sistema inmunitario irrumpe para atacar al virus, que se halla rodeado de tejido celular, inocente observador en la línea de fuego.

Antígenos encriptados. De acuerdo, este es un término *muy* científico, de modo que si lo prefiere piense en esta teoría como en un «secuestro». Se aplica normalmente a los virus, como el virus del herpes o el de Epstein-Barr, que pueden secuestrar el ADN celular en un intento por esconderse del sistema inmunitario de la persona imitando sus células. Sin embargo, el sistema inmunitario no se deja engañar tan fácilmente. Reconoce que existe una infección en el organismo y pone en marcha un ataque que se hace extensivo a los virus y a las células secuestradas por el «invasor».

Ahora echemos un vistazo a algunas de las infecciones clave que con mayor frecuencia se asocian a trastornos autoinmunes. No son en absoluto las únicas infecciones que pueden desencadenar autoinmunidad, pero son las que he observado más a menudo y las más estudiadas.

INFECCIONES VÍRICAS: HERPES

Existen muchos virus en la familia de los herpes y todos ellos parecen estar implicados en trastornos autoinmunes. No obstante, los más estudiados son el virus del herpes simple de tipo 1 y 2 y el virus de Epstein-Barr, de modo que nos centraremos en ellos.

El virus del herpes simple es el responsable de las calenturas en la boca (herpes labial) y del herpes genital. Si usted tiene un herpes, probablemente ya lo sabrá, pero también puede pedirle a su médico que le realiza una prueba. No obstante, cerca del 90% de las personas que viven en Estados Unidos presentan anticuerpos frente a uno de estos virus del herpes simple o frente a ambos, de modo que aunque piense que no lo tiene, podría simplemente no haber sido nunca consciente de ello. El herpes no tiene cura: una vez que entra en el organismo, se queda. No obstante, unas veces está activo, mientras que otras permanece latente.

Cuando el virus del herpes está activo, el sistema inmunitario fabrica anticuerpos contra él y esos anticuerpos pueden desencadenar cualquiera de las respuestas autoinmunes que hemos visto. Cuando el virus del herpes está latente, es menos probable que se vea implicado en una reacción autoinmune; no obstante, es posible que la persona no sepa si está activo o no, dado que los signos pueden ser mínimos y pasar desapercibidos.

El herpes activo se trata con fármacos antivíricos recetados por el médico. También se pueden tomar suplementos de lisina, que es un aminoácido, y de monolaurina, habitualmente obtenidos a partir del aceite de coco (véase la tabla «Suplementos del programa autoinmune del método Myers», en las páginas 229-233).

INFECCIONES VÍRICAS: VIRUS DE EPSTEIN-BARR

La infección que se ha estudiado más exhaustivamente en relación con la autoinmunidad es la causada por el virus de Epstein-Barr, el que infectó a mi paciente Jasmine causándole mononucleosis (yo tuve mononucleosis en la adolescencia, de modo que también sufrí la infección por este virus). El virus de Epstein-Barr forma parte de la familia de los herpesvirus, el mismo grupo responsables del herpes genital, del herpes labial, de la varicela y del herpes zóster. Dado que, en Estados Unidos, el 95% de los adultos de cuarenta años ha resultado infectado en algún momento de su vida por este virus, es probable que usted también lo haya padecido. La mitad de los niños sufren la enfermedad antes de los cinco años, de manera que si vive usted en Estados Unidos, el virus de Epstein Barr formará parte de su vida.

Llegados a este punto, se estará usted preguntando : «¡Un momento! Estoy segura de que el 95% de la gente que conozco no ha tenido mononucleosis». Sin embargo, es posible estar expuesto al virus de Epstein-Barr, desarrollar mononucleosis y no manifestar nunca síntoma alguno. O puede que le hayan diagnosticado erróneamente la enfermedad como gripe. Pero el 95% de los habitantes de Estados Unidos tiene anticuerpos frente al virus de Epstein-Barr, lo cual significa que, de alguna manera, resultaron en alguna ocasión infectados. Y una vez que el virus entra en el organismo de una persona, permanece en él para el resto de su vida, se sienta o no enferma.

Los investigadores han relacionado el virus de Epstein-Barr con diferentes enfermedades autoinmunes, como la esclerosis múltiple, el lupus, el síndrome de fatiga crónica, la fibromialgia, la enfermedad de Hashimoto, el síndrome de Sjögren y la enfermedad de Graves. Las conexiones con la esclerosis múltiple y el lupus son especialmente significativas. Por ejemplo, en un estudio en torno al 99% de los niños con lupus tenían anticuerpos de virus de Epstein Barr, frente al 70% de los niños de un grupo control sano y sin lupus.

De igual modo, si por un lado el 95% de los resistentes en Estados Unidos presentan anticuerpos frente al virus de Epstein-Barr, por otro el 100% de las personas con esclerosis múltiple también los tienen. Básicamente, las personas con esclerosis múltiple dan positivo en las pruebas de Epstein-Barr, mientras que las personas *sin* el virus no parecen tener esclerosis múltiple. También sabemos que valores altos de anticuerpos para Epstein-Barr son predictivos de síntomas y brotes de esclerosis múltiple y que antecedentes de mononucleosis infecciosa duplican el riesgo de esclerosis múltiple.

No se trata simplemente de que las personas con enfermedades autoinmunes sean más propensas de algún modo a presentar infección por virus de Epstein-Barr. Su *carga vírica*, es decir, su nivel de virus en sangre, es además mucho más alta que en los individuos sanos. Cuando se contrae una infección vírica, parte de los virus pueden quedarse en la sangre, incluso cuando el individuo no presenta ya síntomas. El grado de presencia del virus se mide en términos de número de «copias» víricas existentes por mililitro de sangre. No es necesario conocer todos los detalles técnicos, solo basta con saber que si se tiene una carga vírica más alta, ello significa que el virus está más activo y más presente en la sangre de esa persona que en la de alguien con una menor carga vírica, aunque no se tengan síntomas.

Dos estudios cuyos resultados han sido recientemente confirmados de nuevo hallaron que los pacientes de lupus tenían una carga vírica entre 15 y 40 veces más alta que las personas sin enfermedades autoinmunes. Y de hecho, cuando realicé pruebas a Jasmine, su carga vírica para Epstein-Barr era también inusualmente alta. Existen dos modos de tratar la infección por Epstein-Barr. Los profesionales de la medicina convencional confían en la prescripción de antivíricos. Desgraciadamente, la mayoría de estos fármacos no son muy eficaces y el que lo es ha resultado tener efectos secundarios. Para ser honestos, la prescripción de fármacos no es un tratamiento eficaz. Yo prefiero emprender una estrategia basada en dos frentes:

1. Hay que apoyar al sistema inmunitario siguiendo los protocolos del método Myers, expuestos en el capítulo 8: consumir alimentos protectores del sistema inmunitario y tomar suplementos de calidad; mantener la salud intestinal y beber mucha agua filtrada; realizar el tipo adecuado de ejercicio (véase la página 223 para saber cuándo es más conveniente tomárselo con un poco más de tranquilidad); dormir entre 7,5 y 9 horas todas las noches, o más si es necesario; favorecer las vías de desintoxicación del organismo; desintoxicar el entorno de la persona en la medida de lo posible; y reducir y/o controlar el estrés.
2. Quienes se sientan preocupados por una posible infección pueden también consumir cantidades sustanciales de aceite de coco y derivados del coco (véase la página 213 y la sección pág. «Recursos»). A ellos les alegrará sin duda saber que muchas recetas del método Myers incluyen cantidades saludables de aceite de coco, de modo que se trata de un buen comienzo.

INFECCIONES BACTERIANAS Y AUTOINMUNIDAD

A continuación proporciono una lista de las asociaciones más frecuentes entre infecciones bacterianas y trastornos autoinmunes:

Tipo de microbio	Trastorno asociados
Campylobacter	Síndrome de Guillian-Barré
Chlamydia pneumoniae *	Esclerosis múltiple
Citrobacter, Klebsiella, Proteus, Porphyromonas	Artritis reumatoide
E. coli, Proteus	Autoinmunidad en general
Klebsiella	Espondilitis anquilosante
S. pyogenes	Fiebre reumática
Yersinia	Enfermedad de Graves, tiroiditis de Hashimoto
* No se trata de la misma bacteria que causa la enfermedad de transmisión sexual, aunque, obviamente, pertenece a la misma familia.	

Esta lista no es en modo alguno exhaustiva, pero es un buen punto de partida para trabajar con su médico. Si no mejora con la suficiente rapidez, esto es, después de unos tres meses de seguimiento del método Myers, considere la posibilidad de solicitar al médico que valore el tipo de infección asociado a su enfermedad. Si no lo ve necesario, explíquele que usted ha leído que las infecciones están implicadas en los trastornos autoinmunes y que se quedaría más tranquilo si supiera que esas infecciones no están empeorando su problema.

Si las pruebas son positivas, puede que tenga que tomar antibióticos para curar las infecciones. Espero que no sea necesario recordar a estas alturas que, cuando se sigue un tratamiento antibiótico, hay que tomar siempre probióticos para reponer las bacterias saludables. Asimismo, es conveniente tomar ácido caprílico y un complejo enzimático llamado candisol, que descompone la pared celular de las levaduras, lo que previene la proliferación de las mismas mientras se están tomando antibióticos. (Simplemente siga el protocolo para abordar la proliferación de este tipo de hongos indicado en la página 228.) Para prevenir o reparar el trastorno conocido como intestino permeable al que pueden dar lugar los antibióticos, asegúrese de que está tomando también la lista de suplementos sugerida en las páginas 229-233.

EL EFECTO INFECCIOSO DE LA ENFERMEDAD DE LYME

Otro tipo de infección implicado habitualmente en los procesos autoinmunes es la enfermedad de Lyme, causada por bacterias conocidas como *espiroquetas*. Estos microorganismos se propagan por las picaduras de las garrapatas y están presentes especialmente en el nordeste de Estados Unidos. Cerca del 60% de los pacientes de enfermedad de Lyme no tratados desarrollan artritis, que persiste durante años, lo cual ha llevado a los científicos a plantear que la artritis podría tener su causa en una respuesta inflamatoria de activación inespecífica o de mimetismo molecular.

Esta estrecha conexión entre enfermedad de Lyme y artritis lleva con frecuencia a confusión. A muchas personas se les diagnostican enfermedades autoinmunes cuando en realidad tienen la enfermedad de Lyme, y viceversa. Y, por supuesto, algunas personas tienen ambos trastornos, en cuyo caso es necesario tratar cada enfermedad por separado; no basta con tratar solo una de ellas.

Si piensa que podría padecer enfermedad de Lyme o artritis, asegúrese de que su médico ha llevado a cabo un completo y cuidadoso estudio diagnóstico, para que pueda recibir el tratamiento correcto. Lo más eficaz es empezar por averiguar si realmente se sufre la enfermedad de Lyme.

Existe una prueba convencional para esta patología, que puede solicitarse pero que, según he podido comprobar, no es muy precisa, pues da lugar a numerosos falsos negativos, es decir, que la prueba puede determinar que no se tiene enfermedad de Lyme cuando en realidad sí se padece. Yo prefiero aplicar una prueba más compleja, conocida como iSpot Lyme. Puede usted acudir a un profesional de la medicina funcional y solicitarle la prueba o puede pedirle a su médico convencional que solicite la prueba en una de las fuentes citadas en la sección Referencias. Incluso si su médico convencional se muestra escéptico, debe estar dispuesto a descartar la enfermedad de Lyme mediante esta prueba.

LA CONEXIÓN CON LA VITAMINA D

La vitamina D es absolutamente esencial para el sistema inmunitario. Se obtiene del pescado azul y de la exposición al sol y también se puede tomar como suplemento, lo cual recomiendo.

Sin embargo, la vitamina D que se obtiene de estas fuentes ha de ser metabolizada por el organismo. El hígado fabrica 25-hidroxivitamina D, mientras que los riñones fabrican 1,25-hidroxi-vitamina D, que es la versión activa.

Muchas personas son conscientes hoy en día de que deben tener niveles normales o altos de 25-hidroxi-vitamina D, que parece tener función protectora frente al cáncer de mama y de colon. Sin embargo, la mayoría de los médicos —incluso los que se dedican a la medicina funcional— no comprueban los niveles de 1,25-hidroxi-vitamina D. El investigador Trevor Marshall ha llegado a la conclusión de que tener niveles altos de 1,25-hidroxi-vitamina D y niveles bajos de 25-hidroxi-vitamina D induce a veces depresión del sistema inmunitario, lo cual podría conducir a autoinmunidad. Pida a su médico una valoración de los niveles de ambos tipos de vitamina D y después trabajen juntos para restablecer un equilibrio saludable.

LA PARADOJA DEL ESTRÉS

«De acuerdo», dijo Jasmine después de que habláramos de su carga vírica en relación con el virus de Epstein-Barr. «Seguiré ayudando a mi sistema inmunitario con el método Myers y tomaré los derivados de coco que me ha recomendado. ¿Hay algo más que pueda hacer para seguir progresando?»

Le dije que sí, que había algo más. El siguiente paso era fijarse en la carga de estrés. El estrés a menudo propicia infecciones y, en general, tiene efectos perjudiciales sobre el sistema inmunitario. Los retos a los que se enfrentaba a diario Jasmine en el trabajo y en casa formaban parte de la vida plena y satisfactoria que ella había elegido. Pero también formaban parte de la carga de estrés responsable de que su enfermedad autoinmune fuera más difícil de resolver.

Le sorprendió saber que el estrés fuera un factor tan importante en su enfermedad. La familia de Jasmine la había criado en el convencimiento de que el estrés era algo que simplemente había que «sacudirse de encima», un producto residual inevitable del trabajo duro. Ella estaba más acostumbrada a ignorar su carga de estrés que a pensar en lo que podía hacer para aligerarla.

Mucha gente ve el estrés de esa manera. Sin embargo, el estrés tiene un enorme impacto sobre nuestro sistema inmunitario y nuestra salud, algo que la mayoría de la gente, e incluso la mayoría de los médicos, no reconocen. Teniendo en cuenta el importante papel que desempeña en nuestra salud y en nuestra vida diaria, hay que reconocer que existen muchas ideas erróneas sobre el estrés. De modo que aclaremos esas ideas equivocadas y descubramos el papel crucial de este componente en los trastornos autoinmunes.

He aquí el primer punto que me gustaría compartir, quizá el más importante: el modo de pensar, de sentir y de responder en distintas situaciones no afecta solo al nivel de estrés de la persona, sino que *también afecta a su sistema inmunitario.*

Sí, ha leído bien. Cuando está de mal humor, estresado, sufriendo ansiedad o al límite de su resistencia, su sistema inmunitario se ve afectado. Cuando uno se siente tranquilo, sereno o sosegadamente contento, el sistema inmunitario también lo nota.

Pues bien, aquí es donde empieza la complicación. El estrés efectivamente afecta al sistema inmunitario, pero no lo hace de un modo lineal, unidireccional o fácil de comprender. Sus efectos sobre el sistema inmunitario son reales, pero complejos. En ocasiones son francamente paradójicos, lo cual significa que puede parecer que estuviera haciendo dos cosas opuestas a la vez. Es necesario fijarse mucho para saber con exactitud lo que está pasando. Por fortuna hay una serie de pautas que puede seguirse para orientarse en este contexto.

Cuando los científicos descubrieron la relación entre estrés y función inmunitaria, pensaron que ese vínculo era mucho más simple de lo que en realidad es. Hace cerca de sesenta años, el investigador pionero en el campo del estrés Hans Seyle observó que las experiencias perturbadoras o difíciles provocaban inhibición del sistema inmunitario. En experimentos llevados a cabo en ratas, descubrió que los tejidos de la glándula del timo se atrofiaba cuando las ratas eran sometidas a una «molestia inespecífica», es decir, a estrés.

Ahora bien, como ya he mencionado, la capacidad de la glándula del timo para producir, regular y mantener el equilibrio de linfocitos T es crucial para el sistema inmunitario. De modo que si el estrés afecta al timo, es de esperar que exista una relación importante en cualquiera que sufra un trastorno autoinmune.

Por supuesto, el estrés no afecta solo al timo. Altera numerosos aspectos de la función inmunitaria por diferentes vías.

A propósito, cuando digo «estrés» no estoy hablando solo de estrés emocional. El estrés físico tiene el mismo efecto. Una intervención quirúrgica, el entrenamiento para una maratón o salir de copas durante toda una noche son importantes agentes estresantes. También lo son comer gluten, consumir alimentos reactivos y lidiar con una importante carga tóxica. Por supuesto que es el estrés también incluye retos emocionales, como preocuparse por la situación económica, afrontar la presión de los plazos o tener una dolorosa discusión con un ser querido.

El organismo responde al estrés de cualquier tipo liberando una cascada de hormonas del estrés, sustancias bioquímicas que ayudan al organismo a superar un reto. Al mando de todas ellas se encuentra el *cortisol*, una potente hormona con una amplia variedad de efectos. El cortisol es necesario para movilizar la energía física, mental y emocional y responder a una demanda importante. El cortisol ayuda a la persona a centrarse y a mantener la motivación, pero también puede ser responsable de que se sienta nerviosa, inquieta y «estresada».

Otro aspecto del cortisol es que tiene un potente efecto inflamatorio. Esto cobra sentido si recordamos por qué es necesaria la inflamación en primera instancia. La inflamación es la respuesta del sistema inmunitario a una herida, una lesión o una infección, a una amenaza a la seguridad y a la integridad corporales. Si la persona se encuentra en una situación estresante, el cortisol ayuda a afrontarla, pero también alerta al sistema inmunitario. El cortisol garantiza que, si el reto al que se enfrenta la persona es una ataque o una lesión, las sustancias químicas de la inflamación estarán ahí listas para acudir a la herida.

De modo que en la respuesta de estrés, al contrario de lo que pensaban los científicos en un principio, el estrés *no* provoca inicialmente inhibición del sistema inmunitario, sino que en realidad lo *activa*.

Esta respuesta no tiene mucho sentido si el reto es más emocional que físico. Sin embargo, el sistema inmunitario sigue reaccionando como en los tiempos en los que «reto» significaba intenso esfuerzo físico o peligro. Para bien o para mal, cada organismo tiene solo una respuesta de estrés, que se desata ya sea el estrés físico (huir de un tigre dientes de sable, caminar por la tundra hasta otra aldea), mental (realizar una difícil ecuación, valorar cuál de los tres electrodomésticos ofrece la mejor calidad-precio) o emocional (ayudar con las tareas del colegio a un hijo con problemas de aprendizaje, preocuparse por el futuro profesional).

No obstante, esos primeros científicos también estaban en lo cierto: el estrés activa la respuesta inmunitaria, pero también la inhibe. La misma hormona inflamatoria provoca un alto grado de actividad inmunitaria y a continuación la inhibe. En otras palabras, el estrés estimula el sistema inmunitario, que a su vez moviliza una reacción en cadena que desencadena la liberación de cortisol, el cual inhibe el sistema inmunitario. En un sistema inmunitario sano el proceso lleva alrededor de una hora. De modo que se cuenta con 60 minutos de activación, seguidos de una depresión gradual del sistema inmunitario.

¿Por qué habría de comenzar el sistema inmunitario una cadena cuyo punto final es su propia inhibición? Las respuestas tienen especial importancia para quienes tienen o podrían desarrollar un trastorno autoinmune, de modo que prosiga con la lectura.

INHIBICIÓN POR ESTRÉS

Quedamos pues en que tiene sentido que el estrés *active* el sistema inmunitario, ¿de acuerdo? La mayor parte del tiempo el sistema inmunitario de cualquier persona sana simplemente se mantiene en su estado basal. Sometido a estrés (algo que el organismo interpreta como un peligro potencial), el sistema inmunitario se pone en marcha. Evidentemente, no puede permanecer en alerta máxima *todo* el tiempo, pues, si así fuera, utilizaría demasiados recursos del organismo.

No obstante, como vimos en el capítulo 3, si su sistema inmunitario permanece en estado de máxima alerta durante demasiado tiempo, la brigada de seguridad, volviendo de nuevo a la alegoría referida a ella, es sometida a una presión excesiva, se ve sobrepasada, pierde el control y comienza a disparar, no solo contra los «malos», sino contra los propios tejidos orgánicos.

En otras palabras, el estrés agudo —un plazo a punto de vencer, una breve discusión con su pareja, un entrenamiento de treinta minutos— revoluciona el sistema inmunitario, de modo que pueda contar con esa protección adicional en momentos de crisis. Después, una vez que el estrés ha pasado, el sistema inmunitario vuelve de nuevo a su estado basal. Eso es lo bueno del estrés agudo: incluye su propio mecanismo de parada. En el estrés crónico, en cambio, el sistema inmunitario se activa y, como el estrés no llega nunca a desaparecer, el sistema inmunitario *se mantiene* activado, porque no tiene ocasión de volver a su estado basal. El resultado es un organismo lleno de inflamación y, al final, es posible que todo desemboque en una enfermedad autoinmune.

Por supuesto, el organismo está diseñado para que esto no suceda. El estrés intenta *inhibir* la respuesta inmunitaria, precisamente para evitar que escale hasta la sobreactivación y la autoinmunidad. Los mayores agentes estresantes —ya sea en una forma de estrés extremadamente intensa ya sea en un estado de estrés que se prolonga durante mucho tiempo— dan lugar a que el sistema inmunitario no vuelva a su estado basal, sino a un punto entre un 40 y un 70% *por debajo* de ese punto de partida, es decir a un estado en el que realmente existe ya inmunodepresión.

Esta es la razón por la cual los profesionales de la medicina convencional tratan los trastornos autoinmunes con corticosteroides, que son una forma de cortisol. Saben que el estrés suprime el sistema inmunitario y tratan de calmar su actividad excesiva. El problema es que, una vez que el sistema inmunitario ha sido inhibido, ya no puede proteger al individuo frente a amenazas reales.

Y aquí llega la parte realmente paradójica: a pesar de que el estrés parece suprimir el sistema inmunitario, *también puede hacer que enfermedades autoinmunes e inflamatorias empeoren.* Diversos estudios han puesto de manifiesto que, en muchos trastornos autoinmunes, entre ellos la esclerosis múltiple, la artritis reumatoide, la colitis ulcerosa, la enfermedad inflamatoria intestinal y el asma, el estrés es lo que en primer lugar desencadena la enfermedad, y también lo que provoca los brotes. Y adivina qué. Esta conexión del estrés es aplicable a la enfermedad de Jasmine (y mía), es decir a la enfermedad de Graves, como descubrí cuando el estrés por la muerte de mi madre y por mi primer año en la facultad de medicina me empujó al borde de la enfermedad de Graves.

EL DESENCADENANTE DEL ESTRÉS

Para comprender la naturaleza paradójica del estrés, el modo en el que puede modificar los síntomas de autoinmunidad *y* hacer que una enfermedad empeore, hemos de distinguir el estrés agudo del crónico y, dentro de este último, diferenciar también los distintos tipos.

Como acabamos de ver, una respuesta de estrés sana es aguda: se desencadena… estimula el sistema inmunitario de la persona… se apaga, y el sistema inmunitario vuelve a su estado basal.

Por el contrario, el estrés crónico, es decir, aquel que parece no acabar nunca, termina por inhibir el sistema inmunitario, hasta dejarlo entre un 40 un 70% por debajo del estado de partida (piense en los estudiantes, que caen enfermos durante la semana de exámenes, o en la frecuencia con la que usted mismo se resfría después de dos meses duros en el trabajo).

No obstante, si los niveles de estrés suben y bajan —estrés crónico con algún descanso—, o si los niveles de estrés suben y suben y suben (como cuando se piensa que las cosas no pueden ir peor, y aun así empeoran), *entonces* se corre riesgo de sobreactivación del sistema inmunitario y, a la larga, de trastorno autoinmune.

De modo que el tipo de estrés constante y prolongado que produce tomar esos esteroides que el médico le prescribió inhibe de hecho su sistema inmunitario, situándole en riesgo de padecer otros trastornos, aunque con frecuencia los síntomas de la enfermedad autoinmune disminuyan. Y el estrés con muchos altibajos o que se mantiene en un nivel alto activa en exceso el sistema inmunitario. Eso puede desencadenar una enfermedad autoinmune, si la persona no la padece ya, o provocar un brote o una recaída, si ya se padece la enfermedad.

Ello podría parecer un defecto de diseño de nuestro sistema inmunitario. Según palabras de Robert M. Sapolsky, profesor de neurología y biología en la Universidad de Stanford, ganador de una beca MacArthur y autor de *Why Zebras Don't Get Ulcers* (¿Por qué las cebras no tienen úlcera?) «El sistema aparentemente no evolucionó para afrontar numerosas repeticiones de diversos apagados y encendidos…».

Este planteamiento está lleno de sentido. En tiempos primitivos el ser humano se enfrentaba a retos relativamente breves —el ataque de un predador, la necesidad de arrastrar una pesada barca fuera del agua— o a retos constantes y prolongados, como una larga migración o una época de hambruna. No hemos evolucionado para enfrentarnos a una sucesión de altibajos, de modo que nuestra complicada red de hormonas del estrés y sustancias químicas del sistema inmunitario no sabe cómo abordar esos altibajos. Si nos enfrentamos a una experiencia demasiado variable de estrés crónico, dice Sapolsky, «en última instancia algo descoordinado ocurre, incrementando el riesgo de que el sistema vire hacia la autoinmunidad».

ESTRÉS E INFECCIÓN

He aquí otra visión del modo en el que el estrés desencadena o empeora una enfermedad autoinmune: a través de la infección, especialmente de las infecciones víricas. Como ya hemos visto, tanto el virus de Epstein-Barr como el del herpes se encuentran inactivos o latentes en el organismo gran parte del tiempo. El virus del herpes permanece en estado latente aunque no se tengan calenturas en la boca ni un brote de herpes. Por su parte, el virus de Epstein-Barr queda en estado latente en el organismo desde el momento en el que la persona se recupera de la mononucleosis.

Cuando está activo, el virus se introduce en las células. Después entra en hibernación y se mantiene en estado latente: simplemente se encuentra ahí, sin replicarse a sí mismo, sin colonizar más células, en cierto modo escondido.

Sin embargo, con el tiempo, algo puede reactivar el virus. La primera reacción del virus será entonces replicarse a sí mismo, es decir, aumentar en número y potencia y colonizar más células. Después quedará de nuevo latente. Y el ciclo puede repetirse.

A menudo, cuando los virus se replican, las células de las que se adueñan estallan. Naturalmente, esto desencadena la respuesta inmunitaria. Tal como describe Sapolsky, «… cuando esas células inmunitarias activadas están a punto de abalanzarse, los virus se introducen en otras células. Y mientras las células inmunitarias limpian, el virus entra de nuevo en estado de latencia».

De modo que, como puede verse, si tiene usted un virus al acecho en su organismo, cada vez que ese virus sea reactivado, provocará a su sistema inmunitario. Ese agente estresante interno puede conducir a la sobreestimulación del sistema inmunitario… que a su vez es posible que conduzca a un trastorno autoinmune.

De acuerdo, pero ¿qué es lo que reactiva al virus? Un sistema inmunitario deprimido. Esos hábiles virus parecen saber cuándo es más seguro para ellos reactivarse, porque el sistema inmunitario está demasiado agotado, de modo que será incapaz de combatirlos de modo eficaz.

Llegados a este punto se estará preguntando: «¿Cómo demonios sabe el virus cuándo está agotado mi sistema inmunitario?». Pues bien, dado que el estrés deprime el sistema inmunitario, esos escurridizos virus responden en realidad a las hormonas del estrés, y concretamente a una forma de cortisol conocida como glucocorticoide. Y así es como, en momentos de estrés físico o psicológico, muchos virus se activan, entre ellos los virus del herpes, de Epstein-Barr, de la varicela y del herpes zóster.

Pero el proceso no termina aquí. Cuando el virus del herpes o el de Epstein-Barr infecta el sistema nervioso, *desencadena* la respuesta de estrés. El virus en sí desencadena la respuesta… que provoca la *activación* del virus… y que al mismo tiempo inhibe el sistema inmunitario. Y, por supuesto, el sistema inmunitario inhibido da al virus aún más rienda suelta para provocar síntomas sin ser destruido por todas estas sustancias químicas destructoras.

El **ESTRÉS**
reactiva las
infecciones latentes

La inflamación no dirigida
daña
los tejidos desencadenando
una respuesta de estrés

El sistema inmunitario combate la infección con
inflamación

A continuación el mecanismo en virtud del cual el estrés añadido a una infección vírica puede provocar o reactivar una enfermedad autoinmune:

✓ El estrés reactiva la infección.

✓ El sistema inmunitario se moviliza para destruir la fuente de infección.

✓ Mientras la infección está siendo combatida, los tejidos orgánicos también resultan atacados, ya sea por mimetismo molecular, ya sea por activación inespecífica o por secuestro.

CORTISOL, INFLAMACIÓN Y AUMENTO DE PESO: UN CÍRCULO VICIOSO

El cortisol generado por la respuesta de estrés tiene otro efecto secundario no deseado: provoca aumento de peso. Numerosos estudios han puesto de manifiesto que cuando los animales están estresados ganan peso, incluso ingiriendo el mismo número de calorías que antes de estarlo. Además, aumentan más de peso que los grupos control de animales no estresados que ingirieron la misma cantidad de calorías. Diversos estudios han llegado asimismo a la conclusión de que, si se les brinda la oportunidad, los animales tienden a comer más cuando están estresados, aunque ganan peso incluso cuando se les restringen las calorías.

Tales investigaciones son importantes, pues ponen de manifiesto que el estrés no está «solo en la cabeza», sino que está en el metabolismo, en las glándulas suprarrenales y en el sistema inmunitario. De igual modo, el aumento de peso inducido por el estrés no es cuestión de fuerza de voluntad, es cuestión de biología. Los animales no comen porque sus alimentos favoritos les recuerdan las etapas tempranas de su vida o porque sustituyen el amor por la comida. Comen porque su biología los lleva a hacerlo. El hecho de que coman más en estado de estrés y que ganen peso incluso cuando no comen más de la cuenta es una prueba de que estas cuestiones tienen una profunda base biológica.

Todo esto tiene sentido si se piensa en los animales —o en los hombres primitivos—, cuya respuesta al estrés les permite mantener su valiosa grasa corporal mientras afrontan las duras condiciones de la vida salvaje. Si fuera usted un hombre primitivo que se enfrenta al frío y al hambre durante un largo invierno nórdico o que emprende con los suyos una largo viaje a pie a través del desierto en busca de un nuevo hogar, su respuesta de estrés le ayudaría a retener grasa corporal, a obtener la máxima cantidad posible de calorías de lo que come y a mantenerse en alerta ante el peligro. Esta respuesta de estrés inflamatoria y almacenadora de grasa podría de hecho salvarle la vida.

Sin embargo, si es usted un ser humano del presente, cuyo estrés, como en el caso de Jasmine, consiste en dolorosas llamadas de teléfono a la escuela de su hijo, en inciertas reuniones con un departamento de la empresa en que trabaja que tiene con los fondos recortados y en conversaciones difíciles a larga distancia con su marido, tal vez la acumulación de grasa no le resulte tan útil. De hecho, podría incluso empeorar un peligroso trastorno, haciéndole propenso a la diabetes, las cardiopatías y otras enfermedades, entre ellas el empeoramiento de su trastorno autoinmune.

La grasa corporal inducida da otra vuelta de tuerca al círculo vicioso, porque esa grasa adicional también resulta inflamatoria. Contrariamente a creencias del pasado, según las cuales la grasa corporal era metabólicamente inerte —es decir, estaba ahí pero no hacia nada—, la grasa corporal es en realidad una fábrica química que desempeña un complicado papel en el funcionamiento de los sistemas hormonal y nervioso. Entre otras cosas, libera citocinas y otras sustancias químicas inflamatorias, elevando el nivel general de inflamación y provocando todos los síntomas relacionados de los que hemos hablado (para consultar una lista completa de los síntomas, véase la página 18).

Una vez más, en el caso de los hombres primitivos eso tenía sentido. El papel de la grasa corporal en los niveles de inflamación forma parte de la respuesta estrés-inmunitaria. Los tiempos de estrés eran, por definición, tiempos de aumento de peso, mientras se movilizaban sustancias químicas inflamatorias para afrontar heridas, lesiones o infecciones.

Hoy en día, sin embargo, ganar peso solo aumenta la temperatura inflamatoria en el organismo, ya de por sí estresado, y puede desencadenar el desarrollo de un nuevo trastorno autoinmune o provocar el estallido de uno viejo. Esto fue lo que le ocurrió a Jasmine, pues los numerosos agentes estresantes de su vida la llevaron a aumentar de peso y a generar respuestas inflamatorias que impedían que su organismo pasara al siguiente nivel de curación.

FATIGA SUPRARRENAL: OTRO PROBLEMA RELACIONADO CON EL ESTRÉS

El estrés no solo afecta al sistema inmunitario. También repercute en el sistema endocrino, el que produce y regula las hormonas, incluidas las del estrés. Como hemos visto, cuando una persona está estresada, ya sea física, mental o emocionalmente, el organismo responde con una cascada de hormonas del estrés, entre ellas el cortisol. Si el estrés es crónico, la persona corre riesgo de sufrir *«fatiga suprarrenal»*, un desequilibrio del sistema endocrino en el que los niveles de las hormonas del estrés son demasiado altos, demasiado bajos o ambas cosas a la vez.

Se consideran *agentes estresantes* muchos de los factores que se evitan al seguir el método Myers: el *gluten* y otros alimentos reactivos que suponen estrés para el sistema digestivo; las *comidas irregulares*, que ponen a prueba la glucosa sanguínea; *dormir muy poco*; y las *infecciones*. Todas estas cosas suponen estrés para el organismo, del mismo modo que los problemas psicológicos en el trabajo o en la vida personal. Así pues, todos los tipos de estrés ponen al individuo en riesgo de fatiga suprarrenal, lo cual afecta a su vez al intestino, a las demás hormonas (entre ellas las hormonas tiroideas y sexuales) y a muchos otros aspectos de la fisiología orgánica.

La fatiga suprarrenal se asocia asimismo a niveles bajos de la hormona conocida como DHEA (dehidroepiandrosterona), y cuando la DHEA cae demasiado, se convierte en un factor de riesgo de trastorno autoinmune. De modo que abordar la fatiga suprarrenal es crucial para la salud inmunitaria, así como para la salud general.

Los profesionales de la medicina convencional no reconocen la fatiga suprarrenal. Sí reconocen, en cambio, una enfermedad autoinmune conocida como enfermedad de Addison, en la cual las glándulas suprarrenales producen niveles extremadamente bajos de hormona del estrés. Si usted no tiene esos niveles de insuficiencia hormonal, los médicos convencionales le dirán que todo va bien.

Yo lo veo de otra manera. Desde mi punto de vista, la fatiga suprarrenal abarca un amplio espectro. En un extremo, el individuo está totalmente bien, lleno de energía y con plena función suprarrenal. Doy por supuesto que quien acude a mi consulta o quien lee mi libro con algún problema de salud, no se encuentra en ese extremo. En el extremo opuesto se encuentra la enfermedad de Addison. Y entre ambos límites hay un amplio rango de grados de insuficiencia suprarrenal, todos los cuales suponen estrés para otros sistemas orgánicos y algunos de los cuales incrementan de modo significativo el riesgo de enfermedades autoinmunes.

Una de las razones por las que los profesionales de la medicina convencional contemplan esta situación en términos de blanco o negro es porque valoran la enfermedad mediante un análisis de sangre, que ofrece una serie de resultados poco minuciosos. Yo realizo una prueba salival, en la que los pacientes se toman ellos mismos muestras de saliva cuatro veces al día, lo cual me permite realizar un seguimiento del aumento y de la variación de los niveles hormonales. Las lecturas pueden variar enormemente desde valores altos a bajos y normales a lo largo del día, razón por la cual es necesario disponer de un cuadro completo de la situación antes de elaborar un diagnóstico.

Para tener una idea de su grado de fatiga suprarrenal, cumplimente el test siguiente y, a continuación, siga el protocolo recomendado. Para tratar la fatiga suprarrenal, yo intento averiguar qué es lo que está sometiendo a estrés al organismo y después ayudo a mi paciente a eliminar o a modificar los agentes estresantes, incluidos factores de la dieta, toxinas y problemas de la vida. Generalmente, estos factores son los mismos que están dando lugar al trastorno inmunitario, de modo que si usted está siguiente el método Myers ya se encuentra en el buen camino para descubrirlos y tratarlos. También recomiendo hierbas adaptogénicas, que ayudan a impulsar los niveles de hormonas del estrés cuando están bajos y a bajarlos cuando están demasiado altos.

TEST DE FATIGA SUPRARRENAL DEL MÉTODO MYERS

Marque todas las casillas aplicables en su caso:

☐ Me siento cansado con frecuencia.

☐ Me siento cansado incluso después de 8-10 horas de sueño.

☐ Siento estrés crónico.

☐ Me resulta difícil controlar el estrés.

☐ Trabajo en turno de noche.

☐ Trabajo muchas horas.

☐ Tengo pocos momento de relajación al día.

☐ Sufro frecuentes dolores de cabeza.

☐ No hago ejercicio de manera regular.

☐ Soy o he sido deportista de resistencia (o sigo un entrenamiento de tipo crossfit [entrenamiento de fuerza y acondicionamiento físico de alta intensidad con continua variación de ejercicios]).

☐ Mis patrones de sueño son irregulares.

☐ Me despierto en medio de la noche.

☐ Experimento súbitos deseos de tomar alimentos salados.

☐ Experimento súbitos deseos de tomar alimentos dulces.

☐ Mi ingesta de azúcar es elevada.

☐ Me cuesta concentrarme.

☐ Acumulo peso en la parte central del cuerpo (figura de manzana).

☐ Tengo problemas de azúcar en sangre (hipoglucemia).

☐ Tengo menstruaciones irregulares.

☐ Tengo la libido baja.

☐ Padezco síndrome premenstrual (SPM) o síntomas perimenopáusicos/menopáusicos.

☐ Enfermo con frecuencia.

☐ Mi presión arterial es baja.

☐ Tengo debilidad o fatiga muscular.

☐ Recurro a la cafeína para obtener energía (café, bebidas energéticas, etc.).

TEST DE FATIGA SUPRARRENAL DEL MÉTODO MYERS (continuación)

Puntuación

Menos de 2 casillas marcadas. ¡Excelente! Siga controlando el estrés para ayudar a sus glándulas suprarrenales y para reducir al mínimo el estrés que soporta su sistema inmunitario.

De 2 a 5 casillas marcadas. Bien. Siga el método Myers para ayudar a sus glándulas suprarrenales. No necesita ningún suplemento adicional, pero siga las estrategias de alivio del estrés propuestas en este capítulo.

De 6 a 10 casillas marcadas. Siga el método Myers para ayudar a sus glándulas suprarrenales, tome las hierbas adaptogénicas para fatiga suprarrenal que figuran en la tabla de la página 233 y siga las estrategias desestresantes propuestas en este capítulo.

Más de 10 casillas marcadas. Siga el método Myers para ayudar a sus glándulas suprarrenales y tome las hierbas adaptogénicas recomendadas para la fatiga suprarrenal en el capítulo de la página 233. Siga las estrategias desestresantes propuestas en este capítulo y consulte a un profesional de la medicina funcional si sus síntomas ni se resuelven en dos o tres meses. La fatiga suprarrenal puede ser un problema complejo y difícil de tratar, de modo que asegúrese de contar con la ayuda necesaria.

ESTRATEGIAS DESESTRESANTES

Jasmine escuchaba atentamente mientras yo le explicaba las formas en las que el estrés pone a prueba el sistema inmunitario y sus mecanismos de inflamación y provoca aumento de peso. Pensó unos instantes y luego negó con la cabeza, diciendo: «No sé qué hacer al respecto, doctora Myers. Los problemas que tengo no se pueden arreglar de inmediato. De modo que todo apunta a que mi estrés continuará».

Le dije que no era así. Tal vez ella no pudiera cambiar los problemas en sí mismos, pero había dos cosas que podía hacer: podía cambiar la manera de abordar esos problemas y podía encontrar la manera de deshacerse del estrés cuando la circunstancia estresante hubiera terminado. Por ejemplo, es posible que Jasmine se sintiera estresada cuando hablaba con los profesores de su hijo sobre sus dificultades de aprendizaje o cuando estaba sentada en una reunión intentando pensar en la manera de sacar adelante un departamento con un presupuesto tan limitado. Pero para su sistema inmunitario, su peso y su salud en general sería positivo que pudiera dejar a un lado ese estrés nada más terminar la conversación o al salir de la reunión.

Continué hablando a Jasmine sobre las circunstancias que habían dado nombre al libro *Por qué las cebras no tienen úlcera*, unas circunstancias que yo mismo había vivido. Las cebras no tienen úlceras —según Sapolsky— porque se deshacen del estrés tan pronto como la circunstancia que lo ha provocado desaparece. No gastan tiempo ni energía en preocuparse, porque un león pueda atraparlas: corren para alejarse del león cuando el león está ahí y se centran en otras cosas cuando el león se ha marchado.

Yo había presenciado exactamente esa situación cundo estuve en un safari en África. Desde la seguridad de nuestro todoterreno pude ver a un león abalanzarse sobre una cebra que se había aventurado unos metros lejos de la manada. La cebra se las arregló para escapar de las garras del león y, tan pronto como llegó a un lugar seguro, pudimos verla trotar tranquilamente con las demás cebras. En una situación similar la mayoría de los seres humanos se sentirían alterados y descompuestos durante varias horas tras el incidente potencialmente mortal y luego, durante varios días, sentirían ansiedad y nerviosismo. «Casi me mata», pensaría un ser humano. «El león podría haberme hecho mucho daño, podría haberme arrancado un brazo. ¡Y si vuelve? ¿Y si la próxima vez soy más lento y me mata de verdad? Odio pensar que el león tiene ese poder sobre mí, pero yo no soy más que un débil ser humano ¿qué puedo hacer?» Es así como se llega al estrés crónico, a la inflamación crónica y a los trastornos autoinmunes.

Una cebra no tiene ninguno de estos pensamientos. Su respuesta de estrés es siempre aguda, nunca crónica. Cuando el peligro acecha, la cebra reacciona. Cuando el peligro no acecha, la cebra está tranquila. De modo que, le dije a Jasmine, tenemos que aprender a ser un poco más como cebras.

Jasmine rió ante esa imagen, pero entendió mi punto de vista. Continué y le sugerí una serie de estrategias que podrían serle de ayuda para alejar los pensamientos estresantes y para deshacerse también físicamente del estrés. Si Jasmine era capaz de aliviar aunque solo fuera una parte de la tensión diaria que soportaba, liberándose de ella a lo largo del día o al menos al final de la jornada, su sistema inmunitario y su peso se lo agradecerían.

ESTRATEGIAS PARA ALIVIAR EL ESTRÉS

Acupuntura

Aficiones: dedique un tiempo a alguna afición personal.

Arte: realizarlo o admirarlo.

Artes marciales

Baile: ponga su canción favorita y baile para deshacerse del estrés.

Bañera de hidromasaje o jacuzzi

Conversación: hable con sus seres queridos. ¡Incluso una breve conversación puede bajar esos niveles de cortisol!

Desensibilización y reprocesamiento por movimientos oculares (EMDR): modalidad de terapia que ayuda a superar episodios traumáticos o sentimientos tristes.

Ejercicio (¡pero no en exceso!).

Golpetear: se trata de una práctica que forma parte de la técnica de libertad emocional, una manera de deshacerse de pensamientos y emociones estresantes.

Infusiones: reserve aunque solo sean cinco minutos para sentarse tranquilamente delante de una taza de una infusión de hierbas sin cafeína, centrándose en el aroma, la calidez y el sabor.

Juegos

Masaje

Mascotas

Meditación u oración

Música: varios estudios ponen de manifiesto que apenas media hora escuchando música puede reducir los niveles de colesterol.

Naturaleza: un buen paseo, una excursión o simplemente pasar un rato sentado en un entorno natural.

Prácticas espirituales: pase un tiempo en una iglesia, sinagoga, mezquita, sala de meditación u otro centro espiritual.

Respiración: ¡es fisiológicamente imposible sufrir ansiedad cuando se respira profundamente!

Sacudirse: literalmente, sacuda brazos, piernas y cabeza y visualícese expulsando con este movimiento las preocupaciones y el estrés, especialmente después de mantener una conversación triste o de recibir una mala noticia.

Sauna

Sexo

Tai Chi

Terapias: terapia psicodinámica, terapia cognitivo-conductual, musicoterapia o terapia artística.

Yoga

Del mismo modo que estudios en animales han demostrado que el estrés induce aumento de peso, estudios científicos han puesto de manifiesto que las estrategias desestresantes afectan a la respuesta biológica frente al estrés y, en consecuencia, al sistema inmunitario. Por ejemplo, varios estudios han llegado a la conclusión de que escuchar música durante media hora reduce los niveles de colesterol. Y un reciente estudio muy interesante ha mostrado que la meditación influye en la expresión de genes de la inflamación.

Y, tal y como le dije a Jasmine, dado que los seres humanos *no somos* cebras, tenemos que esforzarnos para aprender a afrontar el estrés, en cierto modo, como las cebras: vivir en el momento, sin preocuparnos por lo siguiente que sucederá o por lo que no podemos controlar. Efectivamente, esto lleva un poco de práctica. Pero, al final, habrá merecido la pena.

DESESTRESE SU DÍA

La forma de combatir el estrés es algo muy personal, que requiere un tiempo para que cada cual descubra qué medio es el más adecuado para tranquilizar la mente y relajar el cuerpo. Siempre les digo a mis pacientes que lo más importante es dedicar un tiempo a uno mismo durante el día, empezando con un mínimo de 15 minutos. Este intervalo puede irse aumentando, pero lo esencial es que realmente se pare. Sí, exactamente, hay que parar de hacer y empezar a ser. No importa lo que se haga, pero cuando se deje de hacer, cada uno sabrá que ha conseguido desdetresarse si se siente relajado, cargado de energía, sereno y feliz. Para algunos lo mejor es el ejercicio, para otros la meditación, pasear o echarse una siesta. Descubra cuál es su método y practíquelo todos los días.

EL TRIUNFO DE JASMINE

Jasmine se tomó muy en serio nuestras conversaciones sobre el estrés y su relación con el sistema inmunitario. Decidió que ella, su marido y su hijo necesitaban acudir a un terapeuta familiar que les ayudara a abordar los problemas de aprendizaje que acababan de identificar en su hijo, así como la relación a distancia que mantenía con su marido. «No es fácil hablar de nuestros problemas con un extraño», me dijo, «pero creo que, al final, ayuda».

Jasmine decidió que también necesitaba más tiempo para ella. Encontró unas clases de tango que se impartían en un centro municipal y empezó a acudir una vez por semana. Le gustó la combinación de ejercicio y expresión, de modo que pronto la clase semanal se convirtió en dos clases semanales, con alguna tarde ocasional de fin de semana.

Poco a poco, pero de forma segura, los esfuerzos de Jasmine dieron su fruto. El cuarto pilar estaba funcionando. Perdió el peso que había ganado, tenía mejor aspecto y se sentía mejor. Fuimos capaces de eliminar por completo la medicación de supresión y su glándula tiroides funcionaba perfectamente. Sus anticuerpos volvieron a valores normales. Jasmine se sentía llena de energía y vitalidad y entusiasmada con la vida, aun cuando la situación en casa y en el trabajo seguía siendo la misma.

Me produjo una alegría especial verla totalmente recuperada de la enfermedad de Graves, puesto que yo habría sufrido el mismo trastorno y sabía que era muy incapacitante. Los tratamientos médicos convencionales son muy duros, hasta el punto que a menudo se hace necesario extirpar el tiroides mediante intervención quirúrgica. Estaba muy contenta por haber podido evitar a Jasmine ese trance. Para mí, su historia es un testimonio del poder que tiene aliviar el estrés y del poder que tiene pensar como una cebra.

Parte III

Conocer los medios de aplicación

CAPÍTULO 8

La puesta en práctica del método Myers

BIEN, LLEGÓ LA HORA DE LA VERDAD. En torno al 80 % de los casos de curación que se producen en mi consulta se deben a la aplicación del método Myers, el itinerario que estamos a punto de iniciar. Me alegra pensar que dentro de poco empezará a encontrarse mucho mejor.

Hacia el final de la primera semana de aplicación del método, sentirá que mejoran sus energía, su concentración y su estado de ánimo. Este último adquirirá sin duda una nueva dimensión a medida que note que le resulta más fácil concentrarse y pensar con fluidez. Su piel adoptará una nueva tersura (no bromeo; eso es lo primero que sucede cuando se alivia la inflamación que ha estado asolando su organismo). Y, si hemos de atender a lo que mis pacientes me indican, su vida sexual también mejorará.

Este protocolo de treinta días es «ciencia concentrada»; es un programa progresivo y sencillo que puede ser llevado a la práctica sin esfuerzo por cualquier persona y que incorpora en sí mismo todo el acierto y toda la complejidad de los enfoques del cuerpo humano centrados en la medicina funcional. No es imprescindible llevar a cabo el desarrollo del programa en solitario. Puede compartirse con otra persona, con un grupo de amigos que también desee mejorar su salud o con toda la familia. Sus amigos y familiares pueden estar interesados en saber que este programa mejora radicalmente el estado de quienes sufren migrañas, fatiga, síndrome de intestino irritable, estreñimiento y alteraciones de la piel, así como de los que padecen ansiedad. depresión, niebla cerebral (confusión y aturdimiento mental) o simple agotamiento. Cuando se considera la cantidad de personas que están comprendidas dentro del espectro de autoinmuni-

dad, a veces sin tan siquiera saberlo —soportando todo tipo de síntomas y trastornos desencadenados por la inflamación—, es posible intuir
lo útil que este protocolo antiinflamatorio puede llegar a ser para todo el
mundo.

Así pues, pongámonos manos a la obra. En el presente capítulo analizaremos los principios básicos del método, con tratamiento específico de
cada uno de sus pasos. En el capítulo 9 se incluyen un plan de alimentación
y una serie de recetas que permitirán experimentar una extraordinaria descarga de energía y salud, ya en el primer mes de su aplicación y su uso.

LOS PRINCIPIOS BÁSICOS

El método Myers se basa en una idea muy simple: la alimentación es
medicina. Si se toman los alimentos que el propio cuerpo anhela y se descartan aquellos para los que no está adaptado, es posible conseguir el estado
de salud dinámico y vigoroso al que todos tenemos derecho.

En esencia, los alimentos que deben evitarse son los tóxicos y los inflamatorios. Cualquiera puede prescindir del consumo de alimentos tóxicos
y minimizar su exposición a los inflamatorios. Quienes padecen trastornos
autoinmunes y quedan incluidos dentro del espectro de autoinmunidad
han de ir un paso más allá, con objeto de evitar cualquier tipo de nutrición
generadora de inflamación que intensifique los síntomas, que empeore la
ubicación dentro del especto autoinmune o que, eventualmente, dé lugar
al desarrollo de otra patología de esta índole. Conviene recordar que todos
los que se encuentran dentro del espectro de autoinmunidad (véanse las
páginas 36-39) corren el riesgo de desarrollar una enfermedad autoinmune
u que, cuando esto sucede, la probabilidad de sufrir otras enfermedad autoinmunes adicionales se triplica.

Los alimentos que se recomiendan en este programa son curativos y
densos en nutrientes. Las proteínas proporcionan los aminoácidos reque-
ridos para reforzar la función inmunitaria, entre otras cosas. Por su parte,
las grasas ayudan a mantener sanas y curar las células de la pared intestinal,
lo que supone una potenciación inmunitaria adicional. Y los hidratos de
carbono complejos, las frutas y las verduras y hortalizas aportan la fibra
necesaria para favorecer el crecimiento de las bacterias saludables presentes
en el intestino y en otras partes del cuerpo, absolutamente cruciales para
tener un sistema inmunitario sano.

En el método Myers también se incluyen suplementos nutricionales que sirven como elementos generadores de curación intestinal, soporte inmunitario y mantenimiento del equilibro de las bacterias intestinales beneficiosas. Muchos de ello son asimismo antiinflamatorios. Partiendo de la base de que otro de los pilares del método Myers es el alivio de la carga tóxica, los suplementos contribuyen también a la desintoxicación de las células, siendo de hecho un componente crucial en este proceso.

Puede haber quien se pregunte para qué son precisos los suplementos si la dieta es tan saludable y nutritiva. Obviamente, en condiciones ideales, se podría depender solo de la alimentación para conseguir el apoyo terapéutico que es necesario. Sin embargo, nuestro sistema alimentario se ve condicionado por la sobreexplotación del suelo y por los cultivos transgénicos, por lo que buena parte de los alimentos que ingerimos carecen del valor nutricional que antes solían aportar. Como ya hemos comentado, nuestro medio ambiente está colmado de compuestos químicos no sometidos a las pertinentes pruebas, de agua no filtrada y de alimentos y aire contaminados, razón por la cual nos vemos expuestos a más toxinas que nunca antes en el pasado. En consecuencia, para compensar esas agresiones medioambientales es necesario recurrir a los suplementos.

Por otro lado, la mayoría de nosotros lleva una vida caracterizada por con altos niveles de estrés, que deja muy poco tiempo para la recuperación, la relajación y el fomento de afecto familiar mutuo y de la vida en comunidad. Por ello precisamos de más nutrientes de los que serían suficientes si mantuviéramos un nivel de vida más saludable y equilibrado.

Como vimos en el capítulo 6, algunos de nosotros tenemos mutaciones en tres genes fundamentales: el *MTHFR*, el *GSTM1* y el *COMT* (véanse las páginas 175-177). Quienes las presentan, tienen requerimientos especiales en lo que respecta al refuerzo de la desintoxicación. Por la forma en la que se comporta su organismo, estas personas no obtienen todos los nutrientes apropiados, y por ello han de recurrir a los suplementos para compensar esa carencia. Los humanos no somos seres cortados por una misma platila. Cada uno de nosotros es genéticamente singular y tiene, por otra parte, que afrontar niveles diferentes de estrés en cada momento. Así pues, necesitamos distintos tipos de suplementos para responder a las exigencias de nuestros genes y a las de nuestro entorno.

EMBARAZO Y POSPARTO

En realidad, muchas enfermedades autoinmunes se activan durante el embarazo o después del parto. Y las mujeres con hipersensibilidad al gluten o a los lácteos, pueden transmitir esos anticuerpos a sus hijos, bien a través de la placenta, durante la gestación, o a través de la leche, durante la lactancia materna. He atendido casos de niños que nunca habían tomado alimentos con gluten y, sin embargo, tenían anticuerpos contra este complejo de proteínas, que les habían sido transmitidos por sus madres.

Durante el embarazo y el posparto es importante hacer todo lo posible por no sucumbir al deseo de tomar alimentos a base de trigo o lácteos. Y si se piensa en iniciar la aplicación del método Myers durante cualquiera de estas dos etapas, conviene precisar que no se trata solo de un programa seguro, sino que, probablemente, es la opción más saludable que puede elegirse, tanto para una madre como para su hijo (en cualquier caso, las embarazadas y las mujeres que se hallan en el posparto han de consultar a su médico).

Y no conviene dejarse confundir por los requerimientos diarios mínimos que establecen estamentos como el Departamento de Agricultura de Estados Unidos (USDA). Se trata exactamente de eso, de necesidades *mínimas*. Por ejemplo, las recomendaciones mínimas diarias para la vitamina C se basan en los niveles necesarios para evitar el escorbuto, no en los valores ideales para mantener una salud óptima.

Por último, el organismo de quienes sufren trastornos autoinmunes o están incluidos en el espectro de autoinmunidad ya se ven de por sí sometidos a tensiones, en tanto en cuanto han de combatir las presiones impuestas por la inflamación y luchas para superar el daño provocado por el intestino permeable.

Los suplementos son un recurso rápido para atenuar la inflamación, curar el intestino permeable y dotar a las defensas inmunitarias del apoyo adicional necesario para revertir la evolución de la enfermedad y para reencauzar el espectro autoinmune hacia un estado más saludable y equilibrado. Cuando los síntomas remiten se puede comenzar a reducir algunos de los suplementos.

CÓMO SEGUIR ESTE PROGRAMA

Lo que deseamos al aplicar el programa es que las cosas sean lo más sencillas que sea posible y ese es el principio que se ha seguido para configurar el método Myers. En esencia, todo lo que hay que hacer es seguir las instrucciones expuestas en el capítulo 9. En él se indica con precisión qué es lo que hay que comer y qué suplementos tomar cada uno de los días del programa, de treinta días de duración. Esto es lo que encontrará en ese capítulo:

- un plan de comidas para treinta días, todas las recetas necesarias para preparar esas comidas y consejos diarios que ayudan a orientar la forma de cocinar y de adquirir los alimentos
- un plan de siete días a base de alimentos de origen marino en el que se muestra cómo conseguir una versión modificada del método Myers sin carnes rojas ni carne de pollo
- listas de comprobación que permiten determinar si es probable que una persona presente proliferación de levaduras, sobrecrecimiento bacteriano en el intestino delgado (SBID) o parásitos, y las correspondientes instrucciones para introducir las pertinentes modificaciones en caso de padecer alguno de estos trastornos.

Mi compañera Brianne Williams, eminente diplomada en nutrición y que trabaja codo con codo conmigo en mi clínica de medicina funcional en Austin, ha organizado los treinta días del programa de manera que se pueda optimizar el aprovechamiento de alimentos sobrantes. a fin de que se tenga que perder el menos tiempo posible cocinando y preparando las comidas.

Creo que la mejor manera de seguir el plan es conocer cómo funciona y por qué reporta beneficios. En consecuencia, en el presente capítulo explicaremos exactamente qué alimentos es más conveniente comer, cuáles han de evitarse, qué suplementos tomar y qué efectos tiene cada uno. Esta información está incorporada en el propio programa de 30 días, por lo que no es necesario recordarla. Sin embargo, cuando se continúe aplicando el plan durante el mes siguiente, utilizando un plan de comidas elaborado por uno mismo y saliendo tal vez a comer o cenar a un restaurante de manera ocasional, sí será aconsejable conocer cuáles son los alimentos que se deben elegir y cuáles los que se han de evitar.

DATOS IMPORTANTES SOBRE LOS MEDICAMENTOS

En la medida en que se pueda durante los 30 días de duración del método Myers es aconsejable prescindir de los medicamentos no esenciales, ya que en general los fármacos hacen que sea más difícil para el hígado desintoxicar el organismo y, en ciertos casos, pueden generarse nuevos problemas, como vimos que sucedía con los antiácidos y los antibióticos, en el capítulo 4.

De todos modos, no se deben suspender los tratamientos con fármacos esenciales (los destinados a patologías cardíacas, diabetes, alteraciones de la presión arterial, tiroideas u hormonales, ni los antidepresivos, ansiolíticos, etc., sin consultar antes con el médico de atención primaria). Aunque el objetivo final sea prescindir por completo de la medicación, no se puede interrumpir el uso de un medicamento de venta con receta sin la supervisión del profesional médico que habitualmente nos atiende.

Es necesario controlar con mayor frecuencia la presión arterial y los niveles de azúcar en sangre, en especial si se está aplicando un tratamiento para la proliferación de levaduras. He podido comprobar que, mientras siguen el método Myers, la mayor parte de mis pacientes consiguen disminuir la cantidad de fármacos que consumen para controlar la presión arterial o el azúcar en sangre.

Lo más idóneo es que se tomen solamente los suplementos indicados en el método Myers. No obstante, si el médico de atención primaria nos ha recetado o recomendado algún otro tipo de suplemento, una vez más, es preciso consultar antes de introducir cualquier eventual modificación.

También se ofrecen indicaciones sobre el modo de organizar la cocina, especificando qué tipo de alimentos conviene tirar y cuáles pueden conservarse almacenados. Soy una mujer que trabaja y sé que la vida es muy ajetreada y nunca se tiene tiempo suficiente. ¿Por qué cocinar si se puede comprar algo de camino a casa? Siempre hay una solución de compromiso para hacer que el método Myers funcione como debe. Y ese es mi objetivo: contribuir a que sus resultados sean óptimos en la aplicación de todos y cada uno de sus pasos.

Después de exponer todo lo que se puede comer y beber, analizaremos los ejercicios que fortalecen mejor el sistema inmunitario, aportando algunas sugerencias para atenuar la carga de estrés. Por último, trataremos la manera de evaluar los resultados, de modo que se considere la eventual inclusión en la dieta en lo sucesivo de algunos alimentos que se han evitado durante el primer mes y, en caso de que así sea, cuáles son esos alimentos.

PREPARARSE PARA EL PROGRAMA

Antes de iniciar la aplicación del método Myers conviene preparar a la familia, la cocina, la propia mentalidad, el cuerpo y el pertinente plan de actuación. Se trata de una oportunidad única de llevar a la práctica una increíble experiencia de curación y vigorización, que se verá reforzada por la planificación y la preparación correspondientes. En ocasiones, los cambios en la dieta pueden no resultar fáciles de acomodar; al fin y al cabo, los hábitos de alimentación están normalmente muy enraizados.

Así pues, procure ir almacenando en su nevera y en su despensa los siguientes alimentos.

ALIMENTOS QUE SE PUEDEN TOMAR

Proteínas de calidad

- Carne de ave orgánica, de animales de corral alimentados con pasto y semillas orgánicas (pollo, pato, pavo)
- Carne de animales de caza silvestres (conejo de monte, liebre, perdiz, jabalí, corzo, etc.)
- Carne de cerdo orgánica, de animales alimentados con forraje natural

- Carne de cordero orgánica, de animales alimentados con hierba y creados en pastos
- Carne de vacuno orgánica, de animales alimentados con hierba
- Pescado enlatado en agua (sardinas)
- Pescado fresco, no de piscifactoría (bacalao, fletán, salmón, lenguado, trucha)

Verduras y hortalizas

• Aceitunas (enlatadas en agua)	• Brotes de bambú	• Chirivía
• Alcachofas	• Calabacín	• Col china
• Algas (nori, wakame, kelp y otras)	• Calabaza (amarilla, bellota, moscada o de invierno, cidra o calabaza de cabello de ángel)	• Coles de Bruselas
• Apio		• Coliflor
• Bimi (broccolini)	• Cebolla	• Col rizada
• Boniato	• Cebollino	• Espárragos
• Brécol	• Champiñones y otras setas	• Espinacas (y todas las demás verduras de hoja verde)
• Brécol romanesco		• Lechuga

- Nabos
- Ocra (o quingombó)
- Pepino
- Puerro
- Remolacha
- Repollo
- Zanahorias

Grasas saludables

- Aceite de aguacate
- Aceite de cártamo
- Aceite de coco
- Aceite de oliva
- Aceite de semilla de uva
- Aguacate

Frutas

- Aguacate
- Albaricoques (frescos)
- Arándanos azules
- Arándanos rojos
- Cerezas
- Coco
- Frambuesas
- Fresas
- Higos (frescos)
- Kiwis
- Kumquats
- Limones
- Limas
- Mandarinas
- Mangos
- Manzanas
- Melocotones
- Melones
- Moras
- Nectarinas
- Naranjas
- Peras
- Plátanos
- Pomelos
- Puré de manzana (sin endulzar)
- Uvas

Hierbas, condimentos y aderezos

Nota: debe evitarse el consumo de condimentos etiquetados genéricamente como «especias» o «mezcla de especias», que pueden contener diversos compuestos añadidos, entre ellos gluten.

- Ajo
- Albahaca
- Algarroba
- Canela
- Cardamomo
- Clavo
- Cilantro
- Comino
- Cúrcuma
- Diente de león
- Eneldo
- Estragón
- Hinojo
- Jengibre
- Laurel
- Mostaza
- Nuez moscada
- Orégano
- Perejil
- Pimienta negra
- Romero
- Sal marina
- Tomillo
- Vinagre de manzana

Bebidas refrescantes

- Zumos de frutas y verduras caseros
- Tés (té de hierbas sin cafeína, té verde orgánico en cantidades moderadas, si es necesario)
- Agua (agua filtrada, agua mineral, con o sin gas)

Igualmente, prepárese para eliminar de su dieta y de su cocina los alimentos que se mencionan en el recuadro siguiente. Si no puede aceptar la idea de dejar de tomarlos para siempre, plantéese un compromiso que pueda volver a considerar después de los 30 días de aplicación del método Myers. Una vez que sus síntomas hayan desaparecido, haya aumentado su energía y haya recuperado su salud, apuesto a que sentirá una nueva motivación que le permitirá seguir adelante.

ALIMENTOS TÓXICOS A EVITAR

- Aceites procesados y refinados: mayonesa, aderezos y aliños para ensalada, grasa alimentaria, pastas para untar
- Aditivos alimentarios: todos los alimentos que contengan colorantes, saborizantes o conservantes artificiales
- Alcohol
- Alimentos genéticamente modificados (OGM), incluidos el aceite de colza y el azúcar de remolacha
- Azúcares y edulcorantes: azúcar, alcoholes de azúcar, edulcorantes naturales (miel, néctar de agave, jarabe de arce, melaza, y azúcar de palma de coco), zumos endulzados, jarabe de maíz de alta fructosa,; la stevia en cantidades moderadas es aceptable
- Carnes procesadas (carnes enlatadas, como el *corned beef*; los pescados enlatados sí pueden tomarse), fiambres y salchichas de Francfort (las salchichas frescas sí pueden tomarse si se comprueba que no contienen gluten)
- Comida rápida/comida basura/ alimentos procesados
- Estimulantes y cafeína: chocolate (bebida), café, descongestivos y hierba mate
- Grasas *trans* y aceites hidrogenados, frecuentes en alimentos envasados y procesados

CONDIMENTOS, ESPECIAS Y ADEREZOS A EVITAR

- Chocolate en cualquier forma que contenga menos de un 90% de cacao
- Ketchup
- Pimentón
- Pimienta de Cayena
- Salsa barbacoa
- Salsa de pepinillos
- Salsa de soja
- Salsa teriyaki
- Tamari

ALIMENTOS TÓXICOS A EVITAR

- Cacahuetes
- Cereales y seudocereales sin gluten: amaranto, mijo, avena, quinua, arroz, etc.
- Frutos secos y mantequillas de frutos secos
- Huevos
- Gluten: cualquier alimento que contenga cebada, centeno y trigo
- Hortalizas solanáceas: tomates, patatas, berenjenas, pimientos (son acepta-
  bles los boniatos y la pimienta negra, pero no el pimentón ni la pimienta de Ca-
  yena)
- Lácteos: mantequilla, caseína, queso de vaca u oveja, requesón, nata, yogur
  helado, ghee, queso de cabra, helados, leche, cremas no lácteas, proteína de
  trigo, yogur
- Legumbres: judías, garbanzos, lentejas, guisantes (frescos y desecados), ti-
  rabeques
- Maíz y cualquier derivado que los contenga (harina de maíz, harina de maíz,
  sémola de maíz y polenta) o con jarabe de maíz de alta fructosa
- Semillas y mantequillas de semillas
- Soja
- Zumos de frutas endulzados

¿DESEO DE TOMAR HIDRATOS DE CARBONO?

Para satisfacer el deseo de tomar alimentos con fécula puede optarse por los boniatos, los distintos tipos de calabaza y la coliflor picada.

PRESCINDIR DE LA CAFEÍNA

En el caso de las personas que están habituadas a tomar dos o más dosis diarias de bebidas cafeinadas (café, té, bebidas energéticas, refrescos con cafeína) y/o tentempiés y *snacks* que contienen cafeína (por ejemplo a base de chocolate), es probable que el cuerpo presente cierto grado de habituación a la cafeína como fuente de energía artificial. Es este un tipo de habituación muy intenso ciertamente difícil de contrarrestar. Pero en estas circunstancias nunca se está solo. El método Myers ofrece fuentes de energía reales y continuadas encarnadas en alimentos saludables y con elevada densidad de nutrientes.

Entretanto, en caso de preocupación por los posibles síntomas de abstinencia, en ocasiones es aconsejable iniciar la puesta en práctica del programa en un fin de semana, de modo que se disponga de tiempo para relajarse y permitir que el organismo se adapte a la nueva situación. Cuando el cuerpo ha venido dependiendo durante un tiempo prolongado de la cafeína, es normal sentirse fatigado o inquieto al prescindir de ella.

Dado que el café presenta un elevado grado de acidez, es importante evitar su consumo en lo treinta primeros días de aplicación del programa, a pesar de que en algún momento se puedan notar las consecuencias. Para reemplazar al café es posible optar como alternativas por tés de hierbas alcalinos, como el té de jengibre o el té verde descafeinado.

Así pues, respire hondo y prepárese para dejar el café. Para ello tiene dos posibles opciones:

Afrontar el síndrome de abstinencia

Si deja de tomar cafeína desde el primer día de aplicación del programa, es posible que experimente algunos molestos síntomas de abstinencia, como dolores de cabeza y fatiga, sobre todo si tiene por costumbre tomar dos o más bebidas con cafeína al día.

Retirada gradual

También se puede comenzar reduciendo la ingesta de cafeína gradualmente la semana anterior al inicio de la aplicación del programa, lo que ayuda a minimizar los síntomas de abstinencia.

Reducción en 5 días
- Día 1: 2 bebidas con cafeína
- Día 2: 1 bebida
- Día 3: ½ bebida
- Día 4: ¼ bebida
- Día 5: 100% libre de cafeína

Reducción en 3 días
- Día 1: 1 bebida descafeinada/cafeinada al 50%
- Día 2: bebida 100% descafeinada

Cambiar café por té verde
- Reemplazar una taza de café, o de o té negro o rojo, por una taza de té verde durante 1 semana

> **¿DESEO DE TOMAR LÁCTEOS?**
>
> La leche de coco con toda su grasa es un excelente sustituto si de desea tomar un alimento de textura cremosa o dar sabor al té de hierbas.

PRESCINDIR DEL AZÚCAR

He de confesar que dejar de tomar azúcar me resultó difícil. Siempre me gustaron los dulces y prescindir de ellos fue para mí una de las partes más duras del programa. En cualquier caso, una vez conseguidos los resultados apetecidos de la aplicación del método, cabe la posibilidad de permitirse algún bocado dulce, aunque sea en pequeñas cantidades.

Sin embargo, para que el programa funcione como debe, es esencial que durante los 30 primeros días de su aplicación se evite el consumo de cualquier tipo de azúcar. Cuanto más nos cueste prescindir de ella, más importante es que lo consigamos. Mucha gente depende de los dulces para mantener su energía; sin embargo, de este modo se obtiene una descarga temporal de energía que se consume muy rápidamente. Y entonces es necesario volver a tomar azúcar, para recuperar los niveles iniciales, iniciándose así una especie de montaña rusa en las concentraciones de glucosa en sangre, en la que cada descenso nos empuja a tomar más galletas, caramelos o dulces de cualquier tipo. El azúcar sirve de alimento a los microorganismos del hongo del género *Candida* y fomenta la proliferación de levaduras y el SBID, como se vio en el capítulo 4. Tanto el azúcar como los edulcorantes ejercen, además, una acción inhibidora del sistema inmunitario, como vimos en el capítulo 3, y ejercen un efecto presor sobre las glándulas suprarrenales, contribuyendo a que estas se fatiguen y vean alterada su función, como se indicó en el capítulo 7.

Es importante que, antes de volver a tomar azúcar, se perciba realmente el y tipo de energía que se obtiene de los alimentos auténticos, con todos sus nutrientes intactos. Estoy segura de que pocos días después de dejar de tomar dulces, las ansias por ingerir azúcar desaparecerán. Así pues, erradique el síndrome de abstinencia provocado por la ausencia de dulces desde el primer día de la aplicación del método Myers y, en la medida de lo posible, libérese por completo de la presencia en su despensa o su nevera de todos los productos enumerados en la siguiente lista:

- Alcoholes de azúcar (tales como maltitol, manitol, sorbitol o xilitol)
- Azúcar de caña
- Azúcar de palma de coco
- Azúcar de remolacha
- Azúcar moreno
- Azúcar refinado (blanco)
- Dextrosa
- Edulcorantes artificiales (como aspartamo, sacarina o sucralosa)
- Glucosa

- Jarabe de arce
- Jarabe de arroz integral
- Jarabe de maíz
- Jarabe de maíz de alta fructosa
- Jugo de caña deshidratado
- Lactosa
- Maltosa
- Melaza
- Miel
- Néctar de agave
- Sacarosa

Si se desea un poco de dulzor añadido, las frutas y bayas son una buena opción. y, para endulzar el té de hierbas sin cafeína, puede utilizarse un poco de mantequilla de coco. Cuando se interrumpe el consumo de azúcar y edulcorantes artificiales, las papilas gustativas se adaptan pronto y, a menudo, sorprende el aumento de la percepción de dulzor en una manzana o unas fresas.

En algunas de las recetas del programa se incluyen pequeñas cantidades se stevia, una planta originaria de Paraguay cuyas hojas son hasta 300 veces más dulces que el azúcar. Durante el tiempo que pasé trabajando en el Cuerpo de Paz en Paraguay colaboré con los agricultores que cultivaban esta planta y les ayudé a establecer cauces que les permitieran exportar sus cosechas a Japón y Estados Unidos.

Cabe recordar, por otro lado, que la práctica totalidad del azúcar de remolacha procede de cultivos transgénicos, por lo que es conveniente evitarla.

SUPRIMIR LA SAL... SALVO SI SE TRATA DE SAL MARINA

Las investigaciones ponen de manifiesto un claro vínculo entre la dieta con alto contenido en sal y las enfermedades autoinmunes. En un estudio realizado sobre esta correlación, ratones alimentados con una dieta alta en sal desarrollaron un mayor número de linfocitos T inflamatorios, generadores de autoinmunidad.

Este tipo de investigaciones se efectuaron con sal de mesa y alimentos envasados, dando por sabido que estos alimentos envasados y procesados son, además, uno de los medios que contribuyen claramente a desarrollar inflamación y, con toda probabilidad, autoinmunidad. Por el contrario, la sal marina contiene una amplia diversidad de oligoelementos (elementos químicos distribuidos en los tejidos en cantidades residuales, pero que son esenciales para la nutrición). Basándome en la observación clínica de mis pacientes y en mi conocimiento de la importancia de estos oligoelementos, considero que sus potenciales beneficios —siempre que se consuman en cantidades moderadas— compensan con creces los eventuales riesgos. Por consiguiente, en la aplicación de método Myers está permitido el consumo, en cantidad siempre moderada, de un poco de sal marina.

ASUMIR LA PROPUESTA DEL MÉTODO MYERS

Los alimentos sencillos y no contaminados que conforman el método Myers no son solo buenos para la salud y ricos en nutrientes, también ofrecen una rica variedad de sabores, texturas y colores, que satisface los sentidos al sentarse a comer. El cuerpo vuelve a la vida una vez que consigue la nutrición que tanto precisaba y de la manera más adecuada, y las defensas inmunitarias experimentan un alivio de la carga que los alimentos tóxicos e inflamatorios suponían para ellas. Este enfoque de la alimentación supone una innegable fuente de abundancia y de placer y, también, de salud y vitalidad, en tanto que, a través de él, se consigue asumir un nuevo tipo de alimentación y se dejan de lado las ansiedades, adicciones e irregularidades que caracterizaban la dieta anterior.

SABER QUÉ SE PUEDE ESPERAR

Dependiendo siempre del número de alimentos tóxicos e inflamatorios que incluyera nuestra dieta antes de abordar el método Myers, cabe la posibilidad de que durante los dos o tres primeros días de su puesta en práctica se experimenten algunos de los síntomas incluidos en el recuadro de la página siguiente.

Varios de ellos obedecen a una suerte de síndrome de abstinencia. Cuando se está habituado a tomar grandes cantidades de dulces o de alimentos ricos en hidratos, a beber mucho café o a comer alimentos de «efecto rápido», es probable que se sienta una pérdida de energía y de capacidad de concentración transitoria cuando se deja se sentir el efecto estimulante, aunque nocivo, que producen. Los síntomas pueden relacionarse asimismo con la sensación de hambre provocada por la falta de nutrientes que sirven de alimento a las levaduras y las bacterias intestinales.

De la misma manera, cuando se han desarrollado reacciones de hipersensibilidad a ciertos alimentos es posible que se experimenten síntomas de abstinencia al dejar de tomas esos alimentos, perjudiciales pero, en definitiva, atractivos. Por otro lado, si se padece proliferación de levaduras, esta puede hacer que se sienta necesidad de tomar azúcar; sin embargo, para no ceder a esa tentación, no queda más remedio que hacer un esfuerzo y resistir. Por fortuna, en el método Myers se incluye un protocolo dietético para proliferación de levaduras/SBID (véanse las páginas 228-233) que, mediante una serie de pruebas, ayuda a determinar si se requiere un aporte extra de energía.

Otra de las razones por las cuales se pueden notar algunos síntomas es el propio proceso de desintoxicación y eliminación de las sustancias venenosas del organismo. Aunque, en última instancia, este proceso hará que nos encontremos mejor, mientras se van eliminando, las toxinas originan en ocasiones alteraciones que dan lugar a síntomas. Conviene, pues, pensar que estos síntomas no son más que signos de que el cuerpo se está liberando de una serie de elementos tóxicos e inflamatorios y que son los prolegómenos de una inminente descarga de energía saludable. Por fortuna, después de aplicar el método Myers durante aproximadamente una semana comenzará a sentirse mejor, tal vez mejor de lo que se ha sentido en mucho tiempo. Y después de transcurridos los 30 primeros días experimentará un significativo restablecimiento de la salud intestinal, el estado de ánimo, la función cerebral e incluso el aspecto externo, con una piel más tersa, un cabello más sano y, probablemente, incluso cierta pérdida de peso. Dormirá mejor, sentirá que los dolores remiten y, a través del alivio de la inflamación, todo su organismo recuperará el equilibrio.

Es aconsejable, por consiguiente, comenzar la aplicación del método durante un fin de semana o cuando se tenga algún día libre, de modo que se pueda disponer de un periodo adicional de descanso si hay algún problema de ajuste. Otro factor importante a tener en cuenta es la hidratación. Beber entre 6 y 8 vasos de agua filtrada al día ayuda a aliviar las cefaleas que puede aparecer como reflejo de la abstinencia de ciertos alimentos, y a depurar las toxinas liberadas por el organismo.

Algunos posibles síntomas que pueden experimentarse durante los primeros días:

- ansia por comer
- cambios del estado de ánimo
- cambios en las pautas de defecación
- cefaleas
- dolor articular
- dolores corporales
- erupción cutánea

- fatiga
- hambre
- mal aliento
- niebla cerebral (confusión y aturdimiento mental)
- olor corporal
- trastornos del sueño

En una semana notará:

- aumento de la energía
- deposiciones regulares
- mejora de la concentración y de la agudeza y la claridad mental
- mejora de la digestión
- mejora del estado de ánimo

- mejora del sueño
- menor retención de líquidos
- menor dolor articular y muscular
- remisión de los trastornos cutáneos (acné, eccema, erupciones)
- pérdida de peso

EJERCICIO

El movimiento y la actividad física del organismo son esenciales, por lo que siempre es aconsejable pasear, dar caminatas por la nieve con raquetas, practicar senderismo o correr. Hay personas que prefieren ejercitarse en un gimnasio, un estudio de danza o un centro de yoga.

Sin embargo, tampoco es aconsejable excederse. Hay que hacer ejercicio pero, si se es una persona relativamente sedentaria, antes de comenzar a aplicar el método Myers, conviene iniciar la actividad física poco a poco e ir incrementando el propio vigor de manera gradual. Debemos recordar que el proceso de limpieza y desintoxicación del organismo hace que a veces nos sintamos sin fuerzas y cansados al principio, por lo que conviene darle un respiro al cuerpo cuando lo pide.

Se ha de tener en cuenta asimismo la puntuación obtenida en el test de fatiga suprarrenal de las páginas 199-200. Las glándulas suprarrenales son los órganos encargados de la producción de las hormonas del estrés, fomentan el incremento de los niveles de energía y hacen que el cuerpo responda incluso cuando presenta cierto grado de agotamiento. Para las alteraciones suprarrenales y autoinmunes, es adecuado hacer algo de ejercicio, pero si la práctica se lleva al exceso es probable que se retrase la mejora del estado de salud. La magnitud apropiada para el ejercicio es aquella en la que uno se encuentra bien y con la energía suficiente después de haberlo efectuado y también al día siguiente. Cuando nos sentimos extenuados o peor que antes de ejercitarnos, está claro que la intensidad de la actividad es excesiva. Y en los casos en los que el ejercicio hace que nuestros síntomas empeoren, este debe atenuarse y eliminarse del todo.

Por ejemplo, si se nota dolor articular después de haber corrido 3 kilómetros y al día siguiente notamos un cansancio extenuante, es evidente que este ejercicio debe suspenderse. Se puede correr 1 kilómetro y ver lo que sucede. Si con esta distancia las cosas van bien, esa es la distancia adecuada para la persona que se está ejercitando. Si las molestias persisten, es preferible pasar a caminar en vez de correr. El simple hecho de sentirse bien es la clave.

He aquí algunas actividades idóneas para mantener el cuerpo ágil durante la aplicación del método Myers.

Baja energía

Danza	Limpieza doméstica	Paseo
Estiramientos	Pilates	Yoga restaurativo
Jugar con los niños	Natación	

Alta energía

Carrera	Pesas
Ciclismo	Tenis
Entrenamiento con intervalos	Yoga con calor *(hot yoga)*
Natación	

SUEÑO

El sueño permite que, gracias al descanso, el organismo se recupere del cansancio y, en el caso de las personas afectadas por trastornos autoinmunes, tiene una especial importancia. Durante la aplicación del método Myers resulta esencial renovar las energías a fin de optimizar la curación de los síntomas. Durante el proceso es aconsejable dormir de siete horas y media a 9 horas, de un sueño profundo y reparador cada noche, o incluso más si es necesario. El abandono del consumo de cafeína, azúcar y alimentos de alto contenido en grasas, además del ejercicio adecuado, contribuyen a favorecer un sueño de calidad.

Para quienes tienen problemas para conciliar y mantener el sueño, el apéndice F puede servir como referencia para resolver los problemas relacionados con él. El sueño y la alimentación son dos formas esenciales de medicina. No conviene restringir ni condicionar ninguna de las dos.

DESESTRESARSE

Lo sé, todos estamos muy ocupados, tenemos cientos de obligaciones, tenemos a nuestros seres queridos que nos necesitan y, por si fuera poco, ahora hemos de enfrentarnos a esta nueva manera de cocinar, comer y pensar en los alimentos. Por supuesto, estamos sometidos a un alto grado de estrés.¿Quién no lo estaría?

Y, sin embargo, en medio de toda esta atribulada actividad, por qué no hallar 15 minutos para sentarse y relajarse o meditar... por qué no dedicar algo de tiempo en la semana para una clase de yoga, una sesión de acupuntura o un masaje... por qué no pensar de manera creativa y dejar a los niños alguna vez con un vecino o un familiar con objeto de dedicar un tiempo a uno mismo cada 15 días... por qué no salir a cenar tranquilamente al menos un día al mes. Se sorprendería de los extraordinarios resultados que nos reportan esas iniciativas, por lo demás tan sencillas. Hemos tratado las formas de aliviar el estrés en el capítulo 7 y en la sección «Referencias» se adjuntan algunas recomendaciones adicionales al respecto. Así pues, no hay excusa para no adoptar este tipo de medidas de vez en cuando. Estoy segura de que será más eficaz en el trabajo o en el cumplimiento de las obligaciones domésticas y familiares, y las defensas inmunitarias lo agradecerán una y cien veces.

UN PASO MÁS

Si desea avanzar un paso más, puede unirse a nuestra comunidad web, en la que podrá interactuar con cientos de personas que han completado el método. Se trata de una comunidad virtual que ofrece un sustancial apoyo y en la que se pueden hacer consultas, proponer ideas y, por qué no, conocer nuevas recetas. Si cree que necesita un asesoramiento más personalizado, también puede programar una llamada telefónica a través de nuestra página web, para consultar con uno de nuestros especialistas en dietética.

CAPÍTULO 9

El protocolo de treinta días

Planes de comidas y recetas

COMO YA SE HA INDICADO, suelo recomendar que el programa se inicie en un momento en el que se disponga de tiempo extra, con objeto de preparar algunas recetas básicas que se puedan tomar la primera semana. Parto de la base de que las comidas se preparan durante los fines de semana, para ser consumidas de manera progresiva a lo largo de la semana siguiente. Sin embargo, como es lógico, cada cuál puede ajustar su plan de actuación según le convenga.

Las recetas y los planes de comidas se basan en general en una distribución de dos platos por comida, elaborados para dos personas y en cantidad más bien abundante, por lo que conviene adecuarlos a cada condición particular. A lo largo de los planes de comidas se imparten instrucciones sobre la mejor forma de ahorrar y de aprovechar la comida sobrante, de modo que baste con seguir esas indicaciones día por día.

De cualquier modo, conviene ser flexible. Cada persona y cada familia son diferentes. Cabe la posibilidad de que la comida se acabe antes o después de lo previsto en el programa o de que, si una receta en particular le gusta especialmente la repita con mayor frecuencia de lo apuntado en el plan, bien de que las recetas puedan personalizarse, adaptándolas a las propias preferencias. Es posible introducir cualquier modificación, siempre y cuando no se incorporen al programa los alimentos tóxicos o inflamatorios reseñados en las páginas 215-216. El principal objetivo es recordar que se han de eludir a toda costa los alimentos que hemos designado como perjudiciales. Por último, para quienes deseen elaborar su propia comida, se ha incluido un epígrafe específico «Cree su propia comida» (véase página 297).

Antes de pasar a examinar los planes de comidas, parémonos a analizar brevemente las pruebas de proliferación de levaduras, sobrecrecimiento bacteriano en el intestino delgado (SBID) y parásitos. Si usted registra un resultado positivo en cualquiera de las dos primeras, necesita seguir el protocolo y ajustar convenientemente el plan de comidas. Al seguir las pruebas, se ha de consultar un esquema de suplementos en el cual se determine qué suplementos han de tomarse cada día y cómo deben personalizarse en virtud de las tres alteraciones citadas, así como en función de los resultados del test de fatiga suprarrenal (véanse las páginas 199-200). Cada uno de nosotros tenemos necesidades distintas, por lo que me alegro de poder compartir este enfoque personalizado con usted.

Y, a continuación, pasemos por fin a abordar el plan de curación en treinta días. Vamos a ello.

¿PADEZCO PROLIFERACIÓN BACTERIANA, SBID O TRASTORNOS PARASITARIOS?

Cumplimente las siguientes pruebas y ajuste su protocolo dietético en función de las necesidades. A continuación, consulte las páginas comprendidas entre la 229 y la 233 y siga las indicaciones de la tabla, que le ayudarán a personalizar el uso de suplementos.

PROLIFERACIÓN DE LEVADURAS

___ Padezco una enfermedad autoinmune, como tiroiditis de Hashimoto, artritis reumatoide, colitis ulcerosa, lupus, psoriasis, esclerodermia o esclerosis múltiple.

___ Sufro infecciones en la piel y las uñas, tales como pie de atleta, tiña o micosis en las uñas de los pies.

___ Soporto un cuadro de fatiga crónica o fibromialgia y el cansancio me domina todo el tiempo.

___ Padezco problemas digestivos, como gases y distensión abdominal, estreñimiento o diarrea.

___ Experimento episodios de dificultad para mantener la atención, mala memoria, falta de concentración, trastorno por déficit de atención y trastorno por déficit de atención con hiperactividad (TDA y TDAH) o niebla cerebral.

___ Por causas desconocidas, en mi piel se desarrollan afecciones tales como eccema, psoriasis, urticaria, rosácea e irritación.

___ Me irrito con facilidad y/o tengo bruscos cambios de estados de ánimo y percibo a menudo sensación de ansiedad o depresión.

___ Padezco infecciones por levaduras vaginales y siento picor rectal o vaginal.

___ Sufro alergias estacionales o picor en los oídos.

___ Siento repentinas ansias por tomar alimentos a base de hidratos de carbono refinados.

Si ha marcado tres o más de estas afirmaciones, el resultado de la prueba de proliferación de levaduras es positivo. Le recomiendo que siga el protocolo dietético para proliferación de levaduras/SBID que se expone a continuación.

SOBRECRECIMIENTO BACTERIANO EN EL INTESTINO DELGADO (SBID)

___ Me han diagnosticado síndrome del intestino irritable o enfermedad intestinal inflamatoria.

___ Siento hinchazón abdominal al terminar de comer o gran parte del tiempo.

___ Sufro gases y dolores y calambres abdominales.

___ Hago deposiciones de heces líquidas y de olor especialmente fétido.

___ Tengo intolerancia a alimentos como el gluten, los lácteos, la soja o el maíz.

___ Padezco intolerancia a la histamina.

___ Me duelen las articulaciones.

___ Siento un intenso cansancio todo el día.

___ Tengo frecuentes irritaciones de la piel, tales como eccema, psoriasis, urticaria, rosácea o erupciones de causa desconocida.

___ Sufro de asma y de otros trastornos respiratorios

___ Experimento sentimientos de depresión y desesperanza.

___ Me han diagnosticado carencia de vitamina B_{12}.

Si ha marcado tres o más de estas afirmaciones, el resultado de la prueba de SBID. Le recomiendo que siga el protocolo dietético para proliferación de levaduras/SBID que se expone a continuación.

PROTOCOLO PARA PROLIFERACIÓN DE LEVADURAS/SBID

La proliferación de levaduras y/o el SBID se tratan tomando una serie de suplementos específicos, que se indican en las tablas de las páginas 229 y 233 y, también, privando a las levaduras y bacterias intestinales de los dulces e hidratos de carbono de los que se nutren preferentemente. Por consiguiente, es necesario adquirir conciencia de la importancia de reducir la ingesta de hidratos de carbono cuando se aborda el plan Myers para seguirlo a lo largo de los treinta días siguientes. En este contexto, recomiendo que se tomen no más de 200 gramos, hortalizas y verduras al día (por ejemplo, boniato o distintas variedades de calabaza, como la calabaza moscada, la calabaza bellota o la cidra, o calabaza de cabello de ángel), y no más de 150 gramos de fruta al día. También deben erradicarse de la dieta los distintos tipos de vinagres, excepto el de manzana. Sin embargo, no hay que preocuparse. Todo ello ha sido tenido en cuenta mientras proyectábamos nuestros planes de comidas. A medida que vayamos llevando a la práctica los distintos planes y vayamos probando sus recetas, iremos sintiéndonos cada vez mejor. Basta con tener en mente estas directrices cuando se come o se cena en un restaurante o en casa de unos amigos.

PARÁSITOS

___ Padezco estreñimiento, diarrea o gases.

___ He viajado al extranjero.

___ Recuerdo haber padecido «diarrea del viajero» en uno de mis viajes al extranjero.

___ He tenido una reacción que creo debida a una intoxicación alimentaria y mis digestiones no han venido siendo normales desde entonces.

___ He tenido problemas para conciliar el sueño y me he estado despertando muchas veces durante la noche.

___ Sufro alteraciones cutáneas en forma de eccema, psoriasis, urticaria, rosácea o erupción de causa desconocida.

___ Aprieto o rechino los dientes cuando duermo.

___ Siento molestias o dolores musculares y articulares.

___ Siento agotamiento, depresión o apatía casi todo el tiempo.

___ Nunca siento saciedad después de comer.

___ Padezco anemia por falta de hierro.

___ Me han diagnosticado síndrome del intestino irritable, colitis ulcerosa o enfermedad de Crohn.

Si ha marcado tres o más de estas afirmaciones, le resultarán beneficiosos los suplementos que se recomiendan para sus trastornos parasitarios en las tablas siguientes.

SUPLEMENTOS DEL PROGRAMA AUTOINMUNE DEL MÉTODO MYERS

Para todos

Suplementos	Suplementos utilizados en nuestra consulta	Fabricante recomendado	Cómo tomarlos	Alternativas
Probiótico*	Probiótico completo en cápsulas o en polvo	Klaire/Prothera (Ther-Biotic Complete)	1 cápsula 2 veces al día o 1.500 mg al día	50 + mil millones de UI al día, 10 + cepas de probióticos al día (deben excluirse los probióticos desarrollados a partir de alimentos que han de evitarse, como soja, lácteos, trigo)
	o Probiótico de amplio espectro Prescript- Assist	o Prescript Assist	o 1 cápsula 2 veces al día	o 1.240 mg de mezcla de probióticos del suelo al día
Aceite de pescado omega 3	Cápsulas completas de omega 3	Metagenics (OmegaGenics EPA.DHA 500)	1-4 cápsulas 2 veces al día	1.000-4.000 mg de omega 3 (EPA y DHA) al día
L-glutamina o reparador intestinal en polvo	L-glutamina o reparador GI en polvo	Designs for Heath o Xymogen (GlutAloeMine)	4 cápsulas al día o 1 cucharada al día	3.000 mg de L-glutamina al día o mezcla de L-glutamina, regaliz sin glicirricina y aloe vera
Acetil-glutatión o N-acetil-cisteína +, Vitamin C + Suplemento de soporte hepático	Glutatión o N-acetilcisteína + Vitamina C completa + Soporte hepático	Citrisafe o Designs for Heath Xymogen Klaire/Prothera (Hepatothera Forte)	1 o 2 cápsulas por la mañana y por la tarde o 1 cápsula 2 veces al día con el estómago vacío 2 cápsulas 2 veces al día 1 cápsula 2 veces al día con el estómago vacío	600-1.200 mg de acetil-glutatión al día o 1.800 mg de N-acetil-cisteína al día 2.000 mg de vitamina C al día Mezcla de soporte hepático que incluya ácido alfa-lipoico y cardo mariano
Vitamina D$_3$	1.000 UI de vitamina D en gotas	Pure Encapsulations	2 gotas bajo la lengua al día	2.000 UI de vitamina D al día

Dependiendo de cuáles sean sus resultados en las listas de comprobación o de qué problemas identifique en la lectura del libro, puede optar por algunos de los suplementos que se mencionan a continuación.

Suplementos	Suplementos utilizados en nuestra consulta	Fabricante recomendado	Cómo tomarlos	Alternativas
Inflamación/soporte inmunitario				
Curcumina fitosoma	Curcumina Meriva-SR	**Thorne Research**	2 cápsulas 2 veces al día	1.000 mg de curcumina al día
Resveratrol	Resveratrol Citrisafe	**Citrisafe**	Disolver 1 comprimido bajo la lengua 2 veces al día	50 mg de Resveratrol al día
Acetil-glutatión o N-acetil-cisteína + Vitamina C + Suplemento de soporte hepático	Glutatión o N-acetilcisteína + Vitamina C completa + Soporte hepático	**Citrisafe** o **Designs for Heath** **Xymogen** **Klaire/Prothera** (Hepatothera Forte)	1 o 2 cápsulas por la mañana y por la tarde o 1 cápsula 2 veces al día con el estómago vacío 2 cápsulas 2 veces al día 1 cápsula 2 veces al día con el estómago vacío	600-1.200 mg de acetil-glutatión al día 1.800 mg de N-acetilcisteína al día 2.000 mg de vitamina C al día Mezcla de soporte hepático que incluya ácido alfa-lipoico y cardo mariano
Salud del intestino				
Probiótico*	Probiótico completo en cápsulas o en polvo o Probiótico de amplio espectro Prescript-Assist	**Klaire/Prothera** (Ther-Biotic Complete) o **Prescript Assist**	1 cápsula 2 veces al día o 1.500 mg al día o 1 cápsula 2 veces al día	50 + mil millones de UI al día, 10 + cepas de probióticos al día (deben excluirse los probióticos desarrollados a partir de alimentos que han de evitarse, como soja, lácteos, trigo) o 1.240 mg de mezcla de probióticos del suelo al día
L-glutamina o reparador intestinal en polvo	L-glutamina o reparador GI en polvo	**Designs for Heath** o **Xymogen** (GlutAloeMine)	4 cápsulas al día o 1 cucharada al día	3.000 mg de L-glutamina al día o mezcla de L-glutamina, regaliz sin glicirricina y aloe vera
Colágeno	Hidrolizado de colágeno Great Lakes	**Great Lakes Gelatin**	15-30 g 2 veces al día	Colágeno de vacuno alimentado con hierba

Suplementos	Suplementos utilizados en nuestra consulta	Fabricante recomendado	Cómo tomarlos	Alternativas
Salud del intestino *(continuación)*				
Enzimas digestivas	Cápsulas de enzimas completas**/ comprimidos masticables	Klaire/Prothera (Vital-Zymes Complete/ comprimidos masticables)	2 cápsulas/ comprimidos masticables con cada comida	800 mg de mezcla de enzimas de amplio espectro que incluya amilasa, proteasa y lipasa, en cada comida
Clorhidrato de betaína con pepsina	Betaína HCl & pepsina	Thorne	1 o 2 cápsulas con las comidas; debe interrumpirse a la más mínima sensación de ardor de estómago, indigestión o sensación de calor en el estómago o el tórax	500-1.300 mg de clorhidrato de betaína con pepsina con cada comida
Soporte a la desintoxicación				
Acetil-glutatión o N-acetil-cisteína + Vitamina C + Suplemento de soporte hepático	Glutatión o N-acetilcisteína + Vitamina C completa + Soporte hepático	Citrisafe o Designs for Heath Xymogen Klaire/Prothera (Hepatothera Forte)	1 o 2 cápsulas por la mañana y por la tarde o 1 cápsula 2 veces al día con el estómago vacío 2 cápsulas 2 veces al día 1 cápsula 2 veces al día con el estómago vacío	600-1.200 mg de acetil-glutatión al día 1.800 mg de N-acetil-cisteína al día 2.000 mg de vitamina C al día Mezcla de soporte hepático que incluya ácido alfa-lipoico y cardo mariano
Infecciones (VEB, herpes, etc.)				
L-lisina	Lisina	Designs for Health (L-lisina)	Una cápsula al día para prevenir brotes; si se produce un brote, puede tomarse 1 cápsula 3 veces al día	750-2.250 mg de L- lisina al día
Lauricidina	Lauricidina	Lauricidin (suplemento de monolaurina)	Se comienza con 1.500 mg 2 o 3 veces al día con alimento, hasta aumentar gradualmente a 5.000 mg 2 o 3 veces al día con alimento	

Suplementos	Suplementos utilizados en nuestra consulta	Fabricante recomendado	Cómo tomarlos	Alternativas
Infecciones (VEB, herpes, etc.) *(continuación)*				
Ácido húmico	Ácido húmico	**Allergy Research Group**	Se comienza con 1 cápsula 2 veces al día, aumentando a 2 cápsulas 2 veces al día con posterioridad	750-1.500 mg de ácido húmico al día
Proliferación de levaduras				
Ácido caprílico	Ácido caprílico	**Pure Encapsulations**	2 cápsulas 2 veces al día con el estómago vacío	1.600 mg de ácido caprílico al día
Candisol	Candisol	**Bairn Biologics**	2 cápsulas 2 veces al día con el estómago vacío	
SBID				
Suplemento herbal*	MicrobClear	**Designs for Health (GI Microb-X)**	1 cápsula 2 veces al día	Preparación herbal que incluye al menos 4 de los siguientes extractos: extracto de abrojo, extracto de artemisa, sulfato de berberina, extracto de uva, extracto de agracejo (bérbero), extracto de gayuba, extracto de cáscara de nuez negra
Parásitos				
Suplemento herbal*	MicrobClear	**Designs for Health (GI Microb-X)**	1 cápsula 2 veces al día	Preparación herbal que incluye al menos 4 de los siguientes extractos: extracto de abrojo, extracto de artemisa, sulfato de berberina, extracto de uva, extracto de agracejo (bérbero), extracto de gayuba, extracto de cáscara de nuez negra

Suplementos	Suplementos utilizados en nuestra consulta	Fabricante recomendado	Cómo tomarlos	Alternativas
Soporte suprarrenal				
Mezcla herbal adaptogénica	AdrenoMend	**Douglas Laboratories**	2 cápsulas al día con alimento durante 1 o 2 semanas, aumentando a continuación hasta 4 cápsulas al día con alimento, durante entre 2 y 4 meses	Formulación herbal que incluya al menos cinco de las siguientes especies: *Schisandra chinensis, Bacopa monnieri* (bacopa, hisopo de agua), *Rhodiola osea* (raíz de oro), *Eleutherococcus senticosus* (eleuterococo), *Magnolia officinalis, Rehmannia glutinosa, Panax ginseng* (ginseng), *Coleus forskohlii*

* Los probióticos deben tomarse con al menos 2 horas de separación con respecto a los suplementos herbales para el tratamiento de parásitos y SBID.

** Las cápsulas de enzimas completas contienen un ingrediente derivado de la yema de huevo. Las personas con alergia conocida a la misma deben consultar a su médico antes de utilizar este producto.

PLAN DE COMIDAS DE TREINTA DÍAS*

Conviene recordar que este plan de comidas se basa en la idea de que se va a cocinar para dos personas, por lo que cada una de ellas está planteada para dos porciones de las que disfrutar. Utilice un criterio elástico y ajuste según considere oportuno las comidas a las necesidades de su familia. Si cocina solo para uno, simplemente reduzca a la mitad las cantidades que se indican. En cualquier caso, siempre puede elaborar platos pensando en que sobre comida. Es las páginas siguientes se consignan en negrita las recetas asignadas a los días en los que se vayan a elaborar y sin negrita aquellas en las que esté previsto que sobre comida para poder tomarla otro día. Si desea un plan detallado para saber cuántas raciones preparar de cada receta, cuándo se deben elaborar y cuándo se pueden tomar las raciones sobrantes, puede encontrar una tabla entre las páginas 301 y 316 en las que es posible consultar ese plan. De este modo será posible aplicar el plan de alimentación de treinta días de la manera más adaptable y más práctica y deliciosa que sea posible.

---

* El plan se basa en el modelo de alimentación anglosajón, con un desayuno y una cena «contundentes», con alto aporte calórico y de nutrientes, y una comida más ligera a mediodía.

Día de preparación

El día anterior a comenzar la aplicación del plan de comidas, pueden prepararse algunas recetas para disfrutar de ellas durante la primera semana. Este día de preparación es crucial. Elaborar estos platos antes de empezar supone una importante ayuda para comenzar el programa sin contratiempos. Si sigue una semana con horario laboral convencional, recomiendo preparar estas recetas el sábado y empezar a aplicar el plan el domingo, cuando todavía se dispone de algún tiempo extra para cocinar. Una vez preparadas las recetas de inicio, puede probar, por ejemplo, la receta de pollo asado con limón y ajo (página 281) a modo de adelanto de lo que le puede ofrecer el plan antes de inicial su puesta en práctica.

Pollo asado con limón y ajo (página 281)
Caldo digestivo (página 260)
Salchicha o minihamburguesa de desayuno con manzana dulce (páginas 290-291)

Día 1

Desayuno
Salchicha o minihamburguesa de desayuno con manzana dulce (páginas 290-291)
Boniato guisado (página 251)
Zumo verde de vegetales (página 293)
Té chai con leche de coco (página 293) o té verde sin cafeína, si se prefiere

Comida
Ensalada de col rizada y cítricos con arándanos (página 265)
Sopa de granja orgánica de cinco vegetales (página 263)

Cena
«Espaguetis» de cabello de ángel con salsa pesto cremosa (página 288)
Pueden tomarse 150 gramos de frutos del bosque orgánicos variados, como frambuesas, fresas, arándanos o moras

Día 2

Desayuno

Salchicha o minihamburguesa de desayuno con manzana dulce
Boniato guisado
Recalentar y tomar una taza de caldo digestivo
Té chai con leche de coco (página 293) o té verde sin cafeína, si se
prefiere

Comida

«Espaguetis» de cabello de ángel con salsa pesto cremosa

Cena

Salmón salvaje al horno con salsa ácida de mango (página 272)
Salteado de verduras orgánicas con ajo (página 252)
Espárragos orgánicos al horno (página 258)

Día 3

Desayuno

Salmón salvaje al horno con salsa ácida de mango
Recalentar y tomar una taza de caldo digestivo
Zumo verde de vegetales (página 293)

Comida

Ensalada tropical nicaragüense (página 266)
Sopa de granja orgánica de cinco vegetales

Cena

**Ensalada de col rizada y espinacas orgánicas y minihambur-
guesas de vacuno alimentado con hierba, con romero y
albahaca** (página 265)
Calabaza bellota cremosa (página 252)
Pueden tomarse 150 gramos de frutos del bosque orgánicos variados,
como frambuesas, fresas, arándanos o moras

Día 4

Desayuno

Salchicha o minihamburguesa de desayuno con especias (página 290)

Parfait de frutos del bosque con crema de coco (página 299)

Recalentar y tomar una taza de caldo digestivo

Comida

Ensalada de col rizada y espinacas orgánicas y minihamburguesas de
vacuno alimentado con hierba, con romero y albahaca

Calabaza bellota cremosa

Cena

Tacos de pescado especiados (página 280)

Coles de Bruselas con cerezas orgánicas (página 258)

Día 5

Desayuno

Revuelto de pescado salvaje, col rizada y calabacín (página 277)

Recalentar y tomar una taza de caldo digestivo

Comida

Ensalada de rúcula, naranja sanguina e hinojo (página 267)

Cena

Curry de pollo al coco (página 282)

«Pilaf» de coliflor (página 254)

Pueden tomarse 150 gramos de frutos del bosque orgánicos variados,
como frambuesas, fresas, arándanos o moras

Día 6

Desayuno

Salchicha o minihamburguesa de desayuno con especias (página 290)

Boniato guisado (página 251)

Comida

Curry de pollo al coco

«Pilaf» de coliflor

Cena

Fletán salvaje con cebolla dulce caramelizada (página 273)

Bimi (broccolini) orgánico con ajo y limón (página 259)

Salteado de verduras orgánicas con ajo (página 252)

Día 7

Desayuno

Salchichas o minihamburguesas de desayuno con manzana dulce (páginas 290-291)

Boniato guisado

Zumo verde de vegetales (página 293)

Té chai con leche de coco (página 293) o té verde sin cafeína, si se prefiere

Comida

Ensalada Cobb (página 264)

Espárragos orgánicos al horno (pagina 258)

Cena

«Espaguetis» de cabello de ángel con salsa pesto cremosa (página 288)

Caldo digestivo (página 260)

Pueden tomarse 150 gramos de frutos del bosque orgánicos variados, como frambuesas, fresas, arándanos o moras

Día 8

Desayuno

Salchicha o minihamburguesa de desayuno con manzana dulce

Parfait de frutos del bosque con crema de coco (página 299)

Recalentar y tomar una taza de caldo digestivo

Té chai con leche de coco (página 293) o té verde sin cafeína, si se prefiere

Comida

«Espaguetis» de cabello de ángel con salsa pesto cremosa

Cena

Curry verde tailandés con gambas (páginas 274)

Bimi (broccolini) orgánico con ajo y limón (página 259)

Día 9

Desayuno

Salchicha o minihamburguesa de desayuno con especias (página 290)

Boniato guisado (página 251)

Recalentar y tomar una taza de caldo digestivo

Té chai con leche de coco (página 293) o té verde sin cafeína, si se prefiere

Comida

Curry verde tailandés con gambas

Cena

Carne de cerdo a cocción lenta con especias chinas (página 292)

«Pilaf» de coliflor (página 254)

Pueden tomarse 150 gramos de frutos del bosque orgánicos variados, como frambuesas, fresas, arándanos o moras

Día 10

Desayuno

Salchicha o minihamburguesa de desayuno con especias

Parfait de frutos del bosque con crema de coco (página 299)

Recalentar y tomar una taza de caldo digestivo

Comida

Carne de cerdo a cocción lenta con especias chinas

«Pilaf» de coliflor

Cena

Rollos de col y pavo con especias (página 285)

Ensalada de «fideos» de calabacín (página 266)

Día 11

Desayuno

Salchicha o minihamburguesa de desayuno con manzana dulce (páginas 290-291)

Boniato guisado

Recalentar y tomar una taza de caldo digestivo

Comida

Rollos de col y pavo con especias

Ensalada de «fideos» de calabacín o **cree su propia ensalada mixta orgánica** (páginas 295-296)

Cena

Ensalada de salmón y cítricos (página 273)

Coles de Bruselas con cerezas orgánicas (página 258)

Día 12

Desayuno

Revuelto de pescado salvaje, col rizada y calabacín (página 277)

Comida

Ensalada orgánica de col rizada y cítricos con arándanos (página 265)

Cena

Repollo al horno con ajo (pagina 256)

Día 13

Desayuno

Salchicha o minihamburguesa de desayuno con manzana dulce

Parfait de frutos del bosque con crema de coco (página 299)

Comida

Ensalada tropical nicaragüense (página 266)

Cena

Ensalada de col rizada y espinacas orgánicas y minihamburguesas de vacuno alimentado con hierba, con romero y albahaca (página 265)

Palitos de boniato fritos crujientes (página 256)

Día 14

Desayuno

Revuelto de pollo de corral orgánico y vegetales (página 284)

Té chai con leche de coco (página 293) o té verde sin cafeína, si se prefiere

Comida

«Pasta» al pesto con langostinos (página 276)
Espárragos orgánicos al horno (página 258)

Cena

Curry de cordero marroquí de cocción lenta (página 287)
Calabaza kabocha al horno con canela (página 253)
Pueden tomarse 150 gramos de frutos del bosque orgánicos variados, como frambuesas, fresas, arándanos o moras

Día 15

Desayuno

Revuelto de pollo de corral orgánico y vegetales
Calabaza kabocha al horno con canela

Comida

Tacos de pescado especiados (página 280)
Ensalada del algas y pepino (página 268)

Cena

«Pasta» al pesto con langostinos
Espárragos orgánicos al horno

Día 16

Desayuno

Curry de cordero marroquí de cocción lenta

Comida

Tacos de pescado especiados
Ensalada del algas y pepino o **cree su propia ensalada mixta orgánica** (páginas 295-296)

Cena

Pollo asado con limón y ajo (página 281)
Sopa de pollo con «fideos» de la abuela (página 262)
Caldo digestivo (página 260)

Día 17

Desayuno

Sopa de pollo con «fideos» de la abuela

Té chai con leche de coco (página 293) o té verde sin cafeína, si se prefiere

Comida

Aguacate relleno de salmón y cilantro (página 275)

Ensalada de rúcula, naranja sanguina e hinojo (página 267)

Cena

«Espaguetis» de cabello de ángel con salsa pesto cremosa (página 288)

Chips de col rizada crujientes (página 259)

Pueden tomarse 150 gramos de frutos del bosque orgánicos variados, como frambuesas, fresas, arándanos o moras

Día 18

Desayuno

Salchicha o minihamburguesa de desayuno con especias (página 290)

Parfait de frutos del bosque con crema de coco (página 299)

Recalentar y tomar una taza de caldo digestivo

Comida

Ensalada Cobb (página 264)

Cena

Gumbo picante de pollo y salchicha (página 286)

Bimi (broccolini) orgánico con ajo y limón (página 259)

Día 19

Desayuno

Salchicha o minihamburguesa de desayuno con especias

Parfait de frutos del bosque con crema de coco

Recalentar y tomar una taza de caldo digestivo

Comida

Gumbo picante de pollo y salchicha

Bimi (broccolini) orgánico con ajo y limón

Cena

Fletán salvaje con cebolla dulce caramelizada (página 273)
Crema de calabaza moscada (o de invierno) con canela (página 261)

Día 20

Desayuno

Salchicha o minihamburguesa de desayuno con manzana dulce (páginas 290-291)
Crema de calabaza moscada (o de invierno) con canela
Recalentar y tomar una taza de caldo digestivo
Té chai con leche de coco (página 293) o té verde sin cafeína, si se prefiere

Comida

Fletán salvaje con cebolla dulce caramelizada
Ensalada orgánica de col rizada y cítricos con arándanos (página 265)

Cena

Ensalada tropical nicaragüense (página 266)
Coles de Bruselas con cerezas orgánicas (página 258)
Crujiente de manzana y canela (pagina 299)

Día 21

Desayuno

Salchicha o minihamburguesa de desayuno con manzana dulce
Boniato guisado (página 251)
Zumo verde de vegetales (página 293)
Recalentar y tomar una taza de caldo digestivo

Comida

Pollo asado con limón y ajo (página 281)
Ensalada Cobb (página 264)
Sopa de granja orgánica de cinco vegetales (página 263)
Caldo digestivo (página 260)

Cena

Sushi especial (página 278)

Langostinos al coco crujientes (páginas 278-279)
Verduras y hortalizas al horno (página 258)

Día 22

Desayuno

Crujiente de manzana y canela
Zumo verde de vegetales
Recalentar y tomar una taza de caldo digestivo

Comida

Alcachofas con vinagreta de ciruela Ume (página 257)
Ensalada de rúcula, naranja sanguina e hinojo (página 267)

Cena

Curry de pollo al coco (página 282)

Día 23

Desayuno

Salchicha o minihamburguesa de desayuno con especias (página 290)
Calabaza de verano al coco (página 257)
Recalentar y tomar una taza de caldo digestivo
Té chai con leche de coco (página 293) o té verde sin cafeína, si se prefiere

Comida

Curry de pollo al coco
Ensalada orgánica de col rizada y cítricos con arándanos (página 265) o **cree su propia ensalada mixta orgánica** (páginas 295-296)

Cena

Boniatos con carne al horno (páginas 284-285)
Sopa de granja orgánica de cinco vegetales

Día 24

Desayuno

Salchicha o minihamburguesa de desayuno con especias

Parfait de frutos del bosque con crema de coco (página 299)
Recalentar y tomar una taza de caldo digestivo

Comida
Boniatos con carne al horno
Ensalada de «fideos» de calabacín (página 266) o **cree su propia ensalada mixta orgánica** (páginas 295-296)

Cena
Aguacate relleno de salmón y cilantro (página 275)
Espárragos orgánicos al horno (página 258)

Día 25

Desayuno
Salchicha o minihamburguesa de desayuno con manzana dulce (páginas 290-291)
Boniato guisado (página 251)
Recalentar y tomar una taza de caldo digestivo

Comida
Ensalada tropical nicaragüense (página 266)

Cena
Carne de cerdo a cocción lenta con especias chinas (página 292)
«Pilaf» de coliflor (página 254)

Día 26

Desayuno
Salchicha o minihamburguesa de desayuno con manzana dulce
Boniato guisado
Zumo verde de vegetales (página 293)

Comida
Carne de cerdo a cocción lenta con especias chinas
«Pilaf» de coliflor

Cena
Tacos de pescado especiados (página 280)
Ensalada del algas y pepino (página 268)
Pueden tomarse 150 gramos de frutos del bosque orgánicos variados, como frambuesas, fresas, arándanos o moras

Día 27

Desayuno

Salchicha o minihamburguesa de desayuno con especias (página 290)

Parfait de frutos del bosque con crema de coco (página 299)

Té chai con leche de coco (página 293) o té verde sin cafeína, si se prefiere

Comida

Tacos de pescado especiados

Ensalada del algas y pepino o cree su propia ensalada mixta orgánica (páginas 295-296)

Cena

Filete de carne orgánica a la brasa con boniato (páginas 288-289)

Salteado de verduras orgánicas con ajo (página 252)

Bocaditos de crema de plátano (página 300)

Día 28

Desayuno

Rollos de pollo y lechuga fáciles (página 289)

Zumo verde de vegetales (página 293)

Comida

Filete de carne orgánica a la brasa con boniato

Bimi (broccolini) orgánico con ajo y limón (página 259)

Caldo digestivo (página 260)

Cena

Sushi especial (página 278)

Bacalao al horno en aceite de coco con espinacas (páginas 276-277)

Ensalada de pepino y algas (página 268)

Día 29

Desayuno

Revuelto de pescado salvaje, col rizada y calabacín (página 277)

Zumo verde de vegetales (página 293)

Recalentar y tomar una taza de caldo digestivo

Comida

Rollos pollo y lechuga fáciles

Cena

Ensalada de col rizada y espinacas orgánicas y minihamburguesas de vacuno alimentado con hierba, con romero y albahaca (página 265)

Día 30

Desayuno

Salchicha o minihamburguesa de desayuno con especias

Boniato guisado (página 251)

Recalentar y tomar una taza de caldo digestivo

Té chai con leche de coco (página 293) o té verde sin cafeína, si se prefiere

Comida

Ensalada de rúcula, naranja sanguina e hinojo (página 267)

Cena

«Espaguetis» de cabello de ángel con salsa pesto cremosa (página 288)

Coles de Bruselas con cerezas orgánicas (página 258)

PLAN DE COMIDAS CON PESCADO DE SIETE DÍAS

Este plan de comidas con pescado en siete días es una versión modificada del método Myers para aquellas personas que no suelen tomar carne de vacuno, cordero, cerdo o de aves de corral. Como se indica en la página 140, cabe recordar que este plan es menos inflamatorio que una dieta vegetariana o vegana, si bien no alcanza la misma densidad de nutrientes que el plan de comidas general del método Myers. Si se desea poner en práctica este programa a alimentario a base de pescado a modo de transición, o si esto es todo lo que se está dispuesto a hacer, se trata ciertamente de una decisión personal de cada uno. Al igual que en el plan de comidas general, se parte de la base de que se va a cocinar para dos personas, por lo que cada una de las recetas está planteada para dos porciones de las que disfrutar. Utilice un criterio elástico y ajuste según considere oportuno las comidas a las necesidades de su familia. Si cocina solo para uno, simplemente reduzca a la mitad las cantidades que se indican. En cualquier caso siempre puede elaborar platos pensando en que sobre comida para el día siguiente. Si desea un plan detallado para saber cuántas raciones preparar de cada receta, cuándo se deben elaborar y cuándo se pueden tomar las raciones sobrantes, puede encontrar una tabla entre las páginas 314 y 316 en la que es posible consultar ese plan. De este modo será posible aplicar el programa de 7 días de la manera más adaptable, más práctica y deliciosa que sea posible.

Día de preparación

El día anterior a comenzar la aplicación del plan de comidas, pueden prepararse algunas recetas para disfrutar de ellas durante la primera semana. Este día de preparación es crucial. Elaborar estos platos antes de empezar supone una importante ayuda para comenzar el programa sin contratiempos. Si sigue una semana con horario laboral convencional, recomiendo preparar estas recetas el sábado y empezar a aplicar el plan el domingo, cuando todavía se dispone de algún tiempo libre para cocinar. Una vez preparadas las recetas de inicio, puede probar, por ejemplo, la receta de crema de calabaza moscada (o de invierno) con canela (página 261) a modo de adelanto de lo que le puede ofrecer el plan antes de su puesta en práctica.

Crema de calabaza moscada (o de invierno) con canela (página 261)

Curry de pollo al coco (página 282) (en este caso siguiendo la misma receta pero reemplazando el pollo por pescado)

Día 1

Desayuno

Parfait de frutos del bosque con crema de coco (página 299)

Zumo verde de vegetales (página 293)

Té chai con leche de coco (página 293) o té verde sin cafeína, si se prefiere

Comida

Ensalada orgánica de col rizada y cítricos con arándanos (página 265)

Curry de pollo al coco (reemplazando el pollo por pescado)

Cena

Trucha al horno al limón con champiñones (página 279)
Bimi (broccolini) orgánico con ajo y limón (página 259)

Día 2

Desayuno

Revuelto de pescado salvaje, col rizada y calabacín (página 277)
Crema de calabaza moscada (o de invierno) con canela

Comida

Trucha al horno al limón con champiñones
Ensalada orgánica de col rizada y cítricos con arándanos (página 265)

Cena

Fletán salvaje con cebolla dulce caramelizada (página 273)
Salteado de verduras orgánicas con ajo (página 252)
Calabaza moscada (o de invierno) especiada con cúrcuma (página 253)
Pueden tomarse 150 gramos de frutos del bosque orgánicos variados, como frambuesas, fresas, arándanos o moras

Día 3

Desayuno

Curry de pollo al coco (reemplazando el pollo por pescado)

Comida

Fletán salvaje con cebolla dulce caramelizada
Crema de calabaza moscada (o de invierno) con canela
Salteado de verduras orgánicas con ajo

Cena

«Pasta» al pesto con langostinos (página 276)
Pueden tomarse 150 gramos de frutos del bosque orgánicos variados, como frambuesas, fresas, arándanos o moras

Día 4

Desayuno

Parfait de frutos del bosque con crema de coco (página 299)
Zumo verde de vegetales (página 293)

Comida

«Pasta» al pesto con langostinos

Cena

Salmón salvaje al horno con salsa ácida de mango (página 272)
Boniatos al horno con canela y nuez moscada (página 255)
Espárragos orgánicos al horno (página 258)

Día 5

Desayuno

Parfait de frutos del bosque con crema de coco (página 299)
Zumo verde de vegetales (página 293)

Comida

Salmón salvaje al horno con salsa ácida de mango
Ensalada tropical nicaragüense (página 266)

Cena

Bacalao al horno en aceite de coco con espinacas (páginas 276-277)
«Pilaf» de coliflor (página 254)

Día 6

Desayuno

Revuelto de pescado salvaje, col rizada y calabacín (página 277)

Comida

Bacalao al horno en aceite de coco con espinacas
«Pilaf» de coliflor

Cena

Langostinos al coco crujientes (páginas 278-279)
Ensalada de rúcula, naranja sanguina e hinojo (página 267)
Crujiente de manzana y canela (página 299)

Día 7

Desayuno

Parfait de frutos del bosque con crema de coco (página 299)

Zumo verde de vegetales (página 293)

Té chai con leche de coco (página 293) o té verde sin cafeína, si se prefiere

Comida

Tacos de pescado especiados (página 280)

Alcachofas con vinagreta de ciruela ume (página 257)

Cena

Sushi especial (página 278)

Ensalada del algas y pepino (página 268)

Las recetas del método Myers

VERDURAS Y HORTALIZAS

Boniato guisado

PORCIONES, 4

¡Qué gran manera de comenzar el día! Esta preparación caliente y reconfortante tiene todo lo que se le puede pedir a una buena comida casera. Para disfrutar de ella en el desayuno recomiendo preparar los ingredientes de antemano, para ahorrar tiempo por la mañana.

De 2 a 4 cucharadas de postre de aceite de coco

2 boniatos cortados en dados pequeños

1 cebolla cortada en dados

¼ de cucharada de postre de canela

1/8 de cucharada de postre de nuez moscada

Una pizca de sal marina

Una pizca de pimienta negra molida

Caliente una sartén grande a fuego medio. Añada el aceite de coco, los boniatos y la cebolla picados. Cubra y sofría la mezcla durante entre 7 y 10 minutos, agitando con frecuencia. Añada la canela, la nuez moscada, la sal y la pimienta, Cocine la mezcla sin tapar, agitando de vez en cuando, otros 2 o 3 minutos, o hasta que el boniato esté blando y con un tono ligeramente dorado.

Calabaza bellota cremosa

PORCIONES, 4

Esta preparación de calabaza se funde en la boca, gracias a la cremosidad del coco y el toque dulce de las especias.

1 calabaza bellota
2 cucharadas de postre de aceite de coco o de maná (mezcla de pulpa y aceite)
    de coco para engrasar la bandeja de horno
Una pizca de canela
Una pizca de nuez moscada

Precaliente el horno a 190 ºC.

Corte la calabaza por la mitad de arriba abajo, retire las pipas con una cuchara y deséchelas.

Engrase una bandeja de horno de tamaño mediano con aceite de coco. Coloque sobre la bandeja las dos mitades de la calabaza boca abajo sobre la bandeja. Hornee durante unos 30 minutos. Dé la vuelta a las dos mitades de calabaza con unas pinzas. Vierta 1 cucharada de postre de aceite o maná de coco sobre cada una de las mitades y espolvoree la canela y la nuez moscada sobre ellas. Mantenga la calabaza en el horno otros 10 minutos antes de servir.

Salteado de verduras orgánicas con ajo

PORCIONES, 2-4

Nunca volverá a quejarse de tener que tomar verdura después de probar este exquisito salteado, aderezado con dulce aceite de coco.

1 manojo, o 400 o 500 g, de verduras de col rizada, acelgas arcoiris, berza u hojas
    de mostaza, según sus preferencias
2 cucharadas de postre de aceite de coco, o más si es necesario
1 diente de ajo picado
Una pizca de sal marina

Lave y seque las verduras. Separe las hojas de los tallos y corte estos últimos en trozos de unos 5 centímetros. Corte las hojas en tiras de unos 2 centímetros de ancho.

Caliente el aceite en una sartén de tamaño mediano y sofría el ajo, añadiendo a continuación los tallos cortados. Saltee la mezcla durante unos 5 minutos, añadiendo a continuación las hojas y una pizca de sal. Si las hojas se pegan a la sartén, incorpore otra cucharada de postre de aceite, y saltee otros 2 o 3 minutos. Sirva caliente.

Calabaza kabocha al horno con canela

PORCIONES, de 4 a 6

Cuando probé esta clase de calabaza me pregunté por qué no la habría estado tomando desde hace años. Su sabor es tan rico que combina prácticamente con cualquier cosa. Es una pequeña calabaza de color verde oscuro, similar a la cidra o calabaza de cabello de ángel.

2 cucharadas soperas de aceite de coco, y algo más si es necesario para engrasar la hoja de papel de hornear
1 calabaza kabocha
Una pizca de sal marina
Una pizca de pimienta
1/8 de cucharada de postre de canela
Una pizca de nuez moscada molida

Precaliente el horno a 175 ºC.
Engrase una bandeja de horno. Corte con cuidado la calabaza por la mitad, de arriba abajo. Retire las pipas con una cuchara y deséchelas. Corte cada mitad en rodajas de unos 2 centímetros y póngalas en un bol grande. Píntelas con el aceite y espolvoree sobre ellas la sal, la pimienta, la canela y la nuez moscada. Coloque las rodajas sobre la bandeja de horno y áselas durante unos 20 minutos; a continuación déles la vuelta y hornee durante otros 20 minutos. La piel es comestible, pero puede retirarla antes de servir, si lo prefiere.

Calabaza moscada (o de invierno) especiada con cúrcuma

PORCIONES, 2

1 calabaza moscada (o de invierno), pelada, sin pipas y cortada en dados de 1 o 2 centímetros
1 o 2 cucharadas soperas de aceite de coco, derretido, y un poco más para engrasar la bandeja de horno
¼ de cucharada de postre de cúrcuma

Precaliente el horno a 190 ºC.
En un bol grande, mezcle los dados de calabaza con el aceite y la cúrcuma. A continuación disponga la mezcla sobre una bandeja de horno engrasada y hornee durante 30 minutos. A mayor tiempo de horneado más crujiente estará la calabaza.

Zanahorias y remolachas con cúrcuma a horno lento

PORCIONES, 2-4

El alto valor nutricional de esta elaboración se aprecia por el vivo colorido de las zanahorias y las remolachas.

4 zanahorias peladas
2 remolachas peladas
2 o 3 cucharadas de postre de aceite de coco, derretido
Una pizca de sal marina
Cúrcuma al gusto

Precaliente el horno a 175 °C.

Corte las zanahorias en rodajas finas o en trozos de unos 5 centímetros cortados en cuartos a lo largo. Corte las remolachas en trozos de aproximadamente 5 centímetros de largo y 2 centímetros de ancho.

En un bol de tamaño mediano, mezcle las zanahorias y las remolachas cortadas con el aceite de coco y condimente al gusto. Extienda la mezcla sobre una bandeja de horno y hornee durante 20 minutos, o más, según la textura deseada.

«Pilaf» de coliflor

PORCIONES, 6

Esta receta es una de mis favoritas. Es increíblemente fácil de preparar y me hace sentir como si volviera a tomar arroz. Suelo prepararla en cantidad, para combinarla a lo largo de la semana con otras elaboraciones, sobre todo curris.

1 cabeza de coliflor, cortada en trozos grandes
1 cebolla amarilla, cortada en dados
2 cucharadas soperas de aceite de coco
¼ de cucharada de postre de sal marina

Lave la cabezas de coliflor y separe los cogollos, En varias tandas, vaya introduciendo los cogollos en un procesador de alimentos, en el que haya dispuesto una cuchilla en forma de S, y píquelos hasta conseguir una textura similar a la del arroz. También se puede emplear un rayador en vez de un procesador de alimentos.

En una sartén a fuego medio, saltee la cebolla picada en el aceite de coco. Cuando la cebolla comience a estar transparente, añada la coliflor desmenuzada. Remueva para mezclar y saltee hasta que el conjunto esté blando. Añada sal y cualquier otro condimento al gusto.

Boniato al horno sencillamente delicioso

Porciones, 2 (1 boniato por persona)

Cada vez que pruebo el boniato me sorprende su delicado sabor. Esta preparación puede realizarse en cantidad abundante, para irla tomando durante la semana y así ahorrar tiempo en la cocina. Puede comerse caliente o fría.

Aceite de coco para engrasar la bandeja de horno
2 boniatos de tamaño mediano

Precalentar el horno a 200 °C.
Engrase una bandeja de horno con aceite de coco. Lave y corte los boniatos por la mitad en sentido longitudinal y colóquelos sobre la bandeja boca abajo. Hornéelos durante 45 o 60 minutos hasta que estén blandos.

Boniatos al horno con canela y nuez moscada

Porciones, 2

Como he dicho, me encanta el sabor de la pulpa de boniato, preparada de cualquier forma; sin embargo, esta receta supera todo lo imaginable. Es mejor que la mayoría de los postres dulces. Se trata sin duda de una verdadera exquisitez.

2 boniatos horneados (véase la receta anterior)
2 cucharadas soperas de aceite de coco
1/8 de cucharada de postre de canela
Una pizca de nuez moscada
Una pizca de sal marina
Una pizca de pimienta negra molida
50 ml de leche de coco (opcional)
2 cucharadas de postre de cebolleta en rodajas finas (opcional)

Precaliente el horno a 190 °C.
Separe la pulpa de cada mitad del boniato de la piel con una cuchara y dispóngala en un bol de tamaño mediano. Reserve la piel sobre la bandeja de horno.
Añada el aceite de coco, la canela, la nuez moscada, la sal, la pimienta y, en su caso, la leche de coco opcional. Amase la mezcla con un prensapatatas o con un tenedor. Rellene con ella las mitades vacías que habían quedado en la bandeja y vuelva a hornear a 190 °C durante 10 o 15 minutos. Si lo desea, decore con las rodajas de cebolleta opcionales al final, antes de servir.

Repollo al horno con ajo

PORCIONES, 4

Aceite de coco para engrasar la bandeja de horno
1 repollo
2 dientes de ajo
2 cucharas soperas de aceite de oliva virgen extra
Una pizca de sal marina
Una pizca de pimienta negra molida
1 aguacate grande en rodajas
1 hamburguesa de vacuno alimentado con hierba, con romero y albahaca (página 257)

Precaliente el horno a 200 ºC.

Engrase la bandeja de horno con aceite de coco. Coloque el repollo sobre una tabla, apoyado sobre la parte gruesa del tallo y córtelo en rodajas gruesas. Pele los dientes de ajo y macháquelos con el lado de un cuchillo de cocina para ablandarlos. Frote con los dientes de ajo ambos lados de cada rodaja de repollo.«Pinte» con aceite de oliva los dos lados de cada rodaja y espolvoree la sal y la pimienta.

Disponga las rodajas de repollo en la bandeja y hornee durante unos 25 minutos; déles la vuelta y continúe otros 25 minutos. Sirva el repollo acompañado de rodajas de aguacate o, si lo desea, como acompañamiento de una hamburguesa de vacuno alimentado con hierba, con romero y albahaca.

Palitos de boniato fritos crujientes

PORCIONES, 2

En cualquier momento podrá disfrutar de estos deliciosos palitos de boniato fritos.

2 boniatos de tamaño mediano
Aceite de coco

Lave y pele los boniatos. Córtelos en palitos cuadrados de unos 5 centímetros de largo y 1 de grosor.

Caliente en una sartén aceite suficiente para cubrir los palitos. Cuando el aceite esté a temperatura suficiente, incorpore los palitos a la sartén, removiéndolos con una espumadera de madera. Fríalos durante unos 7 minutos. Retírelos del aceite antes de que adquieran un tono tostado (los palitos se mantendrán crujientes una vez sacados del aceite). Fría por tandas los palitos de boniato restantes de la misma manera.

Alcachofas con vinagreta de ciruela Ume

Porciones, 2-4

2 alcachofas
½ limón
1 diente de ajo, pelado y machacado
Vinagreta de ciruela Ume (página 236)

Llene un cazo con agua suficiente para cubrir las alcachofas y lleve a ebullición.

Mientras el agua hierve, corte los tallos de las alcachofas de forma que las flores puedan mantenerse verticales, apoyadas sobre la superficie inferior del cazo. Corte con una tijeras las puntas duras de las hojas. Corte las partes superiores de las alcachofas y deséchelas. Frote todas las zonas que haya cortado con el medio limón.

Incorpore con cuidado las alcachofas, el medio limón y el diente de ajo al agua hirviendo con una espumadera de madera. Tape el cazo, asegurándose de que las alcachofas quedan cubiertas por el agua y cueza a fuego suave durante 30 o 35 minutos, o hasta que las alcachofas estén blandas. Retírelas del agua con la espumadera y deje que escurran y se enfríen en un colador boca abajo, de manera que pierdan la mayor cantidad posible de agua.

Para comerlas, vaya retirando una por una las hojas de las alcachofas, y tómelas mojándolas en la vinagreta de ciruela ume, chupando y cortando con los dientes la parte más tierna. Al llegar al corazón de la alcachofa raspe la pelusa del centro y retírela antes de saborear el corazón.

Las alcachofas sobrantes pueden recalentarse al vapor.

Calabaza de verano al coco

Porciones, 4

1 calabacín
1 calabaza amarilla
2 cucharadas de postre de aceite de coco

Lave la calabaza y córtele los extremos. Ralle el calabacín y la calabaza con un rallador.

Caliente el aceite de coco en una sartén de tamaño mediano. Incorpore la mezcla y saltee durante 1 o 2 minutos.

Verduras y hortalizas al horno

PORCIONES, 2

400 gramos de verduras y hortalizas a su elección (espárragos, remolacha, brécol, coliflor, zanahorias, apio, calabacín, boniato, etc.)
1 o 2 cucharadas soperas de aceite de coco, derretido
¼ de cucharada de postre de sal marina
Condimentos opcionales: cúrcuma, canela, nuez moscada, comino, pimienta negra

Precaliente el horno a 175 °C. En un bol, combine los vegetales cortados, el aceite de coco, la sal y los condimentos opcionales, removiendo hasta que toda la mezcla esté cubierta de forma homogénea. Extienda la mezcla sobre una bandeja de horno y hornee durante entre 15 y 25 minutos. El tiempo de cocción dependerá de las verduras y hortalizas elegidas y de la textura que se desee obtener. Vigile el proceso de horneado para determinar cuándo están en su punto.

Espárragos orgánicos al horno

PORCIONES, 2

24 tallos de espárrago de cultivo orgánico, con el extremo inferior cortado
1 cucharada sopera de aceite de coco o de oliva
Una pizca de sal marina
1 rodaja de limón

Precaliente el horno a 190 °C. Lave los espárragos y colóquelos en una bandeja para horno. Añada el aceite y la sal. Hornee durante 20 o 25 minutos. Exprima el limón sobre los espárragos antes de servirlos.

Coles de Bruselas con cerezas orgánicas

PORCIONES, 2

250 g de coles de Bruselas cortadas
80 g de cerezas orgánicas frescas sin hueso y contadas en rodajas
2 o 3 cucharadas soperas de aceite de coco, derretido hasta que esté completamente líquido para engrasar
¼ de cucharada de postre de sal

Precaliente el horno a 190 °C. Engrase una bandeja de horno con aceite de coco. Corte las coles de Bruselas por la mitad. Mézclelas con las cerezas y el aceite y añada la sal. Hornee durante 15 o 20 minutos, dependiendo de lo crujiente que desee que quede la elaboración.

Bimi (broccolini) orgánico con ajo y limón

PORCIONES, 2

Cualquiera de estas recetas de acompañamientos a base de verduras y hortalizas puede prepararse doblando las cantidades para poder tomarlas también al día siguiente.

8 cogollos de bimi (broccolini), con los extremos cortados
1 cucharada sopera de aceite de coco o de oliva, o más si es necesario
½ cebolla dulce, cortada en dados
3 dientes de ajo, picados
½ limón

Caliente en aceite en una sartén de tamaño mediano. Añada la cebolla y sofríala durante 2 minutos. Incorpore el ajo y el bimi. Deje que la mezcla cueza entre 5 y 7 minutos, removiendo con frecuencia. Cuando el bimi esté tierno, exprima el limón y sirva.

Variación: puede utilizarse brécol en vez de bimi.

Chips de col rizada crujientes

PORCIONES, 2

1 manojo de col rizada
2 cucharadas soperas de aceite de coco
¼ de cucharada de postre de sal marina
¼ de cucharada de postre de cúrcuma

Precaliente el horno a 200 ºC. Lave y seque las hojas de col. Córtelas en trozos de 5 a 7 centímetros, retirando los tallos y desechándolos. Añada el aceite a las hojas, «masajeándolas» con él para que se impregnen bien. Incorpore la sal y la cúrcuma y mezcle bien. Hornéelas durante unos 10 minutos hasta que estén crujientes, por tandas o en varias bandejas de horno. Vigile que los trozos más finos no se quemen.

SOPAS Y CALDOS

Caldo digestivo

Para aproximadamente 16 porciones de 120 mililitros (unos 2 litros)

La gelatina del caldo digestivo protege y cura el revestimiento mucoso del tubo gastrointestinal y facilita la digestión de los nutrientes. Este caldo es excelente para preparar cualquier tipo de sopa o sencillamente para tomarlo a pequeños sorbos en cualquier momento.

1 carcasa de pollo de corral de cría ecológica (por ejemplo, sobrante de la receta de pollo asado con limón y ajo, de la página 281) o ½ kilo de huesos (hueso de caña, huesos de pollo)

2 cucharadas soperas de vinagre de manzana

1 cucharada de postre de sal marina

2 dientes de ajo, pelados y machacados con el lado plano de un cuchillo

2 litros de agua

Zanahoria, apio, cebollas, picados (opcional)

Poner la carcasa o los huesos en una olla de cocción lenta con el vinagre, la sal, el ajo el agua y las verduras. Dependiendo del tamaño de la olla, puede añadirse más agua para cubrirlo bien todo. La mezcla se debe cocer durante 24 horas (el caldo puede tomarse después de 8 horas de cocción, aunque es preferible mantenerla durante 24 horas) *.

Una vez preparado el caldo, se sacan los huesos con una espumadera y se pasa por un colador de malla fina para separar la grasa. La grasa que quede se aglutinará en la parte superior del recipiente en el que se guarde el caldo en la nevera al enfriarse, pudiendo retirarse con una cuchara.

Caliente porciones individuales para beber el caldo o utilizarlo en la preparación de otras recetas. Se conserva durante 4 o 5 días, o más tiempo, si se congela.

---

* La olla de cocción lenta es un electrodoméstico, de uso frecuente en Estados Unidos y que también se utiliza en Europa, conectado a la red eléctrica y que permite elaborar alimentos en cocciones muy prolongadas a baja temperatura. El caldo también puede prepararse en una olla convencional, a fuego lento, con tiempos de cocción, lógicamente, más cortos.

Crema de calabaza moscada (o de invierno) con canela

PORCIONES, DE 4 A 6

Esta preparación, cremosa y dulce, le encantará la primera vez que la pruebe y, probablemente, incluso más la segunda. Es posible guardar congelada la pulpa de calabaza y de boniato, teniéndola así preparada para elaborar esta receta u otras.

2 dientes de ajo pelados (enteros, no machacados)

2 o 3 cucharadas soperas de aceite de oliva virgen extra

1 calabaza moscada, pelada, sin pipas y en trozos (puede ser congelada en trozos)

2 boniatos de tamaño mediano, pelados y cortados en trozos (pueden ser congelados en trozos)

1 cebolla dulce grande, cortada en dados

½ cucharada de postre de canela molida

¼ de cucharada de postre de nuez moscada

½ litro de caldo digestivo (véase la receta anterior en la página 260) o caldo envasado, sin gluten y bajo en sodio (hay marcas como Pacific Natural Foods que elaboran buenos caldos orgánicos)

1 lata de 400 ml de leche de coco con toda su grasa)

Sal marina, al gusto

Pimienta negra molida, al gusto

En un cazo grande saltee el ajo en aceite de oliva, hasta que este se aromatice. Añada la calabaza, el boniato, la cebolla, la canela y la nuez moscada y saltee durante entre 3 y 5 minutos, removiendo la mezcla con frecuencia. Incorpore el caldo y lleve a ebullición; a continuación baje el fuego y cueza a fuego lento, con el cazo parcialmente tapado, durante 20 minutos, hasta que la calabaza y el boniato estén tiernos.

Retire el cazo del fuego. Bata el contenido con una batidora de mano, o con una de vaso, por tandas, hasta que se forme una crema homogénea. Vuelva a poner la crema a calentar, a fuego bajo, y añada la leche de coco, removiendo bien hasta que se mezcle del todo. Sazone con sal y pimienta.

Variación: a las porciones individuales se les puede añadir unos granos de granada, para incorporar un toque crujiente.

Sopa de pollo con «fideos» de la abuela

PORCIONES, 4

Los fideos de calabacín convierten esta sopa en una nueva versión de la clásica sopa de pollo con fideos. Se trata del plato perfecto para rememorar recuerdos de las reconfortantes cenas de nuestra infancia.

1 cucharada sopera de aceite de coco (más si es necesario)
1 diente de ajo, picado
1 cebolla amarilla, picada en trozos
¼ de cucharada de postre de cúrcuma
½ boniato picado en trozos
4 zanahorias, picadas en trozos
4 ramas de apio, picadas
1 hoja de laurel
600 mililitros de caldo de pollo (caldo digestivo [página 260] o caldo envasado, sin gluten y bajo en sodio)
200 gramos de carne de pollo de corral de cría ecológica, cocida y cortada en trozos o en tiras
1 cucharada sopera de albahaca, picada
1 cucharada sopera de cilantro o perejil (o de ambos combinados)
¼ de cucharada de postre de sal marina
1/8 cuchara de postre de pimienta negra molida
2 calabacines cortados formando «fideos», con un cortador en espiral o una mandolina

En un cazo grande caliente a fuego medio el aceite de coco. Agregue el ajo y saltee hasta que tome color. Incorpore la cebolla y la cúrcuma y continúe sofriendo durante unos 3 minutos. Añada el boniato, las zanahorias, el apio y la hoja de laurel. Si las verduras parecen secas, agregue otras 2 o 3 cucharadas de postre de aceite de coco. Cocine la mezcla durante unos 10 minutos más e incorpore el caldo, el pollo, la albahaca el perejil y/o el cilantro, la sal y la pimienta. Lleve a ebullición y cueza a fuego lento con el cazo tapado otros 40 minutos.

Apague el fuego, retire la hoja de laurel, agregue los «fideos» de calabacín y deje reposar 5 o 10 minutos con el cazo tapado antes se servir la sopa caliente.

Sopa de granja orgánica de cinco vegetales

PORCIONES, 4

100 gramos de calabaza amarilla, cortada en trozos
100 gramos de calabacín, cortado en trozos
100 gramos de brécol, cortado en trozos
100 gramos de coliflor, cortada en trozos
100 gramos de cebolla amarilla, cortada en trozos
1 diente de ajo, picado
2 cucharadas soperas de aceite de oliva virgen extra
¼ de litro de caldo digestivo (página 260) o de caldo envasado sin gluten y bajo
    en sodio
¼ de cucharada de postre de eneldo
Sal al gusto
Pimienta negra molida al gusto

Cueza al vapor la calabaza, el calabacín, el brécol y la coliflor. Reserve aparte. Caramelice la cebolla y el ajo en el aceite de oliva. Reserve aparte. En una batidora de alta velocidad, por tandas, mezcle y bata parte del caldo con las hortalizas al `vapor, las cebollas, el ajo, el eneldo la sal y la pimienta. Cuando la mezcla sea homogénea, viértala en una cacerola. Añada el resto del caldo y caliente a fuego lento, hasta el momento de servir.

ENSALADAS

Ensalada Cobb

PORCIONES, 2

    200 gramos de lechuga romana, cortada en trozos
    100 gramos de hojas tiernas de col rizada, cortadas en trozos
    ½ pepino, cortado en trozos
    1 pechuga de pollo de corral, de cría ecológica, cocida y cortada en trozos
    ½ manzana, cortada en trozos
    ½ aguacate grande, en rodajas
    1 cucharada sopera de aceite de oliva
    El zumo de ½ limón
    2 cucharadas de postre de leche de coco con toda su grasa
    1 diente de ajo picado
    Una pizca de sal marina
    Una pizca de pimienta negra molida

En un bol de tamaño mediano, mezcle la lechuga, la col, el pepino, el pollo, la manzana y el aguacate, y reserve.

Ponga el aceite, el zumo de limón, la leche de coco, el ajo, la sal y la pimienta en un procesador o una batidora de alta velocidad y mezcle hasta obtener un aderezo uniforme. Agréguelo a la ensalada y sirva. Si piensa que va a sobrar parte de la preparación, espere para añadir la manzana y el aguacate troceados, que se oxidan antes, y deje parte del aderezo en reserva.

Variación: es posible utilizar tiras de pollo orgánico al horno con hierbas (página 283) en vez de pechuga.

Ensalada de col rizada y cítricos con arándanos

PORCIONES, 2

El sabor a cítricos de esta receta contribuye a suavizar el efecto crujiente de las hojas de col rizada y los frutos del bosque aportan un toque dulce. ¡Seguro que la vuelve a preparar!

1 manojo de hojas de col rizada (400 o 500 gramos)
El zumo de ½ naranja
Aceite de oliva virgen extra
150 gramos de pollo cocido en tiras (puede utilizarse el sobrante de la receta de pollo asado con limón y ajo, de la página 281)
50 gramos de arándanos rojos desecados no endulzados o de cerezas frescas deshuesadas (opcional)
1 pepino pequeño, cortado en trozos (opcional)

Lave y seque las hojas de col, y, a continuación córtelas. En un bol de tamaño mediano, mezcle la col cortada con el zumo de naranja y el aceite de oliva. Agregue el pollo, así como, en su caso, los arándanos, las cerezas y el pepino. Deje reposar la ensalada durante al menos 30 minutos antes de servir para que se mezclen los sabores.

Variación: prescinda del pollo si ya a tomado o va a tomar proteínas animales en esa comida.

Ensalada de col rizada y espinacas orgánicas y minihamburguesas de vacuno alimentado con hierba, con romero y albahaca

PORCIONES, 2

400 o 500 gramos de mezcla de hojas tiernas de col rizada y espinacas
1 o 2 cucharadas soperas de aceite de coco
1 cebolla dulce pequeña
De 2 a 4 minihamburguesas de vacuno alimentado con hierba, con romero y albahaca (página 291)
100 gramos de súper guacamole (página 270)

Lave y seque las hojas. Córtelas en tiras de 2 centímetros y distribúyalas en los dos cuencos en los que vaya a servir la ensalada.

Caliente el aceite de coco en una sartén de tamaño mediano. Saltee la cebolla hasta que esté caramelizada (para ello deje que se pegue a la sartén y a continuación remuévala antes de que se queme).

Agregue a cada porción 1 o 2 minihamburguesas, una cucharada de guacamole y la cebolla caramelizada.

Ensalada tropical nicaragüense

PORCIONES, 2

400 o 500 gramos de verduras de hoja verde combinadas
¼ o ½ mango, pelado y rallado
80 gramos de fresas, cortadas en láminas finas
½ pepino, cortado en rodajas finas
1 aguacate, cortado en dados
¼ de cucharada de postre de sal marina
2 cucharadas soperas de aceite de oliva
2 cucharadas de postre de vinagre balsámico (en el protocolo dietético para la proliferación de levaduras/SBID se utiliza vinagre de manzana)

En un bol grande mezcle las verduras, el mango, las fresas, el pepino y el aguacate. En otro bol más pequeño, mezcle la sal, el aceite y el vinagre. Vierta esta vinagreta sobre la ensalada y sirva.

Variación: la ensalada puede acompañar a una tiras de pollo orgánico al horno con hierbas (página 283) para obtener una comida completa.

Ensalada de «fideos» de calabacín

PORCIONES, 2

1 calabacín, en «fideos» obtenidos con un cortador en espiral, o rallado
2 aguacates medianos, cortados en trozos
100 gramos de aceitunas, deshuesadas y picadas
50 gramos de cebolleta, cortada en rodajas finas
2 cucharadas soperas de zumo de limón
2 cucharadas soperas de aceite de oliva virgen extra
1/8 de cucharada de postre de sal marina
Una pizca de pimienta negra molida

Combine los «fideos» de calabacín, el aguacate, las aceitunas y la cebolleta en un bol de tamaño mediano. Mezcle y bata el zumo de limón, el aceite, la sal y la pimienta y vierta la vinagreta sobre la ensalada. Mezcle todo bien para que se distribuya de forma homogénea.

Variación: la ensalada puede servirse con salmón sobrante de alguna otra receta.

Ensalada de rúcula, naranja sanguina e hinojo

Porciones, 2

Esta deliciosa ensalada se conserva bien para el día siguiente y su aderezo puede reservarse para utilizarlo, por ejemplo, al crear una ensalada mixta propia (páginas 295-296).

400 gramos de rúcula
1 naranja sanguina, pelada y cortada en gajos
½ bulbo pequeño de hinojo, cortado el rodajas finas
1 remolacha, pelada, cortada en rodajas y asada a la manera que se indica en la
receta de verduras y hortalizas al horno (página 258)
1/4 de de cebolla roja, cortada en rodajas finas
2 cucharada soperas de cilantro picado

Para el aderezo:
El zumo de ½ naranja sanguina
2 cucharadas de postre de zumo de limón recién exprimido
2 cucharadas de postre de zumo de lima recién exprimido
1 cucharadas soperas de aceite de oliva virgen extra
Una pizca del sal marina o sal marina al gusto
Una pizca de pimienta negra molida

Ponga la rúcula en un bol grande. Corte por la mitad cada gajo de naranja, y distribuya los pedazos sobre la rúcula. Agregue las rodajas del bulbo de hinojo, junto con las de remolacha y cebolla. Espolvoree el cilantro sobre la ensalada. Combine en un bol los ingredientes del aderezo en un bol aparte y viértalo sobre la ensalada, mezclando para que se distribuya de manera homogénea.

Variación: es posible que la ensalada acompañe a una tiras de pollo orgánico al horno con hierbas (página 283), a otra carne de pollo sobrante o a unas gambas a la plancha, para obtener una comida completa.

Ensalada de algas y pepino

PORCIONES, 2

200 gramos de algas wakame o arame
1 pepino pequeño, pelado, cortado en cuartos en sentido longitudinal y, a continuación en trozos de 1 centímetro de ancho

Para el aderezo:
1 cucharada sopera de aliño de coco (no se utiliza en el en el protocolo dietético para la proliferación de levaduras/SBID)
1 cucharada sopera de vinagre de manzana
1 cucharada sopera y media de aceite de oliva virgen extra
1 cucharada de postre de zumo de limón recién exprimido
½ cucharada de postre de raíz de jengibre recién picada
Sal marina al gusto

Si utiliza alga wakame, córtela con tijeras en trozos de unos 2 centímetros, dejándolos 5 o 10 en remojo y retirando los trozos duros.

Si usa alga arame, manténgala en remojo durante 5 o 10 minutos y a continuación séquela. Córtela en trozos de unos 2 centímetros con una tijeras.

En un bol grande, mezcle las algas y el pepino y reserve la mezcla.

Para preparar el aderezo, introduzca los ingredientes en el vaso de una batidora de alta velocidad y combínelos encendiéndola y apagándola varias veces hasta obtener un líquido homogéneo, o bien bata la mezcla con un batidor de mano o un tenedor en un bol. Vierta la cantidad deseada sobre las algas y el pepino y sirva.

SALSAS Y ALIÑOS

Salsa pesto cremosa

PARA 150 O 200 GRAMOS

Esta salsa, fácil de preparar, aporta un singular sabor a cualquier plato.

200 gramos de albahaca fresca
4 cucharadas soperas de aceite de oliva virgen extra
2 dientes de ajo
Una pizca de sal marina
Una pizca de pimienta negra molida
80 mililitros de agua

Mezcle los ingredientes en el vaso de una batidora de alta velocidad hasta obtener una salsa homogénea. La salsa puede conservarse en la nevera hasta 1 semana.

Tapenade de aceitunas

PARA UNOS 200 GRAMOS

200 gramos de aceitumas deshuesadas
2 dientes de ajo, picados
2 cucharadas soperas de alcaparras
2 cucharadas soperas de perejil picado
Las hojas de 3 ramas de tomillo fresco, finamente picadas
1 cucharada sopera de zumo de limón
1 cucharada sopera de vinagre de manzana
2 cucharadas soperas de aceite de oliva virgen extra
Una pizca de sal marina
Una pizca de pimienta negra molida

Introduzca todos los ingredientes en un procesador de alimentos o en el vaso de una batidora. Pulse o bata hasta obtener una mezcla homogénea y agregue aceite o agua hasta conseguir la consistencia deseada.

Vinagreta de ciruelas Ume

PARA UNOS 50 MILILITROS

1 cucharada sopera de vinagre de ciruelas ume*
3 cucharadas soperas de aceite de oliva virgen extra
2 cucharadas de postre de perejil o albahaca finamente picados
Una pizca de ajo en polvo

Introduzca todos los ingredientes en el vaso de una batidora de alta velocidad o en un bol y bata, a máquina o a mano, hasta obtener una vinagreta homogénea. Si se duplican o triplican las cantidades de los ingredientes, puede conservarse en la nevera hasta 1 semana.

Súper Guacamole

PARA APROXIMADAMENTE ½ KILO

Este guacamole está enriquecido con hasta cinco vegetales distintos para reforzar su valor nutricional. Es una de mis elaboraciones preferidas del método Myers.

La pulpa de 2 aguacates
1/2 cebolla, cortada en dados
1/2 pepino, cortado en juliana
1/2 calabaza amarilla, rallada
1/2 calabacín, rallado
2 zanahorias, peladas y cortadas en juliana
1 diente de ajo, rallado o picado
2 cucharadas soperas de cilantro fresco picado
El zumo de ½ limón o ½ lima
Sal marina al gusto
Una rodaja de limón o lima, como guarnición

En un bol mediano, machaque la pulpa de los aguacates. Añada las cebollas, el pepino, la calabaza, el calabacín, las zanahorias, el ajo, el cilantro, el zumo de limón o lima ·· !ᵃ sal. Decore con una rodaja de limón o lima.

, de Japón, utilizado en cocina macrobiótica.

Salsa ácida de mango

PARA APROXIMADAMENTE ½ KILO

¡Verdaderamente deliciosa! En Texas no podemos prescindir de esta salsa, que aporta una perfecta combinación de sabores a muchos platos.

1 mango, cortado en trozos pequeños
1 aguacate, cortado en trozos pequeños
½ cebolla roja, picada
3 cucharadas soperas de cilantro fresco recién picado
El zumo de 1 limón pequeño
2 o 3 cucharadas de postre de cáscara de limón
1 cucharada sopera de aceite de oliva virgen extra
Una pizca de sal marina, o al gusto
Una pizca de pimienta negra molida, o al gusto

El un bol grande, combine todos los ingredientes hasta obtener una mezcla homogénea. Sazone con sal y pimienta al gusto.

Aguacate batido con aliño de limón

PARA APROXIMADAMENTE 100 GRAMOS

1 aguacate mediano, cortado en trozos y machacado
El zumo de 1 limón mediano
1 cucharada sopera de aceite de oliva virgen extra
Agua (para aportar la consistencia deseada)

Ponga los ingredientes en el vaso de una batidora o en un bol y bátalos, a máquina o a mano, hasta obtener una mezcla homogénea.

PESCADOS Y MARISCOS

Salmón salvaje al horno con salsa ácida de mango

PORCIONES, 4

Para la salsa de que acompaña al salmón, puede emplearse una mostaza castaña preparada con vinagre de manzana La de la marca Eden Food es una mostaza orgánica que resulta excelente para este propósito.

2 filetes de salmón salvaje de Alaska de unos 250 gramos cada uno
1 cucharada sopera de aceite de oliva virgen extra
Sal marina al gusto
Pimienta negra molida, al gusto
6 cucharadas soperas de salsa ácida de mango (página 271)

Para la salsa:
2 cucharadas soperas de aceite de oliva virgen extra
1 ½ cucharadas soperas de perejil fresco, picado
1 ½ cucharadas soperas de eneldo fresco, picado
3 cucharadas soperas de mostaza castaña preparada
1 diente de ajo, picado
1 o 2 cucharadas soperas de zumo de limón

Precaliente el horno a 200 ºC.

Unte por ambos lados cada filete de salmón con el aceite de oliva y espolvoree la sal y la pimienta. Disponga los filetes de salmón en una bandeja de horno grande en la rejilla de la parte inferior. Hornee el salmón durante unos 25 minutos o hasta que esté en su punto.

En un bol pequeño combine todos los ingredientes de la salsa y cubra con ella los filetes antes de servir. Acompañe con la salsa ácida de mango.

Fletán salvaje con cebolla dulce caramelizada

PORCIONES, 4

4 filetes de fletán de unos 250 gramos (o de otro pescado según sus preferencias)
Sal marina al gusto
Pimienta negra molida, al gusto
2 cucharadas soperas de aceite de oliva virgen extra, más aceite adicional para engrasar la bandeja de horno
4 cebollas amarillas o dulces, cortadas en aros finos
2 cucharadas soperas de zumo de limón recién exprimido

Precaliente el horno a 200 ºC.

Sazone con sal y pimienta cada filete de fletán. Coloque los filetes en una bandeja de horno engrasada y hornee 10 o 15 minutos, o hasta que el pescado esté en su punto. A mitad de la cocción añada más aceite de oliva a la bandeja, si es necesario.

Caliente dos cucharadas soperas de aceite de oliva en una sartén mediana. Saltee en ella las cebollas hasta que caramelicen. Extiéndalas sobre el pescado y agregue en zumo de limón antes de servir.

Ensalada de salmón y cítricos

PORCIONES, 2

Adquiera y prepare los ingredientes en cantidad suficiente para elaborar esta receta, con objeto de que haya suficiente para un par de días. Puede dejar aparte algunos de los ingredientes, como los pepinos, los aguacates y la albahaca, a fin de incorporarlos a última hora para que se mantengan frescos.

250 o 300 gramos de salmón fresco o envasado, cocinado
1 pepino, cortado en trozos pequeños
2 aguacates, cortados en trozos pequeños
El zumo de ½ naranja
2 cucharada sopera de albahaca, picada
Sal marina al gusto

Desmigue el salmón en un bol mediano. Si se utiliza salmón envasado, conviene eliminar el exceso de agua antes de hacerlo. Mezcle el pepino, los aguacates, el zumo de naranja, la albahaca y la sal y disfrute de la elaboración.

Curry verde tailandés con gambas

PORCIONES, DE 4 A 6

Este plato es un desafío especial. Se trata de un curry que muy bien podría pedirse en el mejor de los restaurantes de comida tailandesa y requiere tal vez un esfuerzo adicional. Esta pasta puede elaborarse en cantidad, para poder congelar la mitad y conservarla en el congelador, con objeto de ahorrar tiempo la próxima vez que se decida preparar esta elaboración.

2 cabezas grandes de coliflor
1 cucharada sopera de aceite de coco
2 cucharadas de postre de pasta de anchoas
1 lata de 400 centilitros de leche de coco, 2 cucharadas soperas de reserva para la pasta de curry
750 gramos de gambas grandes, peladas y desvenadas
200 gramos de champiñones en láminas (no se utiliza en el protocolo dietético para la proliferación de levaduras/SBID)
5 cebolletas, en rodajas
2 cucharadas soperas de zumo de lima
100 gramos de albahaca picada
4 tallos de hierba limonera, o citronela, fresca, cortada en trozos de 2 centímetros y con los extremos cortados
1 cucharada de postre de sal marina
Hojas de albahaca fresca y corteza de lima, como guarnición (opcional)

Para la pasta de curry verde:
1 chalota, en rodajas
4 dientes de ajo
Un trozo de 2 centímetros de raíz de jengibre, pelado
50 gramos de hojas de cilantro fresco
50 gramos de hojas de albahaca fresca
½ cucharada de postre de comino
½ cucharada de postre de pimienta negra molida
3 cucharadas soperas de caldo de pescado sin gluten (no se utiliza en el protocolo dietético para la proliferación de levaduras/SBID)
2 cucharadas soperas de zumo de lima recién exprimido
2 cucharadas soperas de leche de coco

En primer lugar se elabora la pasta de curry verde. Mezcle todos sus ingredientes en un procesador de alimentos o una batidora de alta velocidad hasta conseguir una pasta homogénea. Reserve aparte.

Lave la cabezas de coliflor y separe los cogollos. En varias tandas, vaya introduciendo los cogollos en un procesador de alimentos, en el que haya dispuesto una cuchilla en forma de S, y píquelos hasta conseguir una textura similar a la del arroz. También se puede emplear un rallador en vez de un procesador de alimentos.

Caliente el aceite de coco en un cazo grande. Incorpore la pasta de curry y la pasta de anchoas. Mezcle las dos pastas durante unos 30 segundos y, a continuación agregue la leche de coco, calentando a fuego lento unos minutos, o hasta que la mezcla se haga densa. Añada la coliflor y cueza durante otros 3 minutos. Incorpore las gambas y los champiñones y caliente otros 2 o 3 minutos, o hasta que las gambas estén casi en su punto. Agregue las cebolletas, el zumo de lima, la albahaca, la hierba limonera y la sal. Mantenga la mezcla en el fuego hasta que las gambas estén hechas y las láminas de champiñón estén blandas.

Sirva el plato adornado con una hoja de albahaca fresca y la corteza de lima.

La hierba limonera no se suele comer (solo se usa como aromatizante), por lo que debe dejarse aparte al consumir el plato o retirarse antes de servir.

Variación: la elaboración se puede servir sobre pepinos en juliana y aguacates cortados en dados.

Aguacate relleno de salmón y cilantro

PORCIONES, 2

Esta es una de las elaboraciones favoritas de la familia Myers. Mi padre me envió un mensaje diciéndome cuánto le había gustado en cuanto la probó.

250 gramos de salmón salvaje, hervido y cortado en trozos pequeños (también puede utilizarse salmón envasado sin espinas)
50 gramos de cualquier variedad de lechuga cortada en juliana.
2 cucharadas soperas de cilantro fresco picado
3 cucharadas soperas de zumo de limón recién exprimido
2 cucharadas de aceite de oliva virgen extra
½ cucharada de postre de comino molido
Sal marina y pimienta negra molida al gusto
2 aguacates, cortados por la mitad y deshuesados, dejando la pulpa pegada a la piel

En un bol mediano, mezcle con cuidado el salmón, la lechuga, el cilantro, el zumo de limón, el aceite de oliva, la sal y la pimienta. Cubra con la mezcla cada una de las mitades de aguacate y sirva.

«Pasta» al pesto con langostinos

PORCIONES APROXIMADAS, 4

Esta es otra de mis recetas favoritas. Los «espaguetis» de calabacín se hacen en menos tiempo del que se emplea en cocer la pasta convencional y aportan una textura excepcional.

4 calabacines grandes, con los extremos cortados
2 cucharadas de postre de aceite de coco
2 dientes de ajo, picados
1/8 de cucharada de postre de sal, más sal añadida para sazonar los «espaguetis» de calabacín
Una pizca de pimienta negra molida
½ kilo de langostinos, pelados y desvenados
4 cucharadas soperas de salsa pesto cremosa (página 269)
5 o 6 cucharadas soperas de leche de coco con toda su grasa
50 gramos de albahaca fresca picada

Ponga el calabacín en un bol grande y sazone generosamente para que los «espaguetis» «suden» durante al menos 20 minutos.

Entretanto, caliente el aceite de coco en una sartén grande. Incorpore el ajo, 1/8 de cucharada de postre de sal, y la pimienta y saltee hasta que el ajo empiece a tostarse. A continuación añada las gambas y sofríalas durante unos 3 minutos, removiendo a menudo.

Seque los «espaguetis» con un paño limpio para absorber el exceso de humedad. Cuando las gambas adquieran un tono rosado, agregue los «espaguetis» a la sartén, junto con la salsa de pesto cremosa y la leche de coco. Remueva hasta que las salsas se mezclen de manera uniforme y caliente entre 30 segundos y 1 minuto más. Espolvoree la albahaca picada antes de servir.

Bacalao al horno en aceite de coco con espinacas

PORCIONES, 4

250 gramos de hojas de espinaca
150 gramos de zanahoria rallada, fresca o precortada en bolsa
2 cebollas rojas, cortadas en aros
4 filetes de 250 gramos cada uno de bacalao, fresco o congelado
4 cucharada sopera de agua, si se utiliza pescado fresco
12 rodajas finas de aguacate
2 cucharadas de postre de aceite de coco
El zumo de 2 limones

Una pizca de eneldo, fresco o seco
Una pizca de sal marina
De 8 a 12 rodajas finas de limón

Precaliente el horno a 175 °C.
Extienda las espinacas en dos bandejas de horno de aproximadamente 20 × 20 centímetros. Coloque sobre las espinacas una capa de zanahorias y de aros de cebolla. Disponga los filetes de bacalao sobre el lecho de verduras, presionando sobre ellas. Si se utiliza pescado fresco, agregue dos cucharadas soperas de agua a cada bandeja. Coloque sobre cada filete de bacalao 3 rodajas de aguacate y media cucharada de aceite de coco y rocíe con el zumo de limón, espolvoreando a continuación la sal y la pimienta. Cubra cada filete con 2 o 3 rodajas de limón. Cubra las bandejas de horno con papel de aluminio y hornee durante 15 o 20 minutos, o hasta que el bacalao esté en su punto (algo más si se emplea pescado congelado).

Revuelto de pescado salvaje, col rizada y calabacín

PORCIONES, 2

Esta es una receta perfecta para un completo desayuno, que aporta proteínas animales y vegetales. Se puede sustituir el salmón por cualquier otro pescado que se tenga a mano.

250 gramos de salmón de Alaska hervido, o cualquier otro pescado a su elección
1 calabacín grande cortado en medias lunas finas
200 gramos de col rizada, lavada y cortada en trozos
1 cucharada sopera de aceite de coco
Una pizca de sal marina
Una pizca de pimienta negra molida
1 aguacate cortado en dos mitades

Caliente una sartén grande a fuego medio y vierta en ella el aceite de coco. Agregue el salmón, el calabacín y la col rizada y saltee unos 5 minutos hasta que el salmón esté crujiente y las verduras blandas. Sazone con sal y pimienta. Mezcle bien y sirva caliente con el aguacate como acompañamiento.

Sushi especial

PORCIONES, 2

Elaborar un rollo de sushi perfecto requiere cierta práctica, pero, con independencia de cuál sea su forma, su sabor siempre es estupendo. Para preparar un rollo de sushi firme y compacto son necesarios muchos menos ingredientes de los que suele creerse. Hay muchos vídeos en la red que pueden consultarse para aprender a elaborar este sushi especial.

6 hojas de alga nori
1 aguacate grande, machacado
200 gramos del salmón ahumado
1 mango, cortado en rodajas
1 pepino, cortado en rodajas finas
3 espárragos al vapor, cortados por la mitad a lo largo (opcional)
3 cebolletas, cortadas por la mitad a lo largo (opcional)

Disponga una hoja de nori sobre una esterilla para sushi o una tabla de cortar. Con una cuchara plana, extienda en aguacate en una fina capa sobre toda la superficie del alga. Coloque una tira de unos 30 gramos de salmón en la parte inferior de la hoja de nori cubierta de aguacate. Sobre ella ponga un par de rodajas finas de mago. A continuación disponga el pepino y, si los utiliza, una mitad de espárrago y otra de cebolleta.

Comenzando desde abajo, enrolle el alga nori con todos los ingredientes hasta conseguir que se forme un rollo compacto. Con un cuchillo bien afilado, corte el rollo en 8 trozos. Resérvelos y repita estos pasos con el resto de los ingredientes para formar más rollos.

Sirva los rollos de sushi, solos o con aliño de coco o vinagreta de ciruelas ume (página 270) para mojar.

Langostinos al coco crujientes

PORCIONES, 4

Los copos de coco sin endulzar aportan una deliciosa y singular textura a estos langostinos.

24 langostinos pelados y desvenados
50 gramos de harina de coco
De 2 a 4 cucharadas soperas de aceite de coco

3 dientes de ajo, picados

80 gramos de copos de coco sin endulzar

En un bol grande, mezcle los langostinos con la harina de coco hasta que todas las colas queden bien rebozadas en ella. Reserve aparte.

Caliente el aceite de coco en una sartén grande a fuego medio y saltee el ajo hasta que comience a tostarse, incorporando a continuación los langostinos. Sofría hasta que cada langostino adquiera un tono rosado por ambos lados. Agregue finalmente los copos de coco y agite para que cubran bien las colas de langostino. Sirva caliente.

Trucha al horno al limón con champiñones

PORCIONES, 4

4 filetes de trucha salvaje de 250 gramos

½ cucharada de postre de sal marina

Una pizca de pimienta negra molida

4 cucharadas soperas de aceite de coco, y algo más para engrasar la bandeja de horno

2 chalotas, en rodajas

2 dientes de ajo, picados

1 trozo de raíz de jengibre de unos 3 centímetros, pelado y picado

150 gramos de champiñones, cortados en láminas

El zumo de un limón grande

4 cebolletas, en rodajas

4 cucharadas de postre de perejil o cilantro, picados

Coloque los filetes de trucha en una fuente de horno de vidrio engrasada. Salpiméntelos y reserve aparte.

Precaliente el horno a 160 °C.

Caliente el aceite en una sartén a fuego medio. Saltee las chalotas durante unos 30 segundos y, a continuación, añada el ajo y el jengibre, sofriendo otros 30 segundos. Después agregue los champiñones, el zumo de limón, las cebolletas y el perejil o cilantro. Mantenga la mezcla a fuego bajo hasta que los champiñones estén blandos.

Extienda la preparación de los champiñones sobre cada uno de los filetes. Hornee la trucha durante unos 20 minutos o hasta que el pescado esté en su punto.

Tacos de pescado especiados

PORCIONES, 4

En Austin, la ciudad de Texas en la que vivo, nos encantan los tacos de pescado. En esta receta la cebolla roja, el aguacate y el cilantro pueden reemplazarse por salsa ácida de mango (página 271).

3 filetes de pescado blanco salvaje
Una pizca de sal marina
Una pizca de pimienta negra molida
El zumo de 2 limas, dividido
1 o 2 cucharadas soperas de aceite de oliva virgen extra
1 diente de ajo, picado
$\frac{1}{4}$ cucharada de postre de cúrcuma
8 hojas de lechuga o repollo
$\frac{1}{2}$ cabeza de col lombarda, sin en tallo central y finamente cortada
$\frac{1}{2}$ cebolla roja, picada
2 aguacates, en rodajas
30 gramos de cilantro, picado
1 lima grande, en rodajas, para decorar

Precaliente el horno a 160 ºC o prepare una plancha para hacer el pescado.

Coloque los filetes de pescado en una fuente de horno de vidrio. Salpiméntelos y añada el zumo de lima y el aceite de oliva, cubriéndolos por ambos lados. Espolvoree sobre el pescado el ajo y la cúrcuma. Hornee, o pase por la plancha, el pescado durante unos 20 minutos, o hasta que esté en su punto.

Para servir, coloque las hojas de lechuga o de repollo distribuidas en cuatro platos y vierta sobre ellas. el pescado, la col lombarda en juliana, la cebolla, el aguacate y el cilantro [o la salsa ácida de mango, si lo prefiere]. Añada zumo de lima a cada plato y decore con unas rodajas de lima.

CARNES DE AVE, VACUNO, CORDERO Y CERDO

Pollo asado con limón y ajo

PORCIONES, DE 6 A 8

Esta receta, tan sencilla, es uno de los referentes básicos del método Myers. Permite disfrutar del sabor del pollo durante toda la semana y también sirve para preparar caldo digestivo con el sobrante.

1 pollo de corral de cría ecológica (de 2,5-3 kilos), sin los menudillos
1 o 2 dientes de ajo, picados
1 cucharada sopera de aceite de oliva virgen extra
1/8 cucharada de postre de sal marina
1/8 cucharada de postre de pimienta negra
1 limón, en rodajas
2 cucharadas soperas de caldo (opcional)
1 cucharada sopera de vinagre de manzana (opcional)

Precaliente el horno a 190 ºC.

Coloque el pollo sobre una superficie limpia y haga unos cortes en la piel, introduciendo en ellos parte del ajo picado. Vierta sobre el pollo el aceite de oliva, espolvoree sal y pimienta y extienda el aliño sobre la piel. Introduzca las rodajas de limón dentro del pollo.

Colóquelo en una fuente de horno. Si lo desea, añada el caldo y el vinagre al fondo de la fuente. Ase el pollo durante aproximadamente 1 hora y media o hasta que esté hecho y la temperatura de su carne sea de unos 75 ºC.

Deje enfriar el pollo antes de separar la carne de los huesos. Estos se reservan para elaborar un caldo digestivo (página 260).

Curry de pollo al coco

PORCIONES, 4

Esta receta es una de las preferidas por muchos de mis pacientes, familiares y amigos. Se trata de una extraordinaria combinación de nutritivas verduras, sabrosas especias y cremosa leche de coco. Puede prepararse en cantidad abundante, para tomarla en varias veces.

1 cucharada sopera de aceite de oliva virgen extra

2 dientes de ajo, picados

1 cebolla mediana, en dados

½ cucharada sopera de cúrcuma molida

½ cucharada sopera de comino molido

1 cucharada sopera de cilantro molido

½ cucharada de postre de cebolla en polvo

1 boniato, pelado y cortado en dados de 1 centímetro

2 tallos de apio, picados

50 gramos de cebolleta, picada

1 vaso de agua

1 cucharada de postre de sal marina

1 pechuga de pollo de corral de cría ecológica, hervida y cortada en trozos del tamaño de un bocado

1 lata de 400 mililitros de leche de coco con toda su grasa

1 aguacate, en rodajas

Caliente una sartén grande a fuego medio. Engrase el fondo con aceite de oliva. Cuando el aceite esté caliente, saltee el ajo hasta que coja color. Agregue la cebolla y, si es necesario, un poco más de aceite. Tape la sartén y sofría a fuego mínimo hasta que la cebolla esté transparente. Incorpore la cúrcuma, el comino, el cilantro y la cebolla en polvo, mezclándolos con la cebolla. A continuación agregue el boniato, el apio la cebolleta, el agua y la sal. mantenga la cocción a fuego lento hasta que el boniato esté blando. Añada el pollo hervido y la leche de coco y déjelo todo al fuego para que se mezclen los sabores.

Sirva acompañando el plato con las rodajas de aguacate.

Pollo dulce y manzanas con especias

PORCIONES, 2

Una magnífica opción para un desayuno contundente, que permite disfrutar del dulce sabor de la manzana con canela.

2 cucharadas de postre de aceite de coco
200 gramos de pollo hervido, cortado en trozos del tamaño de un bocado puede utilizarse el sobrante de la receta de pollo asado con limón y ajo, página 281)
1 manzana grande, picada
¼ cucharada de postre de canela molida
Una pizca de nuez moscada
Una pizca de sal marina

Caliente el aceite de coco en una sartén a fuego medio. Agregue el pollo, la manzana, la canela, la nuez moscada y la sal. Sofría durante entre 5 y 7 minutos hasta que la manzana esté blanda y todo esté caliente. Añada un poco de agua si es necesario para evitar que la preparación se pegue.

Tiras de pollo orgánico al horno con hierbas

PORCIONES, DE 2 A 4

Estas tiras son un recurso excelente para añadirlas a las ensaladas. Pueden usarse para distintas combinaciones, tanto en la comida como en la cena.

½ kilo de tiras de carne de pollo de cría ecológica, sin piel y sin huesos
1 cucharada sopera de aceite de oliva
Una pizca de sal marina
Una pizca de pimienta negra molida
1 o 2 dientes de ajo, picados
1 cucharada sopera de vinagre de manzana

Precaliente el horno a 175 ºC. Ponga las tiras de pollo en una bandeja para horno y vierta sobre ellas el aceite de oliva. Espolvoree la sal, la pimienta y el ajo. Extienda la mezcla para que todas las tiras de pollo queden cubiertas por el aceite y los condimentos. Añada el vinagre de manzana y hornee durante 20 o 25 minutos, hasta que la carne del pollo esté a una temperatura de unos 75 ºC.

Revuelto de pollo de corral orgánico y vegetales

PORCIONES, 4

½ kilo de carne de pollo de cría ecológica, hervida y cortada en tiras
1 cucharada sopera de aceite de coco
1 cebolla pequeña, cortada en dados
1 calabacín, cortado en medias lunas
1 calabaza amarilla, cortada en medias lunas
Una pizca de sal marina
Una pizca de pimienta negra molida
1 aguacate grande, cortado por la mitad

Caliente el aceite de coco en una sartén grande a fuego medio. Incorpore la cebolla y deje que se sofría durante 3 minutos. Agregue el calabacín, la calabaza y el pollo y saltee durante 5 minutos o hasta que las verduras estén blandas. Añada sal y pimienta. Mezcle bien y sirva caliente, con el aguacate como acompañamiento.

Boniatos con carne al horno

PORCIONES, 4

2 boniatos medianos
½ kilo de carne de vacuno picada orgánica, de animales alimentados con hierba
½ cebolla dulce, picada
Sal marina al gusto
2 diente de ajo, picados
½ aguacate mediano
Tallos de cebollino u hojas de cilantro picados

Precaliente el horno a 200 ºC.
Lave bien los boniatos, frotándolos con un cepillo si es necesario, y déjelos secar. Pinche cada boniato varias veces con un tenedor. Colóquelos en una bandeja de horno y hornéelos durante 45 minutos. Sáquelos y baje la temperatura del horno a 190 ºC.
Mientras los boniatos se enfrían, saltee la carne picada en una sartén. Incorpore la cebolla dejándola sofreír hasta que esté transparente y añada sal al gusto. Vierta el ajo picado cobre la mezcla de carne y cebolla y mantenga la cocción unos minutos. Cuando los boniatos se hayan enfriado hasta poder tocarlos con la mano, córtelos por la mitad en sentido longitudinal. Disponga las mitades hacia arriba en una fuente de

horno engrasada de tamaño adecuado. Distribuya la mezcla de carne por encima de cada mitad de boniato y hornee durante 20 minutos más.

Para servir, ponga un poco de aguacate picado en cada mitad y espolvoree con cebollino o cilantro.

Rollos de col y pavo con especias

PORCIONES, 2-4

Estos rollos son realmente una explosión de sabor. El relleno es adecuado también para combinar en ensalada o para tomar solo.

8 hojas enteras de repollo (o de cualquier otra verdura de hoja que prefiera)
1 cucharada sopera de aceite de coco
1 o 2 dientes de ajo, picados
1 cucharada de postre de jengibre fresco, rallado o picado
1 cebolla amarilla, cortada en dados
10 espárragos, cortados en trozos del tamaño de un bocado
½ kilo de carne picada de pavo de corral, de cría orgánica
1/8 cucharada de postre de cúrcuma
El zumo de ½ naranja (unas 2 cucharadas soperas)
El zumo de media lima
1 cucharada sopera de albahaca picada
1 cucharada sopera de cebolleta picada

Intente mantener intactas las hojas de repollo al separarlas del tallo (no importa que haya alguna pequeña grieta. Lávelas y reserve aparte.

Llene una cacerola grande de agua hasta la mitad. Comience a calentar el agua a fuego bajo mientras prepara el relleno de pavo.

En una sartén grande caliente el aceite de coco. Cuando se haya derretido del todo, incorpore el ajo, el jengibre y la cebolla y saltee durante unos minutos. Agregue los espárragos y continúe la cocción durante 3 minutos más y, a continuación, añada la carne de pavo, la cúrcuma, el zumo de naranja y el zumo de lima. Cuando el pavo esté casi hecho, vierta en la sartén la albahaca y la cebolleta. Termine la cocción y retire la sartén del fuego.

Cuando el agua empiece a hervir, introduzca en ella las hojas de repollo con unas pinzas. A los 30 segundos, Retírelas y colóquelas en los platos en los que las vaya a servir. Rellene cada hoja con la preparación de la carne de pavo y haga un rollo bien apretado con cada hoja. ¡Que aproveche!

Gumbo* picante de pollo y salchicha

PORCIONES, DE 4 A 6

Una nueva versión de este clásico de la cocina criolla. El gumbo picante de pollo y salchicha puede prepararse de muy diversas formas. Muestre su creatividad introduciendo las modificaciones que mejor que parezca en esta receta.

¾ de kilo de pollo o pato de corral, de cría ecológica, cortada en trozos de 2 a
    4 centímetros
2 ½ cucharadas soperas de mezcla de especias criollas (página 294)
100 gramos de harina de coco
5 cucharadas soperas de aceite de coco
1 cebolla dulce, cortada en dados
5 tallos de apio, cortados en dados
5 zanahorias, peladas y cortadas en dados
1 litro de caldo digestivo
300 gramos de salchicha elaborada con carne orgánica, cortada en rodajas de
    1 centímetro
1 cucharada sopera de ajo picado

Espolvoree y envuelva bien la carne de pollo o pato con 1 cucharada y media de la mezcla de especias criollas.

En un bol grande, mezcle las especias restantes y la harina de coco. Reserve una cucharada sopera de la mezcla de harina y especias, para utilizarla más tarde. Agregue los pedazos de pollo o pato y remuévalos de modo que quede, bien rebozados en la mezcla.

En un cazo grande caliente 3 cucharadas de aceite de coco y, cuando esté bien caliente, fría con cuidado los trozos de carne hasta que adquieran un tono tostado homogéneo. Mientras fríe la carne, raspe el fondo del cazo para evitar que la harina se queme. Añada más aceite si es necesario. A menudo es preciso freír la carne por tandas. Según los vaya friendo, pase los trozos de pollo o pato a un plato. Retire el aceite del cazo y límpielo con papel de cocina. Caliente otras 2 cucharadas del aceite de coco en el mismo recipiente e incorpore la cebolla, el apio y las zanahorias Saltee las verduras durante entre 3 y 5 minutos. Añada la cucharada reservada con la mezcla de harina y especias, y mantenga la cocción otros 2 o 3 minutos, agregando por último el caldo. Lleve a ebullición, añada el pollo, la salchicha y el ajo y continúe elaborando el guiso a fuego bajo durante otros 20 minutos o hasta que el pollo esté bien hecho.

---

* El gumbo es un guiso caldoso propio de la cocina criolla del sudeste de Estados Unidos, con diversas variantes a base de carnes de ave, otras carnes, salchichas, mariscos, verduras y especias.

Curry de cordero marroquí de cocción lenta

PORCIONES, DE 4 A 6

1 kilo de carne de cordero alimentado con pasto, de cría ecológica, cortada en trozos de unos 2 centímetros, o preparada para estofado
1 cucharada de postre de sal marina
2 o 3 cucharadas soperas de aceite de coco
2 cebollas dulces, picadas
2 dientes de ajo, pelados y picados
1 trozo de raíz de jengibre de unos 4 centímetros
2 cucharada de postre de comino molido
2 cucharadas de postre de cúrcuma molida
1 cucharada de postre de canela
1 hoja de laurel
¼ de litro de caldo digestivo (página 260)
1 lata de leche de coco
½ kilo de vegetales de hoja verde (col rizada, espinaca, etc.), picados
2 cucharadas soperas de hojas de menta

Sazone el cordero e introduzca los trozos en una olla de cocción lenta *.

Caliente el aceite de coco en cazo mediano. Añada la cebolla y el ajo y saltee la mezcla durante unos minutos. Agregue el jengibre, el comino, la cúrcuma, la canela y el laurel y sofría otros 5 minutos. o hasta que empiece a caramelizar el sofrito en el fondo de la sartén. Incorpore el caldo y la leche de coco y raspe el fondo con un utensilio de madera para desprender el caramelo del fondo. Lleve a ebullición y vierta el contenido del cazo sobre el cordero reservado en la olla de cocción lenta. Cocine el preparado con la olla ajustada a cocción lenta durante unas 8 horas o, con ajuste más rápido, durante unas 4 horas. Añada las verduras unos 30 minutos antes de concluir la elaboración, hasta que estén blandas. Sirva el curry, añadiendo en el último momento la menta fresca.

---

* Como ya se ha indicado, la olla de cocción lenta es un electrodoméstico, de uso frecuente en Estados Unidos y en fase de introducción en Europa, conectado a la red eléctrica y con el que se efectúan cocciones prolongadas a baja temperatura.

«Espaguetis» de cabello de ángel con salsa pesto cremosa

PORCIONES, 4

Los «espaguetis» de cabello de ángel son muy fáciles de preparar y harán que no eche de menos la pasta tradicional. Esta receta resulta estupenda si se acompaña de carne picada de vacuno o de carne de pollo, en ambos casos de cría ecológica.

1 cidra o calabaza de cabello de ángel, cortada por la mitad y sin pipas
1 cucharada sopera de aceite de coco, y algo más de aceite para engrasar la bandeja de horno
½ kg de carne de vacuno o orgánica picada o de pechuga de pollo de cría ecológica (puede emplearse el sobrante de la receta de pollo asado con limón y ajo (página 281)
1 calabacín rallado
400 gramos de espinacas frescas
Salsa pesto cremosa (página 269)

Precaliente el horno a 190 ºC.
Engrase una bandeja de horno y disponga sobre ella las dos mitades de la calabaza boca abajo. Hornéelas durante 35 minutos, o hasta que estén blandas. Retire la bandeja del horno y dé la vuelta a las mitades, con pinzas o con manoplas protectoras. Deje enfriar durante 10 minutos. Mientras la calabaza se asa, sofría la carne o el pollo en un cazo mediano, añadiendo previamente un poco de aceite de coco.
Cuando la calabaza esté hecha, caliente aceite de coco en un cazo grande a fuego medio. Extraiga la pulpa de la calabaza con una cuchara y viértala en el cazo. Agregue el calabacín, las espinacas y la salsa pesto. Agite y mezcle para que se combinen los ingredientes y caliente durante un par de minutos. Mezcle la carne o el pollo y sirva.
Variación: utilice tapenade de aceitunas (página 269) en vez de salsa pesto.

Filete de carne orgánica a la brasa con boniato

PORCIONES, 4

Una nueva versión del clásico entrecot con patatas.

2 filetes de carne orgánica de vacuno alimentado con hierba, de 250-300 gramos
2 cucharadas de postre de sal marina
½ cucharada de postre de pimienta negra molida
2 cucharadas de postre de aceite de oliva virgen extra

Boniatos al horno sencillamente deliciosos (deben duplicarse las cantidades de la receta de la página 255 para obtener 4 porciones [1 boniato por ración])

Deje «madurar» la carne a temperatura ambiente durante unos 30 minutos antes de cocinarla.

Caliente una sartén mediana a fuego alto. Salpimente la carne y vierta sobre ella el aceite de oliva. Disponga con cuidado la carne sobre la sartén y deje que se haga, prestando atención a que no se pegue. A continuación, déle la vuelta a los filetes y fríalos 3 o 4 minutos más. Espere a que la carne quede a la brasa, con la textura deseada. Retire los filetes de la sartén y déjelos reposar unos minutos antes de servirlos, acompañados de los boniatos. ¡Que aproveche!

Rollos de pollo y lechuga fáciles

PORCIONES, DE 4 A 6

Hay muchos modos de elaborar sabrosos rollos rellenos (wraps). *Se pueden tener preparados los ingredientes con antelación para llevarlos en las porciones adecuadas al trabajo, y poder preparar un delicioso rollo relleno a la hora de la comida, en apenas 5 minutos.*

10 o 12 hojas de lechuga verde o de lechuga «hoja de roble», lavadas
2 aguacates, cortados el rodajas finas, o sobrante de la receta de ensalada de «fideos» de calabacín (página 266)
Pollo preparado según la receta de pollo asado con ajo y limón (página 281), deshuesado y cortado en tiras
200 gramos de aceitunas negras picadas, divididos en porciones
300 gramos de espinacas baby, divididos en porciones
½ cebolla roja, en rodajas y dividida en porciones
80 gramos de zanahoria rallada, divididos en porciones
100 granos de tallos de brécol, divididos en porciones
Un puñado de cilantro o de albahaca, dividido en porciones
Un chorro de limón para cada rollo

Disponga las hojas de lechuga por separado sobre la encimera y distribuya de manera uniforme sobre ellas las rodajas de aguacate (o la ensalada de «fideos» de calabacín). A continuación haga lo propio con el pollo, las aceitunas, las espinacas, la cebolla, las zanahorias y el brécol. Añada al relleno de cada hoja un poco de cilantro o albahaca. Exprima un chorro de limón sobre cada hoja y enróllelas apretadas en torno al relleno antes de servir.

Salchicha o minihamburguesa de desayuno con especias

PORCIONES, 4 (PARA 8 SALCHICHAS O MINIHAMBURGUESAS)

Esta receta es uno de los puntos fuertes del programa ya que puede prepararse con antelación para tomar sin perder tiempo un sustancioso desayuno.

½ kilo de carne picada de pavo o pollo de corral, de cría ecológica
1 cucharada de postre de ajo, picado
2 cucharadas soperas de cebolla, finamente picada
¼ de cucharada de postre de sal
1/8 de cucharada de postre de mostaza molida
1/8 de cucharada de postre de comino
¼ de cucharada de postre de pimienta negra o blanca
2 cucharadas soperas de aceite de coco
50 mililitros de caldo de huesos o agua (opcional)

Ponga la carne, el ajo, la cebolla y las especias en un bol grande. Mezcle los ingredientes con la mano para integrar las especias y la carne. Forme 8 salchichas o minihamburguesas.

Caliente el aceite de coco en una sartén grande. Ponga las salchichas o minihamburguesas en el aceite caliente y fríalas durante 5 minutos, dándoles la vuelta para que queden bien hechas por todos sus lados. Agregue caldo o agua y cueza, con la sartén tapada, entre 3 y 5 minutos más, hasta que estén en su punto.

Tómelas recién hechas o consérvelas en la nevera o el congelador para consumirlas posteriormente.

Salchicha o minihamburguesa de desayuno con manzana dulce

PORCIONES, 4 (PARA 8 SALCHICHAS O MINIHAMBURGUESAS)

½ kilo de carne picada de pavo o pollo de corral, de cría ecológica
½ cucharada de postre de canela
¼ cucharada de postre de nuez moscada
¼ de cucharada de postre de sal
½ manzana verde, finamente picada (opcional)
2 cucharadas soperas de aceite de coco
50 mililitros de caldo de huesos o agua (opcional)

Ponga la carne las especias y la manzana en un bol grande. Mezcle los ingredientes con la mano para integrar las especias y la carne. Forme 8 salchichas o minihamburguesas.

Caliente el aceite de coco en una sartén grande. Ponga las salchichas o minihamburguesas en el aceite caliente y fríalas durante 5 minutos, dándoles la vuelta para que queden bien hechas por todos sus lados. Agregue caldo o agua y cueza, con la sartén tapada, entre 3 y 5 minutos más, hasta que estén en su punto.

Tómelas recién hechas o consérvelas en la nevera o el congelador para consumirlas posteriormente.

Variación: sírvalas con aguacate fresco.

Hamburguesas/albóndigas de vacuno alimentado con hierba, con romero y albahaca

PORCIONES, 4

½ kilo de carne picada de vacuno orgánica (o utilice carne de pavo, pollo, cordero, etc., de cría ecológica)

1 cucharada de postre de ajo, picado

2 cucharada sopera de cebolla amarilla, finamente picada

½ cucharada de postre de romero seco

1 ½ cucharada de postre de albahaca seca

¼ cucharada de postre de sal marina

¼ cucharada de postre de pimienta negra molida

2 cucharadas soperas de aceite de coco

50 mililitros de caldo digestivo (página 260) o agua (opcional)

Incorpore la carne, el ajo, la cebolla y las especias a un bol grande. Mezcle los ingredientes con la mano para integrar las especias y la carne. Forme 8 salchichas o 24 pequeñas albóndigas pequeñas.

Caliente el aceite de coco en un cazo grande. Ponga las salchichas o las albóndigas en el aceite caliente y fríalas durante 5 minutos, dándoles la vuelta para que queden bien hechas por todos sus lados Agregue caldo o agua y cueza a fuego bajo, con el cazo tapado, entre 3 y 5 minutos más, hasta que estén en su punto.

Tómelas calientes o consérvelas en la nevera o el congelador para consumirlas posteriormente.

Carne de cerdo a cocción lenta con especias chinas

PORCIONES, 6

Este plato es una delicia de sabor intenso, que da ganas de repetir. Si se prepara para la cena, puede prepararse por la mañana en la olla de cocción lenta.

1 kilo y medio de carne de paleta de cerdo deshuesada
Sal marina al gusto
Pimienta negra molida al gusto
2 cebollas, en rodajas
100 mililitros de aliño de coco
3 dientes de ajo, picados
2 cucharadas de postre de jengibre fresco, rallado
4-5 cucharadas de postre de especias chinas (página 260)
4 tallos de berza, picados

Sazone la carne de cerdo con sal y pimienta, y póngala en una olla de cocción lenta sobre las rodajas de cebolla.

En un bol pequeño, mezcle el aliño de coco, el ajo, el jengibre y las especias chinas. Vierta la mezcla sobre la carne y proceda a cocción durante 4 horas, si el dispositivo está ajustado a intensidad alta, y durante 6 si está a intensidad baja, o hasta que note que la carne está blanda. Media hora antes de terminar la cocción agregue los tallos de berza y cuézalos hasta que estén blandos.

BEBIDAS

Zumo verde de vegetales

PORCIONES, 2

2 pepinos
1 manzana verde
1 limón o lima
1 trozo de raíz de jengibre de 1 o 2 centímetros
2 hojas de col rizada
Hierbas aromáticas: albahaca, menta, perejil, cilantro, hinojo (opcionales)
50 mililitros de zumo de aloe (opcional)

Licue los pepinos, las manzanas, el limón o la lima el jengibre, la col rizada y las hierbas aromáticas opcionales en una licuadora, o bata juntos los ingredientes en una batidora de alta velocidad, con un poco de agua. Si utiliza la batidora, cuele la mezcla para eliminar los restos de pulpa. Mezcle con el zumo de aloe antes de tomarlo.

Té chai con leche de coco

PORCIONES, 1

1 bolsa de té chai (el de tipo Rooibos Chai de marca Numi es una de las opciones recomendables)
Leche de coco con toda su grasa, al gusto
Un pellizco de canela en polvo

Sumerja el té en agua hirviendo en una jarra o taza a su elección, pero dejando espacio para la leche de coco. Transcurridos 5 minutos, retire la bolsa de té y agregue la leche de coco al gusto.

ESPECIAS

Mezcla de especias criolla

PARA UNOS 50 GRAMOS

2 cucharadas de postre de cebolla en polvo
2 cucharadas de postre de ajo en polvo
2 cucharadas de postre de orégano seco
2 cucharada de postre de albahaca seca
¼ cucharada de postre de tomillo seco
¼ cucharada de postre de pimienta negra molida
¼ cucharada de postre de pimienta blanca molida
2 cucharadas de postre de sal marina

Mezcle bien las hierbas aromáticas y las especias en un bol pequeño y consérvelas en un frasco de vidrio con cierre hermético.

ESPECIAS CHINAS

PARA UNOS 75 GRAMOS

1 cucharada de postre de anís estrellado molido
1 cucharada de postre de canela
½ cucharada de postre de clavo molido
1 ¼ cucharadas de postre de semillas de hinojo molidas
½ cucharada de postre de sal marina
¼ de cucharada de postre de pimienta negra molida

Mezcle bien las especias en un bol pequeño y consérvelas en un frasco de vidrio con cierre hermético

CREE SUS PROPIAS RECETAS

CREE SU PROPIA ENSALADA ORGÁNICA

La ensaladas pueden ser mucho más que una lechuga aliñada. Desarrolle toda su creatividad para poner de manifiesto la explosión de sabor y color que una ensalada puede llegar a ser.

Seleccione las verduras de hoja
Col rizada (tipos baby, dinosaurio, curly)
Espinacas
Col china (Bok choy)
Hojas de mostaza
Rúcula
Repollo
Lechuga romana

Seleccione las hortalizas
Pepino
Zanahoria
Brécol
Coliflor
Espárragos
Calabacín
Calabaza amarilla
Remolacha, cocida o rallada
Cebollas
Cebolletas
Aguacate (aunque técnicamente se trata de una fruta)
Apio

Seleccione las proteínas
Carne de pollo de corral orgánico, criado con hierba y semillas, en filetes
Pavo de corral orgánico, criado con hierba y semillas
Carne de vacuno orgánico, alimentado con hierba y criado con pastos
Carne de cerdo de cría ecológica
Salmón salvaje a la plancha
Sardinas no criadas en piscifactoría

Seleccione los sabores dulces (mínimos y opcionales)
Manzana
Pera
Arándanos secos no endulzados
Cerezas secas no endulzadas
Naranjas
Copos de coco

Hierbas aromáticas/especias
Cilantro
Menta
Perejil
Albahaca
Raíz de jengibre recién rallada

Seleccione los aderezos y aliños
Vinagreta de ciruelas ume (página 270)
Aguacate batido con aliño de limón (página 271)
Cree su propio aderezo para ensaladas (véase a continuación)

Cree su propio aderezo para ensaladas

En este tipo de aderezos suele utilizarse una relación de tres partes de aceite por una de vinagre.

Seleccione el aceite
Aceite de oliva virgen extra
Aceite de semilla de uva
Aceite de aguacate

Seleccione el vinagre
Vinagre de manzana
Vinagre de ciruela ume (se elimina en el protocolo dietético para proliferación de levaduras/SBID)
Vinagre balsámico (se elimina en el protocolo dietético para proliferación de levaduras/SBID)

Seleccione los zumos (opcional)
Zumo de limón
Zumo de lima
Zumo de naranja

Seleccione los condimentos
Sal marina
Pimienta picada
Ajo picado
Cebolla o chalota picadas
Hierbas aromáticas (albahaca, cilantro, menta, perejil)
Especias (canela, cúrcuma)

Cree su propia comida

Todos estamos siempre muy ocupados y ponerse a idear recetas puede no ser lo que más se ajuste al plan diario de cada uno. Es posible utilizar estas referencias para preparar sus propias recetas con sus ingredientes preferidos.

Seleccione las proteínas
Carne de vacuno, cerdo o cordero de animales alimentados con hierba y criados en pastos
Carne de aves de corral, de cría ecológica (pollo, pavo, pato)
Pescado y marisco no criado en piscifactorías
Carne de caza

Seleccione las verduras y hortalizas
Verduras de hoja (col rizada, espinacas, berza, etc.)
Otras verduras (espárragos, brécol, etc.)
Verduras y hortalizas de color intenso (col lombarda, zanahorias, remolacha, etc.)
Consulte la lista completa de verduras aprobadas para la aplicación del método en las páginas 213-214)

Seleccione los hidratos de carbono
Boniatos
Calabaza moscada (de invierno)
Calabaza bellota
Calabaza kabocha
Calabaza de cabello de ángel (cidra)

Seleccione las grasas
Aceite de coco
Aceite de oliva
Aguacate
Aceitunas

IDEAS PARA TOMAR ALGO ENTRE HORAS

Salmón ahumado con aguacate
Una taza de caldo
Chips de col rizada (página 259)
Zumo verde de vegetales (página 293)
Verduras con súper guacamole (página 270)
Pollo con súper guacamole (página 270)
Un aperitivo de sobrante de salmón salvaje al horno con salsa ácida de mango
 (página 271)
Verduras y hortalizas al horno (página 258)
Palitos de boniato crujientes (página 256)

POSTRES

Mousse de crema de coco

PORCIONES, 2

1 lata de 40 centilitros de leche de coco, enfriada en la nevera durante la noche
Un pellizco de canela molida, al gusto
Una pizca de sal marina
Stevia al gusto (opcional)

Retire la capa superior de la crema de de la leche de coco enfriada y pásela a un bol mediano, dejando la capa acuosa en la parte de abajo de la lata. Con un batidor de mano o un mezclador eléctrico, bata la crema de coco hasta obtener la textura deseada.

Con una cuchara, mezcle la crema batida de coco, la canela, la sal y la stevia. Divida la mezcla en dos boles y sírvalos.

Variación: para preparar una mousse de chocolate y crema de coco, combine una cucharada sopera de cacao en polvo, o más si lo prefiere, con la crema de coco, la canela y la stevia.

Parfait de frutos del bosque con crema de coco

PORCIONES, 2

Esta sabrosa, dulce y refrescante elaboración es una forma perfecta de empezar el día. Para ahorrar tiempo en la mañana, puede preparar la mousse de crema de coco con antelación, teniéndola reservada en la nevera.

Mousse de crema de coco (página 298)
150 gramos de frutos del bosque orgánicos variados (frambuesas, arándanos, moras o fresas)
1 cucharada sopera de copos de coco no endulzados

Cubra la mousse de crema de coco con las bayas y los copos de coco.

Crujiente de manzana y canela

PORCIONES, DE 4 A 6

2 cucharadas soperas de aceite de coco, derretido o muy blando, más una cantidad adicional para a engrasar
4-5 manzanas, peladas y cortadas en rodajas finas
El zumo de 1 limón
¾ de cucharadas de postre de canela divididas por porciones
¼ de cucharada se sal marina, dividida por porciones
100 gramos de harina de coco
50 gramos de comos de coco no endulzados
4 dátiles secos, deshuesados y picados

Precaliente el horno a 175 ºC.
Engrase una fuente de horno de 20 × 20 centímetros con aceite de coco. En un bol de tamaño mediano mezcle las manzanas, el zumo de limón, una parte de la canela y la mitad de la sal. Extienda las rodajas de manzana sobre el fondo de la fuente.
En un procesador de alimentos o una batidora de alta velocidad, mezcle la harina y los copos de coco, el resto de la canela y el resto de la sal y las dos cucharadas de aceite de coco. Vierta esta mezcla sobre las manzanas colocadas en la fuente. Cubra con papel de aluminio y hornee durante 45 minutos, o hasta que las manzanas estés blandas. Descubra la fuete y hornee otros 10 minutos con el grill para dorar la superficie hasta que esté crujiente.
Variación: sirva el crujiente de manzana cubierto de mousse de crema de coco.

Bocaditos de crema de plátano

PARA UNOS 12 BOCADITOS

En ocasiones apetece darse un capricho dulce y pleno de sabor. Estos bocaditos aportan el dulzor del plátano, el coco y la canela. Disfrute de uno o dos acompañados de un té chai con leche de coco (página 293).

1 plátano maduro, machacado
2 cucharadas de postre de aceite de coco, más una cantidad adicional para engrasar la bandeja de horno
100 mililitros de leche de coco de lata
2 cucharadas de postre de agua
1 cucharada de postre de mantequilla/crema (maná) de coco
70 gramos de harina de coco
1 cucharada de postre de extracto de vainilla
1 cucharada de postre de canela molida
Una pizca de sal marina

Precaliente el horno a 175 ºC.
Mezcle todos los ingredientes en un bol grande. Disponga pequeñas porciones de masa de unos 2 o 3 centímetros sobre una bandeja de horno engrasada y hornee durante unos 12 minutos.

EQUIPAMIENTO DE COCINA

Recomendado

- termómetro para carnes
- batidora de alta velocidad
- procesador de alimentos
- cortador en espiral

Opcional

- licuadora
- cesta vaporera
- esterilla para sushi

EL MÉTODO MYERS: LA SOLUCIÓN AUTOINMUNE EN UN PLAN DE TREINTA DÍAS PARA DOS

Conviene recordar que este plan de comidas se basa en la idea de que se va a cocinar para dos personas, por lo que cada una de las recetas está planteada para dos porciones de las que disfrutar. Utilice un criterio elástico y ajuste según considere oportuno las comidas a las necesidades de su familia. Si cocina solo para uno, simplemente reduzca a la mitad las cantidades que se indican. En cualquier caso siempre puede elaborar platos pensando en que sobre comida. Recomiendo escoger un sábado como día de preparación, para que el día 1 del plan sea un domingo, ya que de este modo se tendrá más tiempo para dedicar a la cocina que los restantes días de la semana. Así, el día 1 ya se podrá disponer de otras recetas, preparadas para tomarlas a lo largo de la semana de trabajo.

LAS RECETAS DEL MÉTODO MYERS	Porciones sobrantes	Número de porciones a preparar	Número de porciones que pueden conservarse en el frigorífico
DÍA DE PREPARACIÓN			
Pollo asado con limón y ajo		de 6 a 8	de 4 a 6
Caldo digestivo		16	16
Salchicha o minihamburguesa de desayuno con manzana dulce		4	4
DÍA 1			
Desayuno			
Salchicha o minihamburguesa de desayuno con manzana dulce	✔		
Boniato guisado		4	24
Zumo verde de vegetales			
Comida			
Ensalada de col rizada y cítricos con arándanos		2	
Sopa de granja orgánica de cinco vegetales		4	2
Cena			
«Espaguetis» de cabello de ángel con salsa pesto cremosa		4	2
150 gramos de frutos del bosque orgánicos variados		2	

LAS RECETAS DEL MÉTODO MYERS	Porciones sobrantes	Número de porciones a preparar	Número de porciones que pueden conservarse en el frigorífico
DÍA 2			
Desayuno			
Salchicha o minihamburguesa de desayuno con manzana dulce	✔		
Boniato guisado	✔		
Caldo digestivo	✔		
Té chai con leche de coco de coco o té verde sin cafeína		2	
Comida			
«Espaguetis» de cabello de ángel con salsa pesto cremosa	✔		
Cena			
Salmón salvaje al horno con salsa ácida de mango		4	2
Salteado de verduras orgánicas con ajo		2	
Espárragos orgánicos al horno		2	
DÍA 3			
Desayuno			
Salmón salvaje al horno con salsa ácida de mango	✔		
Zumo verde de vegetales		2	
Caldo digestivo	✔		
Comida			
Ensalada tropical nicaragüense		2	
Sopa de granja orgánica de cinco vegetales	✔		
Cena			
Ensalada de col rizada y espinacas orgánicas y minihamburguesas de vacuno alimentado con hierba, con romero y albahaca		4	2
Calabaza bellota cremosa		4	2
150 gramos de frutos del bosque orgánicos variados		2	
DÍA 4			
Desayuno			
Salchicha o minihamburguesa de desayuno con especias		4	2
Dulce de frutos del bosque con crema de coco		2	
Caldo digestivo	✔		

LAS RECETAS DEL MÉTODO MYERS	Porciones sobrantes	Número de porciones a preparar	Número de porciones que pueden conservarse en el frigorífico
Comida			
Ensalada de col rizada y espinacas orgánicas y minihamburguesas de vacuno alimentado con hierba, con romero y albahaca	✔		
Calabaza bellota cremosa	✔		
Cena			
Tacos de pescado especiados		4	2
Coles de Bruselas con cerezas orgánicas		2	
DÍA 5			
Desayuno			
Revuelto de pescado salvaje, col rizada y calabacín		2	
Caldo digestivo	✔		
Comida			
Ensalada de rúcula, naranja sanguina e hinojo		2	
Cena			
Curry de pollo al coco		4	2
«Pilaf» de coliflor		4	2
150 gramos de frutos del bosque orgánicos variados		2	
Preparación de los alimentos			
Congele el caldo digestivo sobrante			
DÍA 6			
Desayuno			
Salchicha o minihamburguesa de desayuno con especias	✔		
Boniato guisado		4	2
Comida			
Curry de pollo al coco	✔		
«Pilaf» de coliflor	✔		
Cena			
Fletán salvaje con cebolla dulce caramelizada		2	
Bimi (broccolini) orgánico con ajo y limón		2	
Salteado de verduras orgánicas con ajo		2	

LAS RECETAS DEL MÉTODO MYERS	Porciones sobrantes	Número de porciones a preparar	Número de porciones que pueden conservarse en el frigorífico
DÍA 7			
Desayuno			
Salchichas o minihamburguesas de desayuno con manzana dulce		4	2
Boniato guisado	✔		
Zumo verde de vegetales		2	
Té chai con leche de coco de coco o té verde sin cafeína		2	
Comida			
Ensalada Cobb		2	
Espárragos orgánicos al horno		2	
Cena			
«Espaguetis» de cabello de ángel con salsa pesto cremosa		4	2
Caldo digestivo		16	16
150 gramos de frutos del bosque orgánicos variados		2	
Preparación de los alimentos			
Ponga los ingredientes del caldo digestivo en la olla de cocción lenta para elaborarlo durante la noche			
DÍA 8			
Desayuno			
Salchicha o minihamburguesa de desayuno con manzana dulce	✔		
Parfait de frutos del bosque con crema de coco		2	
Caldo digestivo	✔		
Té chai con leche de coco o té verde sin cafeína		2	
Comida			
«Espaguetis» de cabello de ángel con salsa pesto cremosa	✔		
Cena			
Curry verde tailandés con gambas		4	2
Bimi (broccolini) orgánico con ajo y limón		2	
DÍA 9			
Desayuno			
Salchicha o minihamburguesa de desayuno con especias		4	2
Boniato guisado		4	2

LAS RECETAS DEL MÉTODO MYERS	Porciones sobrantes	Número de porciones a preparar	Número de porciones que pueden conservarse en el frigorífico
Caldo digestivo	✔		
Té chai con leche de coco o té verde sin cafeína		2	
Comida			
Curry verde tailandés con gambas	✔		
Cena			
Carne de cerdo a cocción lenta con especias chinas		4	2
«Pilaf» de coliflor		4	2
Preparación de los alimentos			
Ponga los ingredientes de la carne de cerdo a cocción lenta con especias chinas en la olla de cocción lenta en la mañana para preparar el plato durante el día y tomarlo en la cena.			
DÍA 10			
Desayuno			
Salchicha o minihamburguesa de desayuno con especias	✔		
Parfait de frutos del bosque con crema de coco		2	
Caldo digestivo	✔		
Comida			
Carne de cerdo a cocción lenta con especias chinas	✔		
«Pilaf» de coliflor	✔		
Cena			
Rollos de col y pavo con especias		4	2
Ensalada de «fideos» de calabacín		2	
DÍA 11			
Desayuno			
Salchicha o minihamburguesa de desayuno con manzana dulce		4	2
Boniato guisado			
Caldo digestivo			
Comida			
Rollos de col y pavo con especias	✔		
Ensalada de «fideos» de calabacín o cree su propia ensalada mixta orgánica		2	

LAS RECETAS DEL MÉTODO MYERS	Porciones sobrantes	Número de porciones a preparar	Número de porciones que pueden conservarse en el frigorífico
Cena			
Ensalada de salmón y cítricos		2	
Coles de Bruselas con cerezas orgánicas		2	
Preparación de los alimentos			
Congele el caldo digestivo sobrante			
DÍA 12			
Desayuno			
Revuelto de pescado salvaje, col rizada y calabacín		2	
Comida			
Ensalada orgánica de col rizada y cítricos con arándanos		2	
Cena			
Repollo al horno con ajo		4	2
DÍA 13			
Desayuno			
Salchicha o minihamburguesa de desayuno con manzana dulce	✔		
Parfait de frutos del bosque con crema de coco		2	
Comida			
Ensalada tropical nicaragüense		2	
Cena			
Ensalada de col rizada y espinacas orgánicas y minihamburguesas de vacuno alimentado con hierba, con romero y albahaca		2	
Palitos de boniato fritos crujientes		2	
DÍA 14			
Desayuno			
Revuelto de pollo de corral orgánico y vegetales		2	
Té chai con leche de coco o té verde sin cafeína		2	
Comida			
«Pasta» al pesto con langostinos		4	2
Espárragos orgánicos al horno		2	

LAS RECETAS DEL MÉTODO MYERS	Porciones sobrantes	Número de porciones a preparar	Número de porciones que pueden conservarse en el frigorífico
Cena			
Curry de cordero marroquí de cocción lenta		4	2
Calabaza kabocha al horno con canela		4	2
150 gramos de frutos del bosque orgánicos variados		2	
Preparación de los alimentos			
Ponga los ingredientes del curry de cordero marroquí de cocción lenta en la olla de cocción lenta por la mañana para prepararlo durante el día para la cena.			
DÍA 15			
Desayuno			
Revuelto de pollo de corral orgánico y vegetales	✔		
Calabaza kabocha al horno con canela	✔		
Comida			
Tacos de pescado especiados		4	2
Ensalada del algas y pepino		2	
Cena			
«Pasta» al pesto con langostinos	✔		
Espárragos orgánicos al horno		2	
DÍA 16			
Desayuno			
Curry de cordero marroquí de cocción lenta	✔		
Comida			
Tacos de pescado especiados	✔		
Ensalada de algas y pepino o cree su propia ensalada mixta orgánica		2	
Cena			
Pollo asado con limón y ajo		de 6 a 8	
Sopa de pollo con «fideos» de la abuela		4	2
Caldo digestivo		16	16
Preparación de los alimentos			
Utilice parte del pollo asado con limón y ajo para preparar la sopa de pollo con «fideos» de la abuela.			

LAS RECETAS DEL MÉTODO MYERS	Porciones sobrantes	Número de porciones a preparar	Número de porciones que pueden conservarse en el frigorífico
DÍA 17			
Desayuno			
Sopa de pollo con «fideos» de la abuela	✔		
Té chai con leche de coco o té verde sin cafeína		2	
Comida			
Aguacate relleno de salmón y cilantro		2	
Ensalada de rúcula, naranja sanguina e hinojo		2	
Cena			
«Espaguetis» de cabello de ángel con salsa pesto cremosa		4	2
Chips de col rizada crujientes		2	
150 gramos de frutos del bosque orgánicos variados		2	
DÍA 18			
Desayuno			
Salchicha o minihamburguesa de desayuno con especias		4	2
Parfait de frutos del bosque con crema de coco		2	
Caldo digestivo	✔		
Comida			
Ensalada Cobb		2	
Cena			
Gumbo picante de pollo y salchicha		4	2
Bimi (broccolini) orgánico con ajo y limón		2	
DÍA 19			
Desayuno			
Salchicha o minihamburguesa de desayuno con especias	✔		
Parfait de frutos del bosque con crema de coco		2	
Caldo digestivo	✔		
Comida			
Gumbo picante de pollo y salchicha	✔		
Bimi (broccolini) orgánico con ajo y limón		2	

LAS RECETAS DEL MÉTODO MYERS	Porciones sobrantes	Número de porciones a preparar	Número de porciones que pueden conservarse en el frigorífico
Cena			
Fletán salvaje con cebolla dulce caramelizada		4	2
Crema de calabaza moscada (o de invierno) con canela		4	2
DÍA 20			
Desayuno			
Salchicha o minihamburguesa de desayuno con manzana dulce		4	2
Crema de calabaza moscada (o de invierno) con canela	✔		
Caldo digestivo	✔		
Té chai con leche de coco o té verde sin cafeína		2	
Comida			
Fletán salvaje con cebolla dulce caramelizada	✔		
Ensalada orgánica de col rizada y cítricos con arándanos		2	
Cena			
Ensalada tropical nicaragüense		2	
Coles de Bruselas con cerezas orgánicas		2	
Crujiente de manzana y canela		4	2
DÍA 21			
Desayuno			
Salchicha o minihamburguesa de desayuno con manzana dulce	✔		
Boniato guisado		4	2
Zumo verde de vegetales		2	
Caldo digestivo	✔		
Comida			
Pollo asado con limón y ajo		De 6 a 8	De 4 a 6
Ensalada Cobb		2	
Sopa de granja orgánica de cinco vegetales		4	2
Caldo digestivo		16	16
Cena			
Sushi especial		2	
Langostinos al coco crujientes		4	2
Verduras y hortalizas al horno		4	2

LAS RECETAS DEL MÉTODO MYERS	Porciones sobrantes	Número de porciones a preparar	Número de porciones que pueden conservarse en el frigorífico
Preparación de los la alimentos			
Utilice caldo digestivo de días anteriores para preparar la sopa de granja orgánica de cinco vegetales.			
DÍA 22			
Desayuno			
Crujiente de manzana y canela	✔		
Zumo verde de vegetales		2	
Caldo digestivo	✔		
Comida			
Alcachofas con vinagreta de ciruela ume		4	2
Ensalada de rúcula, naranja sanguina e hinojo		2	
Cena			
Curry de pollo al coco		4	2
DÍA 23			
Desayuno			
Salchicha o minihamburguesa de desayuno con especias		4	2
Calabaza de verano al coco		2	
Caldo digestivo	✔		
Té chai con leche de coco o té verde sin cafeína		2	
Comida			
Curry de pollo al coco	✔		
Ensalada orgánica de col rizada y cítricos con arándanos o cree su propia ensalada mixta orgánica		2	
Cena			
Boniatos con carne al horno			
Sopa de granja orgánica de cinco vegetales			
DÍA 24			
Desayuno			
Salchicha o minihamburguesa de desayuno con especias	✔		
Parfait de frutos del bosque con crema de coco		2	
Caldo digestivo	✔		

LAS RECETAS DEL MÉTODO MYERS	Porciones sobrantes	Número de porciones a preparar	Número de porciones que pueden conservarse en el frigorífico
Comida			
Boniatos con carne al horno	✔		
Ensalada de «fideos» de calabacín o cree su propia ensalada mixta orgánica		2	
Cena			
Aguacate relleno de salmón y cilantro		2	
Espárragos orgánicos al horno		2	
DÍA 25			
Desayuno			
Salchicha o minihamburguesa de desayuno con manzana dulce		4	2
Boniato guisado		4	2
Caldo digestivo	✔		
Comida			
Ensalada tropical nicaragüense		2	
Cena			
Carne de cerdo a cocción lenta con especias chinas		4	2
«Pilaf»de coliflor		4	2
Preparación de los alimentos			
Coloque los ingredientes de la carne de cerdo con especias chinas en la olla de cocción lenta por la mañana para preparar el plato durante el día para la cena.			
DÍA 26			
Desayuno			
Salchicha o minihamburguesa de desayuno con manzana dulce	✔		
Boniato guisado	✔		
Zumo verde de vegetales		2	
Comida			
Carne de cerdo a cocción lenta con especias chinas	✔		
«Pilaf» de coliflor	✔		
Cena			
Tacos de pescado especiados		4	2
Ensalada del algas y pepino		2	
150 gramos de frutos del bosque orgánicos variados		2	

LAS RECETAS DEL MÉTODO MYERS	Porciones sobrantes	Número de porciones a preparar	Número de porciones que pueden conservarse en el frigorífico
DÍA 27			
Desayuno			
Salchicha o minihamburguesa de desayuno con especias		4	2
Parfait de frutos del bosque con crema de coco		2	
Té chai con leche de coco o té verde sin cafeína		2	
Comida			
Tacos de pescado especiados	✔		
Ensalada de algas y pepino o cree su propia ensalada mixta orgánica		2	
Cena			
Filete de carne orgánica a la brasa con boniato		4	2
Salteado de verduras orgánicas con ajo		2	
Bocaditos de crema de plátano		12	8
Preparación de los alimentos			
Reserve algunos bocaditos de crema de plátano para tomarlos los 2 días siguientes.			
DÍA 28			
Desayuno			
Rollos de pollo y lechuga fáciles	✔		
Zumo verde de vegetales		2	
Comida			
Filete de carne orgánica a la brasa con boniato		4	2
Bimi (broccolini) orgánico con ajo y limón		2	
Caldo digestivo		16	16
Cena			
Sushi especial		2	
Bacalao al horno en aceite de coco con espinacas		4	2
Ensalada de algas y pepino		2	
DÍA 29			
Desayuno			
Revuelto de pescado salvaje, col rizada y calabacín		2	
Zumo verde de vegetales		2	
Caldo digestivo	✔		

LAS RECETAS DEL MÉTODO MYERS	Porciones sobrantes	Número de porciones a preparar	Número de porciones que pueden conservarse en el frigorífico
Comida			
Rollos de pollo y lechuga fáciles	✔		
Cena			
Ensalada de col rizada y espinacas orgánicas y minihamburguesas de vacuno alimentado con hierba, con romero y albahaca		2	
DÍA 30			
Desayuno			
Salchicha o minihamburguesa de desayuno con especias	✔		
Boniato guisado		4	2
Caldo digestivo	✔		
Té chai con leche de coco o té verde sin cafeína		2	
Comida			
Ensalada de rúcula, naranja sanguina e hinojo		2	
Cena			
«Espaguetis» de cabello de ángel con salsa pesto cremosa		4	2
Coles de Bruselas con cerezas orgánicas		2	

EL MÉTODO MYERS: LA SOLUCIÓN AUTOINMUNE EN UN PLAN DE SIETE DÍAS PARA DOS CON PLATOS DE PESCADO

Este plan de comidas a base de pescado en siete días se ha elaborado para quienes no suelen comer carne; está pensado a grandes rasgos para dos personas. Si desea aplicarlo para una sola persona basta con reducir a la mitad las porciones indicadas en la tabla. Utilice un criterio flexible para adaptarlo a sus preferencias. Recomiendo empezar a prepararlo un sábado, iniciando su puesta en práctica el domingo.

LAS RECETAS DEL MÉTODO MYERS	Porciones sobrantes	Número de porciones a preparar	Número de porciones que pueden conservarse en el frigorífico
DÍA DE PREPARACIÓN			
Crema de calabaza moscada (o de invierno) con canela		De 4 a 6	4
Curry de pollo al coco (Siguiendo la misma receta que en el plan de 30 días pero reemplazando el pollo por pescado)		4	4
DÍA 1			
Desayuno			
Parfait de frutos del bosque con crema de coco		2	
Zumo verde de vegetales		2	
Té chai con leche de coco o té verde sin cafeína		2	
Comida			
Ensalada orgánica de col rizada y cítricos con arándanos		2	
Curry de pollo al coco (reemplazando el pollo por pescado)	✔		2
Cena			
Trucha al horno al limón con champiñones		4	2
Bimi (broccolini) orgánico con ajo y limón		2	
DÍA 2			
Desayuno			
Revuelto de pescado salvaje, col rizada y calabacín		2	
Crema de calabaza moscada (o de invierno) con canela	✔		2

LAS RECETAS DEL MÉTODO MYERS	Porciones sobrantes	Número de porciones a preparar	Número de porciones que pueden conservarse en el frigorífico
Comida			
Trucha al horno al limón con champiñones	✔		
Ensalada orgánica de col rizada y cítricos con arándanos		2	
Cena			
Fletán salvaje con cebolla dulce caramelizada		4	2
Salteado de verduras orgánicas con ajo		4	2
Calabaza moscada (o de invierno) especiada con cúrcuma		2	
DÍA 3			
Desayuno			
Curry de pollo al coco (reemplazando el pollo por pescado)	✔		
Comida			
Fletán salvaje con cebolla dulce caramelizada	✔		
Crema de calabaza moscada (o de invierno) con canela	✔		
Salteado de verduras orgánicas con ajo	✔		
Cena			
«Pasta» al pesto con langostinos		4	2
150 gramos de frutos del bosque orgánicos variados		2	
DÍA 4			
Desayuno			
Parfait de frutos del bosque con crema de coco		2	
Zumo verde de vegetales		2	
Comida			
«Pasta» al pesto con langostinos	✔		
Cena			
Salmón salvaje al horno con salsa ácida de mango		4	2
Boniatos al horno con canela y nuez moscada		2	
Espárragos orgánicos al horno		2	
DÍA 5			
Desayuno			
Parfait de frutos del bosque con crema de coco		2	
Zumo verde de vegetales		2	

LAS RECETAS DEL MÉTODO MYERS	Porciones sobrantes	Número de porciones a preparar	Número de porciones que pueden conservarse en el frigorífico
Comida			
Salmón salvaje al horno con salsa ácida de mango	✔		
Ensalada tropical nicaragüense		2	
Cena			
Bacalao al horno en aceite de coco con espinacas		4	2
«Pilaf» de coliflor		4	2
DÍA 6			
Desayuno			
Revuelto de pescado salvaje, col rizada y calabacín		2	
Comida			
Bacalao al horno en aceite de coco con espinacas	✔		
«Pilaf» de coliflor	✔		
Cena			
Langostinos al coco crujientes		4	2
Ensalada de rúcula, naranja sanguina e hinojo		2	
Crujiente de manzana y canela		4	2
DÍA 7			
Desayuno			
Parfait de frutos del bosque con crema de coco		2	
Zumo verde de vegetales		2	
Té chai con leche de coco o té verde sin cafeína		2	
Comida			
Tacos de pescado especiados		4	2
Alcachofas con vinagreta de ciruela ume		2	
Cena			
Sushi especial		2	
Ensalada del algas y pepino		2	

Parte IV

Vivir
la solución

CAPÍTULO 10

El método Myers como estilo de vida

PROBABLEMENTE SENTIRÁ alegría, si no entusiasmo, por todos los excelentes resultados que ha obtenido con su nueva dieta, que han hecho que se encuentre mejor de lo que se había encontrado en años. Pero se aproximan las Navidades y ya sabe que en esas fechas la mesa se llenará de alimentos que contienen gluten, cereales o legumbres, por no hablar del azúcar y el alcohol. Llegados a este punto, no es fácil que ceda a la tentación de tomar alimentos que sabe que le hacen daño. ¿Pero cómo lidiar con todos los familiares que desean que pruebe los manjares que han preparado para tomarlos en esas celebraciones?

Para muchas personas uno de los momentos más gratos de la semana es aquel en el que toman algo con los compañeros el viernes al salir de la oficina, para olvidar las tensiones propias del trabajo. No quieren renunciar a ese rato de relajación, pero tampoco desean convertirse en centro de atención, por sus problemas de salud y por su dieta especial. ¿Qué se puede hacer?

Hasta ahora ha conseguido aplicar a la perfección el método Myers: ha eliminado de su cocina los alimentos perjudiciales, ha preparado un montón de comidas saludables y deliciosas para llevar al trabajo, e incluso ha descubierto algunos nuevos restaurantes donde sabe que puede pedir platos de entera confianza, pero en estos días se prepara para un viaje de negocios o para ir de vacaciones con su familia, y no sabe de qué alimentos podrá disponer. ¿Cómo viajar sin dejar de poner en práctica el método Myers?

VIVIR LA SOLUCIÓN

Hay buenas noticias en relación con estos eventuales contratiempos: una vez que comienza a asimilarse esta forma de vida, el hecho de encontrarse mejor supone un importantísimo elemento de motivación para seguir adelante. Los síntomas van remitiendo y, muchas veces, desaparecen por completo. Volvemos a recuperar nuestra energía y nos sentimos vigorosos y sanos. Nuestro aspecto físico mejora sensiblemente: al liberarnos de la inflamación, la piel adquiere una renovada tersura, el pelo crece con más fuerza y, a menudo, el proceso ayuda a perder peso. Muchos de mis pacientes afirman que se sienten como no se habían encontrado en años, incluso mejor que en toda su vida. Están francamente radiantes ante la perspectiva de haber abandonado su medicación y pronto empiezan a escuchar comentarios de admiración: «¿Pero qué has estado haciendo? ¡Tienes un aspecto magnífico!».

Una de las primeras cosas que se nota es que no se requiere una gran fuerza de voluntad para continuar siguiendo las pautas del método Myers. El proceso obedece sencillamente a una relación de causa y efecto. Una vez que uno comprueba cómo se siente y qué aspecto tiene, los alimentos generadores de inflamación pierden de manera espontánea todo su atractivo. Varios de mis pacientes me han comentado que ni tan siquiera «ven» esos alimentos; desarrollan un mecanismo mental subconsciente en virtud del cual rechazan el gluten, los lácteos o cualquier tipo de producto que sepan que puede hacer que sus síntomas vuelvan a aparecer, de manera que es como si estos alimentos «desaparecieran» de su campo visual. Sencillamente, no forman parte del conjunto de opciones que contemplan. Antes no pensaban en ponerle ketchup al helado; ahora esos alimentos no son algo a lo que deban resistirse, sino algo que no desean en absoluto.

Hace poco viví yo misma una experiencia relacionada con este planteamiento. Había salido a comer con un grupo de amigos y algunos de ellos optaron por pedir de postre un pastel de chocolate fundido recubierto de nata encima. Para ser sinceros, antes de que naciera el método Myers, ese postre hubiera sido realmente mi perdición, ya que me encantaban tanto el chocolate como los pasteles y la nata. Como a mucha gente.

Cuando sirvieron los postres, hubo exclamaciones unánimes de aprobación por lo apetitoso del aspecto de los pasteles, hasta que se hizo un silencio y mis amigos miraron hacia mí. Uno de ellos dijo tímidamente «¡Vaya, Amy!, perdona. No estábamos pensando que...».

Apenas me llevó un instante darme cuenta a qué se refería. Me había bastado un fugaz vistazo a ese postre, tal vez de manera inconsciente, para procesar el mensaje «gluten, azúcar, lácteos» y dejar automáticamente de pensar en él. No tenía que resistir ante ningún tipo de tentación. La tentación no existía pero, aun en caso de que me hubiera parado a pensar en el postre en algún momento, me hubiera venido de inmediato a la mente la posibilidad de que los síntomas de mi enfermedad volvieran a presentarse. En consecuencia, estaba *verdaderamente* a salvo de cualquier tipo de tentación.

Para ser sincera, nunca he llegado a renunciar por completo a este tipo de caprichos. Cuando deseo tomar algo de chocolate, siempre puedo optar por uno o dos trozos de una tableta de chocolate negro al 90% de cacao (que usted también puede permitirse de cuando en cuando, una vez que haya progresado en la aplicación del método Myers), o bien puedo preparar una mousse con leche de coco, canela y cacao (la receta de esta mousse se incluye en la página 298, para que pueda disfrutar de ella). Sin embargo, el postre, con una alta carga inflamatoria, que tanto celebraban mis amigos, resultaba para mí tan tentador como, pongamos por caso, un helado con ketchup. Sencillamente no me atraía lo más mínimo.

Si está leyendo estas páginas durante los primeros días de la aplicación del método, es posible que estas afirmaciones resulten difíciles de aceptar, pero, créame, se trata de datos contrastados y absolutamente ciertos. Las recompensas que brinda el hecho de haber dejado de experimentar síntomas y de sentirse extraordinariamente bien es la mejor de las motivaciones posibles. Cuando se come siguiendo una pauta que refuerza el organismo en vez de castigarlo, casi no se necesita motivación alguna. Un modelo de alimentación saludable es, sencillamente, lo que se aspira a mantener siempre de manera natural.

CUANDO LA TENTACIÓN ACECHA...

Bien, una vez afirmado todo esto, en cierta manera debo desdecirme y admitir que, en ocasiones yo también siento deseo de tomar algún alimento que no puede considerarse completamente sano. Tal vez no me sienta atraída por un postre elaborado, pero hay veces en las que no puedo evitar sentir deseos de tomar algo dulce, algo salado o algo de textura crujiente o esponjosa. Después de todo, tengo mis caprichos, como cualquier ser humano.

Así pues, para cuando se presentan esos «antojos», hay una pauta importante que conviene seguir a rajatabla: *se debe optar por algo que nos satisfaga pero que no lastime en demasía a nuestro organismo.*

Pero, conviene que seamos perfectamente claros: no estoy hablando de permitirse esas excepciones durante los primeros 30 días de aplicación del método Myers. En ese primer mes, es importante seguir el plan de alimentación al 100%, dado que, en ese tiempo, incluso la más mínima desviación puede hacer que el sistema inmunitario vuelva de nuevo a desarticularse. Si se padece un trastorno autoinmune o se está en una posición más o menos avanzada dentro del espectro de autoinmunidad, el cuerpo presenta por definición un alto grado de inflamación. En este contexto, la prioridad número uno es conseguir que esa inflamación remita. Y, en este proceso, incluso cantidades mínimas de alimentos inflamatorios pueden conducir al fracaso, debido al modo en el que actúa la química de nuestro organismo.

En muchos casos 30 días son suficientes para restablecer el equilibrio y para permitir cierta flexibilidad en la continuación de la aplicación del método, tomando algo de azúcar y cantidades reducidas de cereales libres de gluten o, tal vez, alguna bebida que contenga cafeína. Sin embargo, en otros es posible que sean necesarios más de 30 días, en especial si los síntomas de la enfermedad han sido importantes, si se padecen trastornos múltiples o si la patología autoinmune ha estado presente desde hace mucho tiempo. En estas circunstancias, cuando los síntomas hayan remitido y no se hayan manifestado durante unos meses, será posible experimentar con algunos alimentos y probar a reincorporarlos a la propia dieta. En un capítulo adicional incluido en mi página web puede consultarse el modo de hacerlo, puesto que la reincorporación puede ser correcta o arriesgada, y mi propósito es asegurar que este tipo de iniciativas se apliquen de manera segura y saludable.

A decir verdad, con independencia de cuál sea la percepción del propio estado de salud, no es conveniente tomar nunca alimentos con gluten o lácteos, ni tampoco cantidades sustanciales de cafeína, azúcar, alcohol, sal común, cereales o legumbres. Es más que probable que la inflamación derivada de su consumo reactive los síntomas, pudiendo incluso determinar el desarrollo de un segundo y de hasta un tercer padecimiento autoinmune.

Y el cuadro viene a complicarse por el hecho de que las alteraciones inducidas por esa reactivación no tienen necesariamente que percibirse de inmediato. En cierta ocasión atendí a una paciente cuyos anticuerpos antitiroideos se habían disparado, sin que yo ni ninguno de los miembros de mi equipo acertáramos a saber el motivo. En un determinado momento la paciente recordó: «¡Espere un momento! El otro día tomé una galleta vegana. ¿Es posible que sea esa la razón?». ¡Pues claro que sí! A no ser que en la caja se consignara específicamente la indicación «Sin gluten», en la composición de esa galleta había seguramente trigo o cualquier otro cereal que contuviera gluten. La paciente no podía *sentir* que sus anticuerpos antitiroideos se habían elevado hasta alcanzar una concentración significativa, pero yo sí podía medir el cambio en su sangre y deducir que, en esos precisos instantes, los anticuerpos generados por el gluten estaban dando instrucciones a su sistema inmunitario para que atacara a su propia glándula tiroidea, e incrementando al mismo tiempo el riesgo de que desarrollara otros trastornos autoinmunes.

La mayor parte del tiempo esta paciente cumplía de manera correcta con la aplicación del método Myers y estaba satisfecha con él. Sin embargo, ocasionalmente tomaba algo que no era aceptable. Así que le dije lo mismo que acabo de apuntar al principio de este epígrafe: «Elija algo que la satisfaga, pero que no dañe en exceso su organismo». Por desgracia, solo un bocado a aquella galleta fue suficiente para desregular por completo su control de la autoinmunidad. Si simplemente la galleta hubiera estado libre de contenido en gluten, es probable que no hubiese sucedido nada.

ÚNASE A LA FAMILIA DE SEGUIDORES DEL MÉTODO MYERS

Me ilusiona ampliar la familia de seguidores del método Myers y que mis pacientes y lectores compartan información y se mantengan en contacto conmigo. Si desea formar parte de una comunidad de apoyo en la que compartir experiencias, formular consultas, pedir consejo y recibir ánimos y felicitaciones por sus progresos, únase a nosotros en la web www.AmyMyersMD.com.

CONVERTIR EL MÉTODO EN UN «ASUNTO DE FAMILIA»

Mi mayor deseo es que el «método Myers» se entienda como un medio para que la alimentación se contemple como una forma y un estilo de vida. Puede hacer que el método se convierta en su forma de vida, no solo para usted sino también para las personas con las que comparte la suya. De esta manera le resultará más fácil mantenerse fiel al método y logrará que sus seres queridos obtengan una sustancial mejora de su salud. El método Myers contribuye de manera decisiva a mejorar todo tipo de síntomas: niebla cerebral, ansiedad, depresión, acné dolores de cabeza, cefaleas migrañosas, indigestión, reflujo ácido, síndrome del intestino irritable, síndrome premenstrual, trastornos de la menopausia, dolores articulares y alergias estacionales, así como otras muchas alteraciones menores que la mayoría de las personas nos hemos habituado a sobrellevar. Y no tiene por qué ser así. Sencillamente revierta ese ardor inflamatorio y compruebe como su cuerpo responde con gratitud, energía y un estado de salud vigoroso y espléndido.

El método Myers es, además, un magnífico sistema para perder peso y para mantener el peso idóneo en lo sucesivo. Como hemos visto, la inflamación genera aumento de peso y el exceso de grasa corporal es, de por sí, inflamatorio. El método rompe ese círculo vicioso, recompensando la disciplina del cuerpo con un estado saludable y con el peso apropiado que siempre había deseado mantener.

Así pues, siempre que sea viable, haga lo que esté en su mano para que quienes conviven con usted practiquen también el método Myers. Conviértalo en un «asunto de familia», que sirva de apoyo a todos sus miembros. Si uno de sus hijos necesita la ayuda del método Myers y los otros no, aplicar la misma dieta para todos evita muchas discusiones y, además, es obvio que preparar una misma comida para todos resulta más sencillo. Actuando de este modo, se evitan las protestas del tipo «¿Por qué él come helado y yo no?» y se descarta la posibilidad de contaminación cruzada entre los alimentos, por ejemplo, por transmisión de gluten de un plato a otro o por exposición accidental a lácteos a través del cuchillo de untar la mantequilla. Cuando el método Myers se convierte en un proyecto de familia, toda esa familia se encontrará más sana y más unida. Otros beneficios adicionales son que tanto usted como su pareja y sus hijos verán cómo mejoran su rendimiento físico, su función mental, su peso y, por ejemplo, la propensión a padecer trastornos como el acné.

Por supuesto, si sus familiares no se muestran dispuestos a seguir esta pauta, debe respetarse su decisión. El método es, en primera instancia, necesario para usted, lo que significa que debe dejar que los demás hagan lo que consideren más oportuno. No obstante, en la mayoría de los casos las parejas suelen compartir el método y los padres no tienen en general problemas para hacerlo, si se trata de ayudar a sus hijos. Cuando todos juntos llevan a la práctica el método Myers, la familia refuerza su unidad, además de mejorar su salud.

FIJAR LAS LIMITACIONES

Estoy convencida de que, en la gran mayoría de los casos, sus seres queridos le proporcionarán todo el refuerzo positivo que necesita y de que lo habitual será que escuche comentarios de admiración como el antes mencionado: «¿Pero qué has estado haciendo? ¡Tienes un aspecto magnífico!».

Cabe la posibilidad, no obstante, de que en ocasiones sus allegados planteen objeciones del tipo: «¡Vamos, un poco de helado no puede hacerte daño!», «¿Por qué no puedo prepararle un sándwich al niño; siempre le han encantado?», «Tienes que probar al menos el estofado de tía Sara, si no se ofenderá» o «Desde que has empezado esta nueva dieta, no hay manera de salir a comer fuera, sin que se organice un verdadero problema».

¿Le resultan familiares? Por su bien, espero que no. Pero lo habitual es que todos tengamos que hacer frente a cierta resistencia en algún momento y, por otro lado, a nadie le gusta ser considerado quisquilloso en lo que respecta a la comida.

No obstante, en este caso se trata de su propia salud o, tal vez, de la de alguno de sus hijos. Y, según mis principios, la salud es lo primero. Ha podido comprobar en los ejemplos citados en el libro, el grado de aflicción que los síntomas de autoinmunidad pueden causar, y ya sabe que quien sufre una enfermedad autoinmune está expuesto a un riesgo tres veces mayor que el de la población general de desarrollar una segunda. Si los demás no quieren creerlo, están en su derecho. Pero usted debe mantenerse fuerte y elegir las opciones que son preferibles para su salud.

Una de las cosas que más me apena es saber de casos de padres que tienen hijos con enfermedades autoinmunes y que no les prestan el apoyo necesario. Mis pacientes me hablan a veces de abuelos que insisten en dar a esos niños galletas o yogur o en prepararles sándwiches a sus nietos aquejados de trastornos autoinmunes, o que hacen comentarios tales como «No veo por qué tienes que ser tan estricta. Todos los niños pueden permitirse algún capricho de vez en cuando».

No se trata de un problema fácil de abordar, pero ceder *no* es la solución. Es importante establecer los límites adecuados y ceñirse a ellos, siendo consciente de que son los padres los que han de decidir qué es lo mejor para sus hijos.

¿Y qué sucede cuando es usted quien padece la alteración autoinmune y alguien con quien comparte su vida no se muestra respetuoso ante su

decisión de seguir el método Myers? Cuando continuamente pregunta
«¿Por qué no nos tomamos una pizza?», aun a sabiendas de que resulta
perjudicial para usted, cuando llena la casa de bollos o golosinas colmadas
de gluten o cuando se burla de su dieta, en especial en presencia de otras
personas.

Esta es también una situación complicada. Si le basta con decir «¡No!»
mejor para usted. Pero en ocasiones es preciso recabar ayuda de profesionales, tal vez de un orientador, un asesor o un terapeuta, que le ayude a
mantenerse firme y a preservar su salud y su derecho a ser respetado. Puede
encontrar la manera de fijar las pertinentes limitaciones, aun conservando
una relación estrecha con la persona «agresora». O bien puede decidir que
se trata de una relación tóxica, que es conveniente abandonar al mismo
tiempo que el gluten o el azúcar.

Recordemos que el estrés y las situaciones potencialmente dolorosas
incrementan la inflamación en la misma medida que los lácteos o el alcohol
(véase el capítulo 7) y que su primer objetivo ha de ser siempre la salva-
guarda de su salud. Una cosa es que alguien opte por no compartir con
usted el método Myers, y otra muy distinta tener que interactuar con alguien que se dedica de manera sistemática a sabotear sus esfuerzos.

EL PRECIO DEL ESFUERZO

«¿Por qué no te limitas a seguir los consejos de tu médico normal?»

Esta es una objeción que mis pacientes escuchan a menudo y, créanme,
la entiendo. A pesar de ser médico yo misma, mis familiares no siempre
comprenden que asuma una postura «contraria». Ante la negación por
parte de la medicina convencional del efecto de la dieta o la sobrevaloración
de los fármacos, a veces uno se siente como un niño pequeño en medio de
una multitud, como una voz clamando en el desierto y, sin embargo «¡El
emperador está desnudo!».

Ya saben lo que pienso al respecto. No me importa estar en minoría,
sobre todo porque sé que pronto el enfoque que defiendo se integrará plenamente en la medicina convencional. Entretanto, considero que las decisiones sobre la salud son muy personales, por lo que nadie puede decidir
lo que otra persona ha de hacer en este contexto. Incluso, lo más que yo
puedo es decirle a mis pacientes lo que considero mejor para ellos, pero lo
que deben hacer lo deciden ellos.

Si sintoniza con las ideas de este libro y desea probar su planteamiento, nadie tiene derecho a impedirlo. Dejemos que los demás planteen sus objeciones y demos respuesta a cada una de ellas. Aquellos con quienes convivimos han de permanecer serenos y respetar sus decisiones. Si no es así, si sus opiniones sabotean su compromiso personal con su salud, habrá que adoptar otras posturas. Después de todo, usted se merece una vida plena y saludable. Quienes de verdad se preocupan por usted desean también que le suceda lo mejor.

ÚNASE A UNA COMUNIDAD DE APOYO

Sé que una de las claves que nos ayuda a sistematizar los cambios es obtener apoyo, es decir, unir fuerzas con otras personas con intereses comunes con quienes compartir éxitos, intercambiar consejos y aportar nuevas ideas para seguir adelante. Por ello me alegra poder ofrecerle el soporte de la familia de seguidores del método Myers, a la que puede unirse a través de mi página web, www.AmyMyersMD.com.

Tal vez ya haya entrado en contacto con otros grupos por consejo de su especialista de medicina convencional o conociéndolos a través de la red. Sin embargo, es posible que planteen problemas, ya que son numerosos los grupos de apoyo que comparten la perspectiva de la autoinmunidad propia de la medicina convencional, según la cual la dieta no tiene nada que ver en ella y la medicación de por vida es el único arsenal terapéutico posible para su abordaje.

Los grupos de apoyo que le serán realmente útiles son los integrados por personas que también deseen abandonar el consumo de gluten, cereales y legumbres, que estén intentando desintoxicar sus vidas y que compartan con usted la preocupación por la inflamación, las hipersensibilidades alimentarias y las toxinas medioambientales. Haga búsquedas en Google de términos como «dietas paleo», «celíacos», «libre de gluten» o «libre de alérgenos». Muchos de mis pacientes han hallado más ayuda en las páginas web a las que se accede a través de esas búsquedas que en las de medicina convencional.

En general, conviene ser prudente al utilizar Internet, ya que se pueden encontrar planteamientos catastrofistas que, si se es sugestionable, resultan muy inquietantes. Se puede acabar leyendo más y más historias de personas en las que los síntomas no mejoran o los medicamentos no funcionan. ¿Para qué exponerse a tanta negatividad? Sea online o en vivo, asegúrese de que el grupo de apoyo en el que participa está constituido por personas positivas y decididas que, como usted, buscan cambiar su dieta, desintoxicar su entorno y desestresar sus vidas, personas que creen que su salud es un derecho innato y que *pueden* preservarlo. Rodéese de energía positiva y aléjese de los derrotistas.

COMER EN RESTAURANTES

«Y, ¿qué hay de los restaurantes y de salir a comer fuera?»

Es algo que se preguntan muchos de mis pacientes. Me satisface responderles que son muchas las cosas que se pueden pedir en prácticamente cualquier restaurante, siempre que se hagan algunas preguntas y que se establezca una comunicación fluida con el personal que nos atiende.

Durante los 30 primeros días del método es preferible comer en casa, dada la posibilidad de que se produzca contaminación cruzada y de que algo cuyo consumo *es* seguro entre en contacto con algo que *no lo es*. No es cuestión de esforzarse durante 30 días aplicando el método Myers para acabar pensando que este no funciona en nuestro caso, simplemente porque la comida de restaurante nos expone a problemas con los alimentos.

Sin embargo, incluso en esos primeros treinta días, puede ocasionalmente salir a comer fuera y, una vez transcurridos estos, cabe la posibilidad de aumentar la frecuencia de las salidas a comer o cenar. Personalmente, me gusta hacer una labor de estudio previo cuando voy a un nuevo restaurante, en especial si voy a ir acompañada de amigos que no siguen el método Myers o una dieta similar. No me gusta que la atención se concentre en mí, por lo que suelo analizar el menú a través de Internet y ver lo que puedo comer. Si tengo alguna duda, llamo al local, explico lo que intento evitar y trabajo con la persona que me atiende para decidir una comida apropiada.

«Como pollo, pescado, frutas y verduras», les digo. «¿Qué me sugiere?», Luego, ya sentada a la mesa, no tengo más que indicarle al camarero: «Yo tomaré pechuga de pollo con brécol al vapor, pero por favor sin salsa; tengo entendido que lleva mantequilla». Sin mayor contratiempo, me reincorporo a la conversación con mis amigos. Muchos ni tan siquiera se dan cuenta de que he pedido algo especial.

Evidentemente, esa conversación también puede mantenerse directamente con el camarero. En nuestros días, es mucha la gente que evita la ingesta de gluten y es incluso probable que en el establecimiento se ofrezca un menú sin gluten y que estén habituados a recibir solicitudes especiales, cada vez más comunes.

CONSEJOS PARA COMER FUERA

- En el restaurante recuerde que usted es el cliente y que el personal está para servirle. Una sonrisa y un agradecimiento siempre son útiles.
- Acostúmbrese a aliñar las ensaladas con solo aceite de oliva, limón o vinagre y, eventualmente a acompañarlas de rodajas de aguacate.
- Reemplace con platos de verduras los que contengan patatas o cereales.
- Evite cualquier tipo de salsa: es frecuente que en las salsas haya mantequilla, harina, azúcar, o soja con alto contenido en gluten. Opte por pescado, pollo o carne a la parrilla o a la plancha, con aceite de oliva en vez de mantequilla. Evite la salsa de soja, que suele contener gluten.
- Pregunte por la manera en la que se marinan o condimentan las carnes. Muchas veces se emplea para ello salsa de soja, que es raro que no contenga gluten.
- Los salteados suelen ser adecuados. Solo conviene puntualizar que para prepararlos utilicen aceite de oliva en vez de mantequilla y que no usen harina.
- Durante los primeros 30 días es preferible evitar las frituras, por el riesgo de contaminación cruzada. Posteriormente, se pueden pedir palitos de boniato fritos en vez de patatas fritas, comprobando que se utilicen materias primas carentes de gluten (en el pescado o el pollo rebozado) en la freidora.
- Por último, aunque con igual importancia, desarrolle su creatividad. En la mayor parte de los restaurantes pueden prepararles un plato de pescado, pollo o carne a la parrilla, con verduras u hortalizas al vapor, salteadas o a la planchan como guarnición.

LLEVE SUS PROPIOS PLATOS CUANDO VAYA A COMER A CASA DE UNOS AMIGOS

Hace poco, unos amigos me invitaron a una comida de tipo buffet para celebrar el nacimiento de su hijo. Lógicamente, quería ver al pequeño, pero estaba segura de que en la comida abundarían las preparaciones con lácteos, gluten y otros ingredientes que no puedo tomar. No me parecía oportuno pedir a la madre de un recién nacido que me preparara algo especial. Así que le pregunté a la anfitriona: «¿Quieres que lleve algo?».

«Bueno», me dijo. «Si quieres puedes preparar una buena ensalada; me encanta».

Pero sabía que con una ensalada no tendría bastante para toda la velada. Así que, de camino, compré un pollo en un asador.

«He pensado que también vendría bien un pollo», dije al llegar. ¡Problema resuelto! No tuve que decir «No puedo comer casi nada de lo que tenéis preparado» ni preguntar «¿Puedes prepararme algo especial?». Llevé una comida adecuada para mí, sin crear ninguna situación comprometida.

Lo que suelo hacer cuando unos amigos me invitan a comer o cenar en su casa es proponerles llevar algo e intentar averiguar que van a preparar. En estos tiempos son muchas las personas que padecen problemas de alergias, intolerancias o hipersensibilidades alimentarias, por lo que los anfitriones agradecen a menudo los comentarios referidos a su dieta antes de la reunión. Como alternativa, es posible llevar algún plato preparado en casa como «sorpresa» o tomar algo antes. La reunión es para disfrutar de la compañía, no de la comida. ¿No es cierto?

Cuando sé que nos reunimos para «picar», casi siempre tomo algo previamente. Así puedo centrarme en conversar con mis amigos. Si veo que hay alguna cosa que puedo tomar sin problemas, ¡perfecto! Si no, no hay problema.

En estas situaciones, y en cualquier otro momento, siempre conviene estar preparado. Siempre suelo llevar algo para comer, sea en el bolso o en la guantera del coche como salmón en conserva, algunas verduras crudas o barritas de proteínas de marca Epic (véase la sección «Referencias»). Da confianza saber que puedo ir a cualquier parte, hacer cualquier cosa y disponer de algún alimento que me permita comer en toda circunstancia sin comprometer mi salud.

EL ALCOHOL JUSTO PARA QUE NO SEA PERJUDICIAL

Es conveniente prescindir por completo del alcohol durante los 30 primeros días de aplicación del método Myers, ya que tanto el alcohol como el azúcar inhiben el sistema inmunitario, nutren a las bacterias nocivas, favorecen la proliferación de levaduras y el SBID y dificultan la recuperación de las infecciones. Yo suelo tomar agua mineral con un poco de zumo de arándanos y lima, para darle un toque especial. Cuando me reúno con mis amigos, lo que me gusta es conversar con ellos, por lo que no hecho de menos el alcohol.

De todos modos, es posible tomar alguna bebida alcohólica ocasionalmente; por ejemplo, un vodka o un tequila, una o dos veces al mes. El vino contiene numerosos azúcares y es fermentado, por lo que es básicamente una forma de levadura líquida. Dado que muchos de los afectados por trastornos autoinmunes o que están en el espectro de autoinmunidad presentan infecciones por levaduras, es importante evitar su consumo al menos los primeros 30 días, tomándolo de manera ocasional después. La cerveza en una bebida fermentada y, además, contiene gluten, por lo que debe evitarse siempre. Los licores «de color», como el whisky escocés o el bourbon, contienen más ingredientes problemáticos que los transparentes, por lo que su consumo debe reducirse al mínimo. Para los combinados es preferible utilizar agua con gas que bebidas azucaradas o a base de frutas. También ha de evitarse la aparentemente inofensiva tónica, por su contenido en azúcar o, lo que es peor, en jarabe de maíz del alta fructosa. Recuerde que el alcohol deprime el sistema inmunitario, por lo que su consumo ha de limitarse a una copa o, al máximo, dos.

PLAN PARA VIAJAR

Yo viajo continuamente a todo tipo de lugares y siempre consigo adaptarme al método Myers. Si yo lo hago, cualquiera puede hacerlo. El secreto consiste en estar preparado. Estos son los cuatro puntos principales a tener en cuenta:

❶ **Estudio previo.** Compruebe los menús del hotel en el que vaya a alojarse y haga búsquedas en Google de tipo «sin gluten» + [nombre de la ciudad], para encontrar algún restaurante apropiado en la zona, o bien «restaurantes cercanos«»> + [nombre o dirección del hotel], para localizar alguno y estudiar después su web. De esta manera, al llegar a una ciudad, podrá saber dónde poder tomar un pescado a la plancha con ensalada o un pollo a la parrilla preparado solo con limón y aceite de oliva.

❷ **Preparación de paquetes con nuestra propia comida.** Muchos alimentos saludables no requieren refrigeración. Puede llevarlos con usted para tener siempre algo que comer a mano: puré de manzana orgánico sin edulcorantes, barritas nutritivas orgánicas, cecina y otras elaboraciones de carne desecada, o salmón enlatado (pueden consultarse diversas opciones en la sección «Referencias»).

❸ **Uso de *packs* de hielo y bolsas aislantes.** Los *packs* de hielo pueden mantenerse helados en el congelador del minibar del hotel. Para los desplazamientos es posible guardar en una bolsa aislante, el hielo, verduras, frutas y otros alimentos.

❹ **Solicitud de un refrigerador o adquisición de una nevera plástica.** Puede vaciarse el minibar y utilizarlo como nevera. Algunos hoteles disponen un refrigerador en la habitación, si se solicita con antelación alejando motivos médicos. Si ello no es posible, cabe la opción de adquirir una nevera plástica portátil para conservar los alimentos adquiridos en una tienda de productos orgánicos local o, en pequeñas cantidades, en una de alimentos convencionales.

VACACIONES: CENTRARSE EN LOS SERES QUERIDOS

Muchos de mis pacientes me comentan que las vacaciones son para ellos un periodo particularmente problemático para su dieta. Hay muchas tentaciones alimenticias, la gente suele mostrar un estado de ánimo más indulgente y, ¿por qué no permitirse algún capricho, una vez olvidados los buenos propósitos para el nuevo año?

Para mí, las vacaciones es la época que deseo compartir con los míos. Todavía tengo muy presente lo que le sucedía a mi cuerpo antes de aplicar el método Myers y renuevo a diario mi compromiso de mantenerme sana, vital y cargada de energía. ¿Por qué arriesgarlo todo por unas galletas o un trozo de tarta? No merece la pena.

Las sugerencias formuladas en este capítulo se centran en el modo de llevar platos propios a las reuniones con amigos, comer algo con antelación, si es necesario, y valorar el precio del esfuerzo por el que nos encontramos tan bien, gracias al nuevo enfoque de la alimentación. Si no prestamos atención a nuestra dieta, nadie lo hará por nosotros. Pero los demás sí reconocerán que nuestro aspecto ha cambiando y que nos notan llenos de energía y de alegría de vivir.

Las vacaciones me ofrecen la posibilidad de conocer a más gente que comparte mis ideas. Hace un par de años un familiar mío de Alabama me habló de que sufría dolores articulares. Él sabía que yo era médico, pero pronto comprendí que no conocía la modalidad que practicaba. Sin esperar que fuera muy receptivo, le dí una somera explicación de la posible relación del gluten con sus molestias. Él asintió cortésmente y ahí quedó todo.

Cuál no sería mi sorpresa cuando, en las vacaciones del año siguiente, mi pariente me abordó con una radiante sonrisa. «¡Nunca te estaré lo bastante agradecido; has cambiado mi vida! Dejé de tomar gluten como me dijiste y todos mis dolores articulares se han volatilizado!» Me alegré sobremanera de no haber caído en la tentación de infravalorarlo. Esas vacaciones sirvieron para crear un nuevo vínculo con mis familiares.

UNA CELEBRACIÓN EN LA FAMILIA MYERS

Debo compartir alguna otra historia relacionada con épocas de fiestas y celebración.

La que expondré a continuación es un ejemplo de lo que el método Myers tiene de promesa de esperanza. Está claro que durante unas vacaciones hay veces en las que parece difícil mantener una dieta y compaginarla con los condicionantes familiares, pero también hay momentos reconfortantes en los que el hecho de lograrlo merece la pena.

Para mí las últimas Navidades fueron una de esas ocasiones. En mi familia siempre habíamos celebrado las fiestas tomando comidas diferentes. La segunda esposa de mi padre era vegetariana desde hacía 35 años. Yo lo había sido durante un tiempo, después pasé a no tomar alimentos con gluten y finalmente a seguir el método Myers. Y mi padre siempre había mantenido una dieta convencional, además de ser un verdadero incondicional de todo lo dulce. Nos sentábamos alrededor de la mesa intentando saber qué alimentos podíamos probar cada uno y cuáles no. Y no quiero ni imaginar lo complicado que debía resultar planificar y preparar toda esa comida.

No obstante, el año pasado mi padre empezó a seguir también el método Myers. Padece una enfermedad autoinmune llamada polimiositis que, aunque le había afectado durante años, últimamente se había agravado. Con más de 75 años decidió dar el salto y hacer por fin caso a su hija. Para prestarle apoyo, mi madrastra optó también por empezar a comer carne y seguir el método con él.

Así pues, por primera vez, que yo recordara, todos tomábamos el mismo tipo de alimentos. Al llegar las Navidades, mi padre había perdido 7 kilos y su dolencia había mejorado de manera sensible. Me dijo que no echaba de menos el dulce y pude comprobar la evidente mejora de su aspecto. Su esposa estaba feliz al ver que estaba haciendo por fin lo correcto.

Yo disfruté cada paso de la elaboración de los alimentos y de la comida navideña, desde la adquisición de los ingredientes a la preparación de los platos y la reunión de todos en torno a la mesa.

No puedo expresar lo mucho que para mí significaba el simple hecho de que todos estuviéramos compartiendo la misma comida. Me sentía feliz de ver a mi padre tan contento, siendo consciente de que el método Myers le había dado esta nueva oportunidad de sentirse de nuevo vivo y pletórico de energía.

En consecuencia, si es la única persona de su familia que sigue el método Myers, no ceje en su empeño. Nunca se sabe cuándo alguno de sus seres queridos captará el mensaje de salud o cuándo estará dispuesto a prestarle apoyo, o incluso a unirse a usted, en ese viaje para favorecer la curación.

CAPÍTULO 11

El laberinto médico

CUANDO OIGO HABLAR A MIS PACIENTES DEL NÚMERO DE MÉDICOS a los que han acudido antes de llegar a mi consulta, y lo difícil que resulta encontrar especialistas en enfermedades autoinmunes en las comunidades pequeñas o en las áreas rurales, a menudo pienso que el laberinto médico al que se han de enfrentar es casi tan problemático como el propio trastorno que padecen. Yo misma tuve que sufrir como paciente esa misma experiencia, que ahora me refieren con tanta frecuencia las personas a las que atiendo. Así pues, en el presente capítulo propongo algunas ideas para saber desenvolverse y orientarse en esa intrincada maraña.

Como es lógico, espero que toda la ayuda que se necesite se encuentre en este libro. Se puede recorrer un largo camino —lo ideal es que se recorra todo el camino— hasta conseguir que los síntomas remitan, que se prevengan nuevas exacerbaciones e incluso que se invierta la evolución de la enfermedad, modificando la dieta, optimizando la curación del intestino, aliviando la carga tóxica y regulando las infecciones y la incidencia del estrés.

No obstante, a veces paso meses trabajando con pacientes en los casos que son más problemáticos: aquellos en los que los trastornos autoinmunes son múltiples o aquellos en los que los afectados han sido víctimas durante años de los abordajes de la medicina convencional, antes de acudir a mi consulta. Si usted se encuentra en esa situación, es evidente que logrará notables mejoras durante los treinta primeros días de aplicación del método Myers, si bien cabe la posibilidad de que aún pasen unos meses hasta que se alcance la completa inversión del padecimiento o se pueda considerar la retirada de los medicamentos. Como siempre les digo a mis pacientes, pasan más de treinta días hasta llegar a encontrarse en la situación en la que están, por lo que, por simple lógica, llevará también más de 30 días salir de ella. Por consiguiente, es probable que desee consultar a un profesional de la medicina funcional, o continuar con el que actualmente le atiende. Y, por supuesto, cualquiera que sea el grado de evolución de sus síntomas, necesitará mantener una relación continuada y fluida con un profesional sanitario.

El hecho de afrontar el laberinto médico resulta complejo y problemático, pero ese laberinto puede, sin embargo, funcionar.

He aquí algunas sugerencias para alcanzar el éxito en nuestro recorrido en pos de la curación.

ESTAR PREPARADO

Antes de acudir a la consulta, ponga por escrito tolas las preguntas que se le ocurra que puede formular. Una vez en la consulta, vaya punteándolas a medida que el médico le responda y, obviamente, anote también las respuestas. Es incluso conveniente preguntarle al médico si no le importa que grabe la conversación, de modo que pueda escucharla luego con calma, tal vez acompañado por un amigo o un familiar que le dé su opinión. La entrevista con el médico es una experiencia a menudo fatigosa y abrumadora; procure sobrellevarla con la menor ansiedad posible. Puede obtener el registro de audio con una aplicación de su teléfono móvil o con una pequeña grabadora. Yo no pongo ningún problema a mis pacientes para que graben la conversación. Basta con que lo pidan.

ANOTAR BIEN LOS DATOS

Ponerse a tomar notas es quizá lo último que se le ocurre cuando acude a la consulta del médico, sobre todo si tiene sensación de ansiedad y confusión o si se siente superado por la enfermedad. Sin embargo, mantener la información organizada mediante anotaciones precisas es lo mejor que puede hacer.

De hecho, en mi consulta entregamos a los pacientes una carpeta con la que pueden tener acceso a toda la información que les suministramos, con datos tabulados sobre la dieta del método Myers, mis recomendaciones para su aplicación, cualquier análisis que pueda ser de utilidad, un apartado para consignar los resultados de las pruebas analíticas pendientes, así como nuestro cuestionario de síntomas médicos que cada paciente cumplimenta, y el diario de alimentación que también pedimos a los pacientes que mantengan actualizado. En esa documentación se incluye además el rastreador de síntomas del método Myers, mostrado entre las páginas 22 y 25 del libro y una copia del cual se incorpora en el apéndice G. Como se indicó en el capítulo 1, es conveniente hacer varias fotocopias y cumplimentar el rastreador con periodicidad semanal mientras se está siguiendo el método Myers. Se trata de un medio muy eficaz de evaluar sus progresos y de compartir los resultados con su médico.

Antes de abandonar la consulta del médico es importante solicitar una copia de los resultados analíticos. Obtener los resultados de los análisis a posteriori es a menudo muy difícil. Los médicos están obligados a comunicar los resultados de los análisis, pero si no se consigue una copia de los mismos sobre la marcha, en las consultas de los profesionales de medicina convencional puede tardarse semanas o meses en recuperarlos. Por el contrario, la mayor parte de los profesionales de la medicina funcional suelen hacer entrega de una copia de los análisis en la cita correspondiente. Si el médico no los ofrece de manera espontánea, es posible solicitárselos a alguno de los miembros del personal, indicando: «Sería tan amable de hacer una fotocopia del informe del análisis para que pueda llevármela?», y cuidando de no marcharse sin ella. A continuación puede guardar la copia en la carpeta o escanearla para guardarla en el ordenador, de forma que disponga en todo momento de un registro actualizado de sus progresos.

Hay quien incluso introduce los resultados en una hoja de cálculo con objeto de evaluar la evolución de cada variable analítica por separado.

IR ACOMPAÑADO DE UN FAMILIAR O UN AMIGO

A menudo resulta de utilidad acudir a la consulta en compañía de algún familiar o amigo que colabore tomando notas, que nos recuerde las preguntas que nosotros olvidamos plantear y que pueda luego rememorar con nosotros lo que el médico dijo exactamente. Asimismo la compañía sirve como refuerzo emocional, en tanto que a menudo enfrentarse al diagnóstico de una patología autoinmune resulta bastante turbador.

SER ASERTIVO

Asegúrese de que ninguna de sus preguntas queda sin respuesta. Si el médico no dispone de tiempo suficiente para hacerle saber todo lo que desea conocer, concierte una segunda cita. Se trata de su salud. Tiene derecho a toda la información que pueda referirse a ella.

Tenga presente, por otro lado, que la «atención sanitaria estándar» no tiene por qué ser la mejor atención posible. Por ejemplo, si un paciente va a someterse a una intervención quirúrgica de rutina, la atención estándar comporta la administración de dosis masivas de antibióticos, con objeto de minimizar el riesgo de infección. Es más que probable que ese paciente no sea informado de que tiene que tomar probióticos adicionales para contrarrestar el daño que los antibióticos infieren a las bacterias intestinales saludables. Sin embargo, usted, que ha leído este libro, ya podrá abordar ese paso sin que se lo indiquen. Para hacerlo, necesita sin embargo saber con precisión qué es todo lo implicado en el proceso, empezando por los propios antibióticos que, a menudo, ni tan siquiera son necesarios.

Sé que para muchos de nosotros mostrarse asertivo, es decir, afirmativo, positivo, frente a un médico resulta a veces difícil. En nuestra cultura los médicos están rodeados de una especie de aureola, una suerte de autoridad imbuida por el principio de que «el doctor sabe más», de la que participan tanto los pacientes como los propios médicos. En consecuencia, sé que mostrarse asertivo ante un médico puede parecer como ir a contracorriente. En ocasiones, se tiende a pensar que si se comienza planteando demasiadas preguntas o insistiendo en obtener las correspondientes respuestas, cabe la posibilidad de que el médico se impaciente, desapruebe nuestra actitud o incluso se ofenda. A veces resulta incómodo simplemente desafiar a la figura de autoridad que el facultativo representa.

Lo que debe recordar es que está tratando sobre *su* salud, sobre algo en relación con lo cual es su responsabilidad, a la par que su derecho, mantenerse informado y actuar de forma resuelta para adoptar las mejores decisiones que sea posible. Tal vez algunos médicos se sientan inquietos u ofendidos. Es probable que otros se muestren más abiertos y dispuestos a establecer un diálogo y a responder a las preocupaciones de sus pacientes. En cualquier caso, al final, lo importante es pensar en el propio interés y en cuál es el objetivo final. Debe tenerse siempre presente que lo que está en juego es la propia capacidad para mantener una vida prolongada y saludable. La manera de determinar cómo conseguir las respuestas no siempre es fácil de determinar. Sin embargo, la obtención de esas respuestas es algo que, ciertamente, merece la pena.

Si mostrar una actitud asertiva y resuelta frente al médico supone un esfuerzo para usted, siempre cabe la posibilidad de acudir a la cita acompañado por su pareja o por un familiar o amigo que muestre una actitud más firme y que pueda colaborar en caso necesario. El sentirse acompañado y apoyado por alguien resulta una experiencia especialmente gratificante y potenciadora cuando el paciente se encuentra enfermo y vulnerable.

Puede llevar consigo este libro, eventualmente con algunos párrafos señalados, con objeto de mostrarle al médico cuestiones que le susciten alguna preocupación especial. Mostrando siempre respeto por la autoridad de su opinión, puede incluso preguntarse si le gustaría contar con una copia del mismo.

Es evidente que una posible alternativa es siempre buscar otro médico más propenso a compartir la información. A menudo el simple hecho de ser consciente en el propio fuero interno de que se tiene intención de buscar otra opción si no se obtienen las respuestas que se consideran necesarias da libertad para mostrar una actitud más asertiva.

TRATAR CON AMABILIDAD AL PERSONAL DE LA CONSULTA

Este punto es algo que no debería ser necesario mencionar, pero, por desgracia, es preciso hacerlo. Desde mi punto de vista, el personal de la consulta conforma un equipo cuyo objetivo es ayudarle a encontrarse mejor. El médico es, ciertamente, una parte importante de él, pero es eso, solo una parte. El resto del equipo está constituido por el personal de enfermería, la persona encargada de las extracciones de sangre, la persona que atiende al teléfono y mantiene el programa de visitas en orden, y la persona encargada de atender a los pacientes en recepción. Cuanto mejor conozca a todos ellos en su calidad de integrantes del equipo, más los considerará como profesionales sanitarios cuya finalidad es contribuir a mejorar su estado de salud y más fácil será que le ayuden a conseguirlo. Como es lógico, todos ellos valorarán el respeto y el aprecio por su parte y le compensarán con la misma moneda.

Creo que esta cuestión se enmarca en el ámbito del simple decoro. Sin embargo, cuando se solicita algún «extra», algo que los demás pacientes no suelen requerir, es más probable que el personal lo proporcione si se ha establecido una buena relación entre ellos y el paciente. Por ejemplo, como ya he dicho, suelo recomendar que los pacientes se hagan con fotocopias de los resultados de los análisis. Si se parte de una relación amistosa, amable y de aprecio mutuo será más sencillo que el personal de la consulta se muestre mejor dispuesto a proporcionarlas.

TRATAR BIEN TAMBIÉN AL MÉDICO

Sé que en estas páginas he criticado reiteradamente las carencias de la medicina convencional y mantengo esas críticas. No obstante, también siento respeto por los médicos convencionales, sobre todo por los que dedican la mayor parte de su tiempo a pacientes con enfermedades autoinmunes. Mientras que yo experimento la satisfacción de ver que mis pacientes se recuperan en pocas semanas o pocos meses, la mayoría de los médicos convencionales han de afrontar el hecho de que *sus* pacientes no mejoran realmente. Es muy probable que estos profesionales llegaran a la práctica de la medicina movidos por el deseo de ayudar a la gente y, debido a la naturaleza de los protocolos médicos convencionales, han de resignarse a atender múltiples casos desalentadores y a pacientes cuyos síntomas no hacen más que empeorar de manera sistemática. Aun en el caso de que mejoren, ello sucede a costa de utilizar ingentes cantidades de medicamentos de alto riesgo, cuyos efectos secundarios se ven obligados a su vez a tratar. No creo que pudiera soportar eso y siento verdadera compasión por los médicos que han de hacerlo.

Como nota al margen he de recordar que la forma en la que un paciente se presenta ante el médico afecta siempre a la respuesta del médico, del mismo modo que la actitud de cualquier persona afecta a quienes deben trabajar con ella. Después de todo, los médicos somos también personas. Si el paciente se muestra amable, positivo y comunicativo, es más probable que la reacción del médico sea de la misma naturaleza.

ESTUDIAR A FONDO EL SEGURO MÉDICO

¡Bueno!, ha llegado la hora de dar una mala noticia: la práctica de la mayoría de los profesionales de la medicina funcional no está cubierta por los seguros médicos. Ello se debe a que, por la propia naturaleza del planteamiento, los médicos que trabajamos en ella dedicamos a los pacientes mucho más tiempo que los 15 minutos aproximados que la mayoría de las compañías aseguradoras estiman como promedio para las consultas, y a que solicitamos pruebas que no siempre están cubiertas por los seguros médicos.

Ello hace que los pacientes deban mostrarse un tanto creativos. En caso de que se contrate un seguro médico privado, es posible optar por una póliza con deducible alto o, incluso, que solamente cubra la atención de urgencia, de modo que, el coste ahorrado en ella se asigne a ser atendido por un profesional de la medicina funcional. Como compensación, una vez que el paciente se encuentre bien, el seguro no tendrá que cubrir los considerables gastos generados por los costosos fármacos destinados a los tratamientos de los trastornos autoinmunes, al haber mejorado por sí mismo.

Otra opción es abrir una cuenta de ahorro para gastos médicos, utilizando esos fondos para financiar el tratamiento de medicina funcional. En el sistema de financiación sanitaria estadounidense, dichas cuentas son recursos que se utilizan para disponer de fondos para atención sanitaria cuando se tiene una póliza de seguro médico con deducible alto. El dinero ingresado en ellas está sujeto a desgravación fiscal, aunque también existen penalizaciones si los fondos se retiran antes de la edad de jubilación sin demostrar que no se han empleado para financiar gastos médicos. Cuando se contempla esta opción, ha de consultarse con un asesor contable a fin de precisar los términos de la inversión. Asimismo puede valorarse la consulta con un dietista diplomado o un enfermero o enfermera practicante*, que resulta menos onerosa que la de un médico. Hay diversas maneras en las que se puede interactuar con estos profesionales, que reducen las horas facturadas por trabajo de médico, más costosas.

Aun otra opción es localizar algún médico dedicado a la práctica de la medicina convencional, y cuya intervención sí es cubierta por los seguros médicos, que realice al menos parte del trabajo. A través de él pueden tramitarse, por ejemplo, algunos de los análisis, aunque los profesionales de la medicina funcional a menudo solicitan pruebas no empleadas en medicina convencional.

Por último, hay laboratorios en los que se puede encargar análisis de manera independiente. Obviamente, hay que pagarlos, pero su coste suele ser inferior al gravado por las aseguradoras (algunos se mencionan en la sección «Referencias»).

SER SINCERO CON EL MÉDICO

Es probable que su médico dedicado a la práctica convencional no esté de acuerdo con su decisión de adoptar el método Myers, pero que necesite hacerle saber lo que está haciendo y qué suplementos está tomando.

---

* En ocasiones el médico atiende personalmente a menos pacientes y actúa como coordinador de uno o varios enfermeros o enfermeras practicantes, término derivado del inglés *nurse practitioners*, que están capacitados para desempeñar ciertas labores diagnósticas y terapéuticas.

Es posible que argumente que esos compuestos son ineficaces o, incluso, que hay estudios que demuestran que «los suplementos son peligrosos». En mi opinión tales estudios presentan sensibles carencias, partiendo de la base de que no analizan productos de alta calidad. Pero también creo que no merece la pena discutir a este respecto con su médico.

Todos tenemos derecho a tomar nuestras propias decisiones en relación con nuestra salud. En última instancia solo uno mismo es el verdadero responsable de ella.

Si su médico le indica que algo de lo que se recomienda en el método Myers es perjudicial o está contraindicado para alguno de los fármacos que toma, pídale que le muestre el estudio que así lo documenta. He revisado minuciosamente la bibliografía y no he encontrado que nada de lo que se propone en el método presente contraindicaciones.

Aunque siempre es más grato contar con el apoyo del propio facultativo, este no es en realidad imprescindible. De lo que se trata en realidad es de que certifique que ninguna de las acciones emprendidas en el método Myers resulta nociva o interfiere con la medicación, y de que evalúe sus análisis clínicos. Si se alcanzan valores que permitan reducir gradualmente la medicación, es conveniente que el médico esté al tanto de ello.

En caso de que observe una actitud de incompatibilidad o de negativa a retirar la medicación cuando sea posible, tal vez sea preferible buscar otro doctor. Se trata, como es obvio, de una decisión absolutamente personal, en la que influyen condicionantes como la ubicación, el nivel socioeconómico y el de protección mediante seguro de salud, entre otros.

NO DARSE NUNCA POR VENCIDOS

Cualesquiera que sean las experiencias vividas en relación con el laberinto médico, no desista. Algunos de mis pacientes han llegado a consultar hasta diez o doce médicos antes de acudir a mí, lo que demuestra que lo importante es creer que siempre se puede encontrar ayuda. Entretanto, este libro ha examinado todos los fundamentos que se requiere para abordar una enfermedad autoinmune. Es, asimismo, un excelente recurso para los profesionales de la medicina convencional o para entrar en el mundo de la medicina funcional. Lo esencial es mantener el compromiso de hacerse cargo de la propia salud sir cejar en el empeño. La buena salud es un derecho natural. Aprovechemos la oportunidad de gozar de él.

CAPÍTULO 12

Un mundo de esperanza

Historias de éxito

AHORA QUE LLEGAMOS AL FINAL DE ESTE LIBRO espero que compartamos la ilusión por todo lo que el método Myers puede hacer por nosotros. A veces pienso que tengo el trabajo más maravilloso del mundo, ya que en él puedo comprobar a diario como la gente cambia su vida, a menudo en pocas semanas, a veces en unos meses. Estoy encantada de poder compartir este enfoque de cambio vital con los lectores de este libro. Sé que si siguen fielmente las indicaciones del programa, todos se encontrarán mejor muy pronto, y se encauzarán hacia una nueva vida, libre de dolores, medicamentos, efectos secundarios y síntomas, una vida en la que podrá disfrutar de una salud espléndida y una dinámica energía, en vez de tener que hacer frente a continuas alteraciones o al temor de desarrollar otra enfermedad autoinmune.

En el presente capítulo me gustaría presentar algunos ejemplos que llaman a la esperanza; se trata de muestras de pacientes que han alcanzado el éxito en la aplicación del método Myers. Sin embargo, antes de pasar a esos ejemplos, me gustaría hablar de un caso diferente, uno cuya experiencia en el marco de la medicina convencional formó parte de aquello que me hizo perseverar e indagar hasta dar con un sistema adecuado.

Ángela era una joven paciente que conocí cuando ella estaba ingresada, gravemente enferma, en la unidad de urgencias y yo practicaba en mi primer año como residente. Trabajaba en la unidad de cuidados intensivos (UCI), en la que se encontraban los pacientes en estado más crítico. Los pacientes que están en la UCI suelen presentar una situación inestable. La mayoría de ellos no pueden respirar por sí mismos, por lo que dependen a menudo de dispositivos de respiración asistida. Sus constantes vitales son en general irregulares y han de ser vigiladas continuamente por todo tipo de aparatos y controladas por el personad de enfermería cada hora.

Ángela —que por entonces tenía veintitantos años— fue ingresada porque su hígado comenzó súbitamente a fallar. Para sobrevivir necesitaba un trasplante. A pesar de su juventud tenía un largo historial de artritis reumatoide y los medicamentos que tomaba para tratarla —prednisona y metotrexato— habían dejado de ser eficaces para sus síntomas. Así que le recetaron otro fármaco, aun más fuerte, llamado Remicade (infliximab). que, casi de inmediato, le produjo una insuficiencia hepática aguda.

Toda la familia de Ángela estaba en la sala de espera. Tenía una hermana gemela, que parecía una versión pletórica de salud de la pobre Ángela, que se debatía entre la vida y la muerte. Ángela acababa de casarse y su marido también esperaba, angustiado. También estaban sus padres y sus abuelos. Recuerdo que pensé lo afortunada que era por tener una familia tan extensa que tanto la quería y también en lo desventurada que era por tener que luchar por su vida en plena juventud. Cuando se trabaja en una UCI suele atenderse a pacientes mayoritariamente de edad avanzada, muchos de los cuales llegan desde residencias de ancianos tras haber sufrido enfermedades prolongadas y debilitantes. Ver a una joven enfrentarse a la muerte en lo mejor de su vida resultaba un doloroso shock. El hecho de saber que padecía una enfermedad autoinmune, como yo misma, me hacía sentirme más próxima a ella y más preocupada por lo que tenía que sufrir.

En una conversación con sus familiares, les dije que, básicamente, lo que Ángela necesitaba era un trasplante de hígado, pero la demanda de estos órganos el alta y, paradójicamente, su estado no era tan terminal como para ser situada en una posición prioritaria en la lista de potenciales receptores de trasplantes. Solo nos quedaba esperar, tuve que decirle a su desesperado esposo y a sus familiares. Cuando su situación empeoró, me puse en contacto con el equipo de trasplantes y pudo pasar a ser candidata a una intervención que todos deseábamos que salvara su vida.

Pasé toda una noche estudiando los análisis de la paciente, intentando averiguar cómo habían subido tanto sus valores de enzimas hepáticas y cómo habían caído sus otros biomarcadores. Permanecí mucho tiempo a la cabecera de su cama, comprobando su estado y hablando con sus familiares, que continuaban sus angustiosa espera. Me sentía confundida, por un lado agradeciendo poder ayudar a estas personas con mi trabajo y por otro irritada por saber que el sistema médico del que formaba parte había fallado tan estrepitosamente en su caso. ¿Por qué no habíamos sido capaces de encontrar otra manera de abordar su enfermedad más que mediante fármacos que tenían unos efectos secundarios tan nefastos? ¿Por qué no habíamos sabido enseñar a esta joven, a esta amada hija, a esta mujer recién casada, una manera distinta de reforzar sus sistema inmunitario y de volver a la vida?

Al día siguiente Ángela sufrió un brusco deterioro de su hígado (con evidencias claras de insuficiencia hepática), por lo que pasó a un lugar prioritario en la lista de espera para recibir un hígado de un donante. Mientras la preparábamos para la cirugía, le di mi amuleto de la suerte —una pequeña medalla con la figura de un ángel que llevaba siempre en el monedero en recuerdo de mi madre. Le había dado otra igual cuando estaba enferma y fue enterrada con ella cuando murió. Ahora deseaba darle la mía a Ángela para que la tuviera consigo durante la operación. Su franco debilitamiento había derivado en una encefalopatía hepática, el deterioro de la función cerebral que se produce cuando el hígado ya no filtra las toxinas de la sangre, por lo que presentaba un estado de profundo aturdimiento y desorientación. En consecuencia, le entregué la medalla a su gemela para que se la guardara.

Gracias a Dios, la cirugía tuvo éxito y di por hecho que así terminaba la historia. Concluí mi rotación en la UCI y volví a mi trabajo en el servicio de urgencias. Cuando se trabaja en urgencias, un médico no espera generalmente volver a ver a los pacientes. Con suerte, se recuperan y pasan a ser atendidos por sus médicos habituales. Sin embargo, cierto día me dijeron que una paciente deseaba verme. Sorprendida, acudí a la habitación de planta que me indicaron y allí estaba Ángela.

Durante su penosa experiencia había sufrido estados de confusión y alucinaciones causadas por la toxicidad de su hígado, por lo que no me recordaba, pero su familia le había hablado de la joven residente de urgencias que había permanecido vigilando su estado toda la noche.

«Gracias por salvarme la vida», dijo con timidez. Me mostró el ángel de la medalla y me conmovió ver que aún lo tenía con ella.

«No fui yo, fue todo el equipo de trasplantes», respondí. Nos dimos un abrazo y, a continuación, tuve que volver de inmediato al trabajo para atender una urgencia. No he vuelto a verla. Pero «Ángela», si estás leyendo este libro, por favor ven a verme: ahora puedo ofrecerte mucha más ayuda. Puedo enseñarte a prescindir de los medicamentos de una vez por todas, a revertir la evolución de los síntomas y a evitar que se desarrollen otros trastornos autoinmunes (en serio, Ángela, ponte en contacto conmigo. Te recuerdo a menudo).

En efecto, nunca he olvidado a esa joven paciente y a su familia. Ahora que practico una modalidad de medicina más eficaz, me siento reconfortada por ayudar a resolver los problemas *antes* de que estos lleven a mis pacientes a ser ingresados en la UCI y a someterse a un trasplante. Es para mí un placer presentar a algunos de los demás pacientes a los que he podido ayudar.

SUSAN, 67 AÑOS: «¡POR FIN PUEDO JUGAR CON MIS NIETOS!»

Nadie que pueda ver a Susan en la actualidad la reconocería comparándola con la mujer que acudió por vez primera a mi consulta. En realidad, usted *puede* verla, si lo desea, puesto que su fotografía está en la sección de testimonios de mi página web, bajo la anotación «Susan R». En ella aparece como una mujer de aspecto enérgico y vital, con la más radiante de las sonrisas. En esa foto se muestra como si acabara de recibir la mejor de las noticias, y puedo asegurar que esa es la apariencia que tiene la mayor parte del tiempo desde que conseguimos invertir la evolución de su enfermedad y que dejara de tomar medicamentos para tratarla. Cada vez que veo la foto de Susan pienso en el motivo por el cual opté por dedicarme a este trabajo y por el que me siento afortunada de poder llevarlo a cabo todos los días.

Cuando Susan vino por vez primera a mi consulta, era presa de terribles dolores prácticamente todo el tiempo. Optimista y decidida por naturaleza, optó por hacer todo lo posible por mantener la calma y por mostrarse centrada y positiva mientras me refería su historia. En nuestras primeras citas, apenas veía una leve sombra de su radiante sonrisa. Susan estaba atenazada por el dolor, incluso mientras permanecía sentada en la confortable butaca de mi despacho y enumeraba los medicamentos que tomaba y los síntomas que padecía.

Sufría una enfermedad conocida como mielitis transversa, en la que las células inmunitarias atacan a la médula espinal. En las fases avanzadas de la patología los pacientes experimentan una gran debilidad muscular, pero hasta el momento Susan no la había sentido, aunque sí padecía fuertes dolores.

Tomaba comprimidos para el dolor y también se aplicaba una crema analgésica, que era la que mejores resultados le daba para paliar los dolores. Por desgracia, no podía utilizarla de manera continuada, ya que ello podría dar lugar al desarrollo de tolerancia y hacer que la crema dejara de ser eficaz. Así que tres semanas al mes tomaba medidas contra el dolor, pero la cuarta debía soportarlo sin remedio alguno. «Puedo soportar esa cuarta semana», me dijo, «siempre y cuando sepa que esto no va a durar siempre. Esa idea es la única que me hace mantener el ánimo».

Susan se lanzó de cabeza al método Myers. Siguió la dieta al pie de la letra y aplicó minuciosamente el protocolo de las cuatro erres para sanar su intestino, en especial en lo que respecta a la importante proliferación de levaduras que había desarrollado. Dado que el 80 % del sistema inmunitario se asienta en el tubo digestivo, este proceso de curación resultó crucial para su recuperación. Asimismo, abordó los pasos necesarios para desintoxicar su entorno y puso en marcha los medios pertinentes para aliviar el estrés.

«Mi manera preferida de combatir el estrés es jugar con mis nietos», me dijo con remordimiento, explicándome que los niños vivían con su hija y su yerno en el sur de California, «pero, debido al dolor, muy pocas veces estoy en condiciones de hacerlo como me gustaría».

Unos 2 meses después de empezar a utilizar el método Myers, Susan viajó a California para ver a sus nietos y me llamó desde allí. Estuvimos conversando sobre cómo le iban las cosas y noté que no me dijo ni una palabra de los dolores. Finalmente, le pregunté por ellos.

Podía escuchar su respiración entrecortada al otro lado del teléfono.

«¡Es extraordinario!» exclamó. «No puedo creerlo. He estado 2 semanas con los niños y he olvidado por completo la crema analgésica. ¡No me he dado cuenta de utilizarla porque no he sentido dolor alguno!».

Pocos meses después, la hija de Susan y su marido se fueron de vacaciones y Susan se encontraba animada para invitar a sus nietos a que pasaran un par de semanas con ella. Encantada, me envío un e-mail: «Antes no podía ni siquiera jugar un poco con ellos y ahora puedo cuidarlos a tiempo completo durante 2 semanas enteras». A continuación transcribía una frase que más tarde yo incluiría en mi página web: «Por primera vez en mi vida me siento en plena sincronía con mi cuerpo, y no puedo ser más feliz».

JENNIFER, 36 AÑOS: «AHORA ME ESTOY ENTRENANDO PARA UNA CARRERA DE 5 KILÓMETROS»

Jennifer era una atractiva treintañera cuyo pelo negro caía ondulante sobre sus hombros. Aún conservaba cierto aire atlético, a pesar de que cuando la conocí, no había estado haciendo ejercicio físico desde hacía tiempo, debido a los dolores casi continuos y a la debilidad muscular que le causaban la polimiositis que padecía, un trastorno autoinmune en el que los anticuerpos desencadenan un ataque contra los músculos del propio organismo. Mi padre padece la misma afección, por lo que tengo información de primera mano sobre lo debilitante que puede llegar a ser. Jennifer era entrenadora de un equipo juvenil de voleibol, y su idea de pasar un buen rato consistía en, por ejemplo, entrenarse para una carrera, por lo que la dolencia la afectaba más, si cabe, que al resto de las personas. Echaba de menos el hecho de mantenerse en plena forma, no podía desenvolverse en la cancha para entrenar adecuadamente a las chicas de su equipo y sabía que, si no lográbamos tener más éxito en la inversión de la evolución de su padecimiento que el médico que hasta ahora la había atendido corría el riesgo de perder su trabajo.

Vivía en una pequeña ciudad de Texas y se las había arreglado para localizar al único especialista que había en kilómetros a la redonda, un reumatólogo que le había recetado prednisona. Los efectos secundarios del fármaco en su caso fueron ganancia de peso, fatiga y trastornos digestivos, y, además, Jennifer no siempre era la más cumplidora de las pacientes en lo que a los tratamientos se refiere, ya que a veces dejaba de tomar el medicamento unos días para darse un respiro. No obstante, hacía lo que podía y me dijo que se comprometía a seguir el método Myers al pie de la letra, si eso la ayudaba a invertir el curso de su enfermedad.

Mientras continuaba siendo tratada por su médico habitual, Jennifer y yo trabajamos juntas durante unos meses. Mediante la aplicación de la dieta del método Myers y del protocolo de la cuatro erres para curar el intestino, mejoró su estado digestivo y puso remedio al SBID y a la proliferación de levaduras que la habían venido afectando. Todo ello lo hizo con tal diligencia que el médico le redujo pronto la medicación.

Poco después Jennifer le preguntó si podía prescindir por completo de los fármacos, lo que hizo que el médico perdiera los estribos: «¡Soy yo, no usted, quien decide cuándo estará en condiciones de hacer eso!» estalló. «Si no va a hacer caso de mis indicaciones, creo que es mejor que no continúe tratándola».

Jennifer se sintió muy afectada. Aunque estaba ya trabajando conmigo, el hecho de ser rechazada por su médico la inquietó profundamente. Sabía que era el único reumatólogo de la zona en la que vivía —tenía de hecho que conducir varias horas para acudir a mi consulta— y la posibilidad de no contar con ayuda médica la angustiaba.

Aunque iba mejorando poco a poco, ni ella ni yo estábamos por entero satisfechas de sus progresos. Al principio había conseguido eliminar la proliferación de levaduras que, sin embargo, se había reproducido, a pesar de que seguía de manera estricta la dieta de mejora intestinal. Siempre que un paciente presenta una proliferación de levaduras persistente pienso en la posibilidad de que esta se deba a una exposición a metales pesados o a mohos tóxicos y procedo a evaluar los riesgos de tales exposiciones a los que el paciente está expuesto.

Así que le pregunté a Jennifer si había humedades en su casa o en el colegio donde entrenaba al equipo de voleibol. Me respondió que su marido estaba realizando él mismo obras de renovación en su casa. De hecho, recordaba que había una humedad en una de las paredes de la cocina. También me comentó que había goteras en algunas de las placas del techo del gimnasio en el que entrenaba.

Le indiqué que se hiciera unos análisis de orina y, como no podía ser de otra manera, en ellos comprobé que presentaba concentraciones elevadas de mohos tóxicos. Así pues, los mohos eran lo que debíamos atacar. ¿Pero dónde se veía expuesta a ellos? Decidí prescribir un análisis de orina también para el marido ya que, sí este era positivo para mohos, sabríamos que era la casa y no el gimnasio el origen del problema. Como ya dijimos en el capítulo 6, solo una cuarta parte de la población tienen los genes que responden a las micotoxinas, los compuestos volátiles liberados por ciertos mohos, por lo que sabía que el marido de Jennifer podía haber estado expuesto y no presentar síntomas.

Y en efecto así era. Equivocadamente había pensado que una capa de blanqueador bastaría para eliminar los mohos de la pared de la cocina, pero, aunque los signos externos de su presencia desaparecieron, las micotoxinas acechaban aún bajo esa capa.

Así que el marido de Jennifer se puso manos a la obra para eliminar el problema de los mohos (más información sobre la forma de erradicarlos puede consultarse en el apéndice C) y, entretanto, por indicación mía, Jennifer se fue a pasar unos días a casa de sus padres mientras duraban las obras y le prescribí un tratamiento con medicamentos antifúngicos y colestiramina, resina de unión que neutraliza las micotoxinas. Asimismo, le receté glutatión en abundancia, para favorecer la desintoxicación.

El cambio fue inmediato y radical. En apenas una semana Jennifer empezó a encontrarse mejor y en un mes los síntomas habían experimentado una franca remisión. Conseguimos que abandonara por completo su medicación y los niveles de un marcador inflamatorio llamado CPK (creatina fosfocinasa, una enzima implicada en los mecanismos de lesión muscular), que en ella nunca habían sido adecuados, ni siquiera cuando estaba sometida a una intensa medicación, disminuyeron hasta valores completamente normales. Problema resuelto.

Poco tiempo después, Jennifer regresó a su renovada casa, ya libre de mohos. Recuperó su fuerza física, sus síntomas no volvieron a manifestarse, sus análisis continuaron siendo normales en todos sus valores y su trabajo quedó a salvo. La última vez que hablé con ella, contenta y aliviada por haber recobrado su salud, me comentó que estaba entrenando para participar en una carrera urbana de 5 kilómetros.

PETER, 10 AÑOS: «¡YA NO TENGO QUE TOMAR MIS MEDICINAS!»

Peter era un niño vivaracho que acudió a mi consulta con sus padres porque padecía artritis reumatoide juvenil. Siempre me asalta una mezcla de sentimientos cuando tengo que tratar a un niño. Por un lado, me rompe el corazón ver a alguien tan joven luchar contra los síntomas de una enfermedad autoinmune, y más cuando se trata del incapacitante dolor que produce la artritis reumatoide.

Por otro lado, como es tanto lo que está en juego, me satisface tener la oportunidad de intervenir y de realizar una aportación que realmente suponga una diferencia. Después de todo, las enfermedades autoinmunes son incurables, de modo que si un niño de 10 años acude a mí con un trastorno de la inmunidad, soy consciente de que va a vivir décadas con esa enfermedad. Sé que si no consigo cambiar las cosas, quedan años por delante en los que la dolencia puede empeorar y empeorar y empeorar. Necesito estar segura de que vamos a conseguir que la enfermedad retroceda, de que vamos a reforzar el sistema inmunitario del niño y alejar la posibilidad de desarrollo otros trastornos autoinmunes. De lo contrario, a ese niño le queda por delante un camino más que arduo.

A su corta edad Peter ha tenido ya una vida bastante accidentada. Nació por cesárea y durante la lactancia fue criado con biberón, dos circunstancias que, según hemos visto en el capítulo 4, son sendos factores de riesgo que, en fases posteriores de la vida, pueden dejar a la persona desprotegida frente a problemas digestivos e inmunitarios. Y de hecho, incluso siendo aún un bebé, Peter sufrió numerosas infecciones de oído, que requirieron drenaje en dos ocasiones. Como vimos en el capítulo 4, las infecciones de oído son a menudo un indicador de hipersensibilidad a los lácteos y suelen tratarse con antibióticos, que destruyen las bacterias beneficiosas de nuestro sistema digestivo, dejan a la persona desprotegida frente al síndrome de intestino permeable y, en definitiva, ponen a prueba el sistema inmunitario.

Con 18 meses, Peter fue operado de una hernia, lo cual supuso más estrés y más antibióticos. Y a los 5 años fue sometido a una apendicectomía de urgencia: más estrés y, nuevamente, más antibióticos. De modo que cuando llevaba apenas 5 años en este mundo, el sistema inmunitario de Peter ya había recibido varios duros ataques.

Para alivio de sus padres, pasó después 4 años relativamente tranquilos. El padre de Peter era un alto ejecutivo de una cadena de alimentos saludables y la madre era médico. Con esos antecedentes era, pues, previsible que el pequeño recibiera una dieta probablemente más sana que la de la mayoría de los niños estadounidenses, sin cereales azucarados ni refrescos edulcorados con jarabe de maíz de alta fructosa, y sin demasiada comida rápida.

Pero como todos los padres, la madre y el padre de Peter daban a su hijo, con la mejor de las intenciones, sándwiches de pan integral, espaguetis con albóndigas, macarrones con queso, buenos vasos de leche y, varias veces a la semana, galletas, postres dulces o helado. Esa dieta cargada de gluten y lácteos estaba provocando, lenta pero inexorablemente, ataques contra su sistema inmunitario, exacerbados en ocasiones por el azúcar. Con el tiempo estos ataques generarían cúmulos de sustancias químicas inflamatorias conocidas como *inmunocomplejos*, que invadirían el cuerpo del niño hasta asentarse en sus articulaciones.

Había algunos otros signos de alarma, que sus padres no sabían reconocer. El otoño en el que cumplió 8 años, Peter pasó una faringitis, seguida poco después por una gripe, indicadores ambos de que su sistema inmunitario era vulnerable. Al llegar la primavera siguiente sufrió un grave brote de urticaria, otro signo de estrés inmunitario indicador, con toda probabilidad, de ciertos problemas con el gluten.

Pues bien, eso es lo que yo habría pensado si hubiera visto a Peter en aquel momento, pero entonces yo no era todavía su médico. El doctor que le atendía pensó que la urticaria era una reacción alérgica a un gato del vecindario y le recetó Benadryl (difenhidramina). Eso le ayudó durante varios días, pero después la urticaria reapareció. Siguiendo los pasos de la medicina convencional, la decisión siguiente del médico fue aumentar la potencia de la medicación, de modo que durante varios meses estuvieron administrando al niño esteroides.

Mientras tanto, el sistema inmunitario de Peter se encontraba sometido cada vez a mayor estrés —imaginemos a los encargados de la central de mando atacados sin descanso durante horas— hasta que, finalmente, sucumbió a la tensión. Sus defensas se rebelaron y Peter empezó a sufrir dolores articulares tan intensos que apenas podía caminar.

La artritis reumatoide juvenil es relativamente infrecuente (aunque por desgracia es cada día más común), de modo que llevó un tiempo concretar el diagnóstico. Al pequeño le hicieron una serie de radiografías —primero de los codos, luego de las muñecas— y mientras tanto seguía soportando su urticaria y sus dolores articulares. Acabó finalmente en el Dell Children's Hospital, donde le diagnosticaron su enfermedad.

Durante todo este tiempo, la madre de Peter estaba convencida de que sus colegas practicantes de la medicina convencional encontrarían el modo de aliviar el dolor de su hijo. Y, al principio, el padre del niño estuvo de acuerdo. Consintió los tratamientos convencionales cuando se le administró prednisona a su hijo. Después de todo, le dijeron los médicos, ese era el tratamiento de referencia. Y cuando la prednisona dejó de ser suficiente, accedió a la decisión de los doctores, y de su mujer, de tratar a su hijo metotrexato, un potente inmunodepresor.

Al principio pareció que el metotrexato funcionaba. La erupción y el dolor articular desaparecieron ese mes de agosto y toda la familia comenzó con entusiasmo a preparar a Peter para el nuevo curso escolar.

Después, en noviembre, el dolor articular y la erupción cutánea volvieron a aparecer, junto con un picor tan intenso que el chico no podía dormir por la noche. El médico le prescribió un fármaco aún más fuerte, conocido como Kineret (anakinra), cada inyección del cual costaba unos mil dólares y que tiene numerosos efectos secundarios. Fue entonces cuando el padre de Peter decidió que ya era suficiente.

«¡Esto tiene que parar!», le dijo a su esposa. «Nuestro hijo tiene solo 10 años y ya ha estado en tratamiento con tres medicamentos muy fuertes. ¿Qué futuro le espera?

De algún modo, el padre de Peter convenció a su esposa para que me dejaran intentarlo. Sin duda ayudó mucho que detrás de mi nombre figuraran las letras M.D. (doctor en medicina en inglés) y el hecho de que pudiera hablar su mismo lenguaje. Me tranquilizaba que la madre estuviera de acuerdo en dar una oportunidad a mi método. Es necesario un 100% de cumplimiento durante los primeros meses del método Myers, algo que resulta difícil si uno de los progenitores no está por la labor. Lo peor que puede ocurrir es que los padres estén divorciados y solo uno apoye el método. El pobre niño sigue una dieta sin gluten ni lácteos en la casa de un progenitor, pero come toda suerte de comida nociva en casa del otro. Afortunadamente, los padres de Peter estaban de acuerdo en mantener un frente unido, de modo que pude tratar al niño contando con su apoyo.

Así pues, Peter comenzó a seguir el método Myers y, como muestra de solidaridad, sus padres lo iniciaron con él. Pronto se dieron cuenta de que estaban perdiendo peso sin hacer ningún esfuerzo especial, solo siguiendo el plan de comidas. Las migrañas de la madre se esfumaron. El padre había estado luchando contra una leve depresión, pero tras iniciar el método Myers notó un verdadero cambio en su estado de ánimo.

Mientras tanto, Peter mejoraba a pasos agigantados. Las pruebas confirmaron que, en efecto, tenía hipersensibilidad al gluten y a los lácteos. La eliminación de esos alimentos de la dieta benefició de manera sustancial al pequeño, que tal vez llevaba sufriendo hipersensibilidades desde que era un bebé. También sospeché que podía padecer una infección por levaduras, lo cual quedó más tarde confirmado por un examen de heces, y descubrimos además que albergaba un parásito, contraído probablemente en una excursión campestre familiar. Una vez tratado de estas infecciones intestinales comunes, la urticaria y los picores desaparecieron completamente.

Y así, uno a uno, Peter fue abandonando todos los medicamentos que tomaba. En primer lugar, dejó la prednisona. Unos meses más tarde, el facultativo de medicina convencional que lo atendía estuvo de acuerdo en que ya no necesitaba más el metotrexato. Y, en último lugar, aunque no ciertamente menos importante, pudo dejar de tratarse con las inyecciones de Keneret.

Los padres del chico habían venido a verme por primera vez en marzo. Al comienzo del siguiente curso escolar, Peter parecía otro y crecía fuerte y lleno de energía. Y lo mejor de todo, sin más medicación.

«¡Ya no tengo que tomar mis medicinas!», declaró Peter triunfal en su última visita. «La echaré de menos doctora Myers. Mis padres dicen que ya no voy a volver aquí.»

«Yo también te echaré de menos, Peter», le dije. Le miré mientras salía dando brincos de la consulta, capaz por fin de saltar y correr como cualquier otro niño de su edad. No tenía ni idea de qué llegaría a ser Peter, pero me sentía feliz al pensar que, cualquiera que fuera el futuro que se labrara, estaría libre de síntomas, medicamentos y efectos secundarios. El método Myers le había proporcionado las herramientas adecuadas para vivir una vida larga y saludable.

JIM MYERS: 77 AÑOS: «ME SIENTO FELIZ DE QUE MI HIJA SEA MÉDICO»

¡Bien! Este es el caso de mi padre, lo que hace que sea probablemente el caso de éxito que me es más grato entre todos los que podría contar. El éxito es además más apreciado en él, puesto que llegó después de varios años en los que el abordaje del caso parecía estar abocado al fracaso.

Cualquiera que haya intentado que un miembro de su familia haga algo que considera bueno para su salud. por ejemplo, dejar de fumar, perder peso, hacer más ejercicio o, por qué no, dejar de tomar alimentos con gluten, sabrá lo difícil que resulta conseguirlo. *Usted* sabe que si su madre, su padre, su hermano, su hermana u otro familiar le escucharan, sus vidas serían mucho, mucho mejores. Pero *ellos* recuerdan su primera infancia, cuando paseaba por la casa en pañales, o su adolescencia, cuando defendía con pasión miles de teorías disparatadas, y, para su propia frustración, continúan creyendo que están aún en épocas pasadas, sin reconocer a la persona adulta, madura, sensible y muy bien informada sobre esas cuestiones, que intenta prestarles consejo.

Tal vez pueda pensarse: «Pero el caso de Amy es distinto, ella es médico». Pues bien, eso no parece importar demasiado. Como dicen, nadie es profeta en su tierra. Pues eso es lo que le sucede a una profesional dedicada a la práctica de la medicina funcional en el seno de su propia familia. He invertido mucho tiempo en ayudar a personas como Susan, Jennifer o Peter, y a los miles de pacientes que he tratado y que se han mostrado agradecidos conmigo por haber reencauzado sus vidas. Sin embargo, cuando en vacaciones iba a pasar unos días con mi familia, a pesar de mis antecedentes profesionales y de mis consejos, mi padre se negaba una y otra vez a dejar de tomar gluten.

Mi padre sufre un trastorno llamado polimiositis, el mismo que hemos visto en el caso de Jennifer, que ataca a los músculos e induce fuertes dolores en ellos. Con el tiempo acabó padeciendo una grave debilidad muscular, después de haber sido varias intervenciones quirúrgicas y de ser tratado con tres potentes fármacos: prednisona, metotrexato y ácido micofenólico (Cellcept). Se trata de los mismos medicamentos que tomó Jennifer, puesto que son la base del tratamiento farmacológico de referencia para la polimiositis avanzada, pero que, por desgracia, muchas veces son ineficaces contra la debilidad y el dolor. Por si fuera poco, producen diversos efectos secundarios que, en el caso de mi padre, fueron ganancia de peso y depresión.

No obstante, la principal preocupación estriba en el hecho de que estos medicamentos actúan inhibiendo la función inmunitaria, lo que hizo que mi padre se mostrara especialmente vulnerable a las infecciones. Como consecuencia de ello, hace un par de años sufrió una neumonía que derivó en una extensa infección pulmonar, que requirió una prolongada hospitalización y la aplicación de una sonda pulmonar que facilitara el drenaje de la infección. «Esto parece el final», pensamos yo y mis hermanos. Todos fuimos a ver a nuestro padre, cuyo fallecimiento nos parecía inminente.

Sin embargo, mi padre es un tipo duro y consiguió salir adelante. Sin embargo, con 77 años, quedó prácticamente postrado en una silla de ruedas. Podía aún desplazarse un poco con ayuda de un andador, pero la mayor parte del tiempo la pasaba en la silla. «Amy, ¿qué piensas de esto?», me preguntaba cada vez que iba a su casa en vacaciones.

«Papá ya te lo dije la última vez *y* te lo he repetido muchas veces. El problema es tu dieta», intentando parecer tranquila y razonable y no una quinceañera enfurruñada. Odiaba ver a mi padre en ese estado, consolándose con un vaso de vino o un pedazo de tarta de café, cuando era perfectamente consciente de que el azúcar, las levaduras y el gluten que contenían esos alimentos no hacían más que empeorar las cosas, en el mismo momento en el que estábamos allí hablando de ellas.

Por fin decidí que ya estaba bien. No deseaba pasar cada época de vacaciones argumentado infructuosamente, lo que me resultaba frustrante y, a decir verdad, desgarrador. Sentía que mi empeño en tratar de convencerlo no hacía más que afirmar a mi padre en su terquedad, nada más. Si alguna vez se decidía a cambiar de hábitos alimentarios, debería hacerlo por sus propios motivos y a su debido tiempo.

«Ya no voy a seguir hablando de este tema», le dije. «No quiero que este sea el único tema de conversación cada vez que vengo a verte. Siempre me preguntas, porque sientes curiosidad pero, después, no haces más que poner peros a todo lo que te digo. Está bien, ahora que sabes lo que pienso, no es necesario que sigamos discutiendo siempre sobre lo mismo. Cuando realmente quieras escuchar mis consejos, házmelo saber».

He de decir no obstante, para ser justa con mi padre, que siempre se ha mostrado orgulloso de mí ; no se trata de que no crea en mi capacidad como médico. En problema era que ya tenía setenta años bien cumplidos y, a esa edad, resulta difícil cambiar. Renunció a los alimentos con gluten durante un tiempo, pero no notó ninguna diferencia sustancial. Creo que ello se debía a que tenía que renunciar también a otros tipos de comidas. Por otro lado, después de toda una vida conviviendo con la autoinmunidad, necesitaba más tiempo para notar las mejoras. pero lo entendía. Cuando no se perciben resultados inmediatos, es complejo continuar. Los síntomas de mi padre no se limitaban a la afección debilitante. El estado de sus articulaciones era también verdaderamente deplorable. Necesitaba una sustitución de cadera y la intervención en la que se preveía que se la practicaran estaba programada para enero de 2014. Cuando regresé a su casa para celebrar el día de Acción de Gracias, me miró con su habitual orgullo de padre y me dijo: «¡Vaya Amy, que buen aspecto tienes! ¿cómo lo consigues?».

«Ya te lo he dicho muchas veces, papá; es mi dieta». Y fue entonces cuando intuí que ese podía ser el momento que había estado esperando tanto tiempo. Sabía que mi padre estaba realmente atemorizado por su inminente operación, como lo estaba yo también. Una sustitución de cadera en una persona por lo demás sana no es una intervención de riesgo. Sin embargo, para una de setenta y muchos años y tratado con todos esos inmunodepresores, se trataba de una operación que entrañaba cierto peligro.

«Papá», le dije, «aún quedan 30 días antes de la operación. Tal vez es el momento de que pruebes a poner en práctica mi dieta y de que veas como van las cosas. No tienes nada que perder».

Y, por alguna razón, en ese momento se activó algún mecanismo en su mente. «De acuerdo», respondió, con tanta naturalidad como la que había mostrado atacando mis argumentos a lo largo de los últimos 5 años. «Creo que mereces una oportunidad.»

De esta manera, mi padre comenzó a seguir el método Myers.

Como ya dije en el capítulo 10, perdió 7 kilos lo que ya constituía de por sí una importante mejora, puesto que por aquel entonces tenía un sobrepeso de más de 20 kilos. Se sentía mejor y podía moverse con más facilidad, incluso a pesar del dolor de cadera, tal vez porque tenía que cargar menos peso o tal vez porque el método aliviaba su sistema inmunitario y atenuaba la intensidad de los ataques a los músculos.

Volví a visitar a mi padre en Navidad, pocos días antes de la intervención, y fue en esa ocasión en la que celebramos la comida navideña de la familia Myers a la que aludía en el capítulo 10. Por fin, todos nosotros disfrutábamos juntos de la preparación y de la propia comida, con toda la familia reunida en torno a la mesa. Para mí fue como mi milagro de Navidad particular.

Entretanto, unos 30 días antes de la operación, el médico de mi padre le retiró el tratamiento con ácido micofenólico, para reducir la inmunodepresión durante una intervención tan larga y compleja. Por fortuna la cirugía fue muy bien y se recuperó más rápidamente de lo que lo había hecho en otras intervenciones. Estaba segura de que el soporte inmunitario que le había proporcionado el método Myers ya estaba contribuyendo a mejorar la cicatrización de las heridas.

«Papá», le dije una vez operado, «¿por qué no te haces un análisis para comprobar tus niveles de CPK? Como consecuencia de la polimiositis, sus concentraciones de CPK se habían mantenido altas durante mucho tiempo. De hecho, se suponía que tomaba el ácido micofenólico para intentar reducir esos niveles. Después de una cirugía causante de importantes lesiones musculares y de 1 mes sin tomar ese fármaco, tanto mi padre como los doctores que lo atendían esperaban que las concentraciones de CPK se hubieran disparado. Nadie quería hacer ese análisis. Todos pensaban que no era el momento de darle al paciente un nuevo disgusto.

Sin embargo, conseguí que le hicieran la prueba y, para sorpresa de todos, los resultados indicaban que su concentración de CPK era más baja de lo que lo habían sido nunca. Esa era la demostración clínica de que el método Myers había determinado una diferencia susceptible de medida.

Papá regresó a casa, pero sus heridas quirúrgicas no cicatrizaban correctamente, sin duda porque los otros inmunodepresores que seguía tomando impedían que sus defensas inmunitarias hicieran bien su trabajo. Le dije que dejara de tomar esos otros fármacos y, por una vez, los médicos del equipo que lo atendían estuvieron de acuerdo. Volvió a ser hospitalizado para tratar las infecciones que lo aquejaban.

Ahora, en teoría, sin los medicamentos que debían mantener baja la CPK, cabía esperar que las concentraciones de la enzima hubieran aumentado de nuevo. Pero, ¿adivinan qué?, al determinar de nuevo sus concentraciones resultó que eran *completamente normales,* sin haber tomado medicación alguna.

Mi padre no me llama a menudo, pero ese día lo hizo. «¡Amy, no lo vas a creer!», dijo exultante, con una amplia sonrisa que casi podía ver desde Austin a través de la línea telefónica. «¡Mis valores de CPK están perfectos!».

Casi no podía responderle. Estaba a punto de llorar. Pensé una vez más en aquella celebración navideña con todos compartiendo la misma comida, un sueño al que había renunciado hace años. Y ahora, allí estábamos todos, con mi padre encontrándose mejor de lo que lo había hecho en mucho tiempo, y mi madrastra, su esposa, verdaderamente radiante, gracias al método Myers, y yo misma podía por fin compartir todo lo que había aprendido con quieres realmente me importaban.

NUESTRO PROPIO MUNDO DE ESPERANZA

Ahora que hemos llegado al final de este libro, espero que esté en condiciones de iniciar su propio viaje, o tal vez ya lo ha hecho. Tanto si se le ha diagnosticado ya una enfermedad autoinmune como si se encuentra en algún intervalo del espectro de autoinmunidad, sé que el método Myers contribuirá a que se encuentre mejor y a que luzca un mejor aspecto, abriendo las puertas a un nuevo mundo de energía, bienestar y gozosa buena salud. Este libro continuará siempre siendo un recurso de apoyo y yo estaré siempre a su disposición en mi web, AmyMyersMD.com, junto con el resto de la familia de seguidores del método Myers. Le deseo todo lo mejor para el viaje vital que se apresta a iniciar.

Agradecimientos

Este libro ha sido fruto de un trabajo de equipo y, en este caso, he tenido la suerte de disponer del más maravilloso de los equipos posibles, que ha hecho que esta abrumadora tarea haya parecido fácil.

En efecto, ha sido un trabajo duro y de muchas horas, pero se ha visto facilitado por la brillantez y el talento de Rachel Kranz, que ha sabido dar alas a mis palabras, configurándolas de una manera que yo nunca hubiera logrado sin su ayuda.

Gracias infinitas a Gideon Weil, mi editor, que creyó en mí desde el primer momento. Este libro no hubiera visto la luz si Gideon no hubiera intuido que había algo en mí, y me hubiera animado a contar mi historia y a compartir lo que sabía sobre las enfermedades autoinmunes. Desde el primer momento me orientó en todo lo relacionado con el modo de abordar este proyecto, desde el inicio hasta el fin.

Deseo expresar mi mayor gratitud a mi agente, Stephanie Tade, que ha mirado por mis intereses en cada momento. Tu dedicación a este proyecto significa mucho para mí. Nunca me podrías haber ayudado mejor a seleccionar el mejor de los equipos.

Gracias también a Brianne Williams, especialista en dietética y nutrición, que contribuyó decisivamente a la preparación de cada una de las deliciosas nutritivas y saludables recetas que aparecen en el libro. Eres para mí una fuente permanente de inspiración y te estoy enormemente agradecida por el hecho de que trabajes conmigo y con nuestros pacientes día a día.

Como se deduce de lo expuesto en estas páginas, he tenido numerosas experiencias enriquecedoras y también muchos contratiempos. Soy quien soy gracias a esas experiencias, a mis amigos y a mi familia, que me han acompañado en este trayecto desde el principio. Me siento incapaz de mostrar mi agradecimiento a todos los que debiera. En consecuencia, sed concientes de que aprecio la contribución de todos y cada uno de vosotros por haber conseguido que este sueño ser convierta en realidad.

A continuación citaré los nombres de algunas personas que han apoyado este proyecto y a las que deseo expresar mi gratitud:

Dr. Mark Hyman: decididamente yo no estaría aquí si no fuera por usted y por su apoyo. Le considero una de las grandes bendiciones de mi vida.

Integrantes de mi equipo UltraHealth de Austin: gracias a vosotros puedo desarrollar la labor que realizo fuera de la consulta. Julie Swan, enfermera titulada, el aprecio y el respeto que por ti muestran nuestros pacientes resulta francamente increíble. Gracias a Ali Fine por encargarse de la supervisión de la tienda online y la gestión de las redes sociales, así como de realizar las ilustraciones de este libro. Gracias a Caroline Haltom por tu actitud amable, optimista y decidida. Jen Cannon, todos te consideramos nuestra protectora y la que nos mantiene unidos. Mi eterna gratitud por haberme ayudado a afrontar todas las dificultades. Ciertamente, no podría haber conseguido nada si ti.

Dhru Purohit, creo que eres una de las personas más altruistas y generosas que conozco, además de ser el responsable de muchas presentaciones y de gran parte de los consejos y los apoyos que me han hecho llegar hasta aquí. Te aprecio enormemente a ti y aprecio asimismo todo los que tú y todo el equipo CLEAN habéis hecho por mí.

Doctora Katie Hendricks, ¡Ha cambiado mi vida!

Quiero expresar mi gratitud también a todos aquellos que despejaron el camino ante mí y me abrieron muchas puertas: a los doctores Jeffrey Bland, Alejandro Junger, David Perlmutter, Frank Lipman y Susan Blumm. a mi grupo y al club de publicaciones del IFM, a los doctores Kara Fitzgerald, David Brady, David Hasse, Patrick Hanaway y Bethany Hays. Todos ellos me han servido de inspiración por su talento y su dedicación a este campo de la medicina. Gracias también al doctor Todd Lepine por ayudarme en la investigación de los artículos de más reciente publicación y por corroborar el rigor científico de este texto.

Todo mi agradecimiento a la comunidad paleo, por hacerse eco de mi mensaje, a Paleo (f)x por ofrecerme una plataforma en la que difundirlo y a Robb Wolf por su apoyo y su asesoramiento en este campo.

Gracias igualmente al equipo de MindBodyGreen, que me proporcionó también su ayuda para dar mayor difusión a mis propuestas, y a mi comunidad de la web AmyMyersMD.com, que continúan apoyando y difundiendo esas propuestas a diario, a los productores del programa *The Dr. Oz Show*, que también contribuyeron de manera sustancial a la difusión de esas ideas, y a HarperOne y todo su equipo, cuya intervención ha sido esencial para que nuestro mensaje llegue a todo el mundo.

Ya para finalizar, quiero expresar mi más profundo y sincero agradecimiento a mis pacientes, por depositar su fe y su confianza en mi y por su compromiso con el método Myers y con su propia salud. Todos ellos son lo que me impulsa a levantarme cada mañana y me siento enormemente honrada por haber trabajado con todos y cada uno de ellos.

Xavier, tú eres todo cuanto necesito. Mi vida no sería nada sin ti. Te quiero.

Y, lo más importante, deseo expresar una infinita gratitud a mi ángel de la guarda, mi madre. Ella me enseñó a no aceptar nunca el orden impuesto, a ser curiosa y a plantearme preguntas, a recorrer los caminos menos trillados, a ser franca, a no temer nunca lo diferente y a luchar siempre por aquello en lo que creo. Hoy soy la mujer y la profesional de la medicina que soy gracias a ella.

Organismos genéticamente modificados (OGM)

Los organismos genéticamente modificados (OGM), o transgénicos, son en potencia uno de los grandes problemas de salud de nuestro tiempo y, sin embargo, son muchos los que ni tan siquiera son conscientes de su existencia. En el capítulo 6 hemos explicado qué son y cómo pueden afectar al intestino y al sistema inmunitario. Animo a todos a informarse sobre esta nueva y gran amenaza que se cierne sobre nuestra red de abastecimiento de alimentos y a tomar la iniciativa como consumidores y como ciudadanos para protegerse frente a ellos. En este apéndice se ofrece solo una breve introducción con algunos apuntes para ampliar información.

Aunque los OGM dominan en la actualidad muchos de los alimentos disponibles en Estados Unidos, sus efectos a largo plazo apenas han sido estudiados. Uno de los primeros estudios a largo plazo significativos en este contexto ha sido recientemente completado en Francia. A lo largo de 2 años se les administró a un conjunto de ratas una dieta con un 30% de maíz transgénico. Sé que 2 años no es un periodo prolongado para investigaciones de esta naturaleza, pero, para una rata, ese periodo es casi toda su vida, ya que el promedio de tiempo de vida de esta especie apenas supera los 3 años. En ese estudio, el 70% de las hembras alimentadas con OGM murieron prematuramente por cáncer, mientras que las que murieron por la misma razón en el grupo de control solo fueron el 20%.

Así pues, y solo para empezar, ya contamos con un dato estadístico ciertamente amenazador. Me gustaría que hubiera más estudios para comparar datos, pero hasta la fecha no se dispone de ellos. ¿Por qué no se plantea el tema?

Ciertamente, la respuesta no nos agradaría. Al menos a mí no me gusta. Básicamente, cuando una empresa solicita la aprobación de un nuevo producto a la FDA, se le pide que efectúe una serie de investigaciones para verificar su seguridad. Esa investigación financiada por la propia compañía fabricante es lo que la FDA utiliza para determinar la seguridad de las sustancias, en especial si no hay estudios previos al respecto. ¿Y quién va a tener interés en investigar una sustancia no estudiada previamente salvo el propio fabricante? Una vez que un producto llega al mercado, ¿quién es el valiente que osa enfrentarse a gigantes corporativos como Monsanto? Debido a esta situación hay numerosos alimentos genéticamente modificados que solo se han estudiado durante tres meses, cuando no menos.

En Europa las regulaciones a este respecto son mucho más estrictas que en Estados Unidos, hecho que plantea otra pregunta. ¿Por qué no estamos los estadounidenses tan preocupados por esta cuestión como los europeos?

También en este caso, la respuesta a este interrogante no nos gustaría. y a mí, de hecho, tampoco me gusta; esa respuesta puede resumirse en una sola palabra: ¡dinero! Nuestro gobierno está bastante más condicionado por los intereses y el poder de las grandes corporaciones que los de la mayor parte de los de los países europeos y, en ese contexto, grandes empresas como Monsanto tienen mayor margen para comercializar OGM. Y esa es la razón por la que en Estados Unidos no nos damos cuenta de la ingente cantidad de alimentos transgénicos que consumimos. Hasta la fecha, no existen normativas que determinen el modo en el que los transgénicos deben ir etiquetados, aunque hay numerosas encuestas que señalan hasta el 90% del público consumidor preferiría que este tipo de alimentos contaran con avisos sobre la presencia de transgénicos en el etiquetado.

Y no es porque no se haya intentado. En 2012 se votó en California el primer proyecto de ley sobre etiquetado de OGM, que fue rechazado por un estrecho margen (52 frente a 48%). Es significativo el hecho de que en lo que respecta al apoyo financiero al proyecto de ley, quienes lo rechazaban aportaron más fondos en una correlación de 5 a 1: 46 millones de dólares por parte de quienes estaban en contra y 9,2 millones de quienes estaban a favor. Una pequeña parte de esta última cantidad fue aportada por mí y mi consulta, Austin UltraHealth, y, en su momento, colgué también un podcast en mi blog animando a mis seguidores a realizar aportaciones a favor de la ley. Me interesa sobremanera invertir dinero en promover la salud en los alimentos.

Los principales opositores a la ley de etiquetado de transgénicos eran la flor y nata del empresariado de la industria alimentaria estadounidense, a saber, Monsanto, Dupont, PepsiCo, la Grocery Manufacturers Association, Kraft Foods y Coca-Cola. Todas ellas son empresas y colectivos que dependen en buena medida de los OGM y ninguna de ella desea que la gente deje de adquirir sus productos, colmados de ellos.

Está claro que, aunque no disponemos de investigaciones suficientes, hay cientos de evidencias que indican que los alimentos genéticamente modificados se asocian a alergias, autismo, trastorno por déficit de atención/trastorno por déficit de atención con hiperactividad (TDA/TDAH), intestino permeable y afecciones digestivas. Como hemos visto en el capítulo 5, es probable que el contenido de transgénicos sea mayor en los elementos que causan inflamación y que atacan al sistema inmunitario.

Surge espontánea la pregunta de en qué alimentos están contenidos los OGM en nuestro abastecimiento de comida. Pues bien, es más rápido definir aquellos en los que no están presentes:

- En todos aquellos que especifiquen en el etiquetado «sin OGM» o «sin transgénicos».
- En los productos en los que esté presente el sello «100% orgánico» (es importante que el porcentaje sea efectivamente 100, no una aproximación). Si en el etiquetado se afirma que el producto es «orgánico», puede contener hasta un 30% de transgénicos y publicitarse como orgánico igualmente (¡qué opinarían las ratas del estudio francés!).
- En la carne etiquetada como de animales «alimentados con hierba y pasto al 100%» o «alimentados con hierba y pasto, finalizados con hierba y pasto». En ocasiones el ganado es alimentado con pasto, pero «finalizado» con cereales. Y en esos cereales suele haber transgénicos.
- En alimentos adquiridos en mercados locales, en los que los productores garanticen que no han utilizado transgénicos en el cultivo o la cría. Conviene saber plantear las preguntas oportunas, ya que, a veces, aunque estos productores críen ganado alimentado con pasto, los alimentan también con piensos que contienen maíz, soja o alfalfa. Y, al menos en Estados Unidos, la práctica totalidad de estos cultivos son genéticamente modificados. En consecuencia, cada vez que se consumen carnes de vacuno, cerdo, cordero o aves no orgánicas se están ingiriendo OGM.

• En cualquier alimento vegetal cultivado en casa, siempre y cuando se utilicen semillas sin transgénicos.

Una vez definidos los alimentos que no contienen OGM, abordaremos una breve lista, en absoluto exhaustiva, de algunos de los principales grupos de alimentos en los que los transgénicos sí están presentes. Ciertamente, la lista no es completa, sobre todo porque el uso de transgénicos se hace extensivo a cada vez más alimentos y, en consecuencia, es cada vez más difícil determinar si uno los contiene o no. Así pues, en el momento de la publicación del libro, es probable que haya algunos otros alimentos que podrían incorporarse a la enumeración. En páginas como la del Environmental Working Group (Grupo de Trabajo Ambiental), pueden consultarse los datos más actualizados al respecto, así como una guía de orientación para la adquisición de productos sin OGM (http://www.ewg.org/research/shoppers-guide-to-avoiding-ge-food). No está de más, por otro lado, hacer una pequeña donación a este tipo de organizaciones, que tan valioso trabajo realizan en defensa de nuestra salud.

He aquí algunos sencillos recursos para protegerse frente a los OGM:

• Leer las etiquetas.
• Evitar los alimentos envasados.
• Tener presente que en las tiendas de alimentos orgánicos también hay productos que contienen organismos genéticamente modificados. No obstante, algunas de ellas, como Whole Foods, una de las principales cadenas de alimentos ecológicos de Estados Unidos, se han comprometido a reseñar el contenido de transgénicos en las etiquetas antes de 2018 y, de hecho, su página web cuenta con una sección específicamente destinada a ayudar a evitar el consumo de alimentos transgénicos.

ALIMENTOS CON OGM EN ESTADOS UNIDOS *

- **Maíz**, incluidos todos los productos con jarabe de maíz de alta fructosa (esa es la razón por la que Coca-Cola y PepsiCo invirtieron tanto dinero en su campaña de oposición al proyecto de ley de etiquetado de California, dado que el jarabe de maíz de alta fructosa es el principal edulcorante utilizado en sus refrescos). Muchos piensos animales incorporan también maíz, por lo que el consumo de carne no orgánica lleva implícita probablemente la ingestión de maíz transgénico.

- **Soja**, incluida la lecitina de soja, que se emplea en numerosos alimentos preparados, entre ellos las barritas de chocolate de chocolate negro «orgánico». Durante los 30 primeros días de aplicación del método Myers no se deben tomar barritas de chocolate, aunque en ciertos casos sí pueden incorporarse a la dieta más tarde. Son una de mis golosinas favoritas, pero cuando las tomo opto por las que se consignan como «100% orgánicas», o bien leo detenidamente la lista de ingredientes para verificar que no contienen lecitina de soja. También en este caso, diversos piensos contienen soja, por lo que, como sucede con el maíz, tomar carne no orgánica conlleva tal vez consumo de soja transgénica.

- **Alfalfa.** Como es lógico, no se toma directamente, pero es muy posible que los animales cuya carne se consume hayan sido alimentados con este tipo de forraje.

- **Algodón y aceite de semillas de algodón.** Obviamente el algodón no se come y, hasta donde sabemos, no hay motivos para no vestir prendas de algodón transgénico. Sin embargo, el aceite de semillas de algodón se emplea en múltiples productos envasados, por lo que es aconsejable evitar todos los alimentos preparados y precocinados (no es una mala pauta general) o bien examinar minuciosamente el etiquetado.

- **Aceite de colza.** Este aceite se obtiene de semillas genéticamente manipuladas y, por definición, no hay ninguna versión del mismo que no contenga transgénicos.

- **Azúcar.** En Estados Unidos, en torno al 55% del azúcar procede de cultivos de remolacha azucarera, el 95% de los cuales son genéticamente modificados. Por supuesto, en el método Myers no se contempla el consumo de azúcar.

- **Papaya.** Más del 75 % de la papaya que se cultiva en Hawái es transgénica.

- **Calabacín y calabaza de verano amarilla.** Algunas variedades son manipuladas genéticamente, por lo que, para estar seguros, conviene tomar formas orgánicas de estas hortalizas.

- Otros alimentos potencialmente transgénicos, bien aprobados o bien en trámite de aprobación por la FDA, son los siguientes:

Achicoria roja (radicchio)	Arroz	Ciruelas	Linaza
Salmón	Tomates	Trigo	

En Europa los principales alimentos transgénicos autorizados son maíz, soja, semillas oleaginosas y remolacha azucarera, si bien sobre bases más limitadas que en Estados Unidos, y con corrientes diversas en los distintos países de la Unión Europea, más permisivas, por ejemplo en España o Reino Unido y más restrictivas, en países como Alemania, Francia o Italia, donde los cultivos transgénicos están, de hecho, prohibidos.

PARA MÁS INFORMACIÓN...

Animo a visitar la página web del Institute of Responsible Technology (IRT) (www.responsibletechnology.org), verdadero pionero en alertar sobre los peligros de los OGM. Es posible hacer donaciones para apoyar su valioso trabajo. Cuando entrevisté al fundador del IRT, Jeffrey Smith, me comentó que el mejor modo de librase de los transgénicos es no adquirirlos (www.autoimmunesummit.org). Si dejamos de comprar productos con OGM y nos centramos en los alimentos naturales y etiquetados como «libres de OGM», las compañías que se dedican a la comercialización de transgénicos buscarán otras alternativas en alimentos que no los contengan

También puede consultarse la guía de compras de la página web del Environmental Working Group (www.ewg.org), periodicamente actualizada, para mantener al día nuestros conocimientos sobre el tema.

Es posible asimismo, participar en campañas favorables al etiquetado de los alimentos transgénicos y realizar donaciones para financiarlas. La salud de nuestras familias es demasiado importante para dejarla en manos de gigantes de la industria agroalimentaria, como Monsanto. Para nosotros lo principal es el bien de nuestras familias, para ellos lo es su cuenta de beneficios.

Metales pesados

Cuando se ha seguido el método Myers durante 3 meses y no se han experimentado las mejoras previstas, es posible que los metales pesados sean parte del problema, particularmente cuando se está expuesto a uno o más de los siguientes factores de riesgo:

- si se llevan, o se han llevado, empastes de amalgama en las muelas;
- si se habita cerca de una central térmica de carbón (la localización de las centrales estadounidenses se facilita en http://www.epa.gov/mats/where.html);
- si se ha viajado a China, donde los niveles de contaminación por combustión de carbón son muy altos;
- si se toma atún más de una vez por semana;
- si se padece proliferación de levaduras recurrente (a veces las levaduras ejercen función de protección contra el mercurio);
- si se presenta una o más mutaciones genéticas en el gen *MTHFR* (véanse páginas 175-176); o
- si se bebe con regularidad o se utiliza para ducharse agua no filtrada.

Para comprobar si los metales pesados son un problema para nosotros, se pueden abordar los dos pasos siguientes:

ACUDA A UN ESPECIALISTA EN MEDICINA FUNCIONAL PARA QUE LE HAGA LAS PRUEBAS PERTINENTES

Hay dos pruebas que considero fiables. Una es una prueba de eritrocitos, o glóbulos rojos, válida para determinar la eventual exposición a metales pesados en los 3 meses previos (ese es el promedio de vida de los eritrocitos).

Los resultados de esta prueba permiten conocer la cantidad de metales pesados que se ha estado ingiriendo con los la alimentos o los que han penetrado en el organismo, desde los empastes o a través del las vías respiratorias.

Para conocer si ha habido una exposición a metales pesados a más largo plazo, y si estos se han acumulado en el organismo, suelo practicar una prueba «de provocación». En primer lugar, tomo una muestra de orina que me proporciona un valor basal (qué cantidad de metales pesados hay en la orina, lo que refleja la exposición actual). A continuación hago que el paciente ingiera una solución de ácido 2,3-dimercapto-1-propanosulfónico (DMPS), lo que ayuda a «quelar», o filtrar, los metales pesados desde la localización en la que se encuentren almacenados, sobre todo en los huesos. Durante las 6 horas siguientes, tomo muestras de orina, que son analizadas en el laboratorio con objeto de determinar qué cantidad de metales pesados es liberada o ha permanecido acumulada en el organismo del paciente.

SI ES NECESARIO, SE PROCEDE A REALIZAR UNA QUELACIÓN

Partiendo de lo que la prueba de provocación revele en relación al nivel de metales pesados almacenados en los huesos del paciente, en ocasiones decido someterlo a una quelación, proceso a través del cual esos metales son eliminados. Cuando las concentraciones son significativas, pero bajas, es posible emplear quelantes naturales, como el cilantro. En caso de que sean superiores, es posible utilizar ácido dimercaptosuccínico (DMSA), la sustancia aprobada por la FDA para la quelación en caso de toxicidad por plomo, aunque también sirve para quelar otros metales pesados.

A mis pacientes les indico que tomen DMSA 3 veces al día durante 3 días y que, después, dejen de tomarlo durante 11 días. Con esta periodicidad el proceso puede prolongarse entre 3 y 12 meses. Una vez concluido el ciclo, suelo efectuar una prueba de seguimiento 3 meses más tarde. A lo largo de todo el proceso me aseguro de potenciar las vías de desintoxicación mediante un sustancial aporte de glutatión y de minerales. Es probable que otro especialista en medicina funcional que le atienda siga premisas similares, aunque algunos aplican protocolos ligeramente diferenciados.

UNA ADVERTENCIA IMPORTANTE

Se ha de mantener una actitud precavida en caso de que el médico proponga una quelación, o una prueba de la misma, como primer paso en el proceso curativo. Es necesario curar el intestino, despejar las vías de desintoxicación y activarlas por medio de abundantes preparados de soporte, antes de someterse a una de estas técnicas. De no ser así, el daño es a menudo mayor que el beneficio. La quelación es un proceso a través del cual se extraen las toxinas de los huesos, de manera que puedan ser eliminadas por excreción a través de la orina. Si se padece intestino permeable y las vías de desintoxicación no funcionan apropiadamente, se está expuesto a un elevado riesgo de reabsorber de nuevo todas las toxinas, aunque en este caso esa reabsorción no se iría produciendo poco a poco, como la absorción anterior, sino de una sola vez y en cantidad mucho mayor, Huya, *corriendo, no andando*, que cualquier médico que quiera efectuar una quelación antes de estar absolutamente seguro de que se ha conseguido la plena curación del intestino.

Mohos tóxicos

PREGUNTO A MIS PACIENTES sobre la eventual exposición a mohos, tanto en el formulario de entrada como en la primera entrevista que mantengo con cada uno de ellos. Si algún dato me hace pensar que existe una posible fuente de emisión de toxinas a partir de mohos, le comunico al paciente que las micotoxinas pueden estar implicadas en el desarrollo de la enfermedad autoinmune e intento recabar toda la información posible a tal respecto.

Si el paciente ha abordado los cuatro pilares del método Myers y no ha mejorado lo suficiente, o si la persona sufre de proliferación de levaduras recurrente, realizo una indagación más pormenorizada del eventual contacto con mohos tóxicos. Examinemos la cuestión con más detenimiento.

¿DE DÓNDE PROCEDEN LAS TOXINAS?

Ciertos tipos de mohos desprenden gases conocidos como compuestos orgánicos volátiles (COV). Esas sustancias gaseosas no son generadas por todos los mohos, pero los que sí lo hacer son, como es lógico, un importante motivo de preocupación. Los más habituales son los siguientes:

- *Aspergillus*
- *Fusarium*
- *Paecilomyces*
- *Penicillium*
- *Stachybotrys*
- *Trichoderma*

Creemos que solo el 25% de la población presenta los genes que hacen vulnerable a los efectos perniciosos de estos mohos, si bien para todos aquellos que padecen tal vulnerabilidad, los síntomas pueden llegar a ser intensos. Entre mis pacientes he encontrado a numerosas personas afectadas por síntomas relacionados con los mohos, tales como los siguientes:

- alergias, asma, infecciones de senos nasales crónicas
- ansiedad
- autoimmunidad
- depresión
- dolores de cabeza
- erupciones cutáneas de todo tipo, incluido el eccema
- fibromialgia
- insomnio
- proliferación recurrente de levaduras
- síndrome de fatiga crónica
- trastorno por déficit de atención/trastorno por déficit de atención con hiperactividad (TDA/TDAH)
- trastornos neurológicos

No obstante, dado que tres cuartas partes de la población no son vulnerables a las micotoxinas, no es en absoluto inhabitual que sea una única persona la que muestre síntomas en una vivienda, lo que hace que el motivo sea extraordinariamente difícil de diagnosticar, en especial para médicos que no disponen de suficiente información sobre el problema.

Entre los factores de riesgo que me suelen hacer sospechar de la posible presencia de mohos cabe citar los siguientes:

- viviendas antiguas
- goteras habituales en la casa
- viviendas construidas en laderas y terrenos inclinados
- casas con sótano
- tejados planos
- clima húmedo

Por otro lado, han una serie de entornos en los que hay más propensión al desarrollo de mohos, como los que se mencionan a continuación:

- grandes complejos de apartamentos
- grandes edificios de oficinas
- hoteles
- centros escolares

Otro factor a considerar es si se habita o se trabaja en un entorno que cuente con un sistema común de calefacción, ventilación y aire acondicionado (HVAC), que puede hacer que las micotoxinas pasen de un entorno transpirable a uno cerrado, en el que el problema sea aun más difícil de detectar.

CÓMO REALIZAR LAS PRUEBAS DE MOHOS TÓXICOS

Con sinceridad, es poco probable que las pruebas estandarizadas para detectar la presencia de mohos sean de utilidad, ya que en general se centran en la calidad del aire y en la concentración de esporas, y no en la de compuestos orgánicos volátiles. Así pues, quedan dos opciones:

• Cortar un fragmento del filtro de aire y enviarlo a un laboratorio especializado, como, por ejemplo, RealTime Laboratories (véase la sección «Referencias»); o

• indagar en dicha sección, o en otras fuentes, con objeto de encontrar una empresa que realice lo que se conoce como prueba de índice de enmohecimiento ambiental relativo (ERMI, por sus siglas inglesas), que sirve para determinar de manera específica el tipo de moho liberador de micotoxinas. No obstante, cuando se efectúa una prueba de este tipo, debe revelarse su resultado a los posibles compradores cuando se desea vender la casa, lo que implica que, si no se halla el origen de los mohos, es necesario raspar las paredes o tomar otro tipo de medidas, hasta dar por fin con ellos y eliminarlos.

En general, he de decir que no soy partidaria de hacer pruebas de detección en las viviendas, sino más bien en las personas. Sin embargo, a veces dichas pruebas resultan engañosas. La prueba estándar es el análisis de orina que, no obstante, solamente detecta concentraciones de las tres micotoxinas principales. Si las reacciones se producen contra micotoxinas menos habituales, su origen no tiene por qué manifestarse. Por otro lado, el nivel de las concentraciones no se correlaciona necesariamente con los síntomas que la persona presenta. Es posible encontrarse muy mal con bajos niveles de micotoxinas y no presentar alteraciones, o registrar concentraciones elevadas sin que se experimente trastorno alguno. Además, el coste de la prueba es notable, aunque es la única de la que por el momento se dispone, por lo que no queda más remedio que apoyarse en ella.

Sin embargo, siempre que sea posible, lo que prefiero indicar a mis pacientes es que se trasladen a otro lugar durante un par de semanas, un hotel, la casa de un amigo, una vivienda de vacaciones en alquiler o cualquier otro lugar en el que se presuma que se está razonablemente a salvo de la presencia de mohos. En estos casos, es conveniente llevarse consigo la menor cantidad de objetos posible —la almohada preferida o el muñeco favorito de nuestro hijo pueden estar infestados de micotoxinas— y comprobar si nos encontramos mejor tras permanecer unos 10 días fuera de casa. Después de todo nuestro propio cuerpo nos da más pistas que cualquier prueba. Si nos encontramos mejor en otro entorno y volvemos a empeorar a nuestro regreso, es más que probable que el problema sea una reacción a las micotoxinas.

Otra cosa que hay que determinar es si la persona parece reaccionar ante las toxinas en su hogar o en otros lugares. En caso de que se trabaje en casa o de que nuestros hijos —circunstancia poco habitual— reciban una educación no escolarizada, está claro que el problema está en nuestra vivienda. pero, cuando se ven implicados el lugar de trabajo o un centro escolar, el problema adquiere una nueva dimensión.

En tal caso yo suelo efectuar pruebas a alguien que conviva con el paciente. Si esa persona da resultado positivo para micotoxinas, aun cuando no presente síntomas, se puede dar por hecho que hay mohos en la vivienda. Si la prueba es negativa, cabe pensar que el foco de toxinas se halla en el lugar de trabajo o el colegio.

Sé que se trata de un problema complejo y que a nadie le gusta que su casa esté infestada por mohos y tener que gastar una importante cantidad de dinero en erradicarlos. Sin embargo, hay algunas soluciones:

- Cuando localice una humedad, contrate los servicios de un técnico en eliminación de mohos. No obstante, mantenga ciertas precauciones, puesto que algunos de los compuestos utilizados en el proceso también causan problemas a las defensas inmunitarias debilitadas.
- Tome glutatión, tal como se indicaba en el capítulo 9, junto con los demás suplementos del método Myers.
- Acuda a un profesional de la medicina funcional para recibir una ayuda más pormenorizada, que incluya prescripción de medicamentos, que ayuden a erradicar las micosis y otras infecciones, así como a ser más resistente a los mohos. El fármaco más recetado en este ámbito es la colestiramina, que se fija a las toxinas y las arrastra eliminándolas del organismo.

Resolver el problema de los mohos resulta en ocasiones complejo pero, ciertamente, merece la pena. En la página 171 del capítulo 6 y en el capítulo 12 se mencionan algunas inspiradoras historias de éxito que demuestran la extraordinaria mejora del estado de salud que se logra una vez que este problema se ha resuelto.

Odontología biológica

EN EL CAPÍTULO 6 ya vimos que lo que hay en nuestra boca puede ser una fuente significativa de inflamación. Conductos radiculares, muelas del juicio extraídas, puentes, pernos, postes y coronas, empastes... todos ellos son potenciales elementos de riesgo biológico, e incluso los dentistas están escasamente concienciados de la magnitud del problema.

Por fortuna, al igual que los profesionales de la medicina funcional vienen a paliar las limitaciones de la medicina convencional, los odontólogos biológicos hacen lo propio con respecto a la odontología convencional. Un odontólogo biológico se preocupa de algo más que la dentadura. También vela porque en las intervenciones en la boca de sus pacientes únicamente se utilicen materiales biocompatibles aplicados en condiciones seguras.

Lo primero que hay que recordar es que todo lo que está en la boca afecta a la totalidad del sistema inmunitario. Al fin y al cabo, nuestro organismo es una entidad global; no hay ninguna «muralla china» que separe la boca del resto de nuestra anatomía. Por lo tanto, cuando se lleva una pieza de equipamiento dental, cualquiera que esta sea —una corona, un empaste, un filamento metálico— el sistema inmunitario estará permanentemente expuesto a él. Si algo lo agrede, todo nuestro cuerpo lo notará de manera permanente.

¿Cuál es la solución? Tomando una simple muestra de sangre, un dentista biológico puede encargar una batería de pruebas (www.ccrlab.com) para determinar a qué materiales dentales reacciona la persona. Si su dentista no sigue ese protocolo, conviene saber que hay algunas marcas de material odontológico, como la alemana VOCO, cuyos productos son casi siempre biocompatibles, por lo que es preferible su uso.

EL PROBLEMA DEL MERCURIO

Uno de los problemas de mayor relieve en este contexto es el del mercurio, tradicionalmente presente en los empastes de amalgama de plata. Cuando hablo con odontólogos biológicos, siempre expresamos nuestra mutua frustración ante el hecho de que la segunda sustancia más tóxica que hay en el planeta se emplee rutinariamente para quedar implantada de manera permanente en la boca de las personas. Hay diversas investigaciones que demuestran que el mercurio que se desprende de los empastes de amalgama ejerce efectos perniciosos sobre nuestra salud y, como no, sobre nuestro sistema inmunitario. Es evidente que el grado de tolerabilidad de las toxinas oscila dentro de amplios márgenes según las personas, al igual que sucede por ejemplo, con el consumo de tabaco (hay grandes fumadores que no llegan a desarrollar cáncer pulmonar). Sin embargo, cuando se sufre una dolencia autoinmune o se está incluido en el espectro de autoinmunidad, las defensas ya reciben la suficiente sobrecarga, por lo que no conviene incrementarla. Lo más aconsejable es acudir a un odontólogo biológico que retire los empastes de amalgama de plata, junto con el mercurio que contienen.

Para disipar dudas puede verse un vídeo realizado por la Academia Internacional de Medicina Oral y Toxicología (IAOMT, por sus siglas inglesas), una prestigiosa organización integrada por dentistas, médicos e investigadores, dedicado al estudio de la mejora de la salud oral y dental. En ese vídeo se observa un «diente humeante», que corresponde a la visualización de las emanaciones de los vapores de mercurio que se desprenden de una pieza dental en la que han un empaste de amalgama (https://www.youtube.com/watch?v=9ylnQ-T7oiA). Si tiene un empaste de amalgama de plata convencional, eso es exactamente lo que está sucediendo en su boca en este preciso instante. Algunos dentistas convencionales pueden decirle que los empastes de amalgama son seguros: ¡no les crea!

Por si eso no bastara, en los años setenta los odontólogos convencionales empezaron a utilizar también estaño y cobre en las aleaciones de amalgama de plata. El estaño también es tóxico, pero el verdadero peligro estriba en el cobre, que multiplica por cincuenta el nivel de exposición al mercurio.

En ciertos casos, si se lleva una corona, es posible que un dentista convencional haya utilizado un empaste preexistente como base. La corona puede así agravar el efecto del mercurio, al crear una corriente galvánica, literalmente una corriente eléctrica que compite con las corrientes eléctricas naturales que se transmiten por el cuerpo. He tenido pacientes que referían extrañas sensaciones de zumbido en la boca, por llevar tres o cuatro tipos de metal distintos en la boca. En estos casos, les indicaba que acudieran a un odontólogo biológico para que les retirara los empastes con mercurio y que volvieran después a mi consulta para comprobar la diferencia.

Es importante asegurarse de que es un dentista biológico quien se encarga de reemplazar los empastes, puesto que es probable que uno convencional no esté preparado para hacerlo sin exponer al paciente, y sin exponerse él mismo, a los vapores del metal.

CONDUCTOS RADICULARES

Otra posible fuente de problemas con los conductos radiculares. Los tratamientos de dichos conductos, o endodoncias, son técnicas en las que el nervio de un diente se «mata», pero el diente queda en la boca. Dejar una porción de tejido muerto en el cuerpo es una práctica que ya no se realiza en medicina y, a mi modo de ver, no debería tampoco llevarse a cabo en el ámbito de la odontología. Las bacterias tóxicas se desarrollan libremente en ese tejido muerto y, sin la irrigación sanguínea que reciben los dientes vivos, no hay factores inmunitarios ni compuestos químicos de defensa que las ataquen. Además, también es difícil tratar este tipo de infecciones con antibióticos.

La solución es aplicar al diente desvitalizado un tratamiento con ozono o extraerlo. Se trata de una disyuntiva a veces problemática, aunque la extracción es lógicamente más fácil, cuando se trata de piezas dentales posteriores. Conviene siempre recordar que los conductos radiculares son terreno abonado para el desarrollo de bacterias tóxicas y una probable y significativa fuente de inflamación. Cuando se padece un trastorno autoinmune o se está dentro del espectro de autoinmunidad, no son en absoluto necesarios factores de riesgo adicionales ni sobrecargas añadidas para el sistema inmunitario. Dejemos que un odontólogo biológico resuelva el problema.

Y cuando un dentista convencional le proponga la realización de una endodoncia, acuda antes de que se la practique a la consulta de uno biológico, para ver si hay una opción mejor.

CAVITACIONES

Una cavitación es un área de hueso muerto en el interior de otro hueso, generalmente en la mandíbula. Cuando se padece un traumatismo, por ejemplo en la extracción de una muela del juicio, las bacterias fluyen al área expuesta. A continuación el tejido de la encía crece sobre la cavidad y el hueso se desarrolla sobre él. Entretanto, bacterias altamente tóxicas permanecen dentro de la cavidad, constituyéndose en un elemento agresor de las defensas que actúa de modo permanente.

Un bioodontólogo puede limpiar la zona, practicando en ella una pequeña incisión quirúrgica, irrigando la cavidad y utilizando ozono para atacar a las bacterias. A continuación se deja que el área cicatrice adecuadamente, aliviando de manera sustancial la sobrecarga que recibe el sistema inmunitario.

Las cavitaciones son difíciles de detectar en una radiografía, e incluso en una TAC. Esa es la razón por la que es necesario acudir a un odontólogo biológico, que ya sabe lo que está buscando.

APARATOS DE ORTODONCIA

Estos aparatos a menudo son de acero inoxidable, lo que en apariencia parece seguro. Sin embargo, el acero inoxidable contiene níquel, un metal carcinógeno. Buena parte de los *brackets* y demás dispositivos de ortodoncia están fabricados con alambre de «aleación Ni-Ti», es decir, de níquel y titanio, muy eficaz para ensanchar el espacio en la dentadura con rapidez, pero no demasiado recomendable para nuestra salud. Un odontólogo biológico puede estudiar cada caso concreto, con objeto de reducir en lo posible la exposición al níquel, utilizando materiales más seguros.

ENCONTRAR UN ODONTÓLOGO BIOLÓGICO

Por fortuna, parece que esta rama de la odontología está expandiéndose a pasos agigantados, en paralelo a la medicina funcional. Así que cada vez son más las opciones para hallar un profesional de esta disciplina:

- Realice búsquedas online de términos como «odontología biológica» u «odontología holística» y vea qué es lo que encuentra.
- Consulte la web del IAOMT (www.iaomt.org), para localizar profesionales dedicados a esta modalidad que operen en su zona.
- Pida consejo a su médico funcional.

Cuando se busca un nuevo dentista, hay tres preguntas que siempre conviene plantear para decidir si se trata de una buena opción:

❶ **¿Utiliza dique de goma*?** Los diques de goma protegen al paciente cuando se retiran empastes de amalgama con mercurio. Si la respuesta es afirmativa, es más probable que el dentista sepa cómo extraerlos en condiciones seguras.

❷ **¿Cómo se protegen usted y su personal auxiliar?** Cuando un dentista está extrayendo un empaste con mercurio, él y sus auxiliar también están expuestos a las emanaciones del metal. Si no se protege de ellos es más que probable que no sea consciente de los riesgos implicados en el proceso y, en consecuencia, tampoco protegerá de ellos a sus pacientes.

❸ **¿Tiene un separador de amalgama?** A menudo, cuando el mercurio es extraído, se elimina por el desagüe de la escupidera de enjuague, lo que resulta del todo inapropiado. Un separador de amalgama permite almacenar los empastes retirados, para desecharlos después convenientemente.

PARA MÁS INFORMACIÓN...

Puede consultarse el libro *Uninformed Consent: The Hidden Dangers in Dental Care* (Newburyport, Massachusetts; Hampton Roads Publishing, 1999), de Hal A. Huggins y Thomas E. Levy. Otras referencias ilustrativas son *It's All in Your Head: The Link Between Mercury Amalgams and Illness* Garden Citu Park, Nueva York, Avery Publishing, 1993), de Hal A. Huggins, o mi entrevista con el odontólogo biológico Stuart Nunnally, DDS (www.autoimmunesummit.com).

---

* El dique de goma es una lámina fina de látex (o vinilo para alérgicos al látex), que se fija en torno a uno o varios dientes con pequeños dispositivos de anclaje. Sirve para aislar los dientes del medio bucal —saliva, lengua, mejilla— y facilitar un campo de trabajo cómodo y sin humedades que afecten al tratamiento.

Desintoxicar su hogar

Siendo tantas las toxinas que nos rodean en el medio externo, es probable que, al intentar protegernos a nosotros mismos y a nuestro sistema inmunitario de sus perniciosos efectos, nos sintamos desbordados. Sin embargo, como no me canso de repetir, ¡el conocimiento es poder! Ahora que conocemos las toxinas podemos abordar los pasos necesarios para mantenerlas alejadas de nuestro entorno personal. Animo a todo el mundo a hacerlo, en especial si se padecen enfermedades autoinmunes o se está incluido en el espectro de autoinmunidad. Nuestras defensas ya tienen suficientes agresiones a las que hacer frente.

En el capítulo 6 ya analizamos las principales sugerencias en relación con la desintoxicación. He aquí algunas pautas adicionales para desintoxicar su hogar, enumeradas por orden de importancia

COLCHONES CONVENCIONALES

Nunca insistiré los suficiente: dónde se duerme y cuánto se duerme son dos cuestiones a las que hay que dar la mayor importancia. Pasamos poco menos de la mitad de nuestra vida durmiendo y la mayor parte de los procesos de desintoxicación y reparación del cuerpo tienen lugar durante el sueño.

Los colchones convencionales contienen compuestos químicos agresivos y retardantes de llama, que pueden emitir gases durante años.

Mejores opciones

• Colchones de látex 100% natural y cubrecolchones de lana orgánica.

ROPA DE CAMA

La mayoría de los fabricantes de ropa de cama utilizan retardantes de llama, pesticidas, blanqueantes y colorantes.

Mejores opciones

- Sábanas, colchas y almohadas de tejidos orgánicos, no tratados químicamente.

PRODUCTOS DE LIMPIEZA

La American Society for the Prevention of Cruelty to Animals (ASPCA) calificó a los productos de limpieza domésticos como uno de los diez principales grupos de sustancias tóxicos para las mascotas. Las concentraciones de retardantes de llama bromados detectadas en gatos son 23 veces superiores a las registradas en humanos, y en perros se han hallado restos de compuestos químicos perfluorados en concentraciones 2,4 veces mayores que las identificadas en personas. Se trata de compuestos que se encuentran en productos como los tejidos ignífugos y las alfombras resistentes a las manchas, y sus efectos son especialmente manifiestos en perros y gatos.

Mejores opciones

- Por fortuna hay varias opciones, que pueden consultarse en la sección «Referencias».

LIMPIEZA EN SECO

Los productos de limpieza en seco se cuentan entre los que presentan mayor carga de compuestos químicos.

Mejores opciones

- Conviene localizar establecimientos de limpieza en seco ecológica.
- Si se acude a tintorerías de limpieza en seco convencionales, es conveniente sacar las prendas de las bolsas y dejar que se aireen varias horas antes de guardarlas en el armario.

CORTINAS DE DUCHA DE VINILO

Este tipo de cortinas desprenden cientos de COV, que quedan en suspensión en el aire durante más de 1 mes. Asimismo contienen ftalatos, que son sustancias que inducen interferencias hormonales y endocrinas.

Mejores opciones

• Cortinas de ducha de algodón o lino orgánico

ALFOMBRAS Y MOQUETAS CONVENCIONALES

Buena parte de las alfombras convencionales están fabricadas con fibras sintéticas, derivadas del petróleo, que pueden desprender hasta 120 compuestos químicos de riesgo y que han demostrado que contribuyen al desarrollo de asma, alergias, problemas neurológicos y cáncer. Las toxinas se hallan principalmente en los acolchados de goma y los adhesivos utilizados en las moquetas, que pueden generar emanaciones de compuestos químicos durante años.

Mejores opciones

• Alfombras de algodón o lana.
• Losetas de moqueta recicladas, que no requieren adhesivos.
• Suelos de hormigón impreso
• Suelos de materiales renovables, como bambú o corcho

PINTURAS CON COMPUESTOS ORGÁNICOS VOLÁTILES (COV)

Estas pinturas son exactamente lo que su denominación hace pensar: recubrimientos atestados de compuestos químicos tóxicos. Quien las utilice, se estará literalmente rodeando de emanaciones potencialmente peligrosas.

Mejores opciones

• Pinturas sin COV. Aunque conviene estar seguro de que realmente lo son. Son muchos los fabricantes que publicitan sus productos como carentes de COV, aunque con ello se refieren exclusivamente a la pintura blanca base. Cuando incorporan los colorantes, el producto deja de estar libre de COV.

MUEBLES BARNIZADOS

Los muebles barnizados tienen casi siempre rellenos a base de espumas de poliuretano, que son materiales derivados del petróleo, con abundantes compuestos químicos, entre ellos retardantes de llama. Cualquiera de sus partes puede ser un emisor de formaldehído.

Mejores opciones

• Muebles fabricados con madera sólida, espuma de látex natural, acolchados de lana y tejidos orgánicos.

CORTINAS Y VENTANAS SOMETIDAS A TRATAMIENTOS QUÍMICOS

La mayoría de las cortinas y ventanas sometidas a tratamientos químicos contienen retardantes de llama, pesticidas, blanqueantes y colorantes..

Mejores opciones

• Cortinas y colgantes de algodón o lino orgánico no tratado.
• Persianas de bambú o rejilla.

PARA MÁS INFORMACIÓN...

Vea mi entrevista en vídeo a la directora ejecutiva del Environmental Working Group (EGW), Heather White (www.immunesummit.com).

Mejorar el sueño

LOS TRASTORNOS DEL SUEÑO y la fatiga son dos de los problemas de los que con más frecuencia se quejan mis pacientes. La consecución de una cantidad suficiente de sueño profundo y reparador es una de las mejores formas de prestar soporte al sistema inmunitario; por consiguiente, a continuación de enumeran los que considero los diez consejos principales para mejorar la calidad del sueño:

❶ En la web www.dansplan.com se puede descargar el «plan de Dan», un programa online gratuito destinado a optimizar la salud y el sueño, elaborado por el experto en trastornos del sueño Dan Purdi. Para obtener más información sobre el enfoque que Dan da a la problemática del sueño se puede consultar le entrevista que mantuve con él en http://www.dramymyers.com/tag/sleep/.

❷ Adquiera bombillas de luz ámbar y colóquelas en lámparas por toda la casa. Utilícelas cuando empieza a anochecer.

   Una de las principales causas de las alteraciones del sueño es la exposición a una luz del espectro inadecuada una vez que se ha puesto el sol. El cuerpo evoluciona hacia el sueño cuando el cielo se oscurece y tiende a mantenerse despierto cuando hay luz natural. Este ciclo puede verse alterado en el entorno de luz artificial durante 24 horas al día en el que muchas veces nos desenvolvemos, y en el que el organismo se ve expuesto a una luz similar a la solar, como la que proporcionan los tubos fluorescentes y las bombillas de luz blanca. El cerebro reconoce ese tipo de luz como «luz solar», lo que induce propensión a mantenerse despierto. El uso de bombillas de luz ámbar después de la puesta de sol ayuda a sincronizar el organismo con los ritmos de luz natural y tiende a favorecer el sueño, en vez de la vigilia.

❸ Descargue la aplicación gratuita f.lux en www.justgetflux.com si trabaja en su ordenador o lee en el iPad por la noche. La luz azul parpadeante de los dispositivos electrónicos también contribuye a mantenernos despiertos, mientras que la citada aplicación cambia la luz de las pantallas a un tono ámbar después del anochecer. Puede regularse para conseguir la intensidad que se prefiera. Asimismo, puede reajustarse para vez una película o un programa de televisión y deshabilitarse si realmente se desea trabajar y mantenerse despierto. Lo ideal, en cualquier caso, es utilizar el dispositivo cuando se busca mantener un ciclo de sueño-vigilia saludable tras el ocaso, acostándose relativamente temprano.

❹ Determine su número ideal de horas de sueño. Para ello, lo más idóneo es experimentar en los fines de semana. Calcule cuántas horas pasan desde que se duerme hasta que se despierta. Repita la prueba unas cuantas veces a fin de definir cuál es el número de horas ideal para usted. Cada uno de nosotros es diferente y las horas de sueño apropiadas cambian en función del estrés al que estemos sometidos o de los requerimientos del propio cuerpo. El sueño es el tiempo que el cuerpo utiliza para sanarse. Así pues, si utiliza el método Myers para revertir la evolución del trastorno autoinmune que le afecta, es posible que deba dormir más tiempo de lo habitual. En general, también suele ser preciso dormir más horas de las que en principio se cree. Es importante conocer con exactitud el tiempo de sueño adecuado a fin de que su efecto reparador sea el más idóneo.

❺ Haga propósito de irse a la cama todo todas las noches a la misma hora, en función de su número ideal de horas de sueño. En otras palabras, si necesita levantarse a las 7 de la mañana para llegar a tiempo al trabajo, y si ha determinado que su tiempo ideal de sueño es de 9 horas, propóngase irse a la cama alrededor de las 10 todas las noches. Lo más idóneo es que haga lo mismo los fines de semana, ya que la calidad del sueño mejora si se mantiene un ritmo constante a diario.

❻ Procure poner en el dormitorio cortinas que protejan por completo de la luz. Incluso las más mínimas cantidades de luz son percibidas a través de los párpados y modifican la profundidad y la calidad del sueño. Nuestro organismo está diseñado para responder a los ciclos terrestres naturales de amanecer y ocaso, por lo que, si la luz de la calle o de los edificios próximos se filtra al dormitorio, el cuerpo tiende en ocasiones a la vigilia, con la consiguiente alteración del sueño.

❼ Antes de irse a la cama, tome un baño caliente con sales de sulfato de magnesia naturales. El agua caliente y el reposo ejercen un efecto relajante, y las sales de magnesia contienen, como su nombre indica, magnesio, que es un buen relajante muscular.

❽ Permanezca al aire libre y expóngase a la luz natural al menos tres veces al día durante un mínimo de media hora. Si el cuerpo tiene acceso a la luz natural para percibir el ciclo de vigilia, será más propenso también a percibir el de sueño con la oscuridad de la noche.

❾ Evite las bebidas alcohólicas antes de irse a la cama. El alcohol afecta al ciclo del sueño. Por supuesto, no debe tomarse alcohol de ningún tipo durante los 30 primeros días de aplicación del método Myers y, en la medida de lo posible, tampoco en los meses siguientes. Pero si decide tomar una copa de vez en cuando a partir de entonces, conviene que lo haga al menos 2 horas antes de irse a la cama, con objeto de que, cuando se duerma, el sueño sea profundo y reparador y permita recuperar al organismo del estrés que el alcohol impone al sistema inmunitario.

❿ Si ocasionalmente, se decide tomar algún producto que ayude a conciliar el sueño, opte por lo natural. Considere, por ejemplo, el uso de 5-HTP (5-hidroxitriptófano), el precursor natural de la serotonina, que es el neurotransmisor que ayuda a regular los ciclos del sueño y que ejerce un efecto «antidepresivo» natural, generador de calma y optimismo. Otra posible opción es la melatonina, compuesto químico elaborado por el cerebro que prepara al organismo para el sueño. El magnesio es un mineral que ayuda a relajar los músculos y, en consecuencia, contribuye también a la relajación que precede al sueño profundo y reparador. En la sección «Referencias» se incluye un apartado en el que se recomiendan algunas versiones de alta calidad de estos suplementos.

PARA MÁS INFORMACIÓN...

Véase mi entrevista con el experto el problemas del sueño Dan Pardi, en www.autoimmunesummit.com).

Rastreador de síntomas del método Myers

Califique los siguientes síntomas a lo largo de los últimos 7 días en una escala de gravedad/intensidad de 0 a 4: 0 = ninguno/a, 1 = mínimo/a, 2 = leve, 3 = moderado/a, 4 = grave/intenso/a.

CABEZA

___cefaleas
___migrañas
___desmayo
___trastornos del sueño
Total ___

OJOS

___párpados hinchados/enrojecidos
___círculos oscuros
___ojos hinchados
___pérdida de visión
___ojos acuosos/picor de ojos

ESTADO MENTAL

___niebla cerebral
___pérdida de memoria
___deterioro de la coordinación
___dificultad en la toma de decisiones
___habla confusa/tartamudeo
___déficit de atención/aprendizaje
Total ___

NARIZ

___congestión nasal
___moco excesivo
___goteo nasal/nariz tapada
___problemas de senos
___estornudos frecuentes
Total___

OÍDOS

___picor de oídos
___dolor/infección de oídos
___drenaje en los oídos
___silbidos, pérdida de audición
Total___

PESO

___incapacidad para perder peso
___atracones de comidas
___sobrepeso
___infrapeso
___comedor compulsivo
___retención de agua/inflamación
Total___

BOCA/GARGANTA

___tos crónica
___carraspeo frecuente
___dolor de garganta
___labios hinchados
___aftas bucales
Total ___

DIGESTIÓN

___náuseas/vómitos
___diarrea
___estreñimiento
___distensión abdominal
___eructos/flatulencias
___ardor de estómago/indigestión
___ Dolor o calambres
de intestino/estómago
Total ___

CORAZÓN

___ritmo cardíaco irregular
___ritmo cardíaco acelerado
___ dolor torácico
Total ___

EMOCIONES

___ansiedad
___depresión
___cambios de estado de ánimo
___nerviosismo
___irritabilidad
Total ___

PULMONES

___congestión torácica
___asma, bronquitis
___disnea
___dificultad respiratoria
Total ___

ENERGÍA/ACTIVIDAD

___fatiga
___letargo
___hiperactividad
___inquietud
Total ___

PIEL

___acné
___urticaria, eccema, piel seca
___caída de pelo
___sofocos
___sudoración excesiva
Total ___

ARTICULACIONES/MÚSCULOS

___dolores articulares
___artritis
___rigidez muscular
___dolores musculares
___debilidad/cansancio
Total ___

OTROS

___enfermedades/infecciones frecuentes
___micción frecuente/urgente
___picor/secreción genital
___picor anal
Total ___

Total preliminar _____

Referencias *

ALIMENTACIÓN

Aplicaciones sobre dietas especiales

- Locate Special Diet: *http://locatespecialdiet.com/*
- Urbanspoon: *www.urbanspoon.com/*

Carnes y pescados orgánicos

- US Wellness Meats: *www.grasslandbeef.com/StoreFront.bok?affld=168453*
- Vital Choice: *www.vitalchoice.com/shop/pc/home.asp?idaffiliate=3198*

Guías de compra

- Guía de compra del Environmental Working Group para evitar el consumo de alimentos genéticamente modificados: *www.ewg.org/research/shoppers-guide-to-avoiding-ge-food*
- Lista de pescados del Environmental Working Group: *http://statK.ewg.org/files/fishguide.pdf*
- Listas Dirty Dozen Plus y Clean Fifteen del Environmental Working Group: *www.ewg.org/foodnews/*
- Niveles de mercurio en el pescado: *www.nrdc.org/health/effects/mercury/guide.asp*

---

* Algunas de las marcas citadas en esta sección no se comercializan en Europa, donde solo están disponibles en comercios especializados en productos importados, pudiendo también adquirirse *online*.

Tiendas de alimentación

- Natural Grocers: *www.naturalgrocers.com/*
- Sprouts Farmers Market: *www.sprouts.com/*
- Trader Joe's: *www.traderjoes.com/*
- Whole Foods Market: *www.wholefoodsmarket.com/*

CUIDADO CORPORAL

- Babo Botanicals: *www.babobotanicals.com/*
- Champú Thorne: *http://store.amymyersmd.com/?s=thorne&post_type= product*
- «Chemical,Free Gluten,Free Skin Care with Bob Root» (podcast): *www.dramymyers.com/2013/07/01/tm-episode-11-chemical-free-gluten-free- skin-care-with-bob-root/*
- Environmental Working Group: *www.ewg.org/*
- «Green Beauty with W3LL PEOPLE» (podcast): *www.dramy myers.com/2013/08/12/tmw-episode-17-green-beauty-with-w3ll-people/*
- Productos de cuidado corporal Keys: *http://store.amymyersmd.com/page/1/?s=KEYS &post_ type=product*
- Productos de maquillaje y belleza W3LL PEOPLE: *http://w3llpeople.com*

DESINTOXICACIÓN DEL HOGAR Y EL CUERPO

- «Detoxification with Dr. Myers» (podcast): *www.dramymyers.com /2013/12/30/the-myers-way-episode-29-detoxification-with-dr-,myers/*

Accesorios de baño

- Cortinas de ducha de algodón orgánico: *www.westelm.com/search/results.html? words=organic+cotton+shower+curtain*
- Filtros para alcachofa de ducha: *www.aquasana.com/shower-head-wate-,filters*

Colchones

- Urban Mattress: *www.urbanmattress.com/*

Filtros de agua

- Filtros de agua Aquasana: *www.aquasana.com/?discountcode=drmyers&utm_me-dium =referral&utm_ source=drmyers&utm_campaign=_*

Filtros de aire

- Filtro de aire IQAir HealthPro Plus: *http://store.amymyersmd.com/shop/iqair-health-pro-plus-air-filter/*
- Purificador de aire IQAir GC MultiGas: *http://store.amymyersmd.com/shop/air.purifier/*

Muebles

- Muebles West Elm: *www.westelm.com/shop/furniture/?cm_type =gnav*

Pinturas

- Pintura con bajo contenido en COV o sin COV Home Depot: *www.eco-options.homedepot.com/clean-air/low-zero-voc-paint/*
- Pintura sin COV Eco-Wise: *www.ecowise.com/category_s/1817.htm*

Productos de limpieza

- Aspiradora con filtro HEPA Miele: *http://store.amymyersmd.com/shop/miele-hepa-vacuum-cleaner/*
- Detergente líquido para lavadoras Ecover: *http: //store.amymyersmd.com/shop/ecover-laundry-liquid/*
- Jabón de Castilla puro Dr. Bronner: *http: //store.amymyersmd.com/shop/dr-bronners-pure-castile-soap/*
- Limpiador de inodoros Ecover: *http://store.amymyersmd.com/shop/ecover-toi-let-bowl-cleaner/*
- Limpiador para baños Ecover: *http://store.amymyersmd.com/shop/ecover-bath-room-cleaner/*
- Pastillas de jabón para lavavajillas Ecover: *http://store.amymyersmd.com/shop/ecover-dishwashing-tablets/*
- Toallitas para manos CleanWell: *http://store.amymyersmd.com/shop/clean-well-hand-sanitizing-wipes/*

Ropa de cama

- Ropa de cama orgánica Eco-Wise: *www.ecowise.com/category_s/1860.htm*
- Ropa de cama orgánica West Elm: *www.westelm.com/shop/bedding/organic-bedding-style/?cm_ type=gnav*

Saunas

- Saunas Sunlighten: *http://store.amymyersmd.com/shop/sunlighten-saunas/*

Suelos

- Alfombras y moquetas de lana West Elm: *www.westelm.com/shop/rugs-windows/rugs-by-material/wool-rugs/?cm_ type=lnav*
- Green Building Supply: *www.greenbuildingsupply.com/All-Products /Flooring*
- Materiales para suelos Eco-Wise: *www.ecowise.com/flooring and countertops_s/ 1857.htm*

Tratamientos para ventanas

- Cortinas West Elm: *www.westelm.com!shop!rugs.windows!window-panels-curtains-shades/*

EN LA RED

- Amy Myers, MD: *www.amymyersmd.com*
- Facebook: *www.facebook.com/AmyMyersMD*
- Meetup: *www.meetup.com/*

INVESTIGACIÓN Y TRATAMIENTO

- American Academy of Environmental Medicine: *www.aaemonline.org/*
- American Board of Integrative and Holistic Medicine: *www.holistic board.org/*
- American Botanical Council: *www.abc.herbalgram.org*
- American College for Advancement in Medicine: *www.acamnet.org/*
- American College of Nutrition: *www.americancollegeo!nutrition.org*
- Cancer Treatment Centers of America: *www.cancercenter.com*
- Center for Integrative Medicine, University of Maryland School of Medicine: *www.compmed.umm.edu*
- Clinton Foundation: *www.clinton!oundation.org*
- The Institute for Functional Medicine: *www!unctionalmedicine.org/*
- The Institute for Molecular Medicine: *www.immed.org*
- The Institutes for the Achievement of Human Potential: *www.iahp.org*
- Linus Pauling Institute, Oregon State University: *http://lpi.oregon state.edu*

- National Center for Complementary and Alternative Medicine: *www.nccam.nih.gov*
- National Institutes of Health: *www.nih.gov*
- Personalized Lifestyle Medicine Institute: *http://plminstitute.org/*
- Personalized Medicine Coalition: *www.personalizedmedicine coalition.org*
- Preventive Medicine Research Institute: *www.pmri.org*
- Slow Food USA: *www.slowfoodusa.org*
- United Natural Products Alliance: *www.unpa.com*

Investigación y grupos de apoyo en el estrés

- The Center for Mind-Body Medicine: *www.cmbm.org*
- The Hendricks Institute: *www.hendricks.com/*

Investigación y grupos de apoyo en la intolerancia al gluten y la enfermedad celíaca

- Celiac Disease Foundation: *http: //celiac.org/*
- Celiac Support Association: *www.csaceliacs.info/*
- Center for Celiac Research and Treatment, Massachusetts General Hospital for Children: *www.celiaccenter.org*
- Gluten Intolerance Group: *www.gluten.net/*
- National Foundation for Celiac Awareness: *www.celiaccentral.org/support,groups/*

Investigación y grupos de apoyo en las enfermedades autoinmunes

- American Autoimmune Related Diseases Association: *www.aarda.org/*
- Autism Research Institute: *www.autism.com*
- Autoimmune Summit: *www.autoimmunesummit.com*
- Crohn's & Colitis Foundation of America: *www.ccfa.org/*
- Graves' Disease & Thyroid Foundation: *www.gdatf.org/*
- Lupus Foundation of America: *www.lupus.org/*
- Multiple Sclerosis Association of America: *www.mymsaa.org/*
- National Psoriasis Foundation: *www.psoriasis.org/*
- Scleroderma Foundation: *www.scleroderma.org/*

LABORATORIOS

- 23andMe: *www.23andme.com*
- Clifford Consulting and Research: *www.ccrlab.com*

- Commonwealth Laboratories: *www.hydrogenbreathtesting.com*
- Cyrex Laboratories: *www.cyrexlabs.com*
- DiagnosTechs: *www.diagnostechs.com/*
- Doctor's Data: *www.doctorsdata.com*
- Dunwoody Labs: *www.dunwoodylabs.com*
- Fertility and Cryogenics Lab: *www.fclab.us*
- Genova Diagnostics: *www.gdx.net*
- IGeneX: *www.igenex.com/Website/*
- Immuno Laboratories: *www.immunolabs.com/patients/*
- Immunosciences Lab: *www.immunoscienceslab.com*
- iSpot Lyme: *http://ispotlyme.com/*
- Laboratory Corporation of America: *www.labcorp.com/wps /portal/*
- Pharmasan Labs: *www.pharmasanlabs.com*
- Quest Diagnostics: *www.questdiagnostics.com/home.html*
- RealTime Laboratories: *www.realtimelab.com*

MEJORA DEL SUEÑO

- Antifaz para dormir ultraligero Bucky Luggage 40 Blinks: *http: //store.amymyersmd.com/shop/bucky-luggage-40-blinks-ultralight-sleep-mask/*
- Bombillas de luz ámbar Bulbrite: *http://store.amymyersmd.com/shop/bulbrite-amber-light-bulbs/*
- Plan de Dan: *www.dansplan.com*
- Bombillas de luz ámbar Feit: *http://store.amymyersmd.com/shop/feit-amber-light-bulbs/*
- Aplicación f.lux (gratuita): *www.justgetflux.com*
- Sales de sulfato de magnesia Simply Right: *http://store.amymyersmd.com/shop/simply-right-epsom-salts/*
- «El experto en problemas del sueño Dan Pardi» (podcast): *www.dramymyers.com/2013/06/24/tmw-episode-10-sleep-expert-dan-pardi /*

MOHOS TÓXICOS/MICOTOXINAS

- Índice de enmohecimiento ambiental relativo (ERMI) y servicios de pruebas de ERMI: *www.emlab.com/s/services/ERMI testing.html*
- RealTime Laboratories: *www.realtimelab.com/*
- Surviving Mold: *www.survivingmold.com/*

- The Myers Way Podcast: *www.amymyers.com/2013/05/19/TMW-episode-5-mycotoxins*

ODONTOLOGÍA BIOLÓGICA

- Academia Internacional de Medicina Oral y Toxicología (IAOMT, por sus siglas inglesas): *http://iaomt.org/*
- Academia Internacional de Odontología Biológica y Medicina: *http://iabdm.org/*
- «Biological Dentistry with Stuart Nunnally, DDS» (podcast): *www.dramymyers.com/2013/07/08/tmw-episode-12-biological-dentistry-with-stuart-nunnally-dds/*
- *It's All in Your Head: The Link Between Mercury Amalgams and Illness,* libro de Hal A. Huggins (Nueva York: Penguin, 1993)
- My Magic Mud: *www.mymagicmud.com/my-magic-mud-natural-teeth-whitening-remedy/*
- «Smoking Teeth=Poison Gas» (vídeo de la Academia Internacional de Medicina Oral y Toxicología): *www.youtube.com/watch?v=9ylnQ-T7oiA*
- *Uninformed Consent: The Hidden Dangers in Dental Care,* libro de Hal A. Huggins y Thomas E. Levy (Newburyport, Massachusetts; Hampton Roads Publishing, 1999)

ORGANISMOS GENÉTICAMENTE MODIFICADOS

- Food Democracy Now!: *www.fooddemocracynow.org Genetic Roulette,* película de]effrey M. Smith y el Institute for Responsible Technology: *www.geneticroulettemovie.com*
- Guía de compras del Environmental Working Group para evitar el consumo de alimentos genéticamente modificados: *www.ewg.org/research/shoppers-guide-to-avoiding-ge-food*
- *Seeds of Deception: Exposing Industry and Government Lies About the Safety of the Genetically Engineered Foods You're Eating,* libro de]effrey M. Smith (Portland, Maine: Yes! Books, 2003)
- The Institute for Responsible Teehnology: *www.responsible technology.org*

PRODUCTOS DE COCINA

Conservación de alimentos

- Bolsas de congelación sin BPA up & up: *www.target.com/p/up-up-trade-double-zipper-quart-size-freezer-bags-50-ct/-/A-14730774#prodSlot=medium_1_3*
- Envases para conserva de vidrio Pyrex: *http://store.amymyersmd.com/shop/pyrex-glass, storage-10-piece-set/*
- Información sobre bolsas Ziploc sin BPA: *www.ziploc.com/Sustainability/Pages/Safety-and-Plastics.aspx*
- Tarros para conserva: *http: //store.amymyersmd.com/shop/ball-mason-jars/*

Conservación de bebidas

- Botellas Klean Kanteen (600 ml): *http://store.amymyersmd.com/shop/klean-kanteen-20oz/*
- Botellas Klean Kanteen (800 ml): *http:/ store.amymyersmd.com/shop/klean-kanteen-27oz/*
- Botellas de vidrio Aquasana: *http://store.amymyersmd.com/shop/aquasana-glass-bottles-6-pack/*

Equipo de cocina

- Cacerolas de acero inoxidable All-Clad: *http://store.amymyersmd.com/shop/all-clad-stainless-steel-sauce-pan/*
- Horno holandés de hierro fundido esmaltado Lodge: *http://store.amymyersmd.com/shop/lodge-enameled-cast-iron-dutch-oven*
- Olla de cocción lenta Crock-Pot: *http://store.amymyersmd.com/shop /crock-pot-5-qt-slow-cooker /*
- Robot de cocina KitchenAid Artisan: *http://store.amymyersmd.com/shop/kitchenaid-artisan-5-qt-stand-mixer/*
- Sartén de hierro fundido esmaltado Lodge: *http:/ / store.amymyersmd.com/ shop/ lodge-enameled-cast-iron-skillet/*
- Sartén de hierro fundido precurado Lodge: *http://store.amymyersmd.com/shop/ lodge-preseasoned-cast-iron-skillet/*
- Utensilios de cocina de bambú Oceanstar: *http://store.amymyersmd.com/ shop/oceanstar-bamboo-kitchen-utensils-7-piece-set/*

Licuadoras y batidoras

- Licuadora Breville: *http://store.amymyersmd.com/shop/breville-juicer/*
- Batidora Vitamix 5.200: *http://store.amymyersmd.com/shop/vitamix-5200-blender/*

RELAJACIÓN Y ALIVIO DEL ESTRÉS

- Aceite de lavanda: *http://store.amymyersmd.com/shop/now-foods-organic-lavender-oil/*
- CD de relajación y meditación: *www.healthjourneys.com*
- Información y referencias sobre acupuntura: *www.nccaom.org/*
- Reductor del estrés personal HeartMath emWave2: *http://store.amymyers md.com/shop/Iheartmath-emwave-2-personal-stress-reliever/*
- Sensor para iOS HeartMath Inner Balance: *http:///store.amymyersmd.com/shop/heartmath-inner-balance-sensor-for-ios/*
- Sensor para iPhone5 y iPad Air HeartMath Inner Balance: *http://store.amymyersmd.com/shop/heartmath-inner-balance-sensor-for-iphone5-and-ipad-air/*

SUPLEMENTOS

- Allergy Research Group: *www.allergyresearchgroup.com*
- Bairn Biologics: *www.bairnbiologics.com*
- Biotics Research: *www.bioticsresearch.com*
- CitriSafe: *www.citrisafecertified.com*
- Designs for Health: *www.designsforhealth.com*
- Douglas Laboratories: *www.douglaslabs.com*
- Great Lakes Gelatin: *www.greatlakesgelatin.com*
- Lauricidin : *www.lauricidin.com*
- Metabolic Maintenance · *www metabolicmaintenance.com*
- Metagenics: *www.metagenics.com*
- NeuroScience: *www.neurorelief.com*
- Prescript,Assist: *www.prescript.assist.com*
- ProThera/Klaire Labs: *www.protherainc.com*
- Pure Encapsulations: *www.pureencapsulations.com*
- Thorne Research: *www.thorne.com*
- Xymogen: *www.xymogen.com*

Bibliografía seleccionada

Capítulo 1: Mi viaje autoinmune... y el suyo

Boelaert, K., P. R. Newby, M. J. Simmonds, R. L. Holder, J. D. Carr-Smith, J. M. Heward, N. Manj.i, et al. «Prevalence and Relative Risk of Other Autoimmune Diseases in Subjects with Autoimmune Thyroid Disease», *American Journal of Medicine* 123, n.º 2 (febrero de 2010): 183.

Ch'ng, C. L., M. Keston Jones y Jeremy G. C. Kingham. «Celiac Disease and Autoimmune Thyroid Disease», *Clinical Medicine and Research* 5, n.º 3 (octubre de 2007): 184-192.

Harel, M. y. Shoenfeld. «Predicting and Preventing Autoimmunity, Myth or Reality?» *Annals of the Nueva York Academy of Sciences* 1069 (junio de 2006): 322-45.

Hewagama, A. y B. Richardson. «The Genetics and Epigenetics of Autoimmune Diseases», *Journal of Autoimmunity* 33, n.º 1 (agosto de 2009): 3.

Okada, H., C. Kuhn, H. Feillet y J. F. Bach. «The 'Hygiene Hypothesis' for Autoimmune and Allergic Diseases: An Update», *Clinical and Experimental Immunology* 160, n.º 1 (abril de 2010): 1-9.

Rook, G. A., C. A. Lowryy C. L. Raison. «Hygiene and Other Early Childhood Influences on the Subsequent Function of the Immune System», Brain Research (abril de 13, 2014).

Selgrade, M. K., G. S. Cooper, D. R. Germolecy, J. J. Heindel. «Linking Environmental Agents and Autoimmune Disease: An Agenda for Future Research», *Environmental Health Perspectives* 107, supl. 5 (octubre de 1999): 811-13.

Shoenfeld, Y., B. Gilburd, M. Abu~Shakra, H. Amital, O. Barzilai, Y. Berkun, M. Blank, et al. «The Mosaic of Autoimmunity: Genetic Factors Involved in Autoimmune Diseases: 2008», *Israel Medical Association Journal* 10, n.º 1 (enero de 2008): 3-7.

Smyk, D., E. Rigopoulou, H. Baum, A. K. Burroughs, D. Vergani y D. P. Bogdanos. «Autoimmunity and Environment: Am I at Risk?» *Clinical Reviews in Allergy and Immunology* 42, n.º 2 (abril de 2012): 199-212.

University of Michigan Health System. «The Hygiene Hypothesis: Are Cleanlier Lifestyles Causing More Allergies for Kids?» Science*Daily*. 9 de septiembre de 2007.

Weight~Control Information Network. «Overweight and Obesity Statistics» http://win.niddk.nih.gov I statistics/.

Willett, W. C. «Balancing Life~Style and Genomics Research for Disease Prevention», *Science* 296, n.º 5568 (abril de 2002): 695-598.

Síntomas autoinmunes y de inflamación

Adams, J. B., L. J. Johansen, L. D. Powell, D. Quig y R. A. Rubin. «Gastrointestinal Flora and Gastrointestinal Status in Children with Autism: Comparisons to Typical Children and Correlation with Autism Severity», *BMC Gastroenterology* 11 (marzo de 2011): 22.

Doe, W. F. «The Intestinal Immune System», *Gut* 30 (1989): 1679-85.

Ginsberg, J. «Diagnosis and Management of Graves' Disease», *Canadian Medical Association Journal* 168, n.º 5 (marzo de 2003): 575-585.

Herbert, M. R. «Autism: A Brain Disorder, or a Disorder That Affects the Brain?» *Clinical Neuropsychiatry* 2, n.º 6 (2005): 354-79.

Holmdahl, R., V. Malmstrbmy H. Burkhardt. «Autoimmune Priming, Tissue Attacky Chronic Inflammation: The Three Stages of Rheumatoid Arthritis.»
European Journal of Immunology 44, n.º 6 (junio de 2014): 1593-1599.

The Institute for Functional Medicine. «21st Century Medicine: A New Model for Medical Education and Practice», www.functionalmedicine.org/functional medicine~in~practice l deeper l.

MedlinePlus. «Propylthiouracil», www.nlm.nih.gov/medlineplus/druginfo/meds/a682465.html.

National Institute of Arthritis and Musculoskeletal and Skin Diseases website. www.niams.nih.gov.

Office on Women's Health, U.S. Department of Health and Human Services. «Autoimmune Diseases Fact Sheet», www.womenshealth.gov/publications/our~publications/fact~sheet/autoimmune~diseases.html.

Vojdani, A., E. Mumper, D. Granpeesheh, L. Mielke, D. Traver, K. Bock, K. Hirani, et al. «Low Natural Killer Cell Cytotoxic Activity in Autism:

The Role of Glutathione, IL~2 y IL~15», *Journal of Neuroimmunology* 205, nos. 1-2 (diciembre de 2008): 148-54.

Vojdani, A., T. O'Bryan, J. A. Green, J. McCandless, K. N. Woeller, E. Vojdani, A. A. Nouriany E. L. Cooper «Immune Response to Dietary Proteins, Gliadiny Cerebellar Peptides in Children with Autism», *Nutritional Neuroscience* 7, n.º 3 (junio de 2004): 151-161.

Estadísticas sobre autoinmunidad en Estados Unidos

American Autoimmune Related Diseases Association. «Autoimmune Statistics» www. aarda.org/autoimmune~information/autoimmune~statistics/.

American Autoimmune Related Diseases Association and National Coalition of Autoimmune Patient Groups. «The Cost Burden of Autoimmune Disease: The Latest Front in the War on Healthcare Spending», 2011. www.diabetesed.net/Ipage/_ files/autoimmune~diseases.pdf.

National Institutes of Health. «Autoimmune Diseases Coordinating Committee: Autoimmune Diseases Research Plan» 2002. www.niaid.nih.gov/topics/autoimmune/Documents/adccreport. pdf.

«Trastornos autoinmunes en el espectro de autoinmunidad»

American Academy of Allergy Asthma and Immunology. «Asthma Statistics», www. aaaai.org/about-the-aaai/newsroom/allergy-statistics. aspx.

Arthritis Foundation website. www.arthritis.org.

Centers for Disease Control and Prevention website. www.cdc.gov.

Capítulo 2: Mitos y realidades de la autoinmunidad

Cooper, G. S., M. L. K. Bynumy E. C. Somers. «Recent Insights in the Epidemiology of Autoimmune Diseases: Improved Prevalence Estimates and Understanding of Clustering of Diseases», *Journal of Autoimmunity* 33, nos. 3-4 (noviembre diciembre de 2009): 197-207.

Cooper, G. S., F. W. Millery J. P. Pandey. «The Role of Genetic Factors in Autoimmune Disease: Implications for Environmental Research», *Environmental Health Perspectives* 107, supl.5 (octubre de 1999): 693-700.

Dooley, M. A. y S. L. Hogan. «Environmental Epidemiology and Risk Factors for Autoimmune Disease», *Current Opinion in Rheumatology* 15, n.º 2 (marzo de 2003): 99-103.

Fasano, A. *Gluten Freedom*. Hoboken, Nueva Jersey: John Wiley & Sons, 2014.

Fasano, A. «Systemic Autoimmune Disorders in Celiac Disease», *Current Opinion in Gastroenterology* 22, n.º 6 (noviembre de 2006): 674-79.

Hewagama, A. y B. Richardson. «The Genetics and Epigenetics of Autoimmune Diseases», *Journal of Autoimmunity* 33, n.º 1 (agosto de 2009): 3.

Invernizzi, P. y M. E. Gershwin. «The Genetics of Human Autoimmune Disease», *Journal of Autoimmunity* 33, nos. 3-4 (noviembre-diciembre de 2009): 290-299.

Kussmann, M. y P. J. van Bladeren. «The Extended Nutrigenomics-Understanding the Interplay Between the Genomes of Food, Gut Microbesy Human Host», *Frontiers in Genetics* 2 (mayo de 2011): 21.

Lu, Q. «The Critical Importance of Epigenetics in Autoimmunity», *Journal of Autoimmunity* 41 (marzo de 2013): 1-5.

Powell, J. J., J. van de Water y M. E. Gershwin. «Evidence for the Role of Environmental Agents in the Initiation or Progression of Autoimmune Conditions», *Environmental Health Perspectives* 107, supl.5 (octubre de 1999): 667-72.

Radbruch, A. y P. E. Lipsky, eds. *Current Concepts in Autoimmunity and Chronic Inflammation*. Vol. 305 de *Current Topics in Microbiology and Immunology*. Berlín: Springer Verlag, 2006.

Walsh, S. J. y L. M. Rau. «Autoimmune Diseases: A Leading Cause of Death Among Young and Middle-Aged Women in the United States», *American Journal of Public Health* 90, n.º 9 (septiembre de 2000): 1463-1466.

CellCept (ácido micofenólico)

American College of Rheumatology. «Mycophenolate Mofetil (CellCept) and Mycophenolate Sodium (Myfortic)», www.rheumatology.org/Practice /Clinical/ Patients/Medications /Mycophenolate Mofetil_(CellCept)_and_Mycophenolate_Sodium_(Myfortic)/.

Genentech USA. «Frequently Asked Questions About CellCept», www.cellcept.com/cellcept/about.htm.

MedicineNet.com. «Mycophenolate Mofetil-Oral, CellCept», Última modificación el 16 de abril de 2014. www.medicinenet.com /mycophenolate_mofetil-oral/article.htm.

Enbrel (etanercept)

Immunex Corporation. «Safety Information and Side Effects of ENBREL» www.enbrel.com/possible-side-effects.jspx.

Humira (adalimumab)

AbbVie. «Humira (Adalimumab)», www.humira.com.

Imurán (azatioprina)

American College of Rheumatology. «Azathioprine (Imuran)», www.rheumatology.org/Practice/Clinical/Patients/Medications/Azathioprine_(Imuran)/.

Kineret (anakinra)

MedicineNet.com. «Anakinra-Injection, Kineret», Última modificación el 16 de abril de 2014. www.medicinenet.com/anakinra-injectable/article.htm.

Swedish Orphan Biovitrum. «Kineret (Anakinra)», www.kineretrx.com/patient/about-kineretr/side-effects/.

AINE, prednisona

Berner, J. y C. Gabay. «Best Practice Use of Corticosteroids in Rheumatoid Arthritis», [En francés] *Revue Médicale Suisse* 10, n.° 421 (marzo de 2014): 603-606, 608.

MedicineNet.com. «What Are the Side Effects of NSAIDS?» Última modificación el 22 de octubre de 2013. www.medicinenet.com/nonsteroidantiintlammatory_drugs/page2.htm#what_are   the_side_effects of_nsaids.

MedlinePlus. «Ibuprofen» www.nlm.nih.gov/medlineplus/druginfo/meds/a682159.htm/.

MedlinePlus. «Prednisone», www.nlm.nih.gov/medlineplus/druginfo/meds/a601102.html.

Plaquenil (hidroxicloroquina)

American College of Rheumatology. «Hydroxychloroquine (Plaquenil)», www.rheumatology.org/Practice/Clinical/Patients/Medications/Hydro xychloroquine_(Plaquenil)/.

MedlinePlus. «Hydroxychloroquine», www.nlm.nih.gov/medlineplus/druginfo/meds/a60 1240.html.

Semmelweis, Ignaz Philipp

The Complete Dictionary of Scientific Biography. Nueva York: Charles Scribner's Sons, 2008. www.encyclopedia.com/topic/Ignaz_Philipp Semmelweis.aspx.

Trexall (metotrexato)

American College of Rheumatology. «Methotrexate (Rheumatrex, Trexall).» www. rheumatology.org/Practice/Clinical/Patients/Medications /Methotrexate_(Rheumatrex,_Trexall)/.

Chan, E. S. y B. N. Cronstein. «Methotrexate-How Does It Really Work?» Nature Reviews: Rheumatology 6, n.º 3 (marzo de 2010): 175-178.

MedlinePlus. «Methotrexate», www.nlm.nih.gov/medlineplus/druginfo/meds/a682019.html.

Capítulo 3: Nosotros somos nuestros propios enemigos

American Association of Physicians of Indian Origin. A *API's Nutrition Guide to Optimal Health: Using Principles of Functional M edicine and Nutritional Genomics*. 2012. http: //aapiusa.org/uploads /files /docs/AAPI % 20E % 20book-% 20Entire% 20E%20Book%202-2-2012.pdf.

Arizona Center for Advanced Medicine. «Inflammation», 26 de junio de 2013. http: //arizonaadvancedmedicine.com/intlammation/.

Avena, N. M., P. Rada y B. G. Hoebel. «Evidence for Sugar Addiction: Behavioral and Neurochemical Effects of Intermittent, Excessive Sugar Intake», *Neuroscience and Biobehavioral Reviews* 32, n.º 1 (2008): 20-39.

Backes, C., N. Ludwig, P. Leidinger, C. Harz, J. Hoffmann, A. Keller, E. Meese, et al. «Immunogenicity of Autoantigens», *BMC Genomics* 12 (julio de 2011): 340.

Bosma-den Boer, M. M., M.~L. van Wetteny L. Pruimboom. «Chronic Inflammatory Diseases Are Stimulated by Current Lifestyle: How Diet, Stress Levels, and Medication Prevent Our Body from Recovering», *Nutrition and Metabolism* 9, n.º1 (abril de 2012): 32.

Eisenmann, A., C. Murr, D. Fuchsy M. Ledochowski. «Gliadin IgG Antibodies and Circulating Immune Complexes», *Scandinavian Journal of Gastroenterology* 44, n.º 2 (2009) : 168-171.

The Institute for Functional Medicine. «A New Era in Preventing, Managing and Reversing Cardiovascular and Metabolic Dysfunction», Conferencia Internacional Anual, Scottsdale, Arizona, 31 de mayo-3 de junio de 2012.

The Institute for Functional Medicine. «Immune Advanced Practice Module», www.functionalmedicine.orgjlisting.aspx? cid=35.

Isasi, C., I. Colmenero, F. Casco, E. Tejerina, N. Fernández, J. I. Serrano, Vela, M. J. Castro, et al. «Fibromyalgia and Non Celiac Gluten Sensitivity: A Description with Remission of Fibromyalgia», *Rheumatology International* (12 de abril de 2014).

Kantamala, D., M. Vongsakul y J. Satayavivad. «The In Vivo and In Vitro Effects of Caffeine on Rat Immune Cells Activities: B, T and NK Cells», *Asian Pacific Journal of Allergy and Immunology* 8, n.° 2 (diciembre de 1990): 77-82.

Kovarik, J. «From Immunosuppression to Immunomodulation: Current Principles and Future Strategies», *Pathobiology* 80, n.° 6 (2013): 275-281.

LeBert, D. C. y A. Huttenlocher. «Inflammation and Wound Repair», *Seminars in Immunology* (19 de mayo de 2014).

Mannik, M., F. A. Nardella y E. H. Sasso. «Rheumatoid Factors in Immune Complexes of Patients with Rheumatoid Arthritis», *Springer Seminars in Immunopathology* 10, nos. 2-3 (1988): 215-230.

Massachusetts General Hospital. «Inflammation 101: Your Immune System», www.gluegrant.org/immunesystem.htm.

Mathsson, L., J. Lampa, M. Mullazehi y J. Rónnelid. «Immune Complexes from Rheumatoid Arthritis Synovial Fluid Induce Fc□RIIa Dependent and Rheumatoid Factor Correlated Production of Tumour Necrosis Factor-□ by Peripheral Blood Mononuclear Cells», *Arthritis Research and Therapy* 8 (2006): R64.

Morris, G., M. Berk, P. Galecki y M. Maes. «The Emerging Role of Autoimmunity in Myalgic Encephalomyelitis/Chronic Fatigue Syndrome (ME/cfs)», *Molecular Neurobiology* 49, n.° 2 (abril de 2014): 741-756.

Muñoz, L. E., C. Janko, C. Schulze, C. Schorn, K. Sarter, G. Schetty y M. Herrmann. «Autoimmunity and Chronic Inflammation-Two Clearance, Related Steps in the Etiopathogenesis of SLE», *Autoimmunity Reviews* 10, n.° 1 (noviembre de 2010): 38-42.

Pawelec, G., D. Goldeck y E. Derhovanessian. «Inflammation, Ageing and Chronic Disease», *Current Opinion in Immunology* 29C (abril de 2014): 23-28.

Pollard, K. M., ed. *Autoantibodies and Autoimmunity: Molecular Mechanisms in Health and Disease*. Hoboken, Nueva Jersey: John Wiley & Sons, 2006.

Pomorska-Mól, M., I. Markowska, Daniel, K. Kwit, E. Czyiewska, A. Dors, J. Rachubik y Z. Pejsak. «Immune and Inflammatory Response in Pigs

During Acute Influenza Caused by H1N1 Swine Influenza Virus», *Archives of Virology* (21 de mayo de 2014).

Radbruch, A. y P. E. Lipsky, eds. *Current Concepts in Autoimmunity and Chronic Inflammation.* Vol. 305 de *Current Topics in Microbiology and Immunology.* Berlín: Springer Verlag, 2006.

Rescigno, M. «Intestinal Microbiota and Its Effects on the Immune System», *Cellular Microbiology* (1 de mayo de 2014).

Sompayrac, L. M. *How the Immune System Work.* 4ª ed. Nueva York: John Wiley & Sons, 2012.

Vojdani, A. e I. Tarash. «Cross,Reaction Between Gliadin and Different Food and Tissue Antigens», *Food and Nutrition Sciences* 4, n.º 1 (enero de 2013): 20-32.

Wang, J. y H. Arase. «Regulation of Immune Responses by Neutrophils», *Annals of the New York Academy of Sciences* (21 de mayo de 2014).

Capítulo 4: Sanar el tubo digestivo

Adebamowo, C. A., D. Spiegelman, C. S. Berkey, F. W. Danby, H. H. Rockett, G. A. Colditz, W. C. Willett, et al. «Milk Consumption and Acne in Adolescent Girls», *Dermatology Online Journal* 12, n.º 4 (mayo de 2006): 1.

Adebamowo, C. A., D. Spiegelman, C. S. Berkey, F. W. Danby, H. H. Rockett, G. A. Colditz, W. C. Willett, et al. «Milk Consumption and Acne in Teenaged Boys», *Journal of the American Academy of Dermatology* 58, n.º 5 (mayo de 2008): 787-793.

Ashraf, R. y N. P. Shah. «Immune System Stimulation by Probiotic Microorganisms», *Critical Reviews in Food Science and Nutrition* 54, n.º 7 (2014): 938-956.

Aydo□an, B., M. Kiro□lu, D. Altintas, M. Yilmaz, E. Yorgancilary Ü. Tuncer. «The Role of Food Allergy in Otitis Media with Effusion», *Otolaryngology: Head and Neck Surgery* 130, n.º 6 (junio de 2004): 747-750.

Biasucci, G., B. Benenati, L. Morelli, E. Bessi y G. Boehm. «Cesarean Delivery May Affect the Early Biodiversity of Intestinal Bacteria», *Journal of Nutrition* 138, n.º 9 (septiembre de 2008): 1796S-1800S.

Blum, K. y J. Payne. *Alcohol and the Addictive Brain*, 99-216. Nueva York: Free Press, 1991.

Brandtzaeg, P. «Gatekeeper Function of the Intestinal Epithelium», *Beneficial Microbes* 4, n.º 1 (marzo de 2013): 67-82.

Brown, K., D. DeCoffe, E. Molean y D. L. Gibson. «Corrections to Article: Diet Induced Dysbiosis of the Intestinal Microbiota and the Effects on Immunity and Disease», *Nutrients* 4, n.º 8 (2012): 1095-119», *Nutrients* 4, n.º 11 (2012): 1552-1553.

Brown, K., D. DeCoffe, E. Moleany D. L. Gibson. «Diet-Induced Dysbiosis of the Intestinal Microbiota and the Effects on Immunity and Disease», *Nutrients* 4, n.º 8 (2012): 1095-1119.

Buendgens, L., J. Bruensing, M. Matthes, H. Dückers, T. Luedde, C. Trautwein, F. Tacke, et al. «Administration of Proton Pump Inhibitors in Critically Ill Medical Patients Is Associated with Increased Risk of Developing Clostridium Difficile-Associated Diarrhea», *Journal of Critical Care* 29, n.º 4 (agosto de 2014): 696.e11-15.

Charalampopoulos, D. y R. A. Rastall, eds. *Prebiotics and Probiotics Science and Technology*. Vols. 1-2. Nueva York: Springer, 2009.

Chen, J., X. He y J. Huang. «Diet Effects in Gut Microbiome and Obesity.» *Journal of Food Science* 79, n.º 4 (abril de 2014): R442-51.

Corleto, V. D., S. Festa, E. Di Giulio y B. Annibale. «Proton Pump Inhibitor Therapy and Potential Long-Term Harm», *Current Opinion in Endocrinology, Diabetes and Obesity* 21, n.º 1 (febrero de 2014): 3-8.

Crook, W. G. *The Yeast Connection: A Medical Breakthrough*. Nueva York: Vintage, 1986.

Danby, F. W. «Acne, Dairy, and Cancer», *Dermato-Endocrinology* 1, n.º 1 (enero de-febrero de 2009): 12-16.

Danby, F. W. «Nutrition and Acne», *Clinics in Dermatology* 28, n.º 6 (noviembre-diciembre de 2010): 598-604.

Decker, E., G. Engelrnann, A. Findeisen, P. Gerner, M. Laa☐, D. Ney, C. Posovszky, et al. «Cesarean Delivery Is Associated with Celiac Disease but Not Inflammatory Bowel Disease in Children», *Pediatrics* 125, n.º 6 (junio de 2010): e1433-440.

Doe, W. F. «The Intestinal Immune System», Gut 30 (1989): 1679-1685.

Domínguez-Bello, M. G., E. K. Costello, M. Contreras, M. Magris, G. Hidalgo, N. Fierer y R. Knight. «Delivery Mode Shapes the Acquisition and Structure of the Initial Microbiota Across Multiple Body Habitats in Newborns», *Proceedings of the National Academy of Sciences of the United States of America* 107, n.º 26 (junio de 2010): 11971-11975.

Eberl, G. «A New Vision of Immunity: Homeostasis of the Superorganism», *Mucosal Immunology* 3, n.º 5 (septiembre de 2010): 450-460.

Fasano, A. «Celiac Disease Insights: Clues to Solving Autoimmunity», *Scientific American*, agosto de 2009.

Fasano, A. «Leaky Gut and Autoimmune Diseases», *Clinical Reviews in Allergy and Immunology* 42, n.° 1 (febrero de 2012): 71-78.

Fasano, A. «Zonulin and Its Regulation of Intestinal Barrier Function: The Biological Door to Inflammation, Autoimmunityy Cancer», *Physiological Reviews* 91, n.° 1 (enero de 2011): 151-75.

Fasano, A. y T. Shea-Donohue. «Mechanisrns of Disease: The Role of Intestinal Barrier Function in the Pathogenesis of Gastrointestinal Autoimmune Diseases», *Nature Clinical Practice: Gastroenterology and Hepatology* 2, n.° 9 (septiembre de 2005): 416-422.

Harnad, M., K. H. Abu-Elteeny M. Ghaleb. «Estrogen-Dependent Induction of Persistent Vaginal Candidosis in Naïve Mice», *Mycoses* 47, n.° 7 (agosto de 2004): 304-309.

Hardy, H., J. Harris, E. Lyon, J. Beal y A. D. Foey «Probiotics, Prebiotics and Immunomodulation of Gut Mucosal Defences: Horneostasis and Immunopathology», *Nutrients* 5, n.° 6 (junio de 2013): 1869-1912.

Hawrelak, J. A. y S. P. Myers. «The Causes of Intestinal Dysbiosis: A Review», *Alternative Medicine Review* 9, n.° 2 (junio de 2004): 180-197.

Hering, N. A. y J. D. Schulzke. «Therapeutic Options to Modulate Barrier Defects in Inflammatory Bowel Disease», *Digestive Diseases* 27, n.° 4 (2009): 450-454.

Huebner, F. R., K. W. Lieberman, R. P. Rubinoy J. S. Wall. «Demonstration of High Opioid-Like Activity in Isolated Peptides from Wheat Gluten Hydrolysates», *Peptides* 5, n.° 6 (noviembre-diciembre de 1984): 1139-1147.

Huurre, A., M. Kalliornaki, S. Rautava, M. Rinne, S. Salminen y E. Isolauri. «Mode of Delivery-Effects on Gut Microbiota and Humoral Immunity», *Neonatology* 93, n.° 4 (2008): 236-240.

The Institute for Functional Medicine. «Advanced Practice GI Module», www. functionalmedicine.org/ conference.aspx?id =2744&cid = 35&section =t324.

The Institute for Functional Medicine. *Textbook of Functional Medicine.* septiembre de 2010. www.functionalmedicine.org/listing_detail.aspx?id= 2415&cid=34.

Juntti, H., S. Tikkanen, J. Kokkonen, O. P. Alho y A. Niinirnaki. «Cow's Milk Allergy Is Associated with Recurrent Otitis Media During Childhood», *Acta Oto-Laryngologica* 119, n.° 8 (1999): 867-873.

Kazi, Y. E, S. Saleem y N. Kazi. «Investigation of Vaginal Microbiota in Sexually Active Women Using Hormonal Contraceptives in Pakistan», *BMC Urology* 18, n.º 12 (agosto de 2012): 22.

Kitano, H. y K. Oda. «Robustness Trade-Offs and Host-Microbial Symbiosis in the Immune System», *Molecular Systems Biology* 2 (2006): 2006.0022.

Krause, R., E. Schwab, D. Bachhiesl, E Daxbbck, C. Wenisch, G. J. Krejs y E. C. Reisinger. «Role of Candida in Antibiotic-Associated Diarrhea», *Journal of Infectious Diseases* 184, n.º 8 (octubre de 2001): 1065-1069.

Kumar, V., M. Jarzabek-Chorzelska, J. Sulej, K. Karnewska, T. Farrell y S. Jablonska. «Celiac Disease and Immunoglobulin A Deficiency: How Effective Are the Serological Methods of Diagnosis?» *Clinical and Vaccine Immunology* 9, n.º 6 (noviembre de 2002): 1295-1300.

Lam, J. R., J. L. Schneider, W. Zhao y D. A. Corley. «Proton Pump Inhibitor and Histamine 2 Receptor Antagonist Use and Vitamin B12 Deficiency», *Journal of the American Medical Association* 310, n.º 22 (diciembre de 2013): 2435-2442.

Lammers, K. M., R. Lu, J. Brownley, B. Lu, C. Gerard, K. Thomas, P. Rallabhandi, et al. «Gliadin Induces an Increase in Intestinal Permeability and Zonulin Release by Binding to the Chemokine Receptor CXCR3», *Gastroenterology* 135, n.º 1 (julio de 2008): 194-204, e3.

Lankelma, J. M., M. Nieuwdorp, W. M. de Vos y W. J. Wiersinga. «The Gut Microbiota in Sickness and Health», [en holandés.] *Nederlands Tijdschrift voor Qeneeskunde* 157 (2014): A590I.

Ludvigsson, J. E, M. Neovius y L. Hammarstrbm. «Association Between IgA Deficiency and Other Autoirnmune Conditions: A Population-Based Matched Cohort Study», *Journal of Clinical Immunology* 34, n.º 4 (mayo de 2014): 444-451.

Man, A. L., N. Gicheva y C. Nicoletti. «The Impact of Ageing on the Intestinal Epithelial Barrier and Immune System», *Cellular Immunology* 289, nos. 1-2 (mayo-junio de 2014): 112-118.

McDermott, A. J. y G. B. Huffnagle. «The Microbiome and Regulation of Mucosal Immunity», *Immunology* 142, n.º 1 (mayo de 2014): 24-31.

Melnik, B. C. «Evidence for Acne~Prornoting Effects of Milk and Other Insulinotropic Dairy Products», *Nestlé Nutrition Institute Workshop Series: Pediatric Program* 67 (2011): 131-145.

Naglik, J. R., D. L. Moyes, B. Wachtler y B. Hube. «Candida albicans Interactions with Epithelial Cells and Mucosal Immunity», *Microbes and Infection* 13, nos. 12-13 (noviembre de 2011): 963-976.

National Digestive Diseases Information Clearinghouse (NDDIC), U.S. Department of Health and Human Services. «The Digestive System and How It Works», Última modificación el 18 de septiembre de 2013. http://digestive.niddk.nih.gov/ddiseases/pubs/yrdd/.

Nicholson, J. K., E. Holmes, J. Kinross, R. Burcelin, G. Gibson, W. Jia y S. Pettersson. «Host-Gut Microbiota Metabolic Interactions», *Science* 336, n.° 6086 (junio de 2012): 1262-1267.

Pizzorno, J. E. y M. T. Murray. *Textbook of Natural Medicine.* 4ª ed. Londres: Churchill Livingstone, 2012.

Proal, A. D., P. J. Alberty T. G. Marshall. «The Human Microbiome and Autoimmunity», *Current Opinion in Rheumatology* 25, n.° 2 (marzo de 2013): 234-240.

Rescigno, M. «Intestinal Microbiota and Its Effects on the Immune System», *Cellular Microbiology* (1 de mayo de 2014).

Rigon, G., C. Vallone, V. Lucantoni y F. Signore. «Maternal Factors Pre~ and During Delivery Contribute to Gut Microbiota Shaping in Newborns», *Frontiers in Cellular and Infection Microbiology* (4 de julio de 2012).

Roberfroid, M., G. R. Gibson, L. Hoyles, A. L. McCartney, R. Rastall, I. Rowland, D. Wolvers, et al. «Prebiotic Effects: Metabolic and Health Benefits», *British Journal of Nutrition* 104, supl.2 (agosto de 2010): Sl-S63.

Rogier, E. W., A. L. Frantz, M. E. Bruno, L. Wedlund, D. A. Cohen, A. J. Stromberg y C. S. Kaetzel. «Secretory Antibodies in Breast Milk Promote Long-Term Intestinal Homeostasis by Regulating the Gut Microbiota and Host Gene Expression», *Proceedings of the National Academy of Sciences of the United States of America* 111, n.° 8 (febrero de 2014): 3074-3079.

Ruscin, J. M., R. L. Page II y R. J. Valuck. «Vitamin B(12) Deficiency Associated with Histamine(2),Receptor Antagonists and a Proton,Pump Inhibitor», *Annals of Pharmacotherapy* 36, n.° 5 (mayo de 2002): 812-816.

Sapone, A., K. M. kammers, V. Casolaro, M. Cammarota, M. T. Giuliano, M. de Rosa, R. Stefanile, et al. «Divergence of Gut Permeability and Mucosal Immune Gene Expression in Two Gluten,Associated Conditions: Celiac Disease and Gluten Sensitivity», *BMC Medicine* 9 (marzo de 2011): 23.

Sathyabama, S., N. Khan y J. N. Agrewala. «Friendly Pathogens: Prevent or Provoke Autoimmunity», *Critical Reviews in Microbiology* 40, n.° 3 (agosto de 2014): 273-280.

Scrimgeour, A. G. y M. L. Condlin. «Zinc and Micronutrient Combinations to Combat Gastrointestinal Inflammation», *Current Opinion in Clinical Nutrition and Metabolic Care* 12, n.º 6 (noviembre de 2009): 653-660.

Shoaie, S. y J. Nielsen. «Elucidating the Interactions Between the Human Gut Microbiota and Its Host Through Metabolic Modeling», *Frontiers in Genetics* 5 (abril de 2014): 86.

Simonart, T. «Acne and Whey Protein Supplementation Among Bodybuilders», *Dermatology* 225, n.º 3 (2012): 256-258.

Spampinato, C. y D. Leonardi. «Candida Infections, Causes, Targets and Resistance Mechanisms: Traditional and Alternative Antifungal Agents. » *BioMed Research International* 2013 (2013), ID del artículo 204237.

Taibi, A. y E. M. Comelli. «Practical Approaches to Probiotics Use», *Applied Physiology, Nutritiony Metabolism* 39, n.º 8 (agosto de 2014): 980-986.

Teschemacher, H. «Opioid Receptor Ligands Derived from Food Proteins», *Current Pharmaceutical Design* 9, n.º 16 (003): 1331-1344.

Teschemacher, H. y G. Koch. «Opioids in the Milk», *Endocrine Regulations* 25, n.º 3 (septiembre de 1991): 147-150.

Teschemacher, H., G. Koch y V. Brand. «Milk Protein-Derived Opioid Receptor Ligands», *Biopolymers* 43, n.º 2 (1997): 99-117.

Togami, K., Y. Hayashi, S. Chono y K. Morimoto. «Involvement of Intestinal Permeability in the Oral Absorption of Clarithromycin and Telithromycin», *Biopharmaceutics and Drug Disposition* (6 de mayo de 2014).

Truss, C. O. «Metabolic Abnormalities in Patients with Chronic Candidiasis: The Acetaldehyde Hypothesis», *Journal of Orthomolecular Psychiatry* 13, n.º 2 (1984): 66-93.

Ul Haq, M. R., R. Kapila, R. Sharma, V. Saliganti y S. Kapila. «Comparative Evaluation of Cow □-Casein Variants (A1 /A2) Consumption on Th2-Mediated Inflammatory Response in Mouse Gut», *European Journal of Nutrition* 53, n.º 4 (junio de 2014): 1039-1049.

Van de Wijgert, J. H., M. C. Verwijs, A. N. Turner y C. S. Morrison. «Hormonal Contraception Decreases Bacterial Vaginosi but Oral Contraception Increases Candidiasis: Implications for HIV Transmission», *AIDS* 27, n.º 13 (agosto de 2013): 2141-2153.

Vieira, S., O. Pagovichy M. Kriegel. «Diet, Microbiota and Autoimmune Diseases», *Lupus* 23, n.º 6 (2014): 518-526.

Vojdani, A., P. Rahimian, H. Kalhor y E. Mordechai. «Immunological Cross-Reactivity Between Candida albicans and Human Tissue», *Journal of Clinical and Laboratory Immunology* 48, n.º 1 (1996): 1-15.

West, C. E., M. C. Jenmalmy S. L. Prescott. «The Gut Microbiota and Its Role in the Development of Allergic Disease: A Wider Perspective», *Clinical and Experimental Allergy* (29 de abril de 2014).

Wilhelm, S. M., R. G. Rjatery P. B. Kale,Pradhan. «Perils and Pitfalls of Long-Term Effects of Proton Pump Inhibitors», *Expert Review of Clinical Pharmacology* 6, n.° 4 (julio de 2013): 443-451.

Wright, J. y L. Lenard. Why Stomach Acid Is Good for You: *Natural Relief from Heartbum, Indigestion, Reflux and GERD*. Nueva York: M. Evans, 2001.

Yu, L. c., J. T. Wang, S. C. Wei y Y. H. Ni. «Host,Microbial Interactions and Regulation of Intestinal Epithelial Barrier Function: From Physiology to Pathology», *World Journal of Gastrointestinal Pathophysiology* 3, n.° 1 (febrero de 2012): 27-43.

Zakout, Y. M., M. M. Salih y H. G. Ahmed. «Frequency of Candida Species in Papanicolaou Smears Taken from Sudanese Oral Hormonal Contraceptives Users», *Biotech and Histochemistry* 87, n.° 2 (febrero de 2012): 95-97.

Capítulo 5: Erradicar el gluten, los cereales y las legumbres

Antoniou, M., C. Robinson y J. Fagan. «GMO Myths and Truths: An Evidence, Based Examination of the Claims Made for the Safety and Efficacy of Genetically Modified Crops and Foods», *Earth Open Source*. Junio de 2012. http: //earthopensource.org/files/pdfs/GMO_Myths_and Truths/GMO_Myths_and_Truths_1.3.pdf.

Ballantyne, S. *The Paleo Approach: Reverse Autoimmune Disease and Heal Your Body*. Las Vegas: Victory Belt, 2013.

Bergmans, H., C. Logie, K. van Maanen, H. Hermsen, M. Meredyth y C. van der Vlugt. «Identification of Potentially Hazardous Human Gene Products in GMO Risk Assessment», *Environmental Biosafety Research* 7, n.° 1 (enero–marzo de 2008): 1-9.

Bjarnason, I., P. Williams, A. So, G. D. Zanelli, A. J. Levi, J. M. Gumpel, T. J. Peters, et al. «Intestinal Permeability and Inflammation in Rheumatoid Arthritis: Effects of Non,Steroidal Anti-Inflammatory Drugs», *Lancet* 2, n.° 8413 (noviembre de 1984): 1171-1174.

Bonds, R. S., T. Midoro-Horiuti y R. Goldblum. «A Structural Basis for Food Allergy: The Role of Cross,Reactivity», *Current Opinion in Allergy and Clinical Immunology* 8, n.° 1 (febrero de 2008): 82-86.

Catassi, C., J. C. Bai, B. Bonaz, G. Bouma, A. Calabro, A. Carroccio, G. Castillejo, et al. «Non-Celiac Gluten Sensitivity: The New Frontier of

Gluten Related Disorders», *Nutrients* 5, n.° 10 (octubre de 2013): 3839-3853.

Cordain, L., L. Toohey, M. J. Smithy M. S. Hickey. «Modulation of Immune Function by Dietary Lectins in Rheumatoid Arthritis», *British Joumal of Nutrition* 83 (2000): 207-217.

David, W., Wheat Belly, Emmaus, PA, Rodale, 2011.

Dieterich, W., B. Esslinger, D. Trapp, E. Hahn, T Huff, W. Seilmeier, H. Wieser, et al. «Cross Unking to Tissue Transglutaminase and Collagen Favours Gliadin Toxicity in Coeliac Disease», *Gut* 55, n.° 4 (abril de 2006): 478-484.

Drago, S., R. el Asmar, M. di Pierro, M. Grazia Clemente, A. Tripathi, A. Sapone, M. Thakar, et al. «Gliadin, Zonulin and Gut Permeability: Effects on Celiac and Non-Celiac Intestinal Mucosa and Intestinal Cell Lines», *Scandinavian Journal of Gastroenterology* 41, n.° 4 (abril de 2006): 408-419.

Eswaran, S., J. Tack y W. D. Chey. «Food: The Forgotten Factor in the Irritable Bowel Syndrome», *Gastroenterological Clinics of North America* 40, n.° 1 (marzo de 2011): 141-162.

Farrell, R. J. y C. P. Kelly. «Celiac Sprue», *New England Journal of Medicine* 346, n.° 3 (enero de 2002): 180-188.

Fasano, A. «Physiological, Pathological and Therapeutic Implications of Zonulin-Mediated Intestinal Barrier Modulation: Living Life on the Edge of the Wall», *American Journal of Pathology* 173, n.° 5 (noviembre de 2008): 1243-1252.

Fasano, A. «Zonulin, Regulation of Tight Junctionsy Autoimmune Diseases», *Annals of the New York Academy of Sciences* 1258, n.° 1 (julio de 2012): 25-33.

Freed, D. L. J. «Do Dietary Lectins Cause Disease?» *British Medical Journal* 318 (17 de abril de 1999): 1023.

Gasnier, C., C. Dumont, N. Benachour, E. Clair, M. C. Chagnon y G. E. Séralini. «Glyphosate-Based Herbicides Are Toxic and Endocrine Disruptors in Human Cell Lines», *Toxicology* 262, n.° 3 (agosto de 2009): 184-191.

Hadjivassiliou, M., R. A. Grünewald, M. Lawden, G. A. Davies~Jones, T Powell y C. M. Smith. «Headache and CNS White Matter Abnormalities Associated with Gluten Sensitivity», *Neurology* 56, n.° 3 (febrero de 2001): 385-388.

Hadjivassiliou, M., D. S. Sanders, R. A. Grünewald, N. Woodroofe, S. Boscolo y D. Aeschlimann. «Gluten Sensitivity: From Gut to Brain», *Lancet Neurology* 9 (2010).

Hansen, C. H., L. Krych, K. Buschard, S. B. Metzdorff, C. Nellemann, L. H. Hansen, D. S. Nielsen, et al. «A Maternal Gluten~Free Diet Reduces Inflammation and Diabetes Incidence in the Offspring of NOD Mice», *Diabetes* (2 de abril de 2014).

Hausch, F., L. Shan, N. A. Santiago, G. M. Gray y C. Khosla. «Intestinal Digestive Resistance of Immunodominant Gliadin Peptides», *American Journal of Physiology: Gastrointestinal and Liver Physiology* 283, n.° 4 (octubre de 2002): G996-G1003.

Humbert, P., F. Pelletier, B. Dreno, E. Puzenat y F. Aubin. «Gluten Intolerance and Skin Diseases», *European Journal of Dermatology* 16, n.° 1 (enero-febrero de 2006): 4-11.

Ingenbleek, Y. y K. S. McCully. «Vegetarianism Produces Subclinical Malnutrition, Hyperhomocysteinemia and Atherogenesis», *Nutrition* 28, n.° 2 (febrero de 2012): 148-153.

The Institute for Responsible Technology. «Health Risks», www.responsible-technology.org/health-risks.

The Institute for Responsible Technology website. www.responsibletechnology.org.

Jackson, J. R., W. W. Eaton, N. G. Cascella, A. Fasano y D. L. Kelly. «Neurologic and Psychiatric Manifestations of Celiac Disease and Gluten Sensitivity», *Psychiatric Quarterly* 83, n.° 1 (marzo de 2012): 91-102.

Ji, S. *The Dark Side of Wheat: A Critical Appraisal of the Role of Wheat in Human Disease.* http://curezone.com/upload /PDF /Articles/jurplesman /DarkSideWheat_GreenMedInfo.pdf.

Jönsson, T, S. Olsson, B. Ahrén, T C. Bøg-Hansen, A. Dole y S. Lindeberg. «Agrarian Diet and Diseases of Affluence-Do Evolutionary Novel Dietary Lectins Cause Leptin Resistance?» *BMC Endocrine Disorders* 5 (diciembre de 2005): 10.

Junker, Y., S. Zeissig, S. J. Kim, D. Barisani, H. Wieser, D. A. Leffler, V. Zevallos, et al. «Wheat Amylase Trypsin Inhibitors Drive Intestinal Inflammation via Activation of Toll-Like Receptor 4», *Journal of Experimental Medicine* 209, n.° 13 (diciembre de 2012): 2395-2408.

Kagnoff, M. F. «Celiac Disease: Pathogenesis of a Model Immunogenetic Disease», *Journal of Clinical Investigation* 117, n.° 1 (enero de 2007): 41-49.

Kharrazian, D. «The Gluten, Leaky Gut, Autoimmune Connection ™ Seminar», Apex Seminars, 2013.

Koerner, T. B., C. Cléroux, C. Poirier, 1. Cantin, A. Alimkulov y H. Elamparo. «Gluten Contamination in the Canadian Commercial Oat

Supply», *Food Additives and Contaminants: Part A; Chemistry, Analysis, Control, Exposure and Risk Assessment* 28, n.° 6 (junio de 2011): 705-710.

Kornbluth, A., D. B. Sachar y el Practice Parameters Committee of the American College of Gastroenterology. «Ulcerative Colitis Practice Guidelines in Adults: American College of Gastroenterology, Practice Parameters Committee», *American Journal of Gastroenterology* 105, n.° 3 (marzo de 2010): 501-523.

Ludvigsson, J. F. y A. Fasan.° «Timing of Introduction of Gluten and Celiac Disease Risk», *Annals of Nutrition and Metabolism* 60, supl.2 (2012): 22-29.

Mesnage, R., S. Gress, N. Defarge y G.-E. Séralini. «Human Cell Toxicity of Pesticides Associated to Wide-Scale Agricultural GMOs», *Theorie in der Ökologie* 17 (2013): 118-120.

Nachbar, M. S. y J. D. Oppenheim. «Lectins in the United States Diet: A Survey of Lectins in Commonly Consumed Foods and a Review of the Literature», *American Journal of Clinical Nutrition* 33, n.° 11 (noviembre de 1980): 2338-2345.

Pascual, V., R. Dieli-Crimi, N. López-Palacios, A. Bodas, L. M. Medrano y C. Núñez. «Inflammatory Bowel Disease and Celiac Disease: Overlaps and Differences», *World Journal of Gastroenterology* 20, n.° 17 (mayo de 2014): 4846-4856.

Pellegrina, D., O. Perbellini, M. T Scupoli, C. Tomelleri, C. Zanetti, G. Zoccatelli, M. Fusi, et al. «Effects of Wheat Germ Agglutinin on Human Gastrointestinal Epithelium: Insights from an Experimental Model of Immune/Epithelial Cell Interaction», *Toxicology and Applied Pharmacology* 237, n.° 2 (junio de 2009): 146-153.

Perlmutter, D. *Grain Brain*. Nueva York: Little Brown, 2013.

Richard, S., S. Moslemi, H. Sipahutar, N. Benachoury G. E. Seralini. «Differential Effects of Glyphosate and Roundup on Human Placental Cells and Aromatase», *Environmental Health Perspectives* 113, n.° 6 (2005): 716-720.

Rubio-Tapia, A., R. A. Kyle, E. L. Kaplan, D. R. Johnson, W. Page, F. Erdtmann, T L. Brantner, et al. «Increased Prevalence and Mortality in Undiagnosed Celiac Disease», *Gastroenterology* 137, n.° 1 (julio de 2009): 88-93.

Samsel, A. y S. Seneff. «Glyphosate, Pathways to Modern Diseases II: Celiac Sprue and Gluten Intolerance», *Interdisciplinary Toxicology* 6, n.° 4 (2013): 159-184.

Samsel, A. y S. Seneff. «Glyphosate's Suppression of Cytochrome P450 Enzymes and Amino Acid Biosynthesis by the Gut Microbiome: Pathways to Modern Diseases», *Entropy* 15 (2013): 1416-1463.

Sapone, A., L. de Magistris, M. Pietzak, M. G. Clemente, A. Tripathi, F. Cucca, R. Lampis, et al. «Zonulin Upregulation Is Associated with Increased Gut Permeability in Subjects with Type 1 Diabetes and Their Relatives», _Diabetes_ 55, n.º 5 (mayo de 2006): 1443-1449.

Sapone, A., K. M. Lammers, G. Mazzarella, I. Mikhailenko, M. Carteni, V. Casolaro y A. Fasan.º «Differential Mucosal IL-17 Expression in Two Gliadin-Induced Disorders: Gluten Sensitivity and the Autoimmune Enteropathy Celiac Disease», _International Archives of Allergy and Immunology_ 152, n.º 1 (2010): 75-80.

Shaoul, R. y A. Lerner. «Associated Autoantibodies in Celiac Disease», _Autoimmunity Reviews_ 6, n.º 8 (septiembre de 2007): 559-565.

Shor, D. B. B., O. Barzilai, M. Ram, D. Izhaky, B. S. Porat~Katz, J. Chapman, M. Blank, et al. «Gluten Sensitivity in Multiple Sclerosis: Experimental Myth or Clinical Truth?» _Annals of the Nueva York Academy of Sciences_ 1173 (septiembre de 2009): 343-349.

Sjöberg, V., O. Sandstrom, M. Hedberg, S. Hammarstrom, O. Hernelly M. L. Hammarström. «Intestinal T-Cell Responses in Celiac Disease-Impact of Celiac Disease Associated Bacteria», _PLoS ONE_ 8, n.º 1 (2013): e53414.

Smith, J. M. «Genetically Engineered Foods May Cause Rising Food Allergies Genetically Engineered Corn», En el boletín informativo del Institute for Responsible Technology _Spilling the Beans_. junio de 2007.

Smith, J. M. y el Institute for Responsible Technology. _Genetic Roulette_. DVD. Película dirigida por Jeffrey M. Smith. Fairfield, Iowa: The Institute for Responsible Technology, 2012. 85 min. http://geneticroulettemovie.com.

Sollid, L. M. y B. Jabri. «Triggers and Drivers of Autoimmunity: Lessons from Coeliac Disease», _Nature Reviews: Immunology_ 13, n.º 4 (abril de 2013): 294-302.

Thompson, T., A. R. Lee y T. Grace. «Gluten Contamination of Grains, Seeds, and Flours in the United States: A Pilot Study», _Journal of the American Dietetic Association_ 110, n.º 6 (junio de 2010): 937-940.

Tripathi, A., K. M. Lammers, S. Goldblum, T. Shea-Donohue, S. Netzel-Arnett, M. S. Buzza, T. M. Antalis, et al. «Identification of Human Zonulin, a Physiological Modulator of Tight Junctions, as Prehaptoglobin-2», _Proceedings of the National Academy of Sciences of the United States of America_ 106, n.º 39 (septiembre de 2009): 16799-16804.

Urbano, G., M. López~Jurado, P. Aranda, C. Vidal-Valverde, E. Tenorio y J. Porres. «The Role of Phytic Acid in Legumes: Antinutrient or Beneficial Function?» *Journal of Physiology and Biochemistry* 56, n.° 3 (septiembre de 2000): 283-294.

Verdu, E. E, D. Armstrong y J. A. Murray. «Between Celiac Disease and Irritable Bowel Syndrome: The 'No Man's Land' of Gluten Sensitivity», *American Journal of Gastroenterology* 104 (junio de 2009): 1587-1594.

Vojdani, A. «The Characterization of the Repertoire of Wheat Antigens and Peptides Involved in the Humoral Immune Responses in Patients with Gluten Sensitivity and Crohn's Disease», *ISRN Allergy* 2011 (2011), ID del artículo 950104.

Vojdani, A. y I. Tarash. «Cross-Reaction Between Gliadin and Different Food and Tissue Antigens», *Food and Nutrition Sciences* 4, n.° 1 (enero de 2013): 20-32.

Capítulo 6: Controlar las toxinas

Amy Myers MD. «Biological Dentistry with Stuart Nunnally DDS». Podcast de audio. www.dramymyers.com/2013/07/08/tmw-episode-12-biological-dentistry-with-stuart-nunnally-dds/.

Burazor, 1. y A. Vojdani. «Chronic Exposure to Oral Pathogens and Autoimmune Reactivity in Acute Coronary Atherothrombosis», *Autoimmune Diseases* 2014 (2014), ID del artículo 613157.

Carvalho, A. N., J. L. Um, P. G. Nijland, M. E. Wittey J. van Horssen. «Glutathione in Multiple Sclerosis: More than Just an Antioxidant?» *Multiple Sclerosis* (19 de mayo de 2014).

Centers for Disease Control and Prevention. «Fourth National Report on Human Exposure to Environmental Chemicals», 2009. www.cdc.gov/exposurereport/pdf/FourthReport.pdf. [El Cuarto Informe presenta datos sobre 212 compuestos químicos e incluye datos de muetras representativas a nivel nacional del periodo 1999-2004].

Centers for Disease Control and Prevention. «Fourth National Report on Human Exposure to Environmental Chemicals. Updated Tables, July 2014», www.cdc.gov/exposurereport/pdf/FourthReport_UpdatedTables_Jul2014.pdf.

Clauw, D. J. «Fibromyalgia: A Clinical Review», *Journal of the American Medical Association* 311, n.° 15 (abril de 2014): 1547-1555.

Crinnion, W. *Clean, Green and Lean*. Nueva York: John Wiley & Sons, 2010.

Darbre, P. D. y P. W. Harvey. «Paraben Esters: Review of Recent Studies of Endocrine Toxicity, Absorption, Esterase, and Human Exposure, and

Discussion of Potential Human Health Risks», *Journal of Applied Toxicology* 28, n.º 5 (julio de 2008): 561-578.

Di Pietro, A., B. Baluce, G. Visalli, S., La Maestra, R. Micale y A. Izzotti. «Ex Vivo Study for the Assessment of Behavioral Factor and Gene Polymorphisms in Individual Susceptibility to Oxidative DNA Damage Metals~Induced», *International Journal of Hygiene and Environmental Health* 214, n.º 3 (junio de 2011): 210-218.

Dr. Ben Lynch, páginas web. «MTHFR.Net», http: //MTHFR.net.

Environmental Working Group. «EWG's 2014 Shopper's Guide to Pesticides in Produce», Abril de 2014. www.ewg.org/foodnews/.

Environmental Working Group. «Pollution in People: Cord Blood Contaminants in Minority Newborns», 2009. http://static.ewg.org/reports/2009/minority_cord_ blood/2009-Minority-Cord-Blood-Report. pdf.

Fujinami, R. S., M. G. von Herrath, U. Christen y J. L. Whitton. «Molecular Mimicry, Bystander Activation, or Viral Persistence: Infections and Autoimmune Disease», *Clinical Microbiology Reviews* 19, n.º 1 (enero de 2006): 80-94.

Genetics Home Reference. «What Are Single Nucleotide Polymorphisms (SNPs)?» http: //ghr.nlm.nih.gov/handbook/genomicresearch/snp.

Gill, R. E, M. J. McCabe y A. J. Rosenspire. «Elements of the B Cell Signalosome Are Differentially Affected by Mercury Intoxication», *Autoimmune Diseases* 2014 (2014), ID del artículo 239358.

Houlihan, J., R. Wiles, K. Thayer y S. Gray. «Body Burden: The Pollution in People», Environmental Working Group. 2003.

Huggins, H. A. *Uninformed Consent: The Hidden Dangers in Dental Care*, Newburyport, Massachusetts: Hampton Roads Publishing, 1999.

Hybenova, M., P. Hrda, J. Procházková, V. D. Stejskal y I. Sterzl. «The Role of Environmental Factors in Autoimmune Thyroiditis», *Neuro Endocrinology Letters* 31, n.º 3 (2010): 283-289.

The Institute for Functional Medicine. «Advanced Practice Detoxification Modules», www.functionalmedicine.org/conference.aspx?id=2744&cid= 35&section=t324.

The Institute for Functional Medicine. «Illuminating the Energy Spectrum: Exploring the Evidence and Emerging Clinical Solutions for Managing Pain, Fatigue, and Cognitive Dysfunction», Conferencia Internacional Anual, Dallas, Texas, 30 de mayo-1 de junio de 2013. https://www.functionalmedicine.org/conference.aspx?id =2664&cid =O&section =t241.

Johansson, O. «Disturbance of the Immune System by Electromagnetic Fields-A Potentially Underlying Cause for Cellular Damage and Tissue Repair Reduction Which Could Lead to Disease and Impairment», *Pathophysiology* 16, nos. 2-3 (agosto de 2009): 157-177.

Kaur, S., S. White y P. M. Bartold. «Periodontal Disease and Rheumatoid Arthritis: A Systematic Review», *Journal of Dental Research* 92, n.° 5 (mayo de 2013): 399-408.

Liang, S., Y. Zhou, H. Wang, y. Qian, D. Ma, W. Tian, V. Persaud,Sharma, et al. «The Effect of Multiple Single Nucleotide Polymorphisms in the Folic Acid Pathway Genes on Homocysteine Metabolism», *BioMed Research International* 2014 (2014), ID del artículo.t?60183.

Motts, J. A., D. L. Shirley, E. K. Silbergeld y J. F. Nyland. «Novel Biomarkers of Mercury-Induced Autoimmune Dysfunction: A Cross,Sectional Study in Amazonian Brazil», *Environmental Research* 132C (julio de 2014): 12-18.

Nakazawa, D. J. *The Autoimmune Epidemic: Bodies Gone Haywire in a World Out of Balance and the Cutting Edge Science That Promises Hope.* Nueva York: Simon and Schuster, 2008.

Nuttall, S. L., U. Martin, A. J. Sinclair y M. J. Kendall. «Glutathione: In Sickness and in Health», *Lancet* 351, n.° 9103 (febrero de 1998): 645-646.

Ong, J., E. Erdei, R. L. Rubin, C. Miller, C. Ducheneaux, M. O'Leary, B. Pacheco, et al. «Mercury, Autoimmunity and Environmental Factors on Cheyenne River Sioux Tribal Lands», *Autoimmune Diseases* 2014 (2014), ID del artículo 325461.

Pinhel, M. A., C. L. Sado, S. Longo Gdos, M. L. Gregório, G. S. Amorim, G. M. Florim, C. M. Mazeti, et al. «Nullity of GSTT1/GSTM1 Related to Pesticides Is Associated with Parkinson's Disease», *Arquivos de Neuropsiquiatria* 71, n.° 8 (agosto de 2013): 527-532.

Procházková, J., I. Sterzl, H. Kucerova, J. Bartova y V. D. Stejskal. «The Beneficial Effect of Amalgam Replacement on Health in Patients with Autoimmunity», *Neuro Endocrinology Letters* 25, n.° 3 (junio de 2004): 211-218.

Salehi, I., K. G. Sani y A. Zamani. «Exposure of Rats to Extremely Low-Frequency Electromagnetic Fields (ELF-EMF) Alters Cytokines Production», *Electromagnetic Biology and Medicine* 32, n.° 1 (marzo de 2013): 1-8.

Seymour, G. J., P.J. Ford, M. P. Ctil1inan, S. Leishman y K. Yamazaki. «Relationship Between Periodontal Infections and Systemic Disease», *Clinical Microbiology and Infection* 13, supl.4 (octubre de 2007): 3-10.

Sirota, M., M. A. Schaub, S. Batzoglou, W. H. Robinson y A. J. Butte. «Autoimmune Disease Classification by Inverse Association with SNP Alleles», *PLoS Genetics* 5, n.° 12 (diciembre de 2009): e1000792.

Song, G.G., S. C. Bae e Y. H. Lee. «Association of the MTHFR C677T and A1298C Polymorphisms with Methotrexate Toxicity in Rheumatoid Arthritis: A Meta-Analysis», *Clinical Rheumatology* (3 de mayo de 2014).

Stejskal, J. y V. D. Stejskal. «The Role of Metals in Autoimmunity and the Link to Neuroendocrinology», *Neuro Endocrinology Letters* 20, n.° 6 (1999): 351-364.

Teens Turning Green. «Sustainable Food Resources: Dirty Thirty», http://www.teensturninggreen.org/wordpress/wp-content/uploads /2013/03/dirtythirty-10-11-10.pdf.

Tsai, C. P. y C. T. Lee. «Multiple Sclerosis IncidenceAssociated with the Soil Lead and Arsenic Concentrations in Taiwan», *PLoS ONE* 8, n.° 6 (Tune 2013): e65911.

Yang, Q., y. Xie y J. W. Depierre. «Effects of Peroxisome Proliferators on the Thymus and Spleen of Mice», *Clinical and Experimental Immunology* 122, n.° 2 (noviembre de 2000): 219-226.

Bisfenol A (BPA)

Alizadeh, M., F. Ota, K. Hosoi, M. Kato, T. Sakai y M. A. Satter. «Altered Allergic Cytokine and Antibody Response in Mice Treated with Bisphenol A», *Journal of Medical Investigation* 53, nos. 1-2 (febrero de 2006): 70-80.

Kharrazian, D. «The Potential Roles of Bisphenol A (BPA) Pathogenesis in Autoimmunity», *Autoimmune Diseases* 2014 (2014), ID del artículo 743616.

Rogers, J. A., L. Metz y V. W. Yong. «Review: Endocrine Disrupting Chemicals and Immune Responses: A Focus on Bisphenol-A and Its Potential Mechanisms», *Molecular Immunology* 53, n.° 4 (abril de 2013): 421-430.

Estadísticas de la EPA sobre compuestos químicos

Faber, S. y T. Cluderay. «1,000 Chemicals», *EnviroBlog* (blog). Environmental Working Group. 15 de mayo de 2014. www.ewg.org/enviroblog/2014/05 /1000-chemicals.

U.S, Environmental Protection Agency. «TSCA Chemical Substance Inventory», www.epa.gov/oppt/existingchemicals/pubs/tscainventory /basic.html.

U.S. Environmental Protection Agency website. www.epa.gov.

Retardantes de llama

Lunder, S. «Flame Retardants Are Everywhere in Homes, New Studies Find», *EnviroBlog* (blog). Environmental Working Group. 28 de noviembre de 2012. www.ewg.org/enviro blog /2012/12/toxic-fire-retardants-are-everywhere-homes-new-studies-find.

Calidad del aire en interiores

American Thoracic Society. «HEPA Filters Reduce Cardiovascular Health Risks Associated with Air Pollution, Study Finds», *Science Daily*. 21 de enero de 2011. www.sciencedaily.com/releases /2011/01/110121144009.htm.

Environmental Working Oroup. «EWG's Healthy Home Tips for Parents», 2008. http://static.ewg.org/reports/2008/EWGguide_ goinggreen.pdf.

Reisman, R. E., P. M. Mauriello, O. B. Davis, J. W. Oeorgitisy J. M. DeMasi. «A Double-Blind Study of the Effectiveness of a High-Efficiency Particulate Air (HEPA) Filter in the Treatment of Patients with Perennial Allergic Rhinitis and Asthma», *Journal of Allergy and Clinical Immunology* 85, n.º 6 (junio de 1990): 1050-1057.

U.S. Environmental Protection Agency. «Indoor Air Quality (IAQ)», www.epa.gov/iaq/.

U.S. Environmental Protection Agency. «Targeting Indoor Air Pollutants: EPA's Approach and Progress.» Marzo de 1993. http: //nepis.epa.gov

Ácido perfluorooctanoico (PFOA)

Environmental Working Group and Commonweal. «PFOA (Perfluorooctanoic Acid). » Proyecto Toxoma Human.º www.ewg.org/sites /humantoxome/chemicals/chemical.php? chemid=100307.

U.S. Environmental Protection Agency. «Perfluorooctanoic Acid (PFOA) and Fluorinated Telomers», www.epa.gov/oppt/pfoa/pubs/pfoainfo.html.

Productos para el cuidado de la piel, consméticos

Amy Myers MD. «Chemical-Free, Gluen-Free Skin Care with Bob Root.» Podcast de audio. www.dramymyers.com/2013/07/01/ tmw-episode-11-chemical-free-gluten-free-skin-care-with-bob-root /.

Amy Myers MD. «Green Beauty with W3LL PEOPLE», Podcast de audio. www.dramymyers.com/2013/08/12/tmw-episode-17-green-beauty-with-w311-people/.

Environmental Working Group. «EWG's Skin Deep Cosmetics Database», www.ewg.org/skindeep/.

Root, B. *Chemical~Free Skin Health.* N.p.: M42 Publishing, 2010.

Sigurdson, T. y S. Fellow. «Exposing the Cosmetics Cover-Up: True Horror Stories of Cosmetic Dangers», Environmental Working Group. 29 de octubre de 2013.www.ewg.org/research/exposing-cosmetics-cover/true-horror-stories-of-cosmetic-dangers.

Mohos tóxicos/micotoxinas

Guilford, F. T. y J. Hope. «Deficient Glutathione in the Pathophysiology of Myco-toxin-Related Illness», *Toxins* [Basilea], n.° 2 (febrero de 2014): 608-623.

Schaller, J. *Mold Illness and Mold Remediation Made Simple: Removing Mold Toxins from Bodies and Sick Buildings.* Tampa, Florida: Hope Academic Press, 2005.

Shoemaker, R. C. *Mold Warriors: Fighting America's Hidden Health Threat.* Baltimore:Gateway Press, 2005.

Shoemaker, R. C. *Surviving Mold: Life in the Era of Dangerous Buildings.* Baltimore: Otter Bay Books, 2010.

Surviving Mold website. www.survivingmold.com.

Tricloroetileno (TCE)

Gilbert, K. M., B. Przybyla, N. R. Pumford, T. Han, J. Fuscoe, L. K. Schnac-kenberg, R. D. Holland, et al. «Delineating Liver Events in Trichloro-ethylene-Induced Autoimmune Hepatitis», *Chemical Research in Toxicology* 22, n.° 4 (abril de 2009): 626-632.

Gilbert, K. M., B. Rowley, H. Gómez-Acevedo y S. J. Blossom. «Coexposure to Mercury Increases Immunotoxicity of Trichloroethylene», *Toxicological Sciences* 119, n.° 2 (febrero de 2011): 281-292.

Seguridad de agua, fluoruro

Centers for Disease Control and Prevention. «Community Water Fluorida-tion», www.cdc.gov/fluoridation/faqs/.

Choi, A. L., G. Sun, Y. Zhang y P. Grandjean. «Developmental Fluoride Neurotoxicity: A Systematic Review and Meta-Analysis», *Environmental Health Perspectives* 120, n.° 10 (octubre de 2012): 1362-1368.

Connett, P. «50 Reasons to Oppose Fluoridation», Fluoride Action Network. Última modificación en septiembre de 2012. http://fluoridealert.org/articles/50-reasons/.

Diesendorf, M., J. Colquhoun, B. J. Spittle, D. N. Everingham y F. W. Clutterbuck. «New Evidence on Fluoridation», *Australia and New Zealand Journal of Public Health* 21, n.° 2 (abril de 1997): 187-190.

Environmental Working Group. «Dog Food Comparison Shows High Fluoride Levels: Health Effects of Fluoride», 26 de junio de 2009. www.ewg.org/research/dog-food-comparison-shows-high-fluoride-levels/ health-effects-fluoride.

Environmental Working Group. «EPA Proposes to Phase Out Fluoride Pesticide» 14 de julio de 2011. www.ewg.org/news/testimony-official-correspondence/epa-proposes-phase-out-fluoride-pesticide.

Environmental Working Group. «FDA Should Adopt EPA Tap Water Health Goals as Enforceable Limits for Bottled Water», 10 de noviembre de 2008. www.ewg.org/news/testimony-official-correspondence/ fda-shou ld-adopt-epa-tap-water-health-goals-enforceable.

Environmental Working Group. «Is Your Bottled Water Worth It?: Bottle Vs.Tap-Double Standard», 10 de junio de 2009. www.ewg.org/research /your-bottled-water-worth-it/bottle-vs-tap-double-standard.

Environmental Working Group. «Over 300 Pollutants in U.S. Tap Water», Diciembre de 2009. www.ewg.org/tapwater/.

Null, G. «Fluoride: Killing Us Softly», *Global Research*. 5 de diciembre de 2013. www.globalresearch.cal fluoride-killing-us-softly 15360397.

U.S. Environmental Protection Agency. «Ground Water and Drinking Water», http://water.epa.gov/drink/.

Capítulo 7: Curar las infecciones y aliviar el estrés

Adrenal Fatigue website. www.adrenalfatigue.org.

Alam, J., Y. C. Kim y Y. Choi. «Potential Role of Bacterial Infection in Autoimmune Diseases: A New Aspect of Molecular Mimicry», *Immune Network* 14, n.° 1 (febrero de 2014): 7-13.

Allen, K., B. E. Shykoff, J. L. Izzo Jr. «Pet Ownership, but Not ACE Inhibitor Therapy, Blunts Home Blood Pressure Responses to Mental Stress», *Hypertension* 38 (octubre de 2001): 815-820.

American College of Rheumatology. «Study Provides Greater Understanding of Lyme Disease~Causing Bacteria», Comunicado a la prensa, julio de 2009. www.rheumatology.org/about/newsroom/2009 /2009 07_steere.asp.

Assaf, A. M. «Stress-Induced Immune-Related Diseases and Health Outcomes of Pharmacy Students: A Pilot Study», *Saudi Pharmaceutical Journal* 21, n.° 1 (enero de 2013): 35-44.

Bach, J.-F. «The Effect of Infections on Susceptibility to Autoimmune and Allergic Diseases», *New England Journal of Medicine* 347 (septiembre de 2002): 911-920.

Bagi, Z., Z. Broskova y A. Feher. «Obesity and Coronary Microvascular Disease Implications for Adipose Tissue-Mediated Remote Inflammatory Response», *Current Vascular Pharmacology* 12, n.° 3 (2014): 453-461.

Brady, D. M. «Molecular Mimicry, the Hygiene Hypothesis, Stealth Infections and Other Examples of Disconnect Between Medical Research and the Practice of Clinical Medicine in Autoimmune Disease», *Open Journal of Rheumatology and Autoimmune Diseases* 3 (2013): 33-39.

Campos-Rodríguez, R., M. Godínez-Victoria, E. Abarca-Rojano, J. Pacheco-Yépez, H. Reyna-Garfias, R. E. Barbosa-Cabrera y M. E. Drago-Serran.° «Stress Modulates Intestinal Secretory Immunoglobulin A», *Frontiers in Integrative Neuroscience* 7 (2 de diciembre de 2013): 86.

Casiraghi, C. y M. S. Horwitz. «Epstein-Barr Virus and Autoimmunity: The Role of a Latent Viral Infection in Multiple Sclerosis and Systemic Lupus Erythematosus Pathogenesis», *Future Virology* 8, n.° 2 (2013): 173-182.

Chastain, E. M. L. y S. D. Miller. «Molecular Mimicry as an Inducing Trigger for CNS Autoimmune Demyelinating Disease», *Immunological Reviews* 245, n.° 1 (enero de 2012): 227-238.

Collingwood, J. «The Power of Music to Reduce Stress», *Psych Central*. http://psychcentraLcom/lib/the-power-of-music-to-reduce-stress/000930? all=1.

Cusick, M. E, J. E. Libbey y R. S. Fujinami. «Molecular Mimicry as a Mechanism of Autoimmune Disease», *Clinical Reviews in Allergy and Immunology* 42, n.° 1 (febrero de 2012): 102-111.

Davis, S. L. «Environmental Modulation of the Immune System via the Endocrine System», *Domestic Animal Endocrinology* 15, n.° 5 (septiembre de 1998): 283-289.

De Brouwer, S. J., H. van Middendorp, C. Stormink, E W. Kraaimaat, 1. Joosten, T. R. Radstake, E. M. de Jong, et al. «Immune Responses to Stress in Rheumatoid Arthritis and Psoriasis» *Rheumatology* [Oxford] (20 de mayo de 2014).

Delogu, L. G., S. Deidda, G. Delitala y R. Manetti. «Infectious Diseases and Autoimmunity», *Journal of Infection in Developing Countries* 5, n.º 10 (octubre de 2011): 679-687.

Draborg, A. H., K. Duus y G. Houen. «Epstein~Barr Virus in Systemic Autoimmune Diseases», *Clinical and Developmental Immunology* 2013 (2013), ID del artículo 535738.

Ercolini, A. M. y S. D. Miller. «The Role of Infections in Autoimmune Disease», *Clinical and Experimental Immunology* 155, n.º 1 (enero de 2009): 1-15.

Gudek-Michalska, A., J. Tadeusz, P. Rachwalska y J. Bugajski. «Cytokines, Prostaglandins and Nitric Oxide in the Regulation of Stress-Response Systems», *Pharmacological Reports* 65, n.º 6 (2013): 1655-1662.

Gagliani, N., B. Hu, S. Huber, E. Elinav y R. A. Flavell. «The Fire Within: Microbes Inflame Tumors», *Cell* 157, n.º 4 (mayo de 2014): 776-783.

Getts, D. R., E. M. L. Chastain, R. L. Terry y S. D. Miller. «Virus Infection, Antiviral Immunityy Autoimmunity», *Immunological Reviews* 255, n.º 1 (Septiembre de 2013): 197-209.

Godbout, J. P. y R. Olaser. «Stress-Induced Immune Dysregulation: Implications for Wound Healing, Infectious Diseasey Cancer», *Journal of Neuroimmune Pharmacology* 1, n.º 4 (diciembre de 2006): 421-427.

Gómez-Merino, D., C. Drogou, M. Chennaoui, E. Tiollier, J. Mathieu y C. Y. Ouezennec. «Effects of Combined Stress During Intense Training on Cellular Immunity, Hormones and Respiratory Infections», *Neuroimmunomodulation* 12, n.º 3 (2005): 164-172.

Grossman, P., L. Niemann, S. Schmidt y H. Walach. «Mindfulness-Based Stress Reduction and Health Benefits: A Meta-Analysis», *Journal of Psychosomatic Research* 57, n.º 1 (julio de 2004): 35-43.

Gupta, A., R. Rezvani, M. Lapointe, P. Poursharifi, P. Marceau, S. Tiwari, A. Tchernof, et al. «Downregulation of Complement C3 and C3aR Expression in Subcutaneous Adipose Tissue in Obese Women», *PLoS ONE* 9, n.º 4 (abril de 2014): e95478.

The Institute for Functional Medicine. «The Challenge of Emerging Infections in the 21st Century: Terrain, Tolerance and Susceptibility», Conferencia Internacional Anual, Bellevue, Washigton, 28-30 de abril de 2011.

Irwin, M., M. Daniels, S. C. Risch, E. Bloom y H. Weiner. «Plasma Cortisol and Natural Killer Cell Activity During Bereavement», *Biological Psychiatry* 24, n.º 2 (junio de 1988): 173-178.

Kabat-Zinn, J., A. O. Massion, J. Kristeller, L. G. Peterson, K. E. Fletcher, L. Pbert, W. R. Lenderking, et al. «Effectiveness of a Meditation-Based Stress Reduction
Program in the Treatment of Anxiety Disorders», *American Journal of Psychiatry* 149, n.º 7 (julio de 1992): 936-943.

Khansari, D. N., A. J. Murgo y R. E. Faith. «Effects of Stress on the Immune System», *Immunology Today* 11 (1990): 170-175.

Labrique-Walusis, E, K. J. Keister y A. C. Russell «Massage Therapy for Stress Management: Implications for Nursing Practice», *Orthopedic Nursing* 29, n.º 4 (julio-agosto de 2010): 254-257; prueba 258-259.

Lünemann, J. D., T. Kamradt, R. Martin y C. Münz. «Epstein~Barr Virus: Environmental Trigger of Multiple Sclerosis?» *Journal of Virology* 81, n.º 13 (julio de 2007): 6777-6784.

Mameli, G., D. Cossu, E. Cocco, S. Masala, J. Frau, M. G. Marrosu y L. A. Sechi. «Epstein~Barr Virus and Mycobacterium Avium Subsp. Paratuberculosis Peptides Are Cross Recognized by Anti-Myelin Basic Protein Antibodies in Multiple Sclerosis Patients», Journal of *Neuroimmunology* 270, nos. 1-2 (mayo de 2014): 51-55.

Marshall, T. «VDR Receptor Competence Induces Recovery from Chronic Autoimmune Disease», Presentado en Sexto Congreso Internacional sobrr Autoinmunidad, Oporto, Portugal, 10-14 de septiembre de 2008. Dirigido por la Autoimmunity Research Foundation. http://autoimmunityresearch. org/transcripts/ICA2008_Transcript Trevor Marshall.pdf.

Maru, G. B., K. Gandhi, A. Ramchandani y O. Kumar. «The Role of Inflammation in Skin Cancer», *Advances in Experimental Medicine and Biology* 816 (2014): 437-469.

Nelson, P., P. Rylance, D. Roden, M. Trela y N. Tugnet. «Viruses as Potential Pathogenic Agents in Systemic Lupus Erythematosus», *Lupus* 23, n.º 6 (mayo de 2014): 596-605.

Pender, M. P. «CD8+ T-Cell Deficiency, Epstein~Barr Virus Infection, Vitamin D Deficiency and Steps to Autoimmunity: A Unifying Hypothesis», *Autoimmune Diseases* 2012 (2012), ID del artículo 189096.

Pohl, J., G. N. Luheshi y B. Woodside. «Effect of Obesity on the Acute Inflammatory Response in Pregnant and Cycling Female Rats», *Journal of Neuroendocrinology* 25, n.º 5 (mayo de 2013): 433-445.

Prasad, R., J. C. Kowalczyk, E. Meimaridou, H. L. Storr y L. A. Metherell. «Oxidative Stress and Adrenocortical Insufficiency», *Journal of Endocrinology* 221, n.º 3 (junio de 2014): R63-R73.

Rapaport, M. H., P. Schettler y C. Bresee. «A Preliminary Study of the Effects of Repeated Massage on Hypothalamic-Pituitary-Adrenal and Immune Function in Healthy Individuals: A Study of Mechanisms of Action and Dosage», *Journal of Alternative and Complementary Medicine* 18, n.º 8 (agosto de 2012): 789-797.

Rashid, T. y A. Ebringer. «Autoimmunity in Rheumatic Diseases Is Induced by Microbial Infections via Crossreactivity or Molecular Mimicry», *Autoimmune Diseases* 2012 (2012). ID del artículo 539282.

Rigante, D., M. B. Mazzoni y S. Esposito. «The Cryptic Interplay Between Systemic Lupus Erythematosus and Infections», *Autoimmunity Reviews* 13, n.º 2 (febrero de 2014): 96-102.

Rose, N. R. «The Role of Infection in the Pathogenesis of Autoimmune Disease», *Seminars in Immunology* 10, n.º 1 (febrero de 1998): 5-13.

Sapolsky, R. *Why Zebras Don't Get Ulcers*. Nueva York: Holt, 2004. *¿Por qué las cebras no tienen úlcera?* Madrid: Alianza Editorial, 2008.

Segerstrom, S. C. y G. E. Miller. «Psychological Stress and the Human Immune 1 System: A Meta-Analytic Study of 30 Years of Inquiry», *Psychological Bulletin* 130, n.º 4 (julio de 2004): 601-630.

Sfriso, P., A. Ghirardello, C. Botsios, M. Tonon, M. Zen, N. Bassi, F. Bassetto, et al. «Infections and Autoimmunity: The Multifaceted Relationship», *Journal of Leukocyte Biology* 87, n.º 3 (marzo de 2010): 385-395.

Shoenfeld, Y., G. Zandman-Goddard, L. Stojanovich, M. Cutolo, H. Amital, Y. Levy, M. Abu-Shakra, et al. «The Mosaic of Autoimmunity: Hormonal and Environmental Factors Involved in Autoimmune Diseases-2008», *Israel Medical Association Journal* 10, n.º 1 (enero de 2008): 8-12.

Smolders, J. «Vitamin D and Multiple Sclerosis: Correlation, Causality and Controversy», *Autoimmune Diseases* 2011 (2011), ID del artículo 629538.

Szymula, A., J. Rosenthal, B. M. Szczerba, H. Bagavant, S. M. Fu y U. S. Deshmukh. «T Cell Epitope Mimicry Between Sjögren's Syndrome Antigen A (SSA)/Ro60 and Oral, Out, Skiny Vaginal Bacteria», *Clinical Immunology* 152, nos. 1-2 (Mayo-junio de 2014): 1-9.

Uchakin, P. N., D. C. Parish, F. C. Dane, O. N. Uchakina, A. P. Scheetz, N. K. Agarwal y B. E. Smith. «Fatigue in Medical Residents Leads to Reactivation of Herpes Virus Latency», *Interdisciplinary Perspectives on Infectious Diseases* 2011 (2011), ID del artículo 571340.

Vojdani, A. «A Potential Link Between Environmental Triggers and Autoimmunity», *Autoimmune Diseases* 2014 (2014), ID del artículo 437231.

Wilson, J. y J. V. Wright. *Adrenal Fatigue: The 21st Century Stress Syndrome*. Petaluma, California, 2001.

Wucherpfennig, K. W. «Mechanisms for the Induction of Autoimmunity by Infectious Agents», *Journal of Clinical Investigation* 108, n.º 8 (octubre de 2001): 1097-1104.

Wucherpfennig, K. W. «Structural Basis of Molecular Mimicry», *Journal of Autoimmunity* 16, n.º 3 (mayo de 2001): 293-302.

Yang, C. Y, P. S. Leung, I. E. Adamopoulos y M. E. Gershwin. «The Implication of Vitamin D and Autoimmunity: A Comprehensive Review», *Clinical Reviews in Allergy and Immunology* 45, n.º 2 (octubre de 2013): 217-226.

Yeung, S.-C. J. «Graves' Disease», *Medscape*. Última actualización el 30 de mayo de 2014. http://emedicine.medscape.com/article/120619-overview.

Capítulo 8: La puesta en práctica del método Myers

Amy Myers MD. «Sleep Expert Dan Pardi», Podcast de audio. www.dramymyers.com/2013/06/24/tmw-episode-10-sleep-expert-dan-pardi/.

Burkhart, K. y J. R. Phelps. «Amber Lenses to Block Blue Light and Improve Sleep: A Randomized Trial», *Chronobiology International* 26, n.º 8 (diciembre de 2009): 1602-1612.

Cordain, L., S. B. Eaton, A. Sebastian, N. Mann, S. Lindeberg, B. A. Watkins, J. H. O'Keefe, et al. «Origins and Evolution of the Western Diet: Health Implications for the 21st Century», *American Journal of Clinical Nutrition* 81, n.º 2 (febrero de 2005): 341-354.

Environmental Working Group. «Cell Phone Radiation Depends on Wireless Carrier», 12 de noviembre de 2013. www.ewg.org/research/cell-phone-radiation-depends-wireless-carrier.

The Institute for Functional Medicine. *Clinical Nutrition: A Functional Approach Textbook*. 2ª ed. 2004.

The Institute for Functional Medicine. «Functional Perspectives on Food and Nutrition: The Ultimate Upstream Medicine», Conferencia Internacional Anual, San Francisco, California, 29-31 de mayo de 2014. www.functionalmedicine.org/conference.aspx?id=2711&cid=35&section=t28/.

The Institute for Functional Medicine. *Textbook of Functional Medicine*. Septiembre de 2010. www.functionalmedicine.org/listing_detail.aspx?id=2415&cid=34.

Johansson, O. «Disturbance of the Immune System by Electromagnetic Fields-A Potentially Underlying Cause for Cellular Damage and Tissue Repair Reduction Which Could Lead to Disease and Impairment», *Pathophysiology* 16, nos. 2-3 (agosto de 2009): 157-177.

Liu, Y., A. G. Wheaton, D. P. Chapman y J. B. Croft. «Sleep Duration and Chronic Diseases Among U.S. Adults Age 45 Years and Older: Evidence from the 2010 Behavioral Risk Factor Surveillance System», *Sleep* 36, n.° 10 (octubre de 2013): 1421-1427.

Wu, C., N. Yosef, T. Thalhamer, C. Zhu, S. Xiao, Y. Kishi, A. Regev, et al. «Induction of Pathogenic TH17 Cells by Inducible Salt-Sensing Kinase SOKl», *Nature* 496, n.° 7446 (abril de 2013): 513-517.

Capítulo 9: El protocolo de 30 días

García-Niño, W. R. y J. Pedraza-Chaverrí. «Protective Effect of Curcumin Against Heavy Metals-Induced Liver Damage», *Food and Chemical Toxicology* 69C (julio de 2014): 182-201.

Gleeson, M. «Nutritional Support to Maintain Proper Immune Status During Intense Training», *Nestlé Nutrition Institute Workshop Series* 75 (2013): 85-97.

Lieberman, S., M. G. Enig y H. G. Preuss. «A Review of Monolaurin and Lauric Acid: Natural Virucidal and Bactericidal Agents. » *Alternative and Complementary Therapies* 12, n.° 6 (diciembre de 2006): 310-314.

Ogbolu, D. O., A. A. Oni, O. A. Daini y A. P. Oloko. «In Vitro Antimicrobial Properties of Coconut Oil on Candida Species in Ibadan, Nigeria», *Journal of Medicinal Food* 10, n.° 2 (junio de 2007): 384-387.

Ozdemir, Ö. «Any Role for Probiotics in the Therapy or Prevention of Autoimmune Diseases? Up-to-Date Review», *Journal of Complementary and Integrative Medicine* 10 (agosto de 2013).

Patavino, T. y D. M. Brady. «Natural Medicine and Nutritional Therapy as an Alternative Treatment in Systemic Lupus Erythematosus», *Alternative Medicine Review* 6, n.° 5 (octubre de 2001): 460-471.

Ramadan, G. y O. EI-Menshawy. «Protective Effects of Oinger-Turmeric Rhizomes Mixture on Joint Inflammation, Atherogenesis, Kidney Dysfunctiony Other Complications in a Rat Model of Human Rheumatoid Arthritis», *International Journal of Rheumatic Diseases* 16, n.° 2 (abril de 2013):219-229.

Wang, G., J. Wang, H. Ma, G. A. Ansari y M. F. Khan. «N-Acetylcysteine Protects Against Trichloroethene-Mediated Autoimmunity by Attenuating Oxidative Stress», *Toxicology and Applied Pharmacology* 273, n.° 1 (noviembre de 2013): 189-195.

Notas

^a La mayor parte de las alteraciones autoinmunes son mucho más comunes entre mujeres. Los investigadores consideran que ello es debido a que la mujer presenta concentraciones de estrógenos más altas y está expuesta a mayores cambios hormonales.

^b Dado que este fármaco afecta al revestimiento intestinal, es un factor de riesgo conocido de desarrollo de «síndrome del intestino permeable». Puede consultarse más información sobre el modo en el que el intestino permeable contribuye a la posible evolución hacia la enfermedad autoinmune en los capítulos 4 y 5.

^c Se especifica que se trata de bacterias «perjudiciales», para diferenciarlas de la gran cantidad de bacterias saludables que en realidad sí son bienvenidas en el intestino y el otras partes del cuerpo. Nos ocuparemos de ellas más extensamente en el siguiente capítulo.

^d Si sufre una enfermedad autoinmune o está en un nivel significativo dentro del espectro autoinmune, es posible que requiera de do 2 o 3 meses para alcanzan la plena curación digestiva. En este libro se expone toda una gama de remedios naturales. No obstante, en ciertos casos, es posible que sea necesario que consulte a un profesional especializado en medicina funcional que le recete algún medicamento. En cualquier caso, con independencia de cuál sea su dolencia, si sigue con precisión las indicaciones del método Myers, en un plazo de 30 días notará significativas mejoras, lo que sin duda servirá de motivación para seguir adelante.

^e Aunque los investigadores no están completamente seguros de cómo clasificar este tipo de trastornos, las últimas hipótesis al respecto indican que la colitis ulcerosa, la enfermedad de Crohn y otros tipos de alteraciones relacionadas con manifestaciones de intestino irritable son todas ellas formas de enfermedad autoinmune en las que el cuerpo ataca al propio tejido intestinal].

Índice temático